AUTOPSIE
D'UN
MEURTRE

Rick Boychuk

L'histoire de Jeannine Boissonneault Durand

Traduit de l'anglais par Michel Saint-Germain

ÉDITION DU CLUB QUÉBEC LOISIRS INC.

Titre original: Honour thy mother

Traduction française: Les Éditions de l'Homme
Traduit de l'américain par Michel Saint-Germain
Dépôt légal — Bibliothèque nationale du Québec, 1994
ISBN 2-89430-129-4
(publié précédemment sous ISBN 2-7619-1146-6) (Éditions de l'Homme)
(publié précédemment sous ISBN 0-670-85120-5) (Viking)

À la mémoire de Jeannine Boissonneault Durand
1933-1968

Il dit que ceux qui avaient enduré quelque infortune seraient toujours mis à part, mais que cette infortune était leur don et leur force, et qu'ils devaient revenir à l'entreprise commune de l'homme, faute de quoi elle ne pourrait progresser et eux-mêmes se flétriraient dans l'amertume.

Cormac McCarthy, All the Pretty Horses

Prologue

Février 1968, Houston, Texas

Tout ça, c'était à cause de la carabine à air comprimé, leur dit Gilbert. C'était pour essayer l'arme-jouet qu'il avait emmené son fils au réservoir Barker, raconta-t-il au shérif adjoint du comté de Fort Bend.

Dans les rapports de police, il s'appelle Gilbert Pavliska, trente-six ans, chauffeur de niveleuse au Service des autoroutes du Texas. Pavliska est originaire de Richmond, au Texas, et vit avec sa femme Louise et ses deux enfants, le plus jeune étant le gamin à la carabine neuve: Larry, sept ans.

Ce dimanche 11 février était une journée brumeuse et froide. Même si Richmond ne se trouve qu'à une demi-heure du golfe du Mexique, les après-midi de février sont parfois assez frais pour vous obliger à porter un manteau. Cette semaine-là, Gilbert était revenu du travail avec une carabine à air comprimé pour Larry, et tout le week-end, le garçon l'avait supplié de l'emmener tirer. Donc, au milieu de l'après-midi, trois heures avant le coucher du soleil, ils montèrent dans la camionnette et filèrent vers le chemin Barker-Clodine. Ils rebondirent sur la digue et descendirent vers le fond plat et herbu du réservoir Barker. Gilbert vira sur un étroit chemin de terre et gara la camionnette en bordure d'un dépotoir illégal. Les gens de Houston — il pouvait entendre le bourdonnement du trafic urbain, à une quinzaine de kilomètres à l'est — venaient y jeter de vieux frigos, des caisses de bois, toutes sortes de vieilleries. Larry versa une poignée de plombs dans l'arme-jouet et sauta du camion.

«Je lui ai placé une boîte de conserve sur une vieille machine à laver», dit Gilbert.

Larry vida l'arme en direction de la boîte.

«Le petit gars m'a dit: "Je l'ai eue." J'ai marché, puis j'ai tendu le bras pour prendre la boîte. C'est à ce moment-là que j'ai aperçu les pieds. Deux pieds bleus qui dépassaient d'une couverture.»

Le cœur battant jusque dans sa gorge, Gilbert saisit Larry et le poussa dans le camion. Ils retournèrent chez eux à toute vitesse. En entrant, Gilbert agrippa le bras de Louise.

— Écoute, je pense que j'ai vu un mort.

— T'as fait ton service militaire, répondit-elle, étonnée qu'il ne puisse faire la différence entre un mort et un vivant.

Gilbert arriva au bureau du shérif 15 minutes avant le coucher du soleil. Moins d'une heure plus tard, le dépotoir fourmillait de policiers venus de Houston.

Le lendemain, lundi, le *Houston Post* publia la nouvelle sur dix centimètres en page nécrologique. «Un tireur trouve un cadavre au dépotoir du comté», disait le titre, suivi d'une froide dépêche de la police. On aurait dit que le texte avait été écrit pendant que le reporter était encore au téléphone avec l'officier en service de nuit. Pas de chichis, pas de sentimentalisme bon marché, pas de théories de journaliste. Le seul passage qui s'éloignait un peu des faits bruts, c'était la spéculation sur le sexe de la victime, qui n'était pas encore confirmé à ce moment-là. «Le corps affreusement décomposé de ce que l'on croit être une femme a été découvert au dépotoir sud-ouest du comté de Harris, juste avant la tombée de la nuit, dimanche.» Les «deux pieds bleus» de Gilbert avaient commencé à prendre les minces contours d'une identité. Il faudrait attendre encore vingt-deux ans pour que le cadavre reçoive un nom.

Février 1990, San Jacinto, Californie

Elle s'appelait Anne Hallberg, mais ses parents étaient tous deux canadiens-français. Tout comme ceux de Jean Nadeau, enquêteur principal au bureau du procureur du district, du comté de Riverside. Nadeau était spécialiste des enquêtes sur la corruption politique, et avait rencontré Anne dans son cubicule de l'administration municipale de San Jacinto, où elle travaillait au service des taxes et des revenus. Elle avait rapporté à la police un certain nombre de transactions financières douteuses. Cette information était parvenue au bureau du procureur du district et Nadeau avait mené l'enquête.

Nadeau était reconnaissant envers Anne Hallberg pour l'aide qu'elle lui avait fournie, qui avait mené à la mise en accusation d'un ancien haut fonctionnaire. Il admirait le courage qu'elle avait montré en s'adressant à la police. Mais d'entrée de jeu, leurs racines canadiennes-françaises avaient donné à leur relation une allure particulière. Ce n'était pas une aventure amoureuse, mais un intérêt personnel. Ils entretenaient une curiosité mutuelle, s'étonnaient de la façon dont ils étaient tous deux devenus Californiens. Nadeau aimait la ténacité d'Anne, son ironie désabusée. Elle admirait sa politesse, la clarté de sa pensée. Plusieurs mois passèrent, puis, un matin, inopinément, Anne Hallberg l'appela pour lui poser une question.

«Serait-il difficile de trouver une personne disparue depuis vingt-deux ans?» lui demanda-t-elle.

Nadeau eut un petit rire. «Ça dépend. Qui est disparu?»

«Ma mère.»

Quelques jours plus tard, pendant un dîner, Anne lui raconta l'histoire. Sa mère était disparue de chez eux, à Houston, peu après Noël 1967, et on ne l'avait jamais revue. Elle donna à Nadeau un compte rendu de la disparition écrit par son frère Denis, et quelques notes de son cru. Il pouvait peut-être l'aider, dit-il. Il verrait. Mais il ne lui donna aucun signe d'encouragement. En lui-même, il se dit que la mère d'Anne avait probablement fui un mauvais mariage.

Trois jours plus tard, à son propre étonnement, il appela Anne Hallberg à son bureau.

«Anne», dit-il, arrivant à peine à parler. «Es-tu bien assise?... Je pense que j'ai trouvé ta mère.» Il n'entendit plus rien au bout du fil. «Elle est morte», poursuivit Nadeau. Il lui dit que le bureau du médecin légiste de la région de Houston avait fouillé ses archives et avait déterré un dossier sur une femme non identifiée, dont le corps avait été découvert dans un dépotoir de la région de Houston en février 1968. Il lui dit que la morte correspondait à la description générale de sa mère. Finalement, avant de raccrocher et laisser Anne se plonger dans son deuil, il lui révéla tout ce qu'elle avait besoin de savoir. «Elle a été assassinée», lui dit-il.

Première partie

FOYER ET FAMILLE, 1950-1968

L'enfant de l'homme
Arrive dans les eaux et la nature,
La main dans celle d'une fée,
Venant d'un monde si rempli de larmes
Qu'il ne peut le comprendre.

W. B. YEATS
The Stolen Child

Chapitre premier

Pointe-Gatineau, Québec, 1966

Deux heures après le crépuscule, par un froid jeudi de janvier 1966, plus d'une douzaine d'officiers de la Police provinciale du Québec, aidés de plusieurs membres de la police de Pointe-Gatineau, y compris le chef Henri Ferland, encerclèrent un duplex de la petite ville posée au bord de la rivière des Outaouais, en face des maisons cossues de Rockcliffe Park, à Ottawa. Plusieurs officiers en civil avaient flâné pendant des heures dans le quartier, incognito sous leurs tuques et leurs chandails de hockey, surveillant la maison. Au signal, les policiers en uniformes, armés, enfoncèrent la porte avant de la maison, qui était à la fois une résidence et un atelier d'imprimerie. Les premiers à franchir l'entrée crièrent aux occupants de ne pas bouger. Ils plaquèrent au mur le propriétaire, Gilles Paquin, vingt-huit ans, et d'autres hommes.

Pendant les trois heures suivantes, les policiers fouillèrent la maison et l'atelier. À la fin, ils avaient trouvé de faux formulaires d'immatriculation d'autos, de faux permis de conduire, de faux diplômes et de faux billets de loterie. Le lendemain, le journal local, *Le Droit*, plaça les arrestations à la une avec la manchette: «Racket d'un demi-million à Pointe-Gatineau. Présumés faussaires arrêtés.»

En conférence de presse, au lendemain de la descente, les officiers déclarèrent que les arrestations faisaient partie d'une enquête en cours sur un réseau de voitures volées dans la région. Ils ne voulurent rien dire de plus. Un reporter, citant «certaines sources», écrivit le lendemain que la police cherchait également des faux billets dans l'atelier de l'imprimeur.

L'article déclencha une série de rumeurs locales et la région d'Ottawa-Hull bourdonna de spéculations à propos des découvertes de la police. Lorsque Paquin finit par paraître en cour le samedi suivant, lui et un comparse, Gérard Tassé, furent accusés d'une demi-douzaine de délits reliés à la production et à la possession de documents contrefaits. Tassé, un comptable, approchait de la cinquantaine. Paquin était un petit homme d'affaires. Les manchettes en faisaient des gangsters de haut vol, mais en personne, ils ne ressemblaient à rien de tel. Tassé, maigre, le cou long, avait la réputation d'un petit homme avec une grande gueule. Paquin, cheveux roux, le visage couvert de taches de rousseur, était nerveux et irritable. Il avait la réputation, dans toute la communauté, d'un gars honnête et travailleur qui savait comment faire de l'argent. Plus de vingt-cinq ans après son arrestation, il s'étonne encore d'avoir subi des interrogatoires au quartier général de la Police provinciale à Montréal, au cours desquels on l'accusait d'avoir des liens avec la mafia qui contrôlait alors le milieu interlope de Montréal.

La semaine suivante, le père de Paquin fournit la caution nécessaire à la libération des deux accusés. Ils firent appel aux services d'un avocat de l'endroit et commencèrent à préparer l'enquête préliminaire qui allait avoir lieu en mars. Celle-ci débuta par l'arrivée remarquée du témoin clé du procureur de la Couronne: à la surprise de plusieurs, c'était un homme d'affaires de Pointe-Gatineau, âgé de trente et un ans, nommé Raymond Durand. Il apparut rapidement que Durand avait monté un guet-apens pour Paquin et Tassé, en vue de leur arrestation.

À l'enquête préliminaire, Durand, un homme de petite taille, au visage carré et à la mâchoire saillante, déclara que depuis un an et demi, il était détective privé, à temps partiel, pour la police de Pointe-Gatineau. Il dit qu'il avait commandé auprès de Tassé 150 formulaires d'immatriculation d'autos et de permis de conduire, et qu'ils s'étaient entendus sur la somme de 1500 $. Durand prétendait qu'il avait travaillé avec le détective de Pointe-Gatineau, un dénommé Robert Sincennes, et que, une fois la commande donnée, ils avaient tous deux appelé l'escouade des vols d'autos de la Police provinciale. Le jour où il devait prendre livraison des formulaires, la police fit une descente chez Paquin.

Paquin, dont la maison se trouvait à 15 rues d'un atelier de carrosserie que possédait Durand, rue Michaud, fut ébranlé par le témoignage. Il dit plus tard que Durand l'avait approché pour l'impression des formulaires, mais qu'il avait refusé parce qu'il ne faisait pas confiance à cet homme, qu'il décrivait comme «un gros lard édenté». Paquin dit qu'il voyait souvent l'auto de Durand au poste de police et qu'il ne voulait rien savoir de lui. Durand avait apparemment eu recours aux services de Tassé et avait passé sa commande par l'intermédiaire du comptable.

L'enquête préliminaire permit de dévoiler des pans de la vie de Durand. Interrogé par le procureur de la Couronne, Marcel Beaudry, Durand raconta qu'il avait passé sa commande auprès de Tassé qui, apprit-on également, avait déjà travaillé comme comptable pour Durand. Ce dernier décrivit comment, pour 25 $, il avait acheté de Tassé un échantillon de formulaire d'immatriculation; il énuméra les appels qu'il avait placés à partir de cabines téléphoniques, et dévoila les conditions de paiement. Mais lorsque les avocats de la défense saisirent l'occasion de cuisiner Durand, l'histoire prit une tournure bizarre.

Lorsque Jules Barrière, le procureur de la défense, lui demanda s'il était à la solde du service de police de Pointe-Gatineau, Durand répondit que non, que son travail de détective privé était davantage un «passe-temps». Il révéla qu'il n'avait pas de permis de détective. Il affirma d'abord qu'il menait des enquêtes pour Pointe-Gatineau. Puis il se corrigea. «Bien, pas exactement pour la Ville, mais pour un détective, Robert Sincennes.» Outre son «passe-temps», Durand révéla à la cour qu'il avait soumis sa candidature à la Police provinciale du Québec.

Barrière appela à la barre l'associé de Durand, Georges Sylvestre, qui déclara avoir vu Durand avec un pistolet de calibre .38 et les insignes de la police de Pointe-Gatineau. Il affirma qu'après le témoignage de Durand, celui-ci lui avait dit avoir porté l'un de ces insignes sur lui en cour et que lorsqu'il avait été appelé à la barre, il l'avait caché sous un banc. Lorsqu'on lui demanda si Durand était un menteur, Sylvestre dit que son associé «l'avait mené en bateau quelques fois».

Un deuxième témoin, Gaétan Deriger, déclara lui aussi avoir vu Durand avec un pistolet et un insigne de la police. Il raconta qu'il avait roulé dans la Chevrolet Super Sport de Durand et que ce dernier s'était vanté de n'avoir peur de rien parce qu'il avait un revolver. Il avait cru, dit Deriger, que cela ressemblait à ce qu'il appelait les «menteries» de Durand, jusqu'à ce que Durand sorte son arme en l'agitant. Il révéla que Durand lui avait affirmé qu'il était officier de police spécial, mais qu'il n'avait pas pris cela au sérieux. Finalement, un troisième témoin de la défense, Jean-Paul Lefebvre, déclara que le soir de la descente, Durand s'était vanté d'être un «agent secret» et lui avait montré son calibre .38 et l'insigne métallique de la police qu'il gardait dans son portefeuille.

À la fin de l'enquête, le juge déclara que les preuves étaient suffisantes pour que Tassé et Paquin subissent un procès selon les accusations portées contre eux. Quant à Raymond Durand, le témoin clé du procureur de la Couronne, il passait maintenant pour un menteur, un vantard et un imbécile. Était-il devenu mouchard pour le plaisir, ou avait-il conclu une entente avec la police pour sauver sa peau à propos de quelque autre accusation? Trois anciens officiers de police de Pointe-Gatineau déclaraient à présent que Durand n'avait jamais travaillé pour leurs services. Sincennes, le détective que Durand avait désigné comme son contact principal, avait déclaré récemment qu'à sa souvenance, Durand n'avait jamais travaillé avec ou pour lui. Un autre ex-officier affirmait se rappeler que Durand lui avait un jour donné des indices à propos de marchandises volées qui avaient été cachées dans un champ. Les policiers avaient découvert ces marchandises et avaient surveillé l'endroit pendant trois jours. Voyant que personne ne se présentait, ils s'étaient mis à soupçonner

Durand d'être lui-même impliqué dans le vol. L'ex-officier déclara qu'ils ne faisaient pas confiance à Raymond Durand et ne le croyaient pas. Cependant, ils étaient prudents avec lui parce que c'était un copain du chef de police, Henri Ferland.

Après sa libération sous caution, Tassé avait commencé à enquêter sur les antécédents de Durand. Dans l'un des documents que Tassé soumit plus tard à la cour, il alléguait que Durand avait vendu au moins trois autos qui avaient été saisies par la police et remorquées jusqu'à son garage. Il nomma des gens qui, affirmait-il, avaient vu Durand avec des formulaires d'immatriculation d'autos avant la descente et il déclara que Durand était impliqué dans une fraude relative à des cartes de crédit, à la vente d'une mitraillette et à diverses autres activités illégales.

Dans une autre déclaration adressée à la cour, Tassé rappela également ce qui lui était arrivé lorsqu'il était allé déposer un chèque de 175 $ que Durand lui avait remis pour du travail effectué pour son atelier de carrosserie. Lorsqu'il avait tenté d'encaisser le chèque, dit-il, le directeur de la banque avait ri de lui en lui disant qu'il «était la soixante-deuxième personne à s'être fait fourrer par Durand [au moyen de chèques libellés à ce compte] depuis le 1er janvier 1965».

Il apparut que Durand travaillait des deux côtés. Il n'était l'ami de personne. La police et le procureur de la Couronne tentèrent de le décrire comme un citoyen responsable qui avait choisi de collaborer avec eux. Mais les gens qui avaient travaillé ou grandi avec lui connaissaient un autre Raymond Durand. La plupart d'entre eux croyaient que Durand n'en était qu'à ses débuts dans l'exercice de ses talents de tricheur et de traître, ce qui en faisait depuis toujours quelqu'un de dangereux à fréquenter. Le raid sur les faussaires était le premier acte public de Durand. Il le propulsa sur une plus grande scène. C'était une sorte de cérémonie de remise de diplômes. Au cours des trente années suivantes, il poursuivrait ses bassesses jusqu'en Floride, au Texas, en Caroline du Sud et en Californie. Mais tous les trucs de base, il les avait appris dans sa cour arrière.

Hull, qui a longtemps été la demi-sœur pauvre d'Ottawa, est la ville natale de Raymond Durand: il naquit et grandit à Wrightville, l'un des plus vieux quartiers ouvriers de la ville. En 1966, au moment du raid sur les faussaires, Hull tentait encore de se délivrer de son passé sordide. Le gouvernement fédéral avait commencé à déménager de grosses portions de sa bureaucratie d'Ottawa de l'autre côté de la rivière, à Hull, et on rasait de vieux quartiers pour faire place à des édifices à bureaux, ennuyeux et gris, pour loger de tristes fonctionnaires vêtus de gris.

Mais à l'époque où Durand grandissait à Hull, dans les années quarante, la ville était encore surnommée le Petit Chicago. Au cours des dix années qui suivirent la Deuxième Guerre mondiale, la population de Hull s'élevait à 50 000 habitants. Au moins 90 p. 100 d'entre eux étaient francophones et catholiques. Hull était une ville de cols bleus. Ses résidants avaient vue sur l'arrière des édifices du Parlement canadien, de l'autre côté de la rivière des Outaouais. Rassemblée autour de ces édifices, Ottawa était une ville de cols blancs anglophones.

Par contraste, Hull était encore, dans les années quarante, une ville industrielle. Le jour, son économie était alimentée par les papetières et le commerce du bois de construction. La nuit, elle devenait une ville dépravée. C'était à Hull que les politiciens et les bureaucrates en visite à Ottawa cherchaient leurs divertissements nocturnes. À cette époque, les «gamblers» contrôlaient les clubs de nuit et les prostituées. Certains policiers et politiciens municipaux étaient à vendre. Les lois sur le commerce de l'alcool ont toujours été plus flexibles au Québec qu'en Ontario. La Prohibition ne dura qu'un an au Québec, tandis qu'en Ontario, ce ne fut pas avant 1934 que le gouvernement provincial assouplit sa politique et permit à nouveau aux hôtels de vendre du vin et de la bière. Durant les années de la Prohibition, les clubs de nuit poussaient partout à Hull, et avec les clubs vinrent les tripots et la prostitution.

Hull est bordée à l'est par la rivière Gatineau, qui dévale les forêts de pins et d'érables au nord. Le long de la Gatineau se trouvent une poignée de petites municipalités — Gatineau, Pointe-Gatineau, Templeton — dominées par la puanteur de soufre provenant des cheminées des papeteries. Dans les années soixante, c'étaient de petites villes dures. Auparavant habitées principalement par des draveurs et des travailleurs du papier, elles devinrent graduellement des villes-dortoirs pour les résidants francophones de Hull et d'Ottawa qui cherchaient un terrain et un logement bon marché.

Raymond était le troisième enfant d'une famille de 11. Neuf d'entre eux étaient des garçons. Donat Durand, le père, était mécanicien pour une compagnie d'autobus de Hull. C'était un homme travailleur qui ne parlait à personne dans la rue lorsqu'il n'avait pas bu. Après le travail et au cours des week-ends, il s'assoyait sur le balcon avant de sa maison, dans le district de Wrightsville, et vidait de grosses bouteilles de bière Black Horse. Lorsque la bière avait fait son effet, il devenait querelleur et vulgaire. C'était un cas classique de Dr Jekyll et M. Hyde, se rappelle un voisin. «Eh! vous autres, maudits catholiques!» criait-il à l'endroit de ses voisins les plus pieux. Il avait toujours une phrase vulgaire pour une veuve qui passait dans la rue. «Il s'engueulait avec un autre gars de la rue jusqu'à une heure du matin», se rappelle l'ancien voisin.

Selon toute apparence, Donat avait un côté encore plus sombre. La mère de Raymond, Marie-Anna, avait deux sœurs qui habitaient pas très loin. L'une d'elles, Simone Massie, rapporte s'être fait confier un jour par Marie-Anna que Donat était «cochon avec les petites filles». Pas avec ses propres filles, mais avec celles des autres. Marie-Anna raconta à Simone qu'elle ne faisait plus confiance à Donat lorsqu'il se trouvait avec des petites filles. Elle dévoila à Simone qu'elle avait dû vendre le chalet familial parce qu'elle ne pouvait se résoudre à laisser Donat y passer les week-ends avec les enfants et leurs amis.

Marie-Anna Durand dirigeait sa maison et sa famille à partir de la cuisine de leur étroit duplex couvert de déclin, rue Rouville. Elle était l'ancre émotionnelle de la famille. Elle couvait et protégeait ses enfants remuants. Elle était également vulgaire. Simone se rappelle que Marie-Anna lui criait, de l'autre côté de la rue: «Laisse pas tes petits bâtards entrer dans ma cour!» D'après Simone, Marie-Anna pouvait également être rancunière. Lorsqu'elles furent d'âge moyen, une querelle éclata entre elles qui dura vingt-sept ans; Marie-Anna refusa de parler à Simone pendant la majeure partie des trois dernières décennies de sa vie.

D'autres déclarèrent que le défaut le plus exaspérant de Marie-Anna était le mensonge. Elle avait la malencontreuse habitude d'exagérer les faits au point où sa version des événements devenait un mensonge évident. C'était comme si elle trouvait la réalité trop arbitraire et dépourvue de pertinence. La vérité sortait de l'imagination. Elle protégeait ses garçons même lorsqu'elle savait qu'ils avaient fait un mauvais coup. Selon un voisin, au lieu de dire à Raymond de ne pas voler, Marie-Anna lui recommandait de ne pas se faire prendre.

Le fils préféré de Marie-Anna devint un médium local, qui prédisait l'avenir des auditeurs de son émission de radio. Raymond lui-même hérita de sa mère son manque de considération pour la vérité et, dès l'adolescence, acquit la réputation d'un fieffé menteur. Les mensonges sortaient si facilement de sa bouche qu'il était, et est encore, capable d'amener les gens à douter de ce qu'ils savent.

Des membres de sa famille affirment que Raymond était de loin le garçon le plus malcommode de la famille. Les conversations de la parenté semblaient souvent tourner autour des derniers coups de Raymond. «Il était toujours en train de rire, c'était un comique. Mais il avait toujours des problèmes. Et quand il se faisait prendre, c'était toujours l'un de ses frères qui était responsable, et non lui», se rappelle Simone.

«Il détestait son père», dit Simone, se rappelant un incident qui se produisit lorsque Marie-Anna était à l'hôpital et que Donat travaillait de nuit. Raymond alla chercher le complet de son père et une chemise, les bourra de guenilles, les attacha pour en faire une effigie et suspendit celle-ci à l'escalier. Les autres enfants coururent à l'hôpital pour le dire à Marie-Anna, et elle appela Simone pour qu'elle se rende à la maison décrocher l'effigie avant que Donat ne revienne du travail.

«C'était bien Raymond. Toujours en train de jouer des tours», dit Simone, qui décrit aussi son neveu comme un être tordu, mesquin, et «la personne la plus malhonnête que j'aie jamais connue».

Un confrère de classe de Raymond le décrit comme «un petit menteur maigre et détestable» et comme un voleur et un arnaqueur. Il était toujours en train de monter une combine et avait toujours de l'argent dans ses poches, selon lui. Lorsqu'on lui a demandé si Raymond pratiquait un sport quelconque, le confrère de classe a répondu: «Le seul sport que Raymond ait jamais pratiqué, c'est la masturbation.»

Même s'ils ne faisaient pas partie de la classe moyenne, les Durand n'étaient pas pauvres. Ils possédaient leur propre maison et une autre à côté, et ils avaient un chalet dans les collines de Gatineau au nord, au lac Clair.

Raymond termina sa sixième année puis abandonna l'école. Il n'avait pas encore seize ans. Il lavait des autobus pour la compagnie de transport privée qui employait son père. Ses parents insistaient pour qu'il leur donne une portion de son salaire pour sa pension. Mais il ne le faisait jamais, et Marie-Anna s'en plaignait amèrement. C'était un enfant violent, petit et maigre. Il avait une longue mâchoire, des cheveux courts et bruns, et une personnalité magnétique et agressive. Il avait une mémoire exceptionnelle des noms, des visages et des chiffres. Il connaissait des gens dans toute la ville. Un de ses frères dit que même enfant, Raymond «ne pouvait pas rester assis plus que deux minutes. Il était toujours sorti. Mon père lui demandait pourquoi il ne payait pas sa pension, et Raymond disait qu'il ne travaillait pas. Mais il travaillait.»

Un autre frère dit que Raymond était manipulateur. Il dressait deux personnes l'une contre l'autre, mentant à l'une sur ce que l'autre avait dit. Parce qu'il le faisait pour le plaisir ou le divertissement, et non pour le profit, il pouvait même manipuler des gens qui savaient qu'il était menteur et indigne de confiance. Il inventait des histoires blessantes.

Ce même frère dit que Raymond était un «fanfaron, une sorte de clown». Mais derrière la façade du fêtard, Raymond fomentait ses mauvais coups. «Il ne nous disait jamais ce qu'il faisait. Il ne confiait jamais rien à personne. Il ne racontait jamais ce qu'il faisait. Il était renfermé, seul.»

À quatorze ans, Raymond commença à sortir avec les filles. Il n'avait que seize ans lorsqu'il entra dans les bureaux de la Walters Axe Company, à Hull, et fit connaissance avec une fille tranquille et sérieuse aux cheveux blonds et aux yeux bleus, qui était de deux ans son aînée. Elle s'appelait Jeannine Boissonneault. Il lui raconta qu'il avait dix-huit ans et lui donna rendez-vous. Trente ans plus tard, le destin allait traîner Raymond Durand devant les tribunaux pour lui demander des explications sur sa vie avec Jeannine Boissonneault.

Chapitre deux

Hull, Québec, 1953

La chambre au sommet de l'escalier, dans la petite maison de bois à deux étages de la rue Saint-Hyacinthe, était un poste d'écoute autant qu'une chambre à coucher. C'était la redoute et le refuge de Réginald Boissonneault, le genre de gars facile à taquiner. Il avait une carrure massive, et juste assez d'agilité pour éviter les échanges rudes des jeux du voisinage. Il se passionnait pour le base-ball et la musique classique, mais craignait toute forme de contact social. «Les amis, dit-il un jour à une tante, c'est rien que des problèmes.» Dans les rares occasions où il parlait aux visiteurs, il révélait un esprit agile qui devançait rapidement la discussion en cours, anticipant les réactions et évitant les écueils de la conversation.

Grand et gros, le front haut et la mâchoire saillante, Réginald donnait toujours l'impression de voir les choses de haut, d'observer et de penser sans jamais participer. Les voisins de la rue Saint-Hyacinthe à Hull et les amis de sa jeune sœur Jeannine se souviennent que même lorsque Réginald était au début de l'adolescence, on l'entendait mais on le voyait rarement. Dès qu'un visiteur touchait la poignée de la porte principale, Réginald se précipitait vers sa chambre. Après qu'il eut complété l'école secondaire à la fin des années quarante, dans une école catholique pour garçons, sa chambre devint une retraite permanente. Un cousin plus jeune, Michel Béland, se rappelle que lorsqu'il allait chez les Boissonneault avec sa mère, il bavardait toujours quelques minutes avec sa tante et son oncle, puis grimpait l'escalier pour se rendre à la cachette de Réginald.

«On s'assoyait là et on parlait de base-ball. Ma mère et ma tante me laissaient aller trouver Réginald, et Réginald me laissait entrer parce que j'étais un cousin. Mais ma tante était très protectrice. Elle protégeait son besoin de solitude. Personne, à l'extérieur de la famille, n'aurait jamais eu accès là-haut.»

Les parents de Réginald, Laurette et Hermas, croyaient sans doute que leur fils était malade, mais ils n'ont jamais cherché à le faire soigner. Ils croyaient que sa maladie était leur fardeau et leur responsabilité, et ils l'acceptaient sans se plaindre.

Donc, en ce début d'une chaude soirée de l'été 1953, lorsque Jeannine amena son nouveau prétendant à la maison, Réginald ne vit Raymond Durand que par la fenêtre de sa chambre.

«La radio jouait. Ils ont dansé dans la cuisine. Mes parents étaient dans le salon», se rappelle Réginald, devenu un ermite chauve et corpulent qui va et vient dans son minuscule appartement encombré près du boulevard Saint-Joseph, dans le nord de Hull. Réginald Boissonneault n'a jamais travaillé à l'extérieur de chez lui. Il a gardé la maison et s'est occupé de ses parents jusqu'à leur mort — son père en 1979 et sa mère en 1983. Après la mort de cette dernière, Boissonneault posa le geste le plus audacieux de sa vie: il emballa tout ce qu'il possédait et emménagea dans un appartement à loyer modique. Il y vit encore, au milieu de boîtes de carton qu'il n'a jamais déballées. Des portraits encadrés de Mozart, de Chopin et de Bach ornent les murs de son petit salon encombré, mais ordonné. Les rideaux de sa porte, fermés au moyen d'épingles à linge, empêchent ceux qui passent dans la ruelle qui longe l'appartement de jeter le moindre coup d'œil sur sa vie très privée. Sa vie entière, il l'a passée dans la solitude.

En 1953, Réginald avait vingt-deux ans et Jeannine, vingt. Le caractère de Raymond Durand laissait Réginald perplexe: «C'était un jeune homme maigre, âgé de seulement dix-sept ans, se rappelle-t-il. Il ne parlait pas beaucoup. Il avait une auto. Il aimait les autos: à l'entendre, on aurait dit qu'il vivait pour elles. Il disait qu'il travaillait avec son père à réparer des autobus. Il paraissait trop jeune pour elle.»

Mais Jeannine avait le béguin pour lui. Tranquille et timide, elle était grande comme sa mère. Comme son frère, elle avait le front haut et la mâchoire saillante. Sans être jolie, elle était à tout le moins séduisante.

Jeannine avait commencé à étudier le piano à l'âge de six ans dans un couvent des alentours, et à douze ans, elle donna un récital qui fut enregistré et diffusé par une station radiophonique locale. Elle fréquenta une école catholique pour filles et, ayant obtenu son diplôme, s'inscrivit dans un collège de secrétariat de l'autre côté de la rivière, à Ottawa. Elle obtint son diplôme à dix-huit ans et trouva un emploi chez Walters Axe, un fabricant de haches de la rue Front, à Hull. Elle continua d'habiter chez ses parents et commença à fréquenter les garçons du voisinage. Elle était chez Walters Axe depuis environ un an lorsqu'un jeune homme court et à l'esprit agile arriva un jour au bureau pour cueillir une commande de haches pour son employeur. Il attira son regard et entreprit une conversation. Ils commencèrent à se rencontrer discrètement; il fallut un an à Jeannine avant qu'elle eût le courage de présenter Raymond à ses parents.

Dans leur quartier ouvrier, les Boissonneault étaient une famille exceptionnelle. À une époque où la plupart des familles avaient au moins 12 enfants, Laurette et Hermas n'en avaient que deux. Rollande Guénette, meilleure amie de Jeannine et voisine d'en face, venait d'une famille de 13. Elle se rappelle la maison des Boissonneault comme une oasis de calme. Selon leurs revenus, les Boissonneault faisaient partie de la classe ouvrière — Hermas était commis dans une quincaillerie et Laurette, couturière dans une manufacture de tentes de la rue Bank, à Ottawa. Ils passèrent leur vie dans des logements. Mais ils trouvaient toujours l'argent nécessaire aux leçons de piano de Jeannine. Laurette elle-même était une pianiste accomplie et le piano du salon était toujours accordé. Hermas était un type calme et réservé. Personne ne l'a jamais entendu élever la voix.

Laurette était la force dominante de la famille. Née à Hull, elle était la deuxième d'une famille de 12 enfants. Elle s'était mariée à vingt-deux ans et avait vécu selon un code moral rigide. Elle ne bavardait jamais, refusait de s'adonner avec les voisins aux vains commérages sur qui faisait quoi à qui. Elle faisait la morale à ses enfants sur le respect de la vie privée des autres, et ne parlait pas aux autres des détails de sa propre vie familiale. Elle ne parlait jamais aux étrangers de la timidité pathologique de Réginald, ne considérait jamais sa condition comme autre chose qu'une affaire de famille. La sœur de Laurette, Berthe Laframboise, une religieuse qui défroqua en 1975, se rappelle que les Boissonneault s'occupaient discrètement de leurs affaires. «Laurette était très élégante, très distinguée, dit-elle, et ne parlait jamais à moins d'avoir quelque chose à dire.»

Le mari et le fils de Laurette s'affirmaient rarement. Elle assumait le rôle de porte-parole de la famille et se chargeait de contrôler les finances, de parler au propriétaire, d'orchestrer le respect de leurs obligations religieuses. Catholiques, ils étaient des paroissiens de bonne réputation.

Bien que Jeannine fût une fille toujours serviable, toujours déférente envers les principes stricts de sa mère, elle finit par se rebeller. Son seul geste de défi fut de se fiancer à Raymond Durand. Il était catholique et francophone et venait d'une famille ouvrière d'un quartier voisin — c'était un gars de la place — et aussi longtemps qu'il connut Laurette, il l'appela Madame Boissonneault.

Mais malgré leurs ressemblances apparentes, les Durand et les Boissonneault étaient aussi différents que l'eau et le feu.

Pour un adolescent ayant le cran de Raymond Durand, les deux années qui le séparaient de Jeannine, loin d'être un obstacle infranchissable, représentaient un défi sans importance. Plus l'obstacle le séparant de ses ambitions était grand, plus ses caprices étaient forts. Tôt ou tard, tous ceux qui venaient à connaître Raymond finissaient par s'apercevoir qu'on ne pouvait se fier à rien de ce qu'il disait. Mais avant de s'en apercevoir, la plupart des gens trouvaient irrésistibles son charme et sa façon de raconter. Il en fut ainsi avec Jeannine. Il lui dit qu'il avait dix-huit ans et ce fut finalement sa propre mère qui avoua à Jeannine, plus d'un an après qu'ils avaient commencé à se fréquenter, que Raymond lui avait menti à propos de son âge.

Partout où ils allaient ensemble, Raymond devenait le point de mire. Pour une fille solitaire et timide dont le père parlait rarement et dont le frère semblait vouloir devenir ermite, Raymond dut sembler l'homme le plus mystérieux de l'univers. Il travaillait fort. Lorsqu'il voulait quelque chose, il l'obtenait. Il avait des rêves, et faisait des plans sur l'endroit où il habiterait, ce qu'il ferait et verrait, l'argent qu'il gagnerait. Et il adorait s'amuser. Pendant le Carnaval de Québec, il recrutait un autre couple, achetait une ou deux bouteilles, et tout le groupe allait y passer le week-end. Il n'était jamais immobile, jamais seul, jamais calme ni contemplatif. Personne n'a jamais vu Raymond lire un livre, écouter les autres sans les interrompre, ou s'adonner à un passe-temps tranquille.

C'était un cirque à lui tout seul. Comme un artiste de scène, il avait besoin d'un public. Ce qui comptait pour lui, c'était de réduire son entourage à l'esclavage. Sauf lorsqu'il se livrait à une escroquerie, il ne faisait jamais très attention à ce que les gens pensaient de lui par la suite. Il ne s'en souciait pas. Car, comme Jeannine devait le découvrir beaucoup plus tard, Raymond n'avait rien d'autre que du mépris pour ceux qui étaient assez stupides pour croire ses histoires.

Jeannine était tout le contraire. Elle avait une seule amie proche, passait beaucoup de temps seule, lisait, jouait du piano seule et, parfois, pour le plaisir des autres. Elle avait absorbé le code moral strict de sa mère et, comme elle, maîtrisait l'art de nier ou d'ignorer les accrocs à ce qu'elle trouvait acceptable. Elle ne voyait que ce qu'elle désirait voir.

Mais en même temps, elle se sentait vulnérable et étouffée par la vie à la maison. Les gens jasaient. Elle avait bel et bien passé l'âge où les filles sont censées être mariées et avoir fondé une famille.

Hull, comme la plupart des villes du Québec, était alors une communauté fermée et homogène, au point de vue ethnique, séparée du reste de l'Amérique du Nord par la grande barrière de la langue. Les membres de cette communauté vivaient dans une espèce d'intimité. Mais pour ceux qui, comme Jeannine, ne se conformaient pas à la norme, cela pouvait être écrasant.

Jeannine dut être hantée par la phrase préférée de sa mère, une expression qui aurait pu servir de devise familiale aux Boissonneault: «Qu'est-ce que les gens vont dire?» Même si la famille minimisait les contacts avec le monde ambiant, ses membres étaient obsédés par l'opinion des autres. Ils investissaient beaucoup d'énergie émotive dans les apparences, dans le maintien de la réputation de la famille.

Jeannine savait que sa mère serait scandalisée d'apprendre qu'elle voulait épouser un garçon de deux ans plus jeune qu'elle. Elle se garda donc d'en parler. Elle était tombée amoureuse. Raymond l'avait transportée, dans son imagination, d'une maison stricte et triste, à une vie avec un jeune homme ardent pour qui tout était possible. Raymond vivait sa vie, il ne passait pas à côté. La vie avec lui, dut penser Jeannine, allait être une aventure plutôt qu'un fardeau.

Aux yeux de Raymond, Jeannine avait des qualités qu'il associait au succès social. Elle était jolie, parlait bien, était instruite et gagnait sa vie. Il admirait son talent pour le piano. C'était une femme de qualité et il n'avait jamais connu personne de semblable. Jeannine se faisait sa propre opinion, ne l'interrompait pas lorsqu'il jacassait sans arrêt, et savait faire autre chose que des bébés. Elle croyait en lui.

Il était encore un adolescent court et maigre lorsqu'il rencontra Jeannine mais il se sentait beaucoup plus vieux que son âge. Il voulait qu'on le prenne au sérieux. Épouser une femme plus âgée, pas frivole pour deux sous, cela allait lui permettre de se sentir plus mûr.

Ils se fiancèrent à l'été 1954. Ils devaient se marier cet automne-là, le 30 octobre, le lendemain du 21ᵉ anniversaire de Jeannine. La veille du mariage, Madame Boissonneault tomba sur le certificat de baptême de Raymond, que Jeannine avait laissé sur le piano.

«Mon Dieu! s'écria-t-elle. Jeannine, tu l'as pris au berceau. Il a seulement 18 ans! C'est juste un enfant.»

En dépit de ses supplications, de ses prières pour que sa fille change d'avis — et elle demanda sans aucun doute: «Qu'est-ce que les gens vont dire?» —, Jeannine demeura ferme.

«Maman, je l'aime», répondit-elle simplement.

Les photos du mariage les montrent debout sur les marches de l'église, Jeannine de la même taille que son nouveau mari. Ils paraissent tendus, comme s'ils étaient au centre d'une fragile alliance entre deux familles qui ne se comprendraient jamais.

Réginald, bien entendu, décida à la dernière minute qu'il était trop malade pour assister à la cérémonie.

Après les célébrations, Raymond et Jeannine Durand trouvèrent un petit appartement rue Guertin, à Hull. Jeannine garda son emploi de secrétaire chez Walters Axe. Elle ne parlait presque pas anglais et restait solitaire. Elle ne se liait pas facilement d'amitié et n'avait ni le goût ni le besoin de prendre part au bavardage. Les gens qui la connaissaient bien disent que même avec des gens, elle semblait n'avoir jamais envie de soutenir une conversation. Pour Jeannine, le silence n'était pas un problème en société, mais un état dans lequel elle se sentait complètement à l'aise.

Dès le départ, ils se complétèrent. Elle avait une influence calmante sur Raymond, c'était l'ancre qui le retenait à la réalité. De son côté, Raymond éveilla sa nouvelle épouse à la vie sociale de leur communauté. Il l'amenait dans les restaurants, les fêtes, la présentait à la société de villégiateurs qui hantait les lacs des forêts épaisses des collines de la Gatineau. Elle n'était jamais le point de mire et elle ne buvait pas — contrairement aux amis de Raymond —, mais elle l'accompagnait. Toujours plus observatrice que participante, elle était dans le sillage de Raymond.

Raymond erra d'emploi en emploi. Selon les répertoires de Hull des années cinquante, il fut à l'emploi de quatre compagnies différentes, en tant que journalier et, plus tard, mécanicien. Selon des membres de sa famille, Raymond travailla pour deux autres firmes. Le travail qu'ils se rappellent l'avoir vu garder le plus longtemps, ce fut à la Frazer Duntile, une compagnie d'Ottawa-Hull qui fabriquait des blocs de béton et vendait de la pierre concassée, du ciment et du sable. Il travailla dans l'atelier de carrosserie, réparant et peignant les camions de la compagnie. Lorsqu'il eut acquis les compétences de base, il traversa la rivière pour aller travailler chez Percy Carrière Auto. Il avait décidé de devenir peintre de carrosserie. Il était rapide. Son travail consistait à enlever les bosselures des portes endommagées, à découper des panneaux rouillés, à sabler, à apprêter et à repeindre.

Le travail de carrosserie, c'est la chirurgie plastique du commerce des voitures. Raymond apprit bientôt à transformer une bagnole rouillée en un objet de désir. Il découvrit qu'une auto avec une transmission qui coule, des montures fendillées, des tirants aux extrémités bruyantes ou un moteur pourri pouvait être refilée même à l'acheteur le plus perspicace si toutes ses bosselures avaient été effacées et si on lui donnait une brillante couche de peinture. Il avait trouvé son créneau. Raymond avait toujours été un fanatique des autos; il avait toujours considéré la voiture comme la manifestation la plus visible du statut social de son propriétaire. Dans les années cinquante, à une époque où il devenait courant de posséder une auto, Raymond comprit que nombre de familles tiraient leur fierté du seul fait d'avoir une auto stationnée devant la maison, et que peu d'hommes disposaient des habiletés mécaniques suffisantes pour évaluer l'état de marche d'une voiture d'occasion.

Les compétences de Raymond pour le travail de carrosserie devinrent son passeport; il pouvait les vendre partout. À une autre époque, il aurait été un rusé maquignon, donnant du grain à de vieilles picouilles pour qu'elles aient une robe luisante, leur mettant du piment sous la queue pour leur donner de la vigueur.

En travaillant pour Percy Carrière, il était toujours à l'affût d'une meilleure et d'une plus belle auto pour lui-même, et d'un naïf à qui il pouvait refiler sa vieille voiture. Il achetait et vendait des autos aussi facilement que d'autres changent d'idée.

Moins de cinq mois après leur mariage, Jeannine devint enceinte et quitta son travail. Raymond portait à présent seul le fardeau financier du ménage. Jeannine se retira dans leur appartement, jouant du piano, s'occupant de la maison et parlant à sa mère au téléphone. Ce fut le début d'un changement qui s'avéra fatal pour leur relation. À présent, il contrôlait les cordons de la bourse. Chaque fois qu'elle avait besoin de quelque chose, elle devait le lui demander.

Si Raymond n'avait jamais été tout à fait capable de dominer Jeannine, c'est surtout parce qu'il ne la comprenait pas vraiment. Elle gardait ses cachettes émotionnelles, où elle se retirait à l'écart. Sa musique était l'un de ces refuges. Raymond considérait son talent musical comme une habileté qui pouvait et devait être utilisée, comme un moyen d'arriver à une fin. Il ne lui est jamais venu à l'esprit que la musique permettait à Jeannine d'exprimer ce qu'elle ne pouvait communiquer verbalement. La musique était son propre langage, et elle l'utilisait pour se dire à elle-même et aux autres la joie, la douleur et la solitude de sa vie. Sans la musique, Jeannine devenait presque muette.

Raymond ne pouvait dominer la conversation lorsque Jeannine parlait en musique. Plus il vivait avec elle, plus sa musique l'énervait. Finalement, il ne pouvait plus rester dans la pièce où elle jouait. La tante de Jeannine, Berthe, se rappelle avoir vu les yeux de Raymond noirs de jalousie lorsque Jeannine s'assoyait au piano et que tout le monde se tournait pour l'écouter jouer.

Le fait de n'avoir aucun accès à leur argent accrut la dépendance de Jeannine à l'égard de Raymond. Elle n'en a peut-être jamais gardé rancune — l'acceptation passive et silencieuse était la réaction de Jeannine à un grand nombre des forces qui entravaient sa vie — mais elle commença à voir à quel point Raymond était arbitraire et capricieux dans l'exercice de son nouveau pouvoir. Il lui refusait de l'argent pour les besoins domestiques les plus minimes et les plus fondamentaux.

Le 30 décembre, le jour du 20e anniversaire de Raymond, Jeannine donna naissance à son premier enfant, un garçon blond aux yeux bleus. Ils l'appelèrent Denis, et il était destiné à être la seule personne que Raymond Durand ne pourrait duper, la seule personne qui n'oublierait jamais les fautes de Ray.

Chapitre trois

Pointe-Gatineau, Québec, 1959

Lorsque Denis fut en âge de grimper hors de son berceau, Raymond et Jeannine déménagèrent de nouveau. Ils louèrent un petit bungalow, rue Michaud, dans le village de Pointe-Gatineau. Le loyer était modeste et ils y habitèrent jusqu'à ce que Denis entre à l'école.

Raymond retourna chez Frazer Duntile et fut nommé contremaître de l'atelier de peinture. Mais il avait décidé de lancer sa propre affaire. Il avait l'œil sur quelques terrains à quelques pas de la maison. En mars 1958, il fit un dépôt de 100 $ sur un terrain situé au 44, rue Michaud et, selon un de ses frères, commença à chiper les matériaux dont il avait besoin pour construire une maison. Lorsqu'il eut sournoisement soutiré à la cour de la Frazer Duntile suffisamment de ciment et de blocs de béton, ses frères et lui construisirent la maison la plus laide de la rue. Ils creusèrent les fondations à la bêche en écoutant Roy Orbison à la radio. Denis se rappelle qu'il s'assoyait sur les marches de la maison louée, écoutant Orbison, pendant que son père creusait. La maison était une boîte rectangulaire au toit plat, pas plus grande que les autres bungalows de la rue. Vue de la façade, elle semblait avoir deux étages. Mais le rez-de-chaussée n'était qu'un sous-sol sans finition. L'étage abritait une cuisine, un salon, une salle de bain et deux chambres. En arrière, Raymond creusa une dénivellation destinée à faire entrer une auto au sous-sol. S'il y avait des règlements de zonage, ils ne valaient rien aux yeux de Raymond. Il avait décidé qu'il établirait un atelier de carrosserie au sous-sol et que la famille habiterait l'étage.

Avec le recul, l'idée paraît plutôt stupide. Il avait construit un atelier au sous-sol et l'utilisait pour marteler des carcasses d'autos pliées et tordues, souder de nouvelles pièces en place et remouler, sabler, apprêter et peindre des véhicules. Pendant ce temps, Jeannine vivait en haut avec un enfant de trois ans et un bébé, Anne, née en janvier 1959. Le martèlement, l'odeur infecte de la soudure, la poussière du sablage et les émanations toxiques de la peinture rendaient l'étage presque inhabitable. Mais Raymond était ainsi: lorsqu'*il* se trouvait là-haut, c'était tranquille, alors ça allait.

Malgré tout, ils possédaient leur propre maison, Jeannine avait un piano dans le salon et il y avait suffisamment d'espace à l'extérieur pour que les enfants puissent jouer. Dès le début, Jeannine en eut plein les bras. Non seulement elle s'occupait des enfants, mais elle préparait le repas du midi de Raymond et de tous ceux qu'il employait, et elle tenait tous les registres de l'entreprise.

Un an après que la famille eut emménagé, Raymond ajouta un atelier beaucoup plus grand à l'arrière. Le garage situé dans le sous-sol de la maison demeurait son atelier de peinture. La rallonge, qui était suffisamment grande pour abriter quatre autos, servait au travail de carrosserie et à l'apprêt des autos à repeindre.

Roger Prud'homme, qui habite encore rue Michaud, a gardé de Raymond Durand le souvenir d'un magouilleur obèse et d'une grande gueule égocentrique. Raymond avait grossi comme un ballon: l'adolescent maigrichon pesait maintenant 90 kilos. Ne mesurant encore que 1,65 m, il se dandinait sur son terrain en jacassant et en hurlant des ordres. Plus de trente ans après avoir vu Raymond pour la dernière fois, Prud'homme se rappelait encore les outils — une scie, un bac à mortier — qu'il avait prêtés à Raymond mais que celui-ci ne lui avait jamais rendus. «C'était un gars comme ça. Il passait avant tout le monde.»

Bien que Jeannine fût connue de tous les résidants de la rue — et Prud'homme a gardé des photos granuleuses, en noir et blanc, d'elle avec Denis sur un tricycle, ou debout à côté d'une vieille Ford — elle ne se faisait pas vraiment d'amis. Les gens l'aimaient et la respectaient pour la façon dont elle traitait ses enfants, pour ses récitals de piano nocturnes et sa nature douce. Mais elle n'était pas du genre à traîner autour d'un café dans la cuisine d'une voisine. Elle répondait lorsqu'on lui parlait, mais elle ne bavardait jamais.

La rue Michaud représente la période la plus heureuse de la vie des enfants de Raymond et de Jeannine. Denis avait des compagnons de jeu dans toute la rue. Pointe-Gatineau était une petite ville — sa population était alors d'environ 3000 habitants —, et tout le monde se connaissait. Elle était séparée de Hull et d'Ottawa par des rivières. Les maisons étaient bon marché et, en dépit du fait qu'on pouvait voir le centre-ville d'Ottawa, c'était comme vivre à la campagne. Des forêts d'érables dévalaient les collines de la Gatineau au nord et entouraient la ville. Il y avait une papeterie juste à l'extérieur des limites de la ville, mais l'odeur de soufre de ses cheminées n'était pas pire à Pointe-Gatineau qu'à Hull ou même à Ottawa. Jeannine et Raymond défendaient tous deux à Denis d'aller jouer à la rivière ou de s'aventurer trop près de l'usine. Mais il se passait trop de choses sur cette rivière pour qu'un petit garçon s'en tienne éloigné. Il s'y rendait souvent avec ses amis, observant les draveurs qui haletaient sur leurs petits remorqueurs, suivant le trajet des amoncellements de billots sur la rivière.

Anne se rappelle, elle aussi, les bons moments de la rue Michaud. Ses premiers souvenirs remontent à cette maison. Elle se rappelle les lapins que son grand-père Durand était venu lui donner, la coiffeuse que sa mère avait installée pour elle dans sa chambre. Une seule fois, dans ses souvenirs, sa mère a perdu son sang-froid: un garçon du voisinage avait offert à Anne un biscuit pour qu'elle baisse ses culottes. Cela semblait être un bon marché jusqu'à ce que Jeannine survienne et réprimande sa fille. Les voisins se rappellent Anne comme d'une enfant timide mais vive.

La maison de la rue Michaud était idéale pour Raymond. Elle était située en bordure de la ville; derrière la maison se trouvait un terrain vague. À partir de cette époque, Raymond allait passer toute sa vie dans cette zone indéterminée entre ville et campagne. Il recherchait des endroits où il n'y aurait aucun voisin curieux, où il pourrait enterrer ses péchés et ses ordures, où il ne se trouverait pas au milieu des champs labourés et des granges de laborieux fermiers, ni entouré des pelouses de banlieusards soigneux. Ses activités ne se conformaient à aucune des grandes catégories de zonage des planificateurs urbains et des évaluateurs des taxes foncières.

Les trois premières années environ, Ray's Body Shop fut une entreprise clandestine. Officiellement, il travaillait pour quelqu'un d'autre — la Frazer Duntile, ou comme mécanicien pour la Bruce Coal. Ce ne fut qu'en 1963 qu'il se lança en affaires et annonça les services de Ray's Body Shop.

À mesure que l'entreprise de la rue Michaud prit de l'expansion, on s'aperçut que Raymond Durand était un tricheur et un voleur. Ceux qui avaient grandi avec lui savaient qu'il était mythomane et tout à fait insensible aux sentiments des autres. À mesure qu'il prit de la maturité, ces caractéristiques devinrent ses principales compétences rémunératrices.

D'après les employés de son atelier de carrosserie et d'après les gens qui, tout simplement, transigèrent avec lui au début des années soixante, Raymond était entreprenant et persuasif. Il lança son entreprise de carrosserie en visitant des commerces de voitures d'occasion et en offrant de repeindre les bagnoles à vendre. Un travail de peinture rapide pour un tarif modeste pouvait augmenter la valeur de revente de l'épave la plus laide. Raymond se mit bientôt à peindre de 10 à 12 autos par semaine pour plusieurs garages de voitures d'occasion.

Pour la plupart des réparateurs de carrosserie, le travail pour des commerces d'autos d'occasion n'a d'intérêt qu'en saison basse, lorsqu'il n'y a rien d'autre à faire. Les vendeurs d'autos usagées ont tendance à resquiller et à se plaindre du prix. Ils s'attendent à obtenir un travail de peinture de bonne apparence le moins cher possible. Ils veulent vendre les autos le plus vite possible et ne paient que pour la peinture et les matériaux les moins chers. Pour un réparateur fier de son travail, les vendeurs d'autos usagées ne sont bienvenus qu'en période de détresse financière. Mais pour Raymond, ils étaient les clients idéaux. Le travail mal fini ne le dérangeait pas le moins du monde. De toute façon, il n'avait pas tous les outils appropriés. Si le client ne voulait qu'un travail bâclé pour cacher temporairement la rouille, Raymond pouvait s'en charger. Sa spécialité, c'était désormais le travail de carrosserie qui ne durait qu'un mois. D'anciens clients et employés se rappellent la fois où Raymond boucha un trou dans une portière au moyen d'un bardeau de bois. Il le riveta en place, l'adoucit avec du mastic à carrosserie, l'apprêta et le peintura, et la portière ressembla à une neuve. Trois semaines plus tard, l'auto réapparaît. Elle avait subi un accrochage et le bardeau s'était délogé, révélant le petit travail de Raymond.

Dès le début des années soixante, le plus gros client de Raymond fut un garage de voitures d'occasion du centre-ville d'Ottawa, propriété d'André Paquette, un homme qui s'affichait comme le Roi de l'Automobile. Paquette était un homme d'affaires blond et bilingue, qui fumait le cigare et qui dirigeait l'un des garages d'autos d'occasion les plus prospères de la ville. Il conduisait une Cadillac, portait des complets élégants et refilait des voitures jour et nuit. Tout le monde connaissait Andy Paquette.

Selon un frère de Raymond, les employés de Paquette pouvaient livrer à toute heure des autos à l'atelier de Ray. Ses autos avaient priorité. Ray les lui rendait habituellement le lendemain. Paquette, qui habite encore Ottawa, a gardé de Raymond le souvenir d'un homme rude et tapageur, dont la parole ne valait rien. Il dit qu'il finit par s'éloigner de Durand mais, dans les faits, leur association a duré jusqu'à son amère conclusion.

À l'été 1963, un an après la mort du père de Raymond, un employé de Paquette livra à l'atelier de carrosserie une Chevrolet Impala 1962 qui avait besoin d'un travail de peinture. L'auto fut livrée un vendredi, Raymond la peignit en noir le samedi, et le dimanche la conduisit chez sa mère. Cette dernière avait besoin d'une auto. Elle avait reçu un peu d'argent de la compagnie d'assurances au décès de Donat, et avait demandé à Ray de l'aider à trouver une auto. Elle eut le coup de foudre pour l'Impala. Le lundi après que Raymond eut livré l'auto au garage de Paquette, il présenta sa mère à André, et elle paya l'Impala comptant.

Les voisins de la rue Michaud disent que, pendant ces années-là — de 1960 à 1964 —, on pouvait voir un grand va-et-vient d'autos à l'atelier de Raymond, et que nombre de ces autos arrivaient et partaient tard le soir. On y apercevait toutes sortes de personnages, des policiers ou des truands locaux. Certains, semblait-il, n'avaient besoin que d'une place de stationnement pour quelques heures. L'un des frères de Ray se rappelle avoir vu une auto arriver à l'atelier avec une demi-douzaine de trous de balles dans le coffre arrière. Lorsqu'ils ouvrirent le coffre pour réparer les trous, ils découvrirent qu'il était rempli d'armes. Ils bouchèrent les trous de mastic, les retouchèrent avec de la peinture et l'auto partit le lendemain. Les clients de Ray savaient, dit son frère, qu'il ne dirait pas un mot et resterait discret.

Dans la boutique, avec ses clients et employés, Raymond exploitait toutes les combines possibles. Un employé avait conclu un accord qui lui accordait un pourcentage des recettes de la semaine après déduction des dépenses. Il démissionna, dit-il, après s'être aperçu que Ray ajoutait couramment des zéros à ses reçus de dépenses. Un reçu de 20 $ pour un achat de peinture devenait un reçu de 200 $. En plus, il ne payait pas toujours ses fournisseurs. Selon cet employé, les fournisseurs se présentaient souvent avec des comptes arrivés à échéance depuis longtemps. Un jour, un créancier en colère refusa de partir, affirmant avec insistance qu'il savait que Raymond était dans l'atelier. Pendant que l'employé le retenait, Raymond se glissa par une fenêtre arrière.

À mesure que l'entreprise de Raymond prit de l'expansion, une rumeur commença à circuler selon laquelle il faisait partie d'une organisation de vols de voitures. Il n'était pas étonnant que des rumeurs circulent à propos de Raymond. On le connaissait partout et on le voyait partout. Il conduisait toujours une auto neuve — une berline luxueuse ou une décapotable rouge. On commença à le voir rôder autour des clubs de nuit avec des femmes.

Non seulement Raymond aimait être vu en compagnie de femmes, mais il avait l'habitude de se vanter de ses conquêtes. Un ex-employé de l'atelier de carrosserie se rappelle: Raymond lui dit un jour qu'il allait chercher une petite amie ce soir-là et faire l'amour avec elle dans son auto, dans le champ derrière sa maison, sous la fenêtre de la chambre de Jeannine. Juste pour corser un peu les choses, Ray avait demandé à l'employé de travailler tard ce soir-là et de garder un œil sur lui: il ferait clignoter ses phares après avoir eu un orgasme. Bien sûr, à la tombée du jour, Ray se trouvait stationné là avec la fille. Et comme il l'avait promis, il fit clignoter ses phares pour signaler son triomphe sexuel.

Ray n'était pas un gros buveur — personne ne se rappelle l'avoir vu en état d'ivresse à l'époque. Il prenait des pilules. Il avait une préférence pour les *goofballs,* une mixture à indice d'octane élevé de stimulants vendus sur ordonnance. Il aimait s'amuser, danser et manger dans les meilleurs restaurants. Dans sa poche, il traînait toujours une liasse de billets grosse comme le poing et, lorsqu'il faisait la fête, il payait toujours la note.

Chez lui et à l'atelier, c'était un autre homme. Jeannine était obligée de lui arracher chaque sou dont elle avait besoin, et pour la nourriture, il ne lui donnait un billet de 20 $ qu'en cas d'extrême nécessité. Il se plaignait des moindres dépenses destinées aux enfants.

Quelques mois après avoir encouragé sa mère à acheter l'Impala, Ray eut son premier accroc avec la justice. La police d'Ottawa avait commencé à enquêter sur l'immatriculation d'un certain nombre d'autos qui avaient été vendues par Paquette. Un jour, au printemps de 1964, deux détectives arrivèrent chez la mère de Ray et demandèrent à voir l'immatriculation de son Impala. Ils examinèrent le numéro de série et lui annoncèrent que c'était une auto volée. Ils retirèrent les plaques de la voiture et firent venir une dépanneuse pour l'emmener à la fourrière municipale. Mme Durand protesta. Elle dit aux détectives qu'elle avait acheté l'auto de Paquette, qu'elle l'avait payée comptant et que son fils Raymond l'avait repeinte deux jours avant qu'elle ne l'achète. Ils l'écoutèrent avec intérêt, prirent des notes et décampèrent. Dès qu'ils furent partis, elle appela Raymond pour se plaindre. Il arriva sur-le-champ et appela Paquette de chez elle.

Selon des membres de la famille Durand, Paquette vint aussitôt, le cigare rougeoyant. «Inquiète-toi pas, maman. On va t'arranger ça tout de suite», dit-il à la femme en détresse. Il lui demanda quel genre d'auto elle voulait et lorsque Mme Durand répondit qu'elle voulait la même marque et le même modèle, il prit le téléphone et localisa une autre Impala dans un garage d'Alfred, en Ontario. Il négocia une entente et dit à Raymond et à sa mère qu'ils pouvaient se rendre à Alfred le lendemain et que l'auto les attendrait. Puis, tout naturellement, Paquette monta dans sa Cadillac et partit.

Le lendemain, Raymond, sa mère et un de ses frères se rendirent à Alfred chercher l'Impala. Elle était heureuse, mais Raymond était inquiet. Plus tard cette semaine-là, des détectives de la police effectuèrent une descente rue Michaud avec un mandat de perquisition. Ils parcoururent l'atelier, examinant les autos, les pièces et les livres de Raymond. Mais comme tout était en ordre, ils partirent sans aucune preuve que Raymond était plus que le peintre innocent d'une auto volée.

Paquette était dans un pétrin beaucoup plus considérable. La police d'Ottawa passa des mois à enquêter sur son entreprise et finit par mettre au jour un important réseau de vols de voitures. L'une des voitures qu'ils retrouvèrent plus tard avait été trafiquée à Ottawa à 23 h 30 un soir, et vendue aux enchères à Toronto le lendemain midi. Selon Russell Berndt, le détective de la police d'Ottawa qui mena l'enquête, on volait ces autos à Ottawa et à Montréal, et on les revendait dans des villes partout au Québec et en Ontario. Paquette fut arrêté et accusé de cinq délits de possession d'autos volées, d'un délit de vols de voiture et de trois délits de fraude. Il plaida coupable aux accusations de possession et de fraude, et l'accusation de vol fut écartée. Il fut condamné à deux ans moins un jour pour chaque accusation et sortit 15 mois plus tard. Il avait perdu son garage de voitures d'occasion et sa réputation.

L'arrestation de Paquette permit à Raymond d'établir un premier contact avec les forces policières provinciales et municipales. Cette rencontre nourrit sa riche vie imaginaire et souleva son appétit pour l'intrigue. Raymond avait le don de sentir les faiblesses des autres et de révéler ces points de vulnérabilité par ses mensonges. Il se créa de nouveaux personnages. Il dit aux gens qu'il était policier. Au cours des quarante années suivantes, les antécédents de ce policier changèrent au gré des circonstances. Par moments, il était détective à la section des homicides pour la Gendarmerie royale du Canada, d'autres fois un flic à motocyclette de Montréal, un policier provincial louche et légèrement tordu, un enquêteur et un patrouilleur de surveillance. Il utilisait ces personnages pour intimider, pour diriger des arnaques, pour charmer ses proies sexuelles ou juste pour impressionner les connaissances les plus ordinaires et les plus fugaces. Cela ne voulait pas dire qu'il respectait la police. Il était tout aussi méprisant pour les policiers que pour n'importe qui d'autre. À ses yeux, ils étaient éminemment corruptibles et incroyablement faciles à duper. Il apprit à quel point la compétition entre forces policières — la police de Pointe-Gatineau, la police de Hull, la GRC, la Police provinciale — nuisait aux enquêtes et créait des rivalités qui émoussaient l'efficacité même des organisations les mieux dirigées. Il apprit une grande part de ces choses dans le village de Pointe-Gatineau.

Au début des années soixante, Raymond se lia d'amitié avec le chef de police de Pointe-Gatineau, Henri Ferland. Ferland était un ancien lutteur et le fils d'un employé de la fourrière canine de Hull. C'était un batailleur et un gros buveur, qui utilisait son autorité pour se faire payer à dîner, à boire et tout ce que des citoyens remplis de sollicitude voulaient lui offrir en retour de ses faveurs. Il avait une demi-douzaine d'officiers sous ses ordres, et le gros de leur travail à Pointe-Gatineau consistait à séparer des gens qui en étaient venus aux poings, et à coller des contraventions pour excès de vitesse. Il passait une grande partie de son temps dans l'un des bars locaux et prit l'habitude d'ordonner à l'un de ses officiers de conduire sa femme, en auto-patrouille, à l'aller et au retour de son travail à Hull.

Raymond et Ferland ne disaient pas un mot de ce qu'ils mijotaient. Les officiers qui travaillaient pour Ferland à l'époque disent que Ferland, Durand et un autre policier formaient une petit clique dans laquelle personne n'était admis. La voiture de Raymond eut bientôt sa place dans le terrain de stationnement de la police, et l'auto de Ferland fut souvent repérée dans la cour de Raymond. Denis et Anne ont gardé des souvenirs précis de la voiture de police bien luisante qui se trouvait souvent dans l'entrée.

Après s'être lié d'amitié avec Ferland, Raymond se mit à montrer son insigne de la police de Pointe-Gatineau, et un pistolet semblable à celui des policiers. Il se prétendait détective.

Après l'arrestation de Paquette, Raymond étendit aussi ses intérêts commerciaux. Il acheta une dépanneuse et obtint du travail régulier de la police de Pointe-Gatineau. Il se lia avec un voisin qui était également vendeur d'autos, Georges Sylvestre, et ensemble ils achetèrent une station-service et établirent un commerce de voitures usagées à Hull. Ils avaient l'intention d'acheter des autos usagées, d'effectuer les réparations mécaniques à la station-service, le travail de carrosserie et de peinture à l'atelier de Ray, pour les revendre eux-mêmes. Raymond et son associé se rendaient régulièrement à Montréal et à Toronto pour acheter des voitures usagées, remplissant leur voiture d'amis pour conduire les véhicules vers Hull. Pendant un certain temps, ils firent beaucoup d'argent et Sylvestre dit qu'il croyait qu'ils était lancés. Bien entendu, dit Sylvestre, il avait des doutes à propos de Raymond, mais son associé avait toujours réponse à tout.

Un jour, raconte Sylvestre, il vendit une auto et l'acheteur accepta de la prendre le lendemain. Lorsqu'il arriva, il découvrit que les pneus coûteux qui y étaient installés avaient été remplacés par un ensemble de pneus usés. Sylvestre arriva en vitesse au garage pour calmer son client en colère. Il amena Raymond dans un coin et lui demanda ce qui s'était passé. Raymond se mit à rire et donna à Sylvestre une claque dans le dos. «C'est rien, aurait-il dit à Sylvestre, fais-toi-z-en pas. Je viens juste de prêter les pneus à un gars. Il devait se rendre à Montréal. On va les remettre.» En y repensant aujourd'hui, Sylvestre est d'avis qu'il était plutôt stupide de croire une histoire aussi boiteuse. Mais, dit-il, c'est comme ça que Raymond fonctionnait. Vous saviez qu'il vous mentait, mais il était si engageant, si convaincant, si prompt à écarter même la preuve la plus évidente de sa malhonnêteté, qu'on le croyait.

Sylvestre dit qu'il y eut beaucoup d'incidents semblables. Il avait une Chevrolet décapotable 1962 qui était toute chromée sous le capot — alternateur, couvercles de soupapes et collecteur d'échappement. Il l'apporta à une vente aux enchères à Montréal et se trouvait en train de persuader un curieux de l'acheter, en vantant les chromes, lorsqu'il ouvrit le capot pour exposer les ornements. Il dit qu'il se recroquevilla d'embarras. Raymond avait retiré tous les chromes et les avait remplacés par les pièces d'occasion les moins chères qu'il avait à portée de la main. «J'ai perdu 400 $ ou 500 $ sur cette transaction», se rappelle Sylvestre.

Pour montrer à quel point Durand était effronté, Sylvestre raconte qu'un jour, un médecin apporta son auto chez Ray's Body Shop pour un travail de carrosserie. Il insista auprès de Ray: il voulait que tout le travail soit fait au plomb, et non au Bondo, un mastic à carrosserie qui venait d'être mis sur le marché. La vieille technique au plomb était fastidieuse mais durable. Le plomb était fondu sur la bosselure ou autour du morceau de métal qui était utilisé pour couvrir le trou. On le modelait avec un bloc de métal et, une fois refroidi, on le limait pour en adoucir le fini. Raymond assura son client qu'il n'utilisait que du plomb. Le lendemain, alors qu'il réparait l'auto du médecin, ce dernier arriva à l'atelier avec Sylvestre, qui faisait des courses. Sous les yeux de Sylvestre, le médecin, regardant travailler Raymond, remarqua sur le plancher une plaque couverte d'une substance à couleur de plomb. Il demanda: «Tu n'as pas à le chauffer?» et se baissa pour la toucher. Raymond lui cria: «Maudit, touche pas à ça! Tu vas te brûler.» Le médecin se retira juste à temps en rougissant. Il bavarda un moment, puis partit. Dès qu'il fut sorti de l'atelier, Raymond prit la substance étendue sur la plaque et, sous les yeux éberlués de Sylvestre, en lança une motte dans sa direction. Sylvestre recula d'un bond et la substance tomba sur le plancher. «Maudit fou!» pensa-t-il, jusqu'à ce qu'il voie Raymond rire de lui. «C'est le nouveau Bondo de couleur métallique», dit-il à Sylvestre entre deux éclats de rire.

À la station-service, Raymond était tout aussi insensible et, parce qu'il était plus souvent en contact avec la clientèle, il était encore plus rapace. Marcel Legendre, un mécanicien qui réparait des autos à la station, raconte qu'il ne pouvait croire à quel point Raymond était malhonnête avec les clients et les employés. «Une fois, un gars arrive avec un chargement de tissu dans son auto. Un vendeur, je pense bien, pour une manufacture de textile à Montréal. Ray lui a acheté tout le stock. Je pense qu'il y en avait pour 2000 $. Il a donné un chèque au gars et il l'a signé M. Brown. Le lendemain, le gars est revenu en cherchant M. Brown, le boss. Tout le monde a dit: "Y'a pas de M. Brown ici."»

Grâce aux revenus de l'atelier, de la station-service, du commerce d'autos usagées et de sa dépanneuse, Raymond augmenta ses dépenses de fête. La cousine de Jeannine, Jocelyne Béland Saint-Louis, se rappelle les années où elle a gardé Denis, Anne et le troisième enfant, Marc, né en septembre 1962. «Ils sortaient souvent pour toute la fin de semaine. Ils partaient un vendredi soir avec un autre couple, le frère de Ray et sa femme, et ils revenaient le dimanche soir. Ils allaient à Montréal — à des parties de hockey. Les enfants étaient sages, ils étaient faciles à garder. Mais la maison avait l'air tellement triste. Seule la chambre de Anne semblait heureuse. Jeannine lui avait fabriqué une belle coiffeuse.»

Les voyages de week-end — dans des centres de villégiature des Laurentides, à Montréal et au Carnaval de Québec — étaient tous aux frais de Ray. Ils sortaient souvent. Au début, Jeannine y prenait plaisir, riant des blagues et des facéties de Raymond. Elle ne buvait jamais — l'odeur de l'alcool lui donnait envie de vomir. Ce n'était pas une convive particulièrement drôle, mais elle était gentille et prévenante, et d'une compagnie agréable.

L'été, Durand adorait vivre au bord d'un lac. Après leur mariage, ils se rendaient au chalet de son père, au lac Clair. Mais au début des années soixante, ils achetèrent un chalet sur une île minuscule tout près de la maison de Donat. Comme le chalet de Raymond et de Jeannine était de l'autre côté de l'île, ils ne pouvaient voir jusque chez Donat. Ils achetèrent un bateau et Denis commença à pratiquer le ski nautique à l'âge de six ans. Ils passèrent tous leurs étés là, à l'écart des nuits moites de Pointe-Gatineau. Pendant des années, Raymond et ses frères avaient utilisé le chalet de leur père pour y organiser des fêtes, et ils gardaient de bons souvenirs de ces soirées. Mais peu avant son décès, pour des raisons encore obscures, son père perdit son chalet. Marie-Anna dit à ses sœurs qu'elle l'avait vendu parce qu'elle ne pouvait faire confiance à son mari lorsqu'il se trouvait là-bas. Mais l'endroit ne fut jamais vendu. Donat avait loué le terrain du gouvernement et le bail était peut-être terminé. Peu importe: un homme de Hull qui détenait le chalet voisin commença à s'en servir, et on croyait qu'il l'achèterait. Raymond détestait le voisin et décida qu'il ne mettrait pas la main sur le chalet. Une nuit d'été, il rama jusqu'à la rive avec un bidon d'essence, arrosa la maison de son père, que lui et ses frères avaient aidé à construire, et y mit le feu. Durand dit par la suite à des membres de sa famille qu'en sautant dans la chaloupe pour retourner à l'île, il s'était éraflé la jambe sur le quai. Il n'avait pas pensé que l'incendie illuminerait tout le lac. Il dit qu'il avait l'impression pendant tout le trajet qu'un spot était braqué sur lui. Durand se vanta devant des amis et des membres de la famille d'avoir mis le feu, et plusieurs années plus tard, il en parla même à Denis, riant d'avoir failli se faire prendre.

À mesure que le petit empire commercial de Raymond grossissait, il devenait évident que Jeannine tirait de moins en moins de plaisir de la compagnie de Raymond, selon des amis à eux. Ils s'éloignaient de plus en plus, en partie à cause du dégoût que provoquait chez Jeannine le traitement que Raymond infligeait aux enfants. Il les tolérait à peine, ne faisait aucunement attention à leurs sentiments et n'accordait jamais le moindre intérêt à leurs activités. Lorsqu'il était à la maison — et, de plus en plus, il s'absentait jour et nuit — il ne faisait montre d'aucune patience à l'égard des enfants. Un midi, au repas, devant un visiteur, en voyant Denis inonder son assiette de ketchup, il perdit son sang-froid. Saisissant la bouteille, il la versa sur la tête de Denis. Jeannine réconforta Denis.

«Laisse-le en paix, Raymond, supplia-t-elle. Ça va passer.»

À partir de ce moment, Raymond donna à Denis le surnom de Ketchup.

Rue Michaud, les enfants avaient une foule de compagnons de jeux. La rivière était proche et la cour était assez grande pour leurs chiens et chats et leurs projets de bricolage. L'aîné, Denis, a gardé les souvenirs les plus clairs de cette époque. Mais à cinq ans, cet enfant tapageur, blond et heureux craignait déjà son père, et s'en méfiait. Tous ses souvenirs de son père parlent de déception ou d'injustice.

Un soir d'été, se rappelle Denis, il se précipita en pleurs dans l'atelier de carrosserie de son père. Il avait participé à une course de tacots avec les autres enfants de la rue. Un petit dur avait frappé son tacot parderrière et l'avait défoncé. Il y avait eu de la bataille et il avait couru chez lui en pleurant.

«Arrête ton maudit braillage, Ketchup, avait grogné son père. Je vais te faire un vrai *go-cart,* avec un moteur. On va le faire dans l'atelier.»

Denis s'était emparé de cette promesse, l'avait serrée fort dans son cœur, l'avait fait répéter à son père. Il imagina instantanément à quoi ça ressemblerait, où ils installeraient le moteur, quelle vieille banquette d'auto il prendrait, comment il allait le peinturer, le casque protecteur qu'il porterait. Il conduirait jusqu'à l'école. Les gars se bousculeraient pour être son meilleur ami. Ils le supplieraient de les laisser l'essayer.

Il courut rejoindre les copains et se vanta tout l'après-midi. Il raconta aux gars que lui et son père feraient un *go-cart* dans l'atelier en bas, que son père avait tout le plan en tête, tout le matériel voulu. Puis ils le peintureraient dans l'atelier de carrosserie.

Il passa des semaines réjoui par cette promesse, supplia son père pendant des mois. Quand est-ce qu'on commence? Puis, l'hiver arriva. Raymond n'avait jamais commencé à assembler les pièces; il n'avait même jamais eu la moindre intention de lui construire cette voiture.

Denis se rappelle aussi que la cour arrière de la maison était recouverte d'éclats de métal, de ferraille que son père jetait de l'atelier. Jeannine reprochait à Raymond sa négligence.

«Raymond, disait-elle, pourquoi jettes-tu la ferraille comme ça? Pense aux enfants.»

Un dimanche, ils étaient revenus du chalet en début de soirée. Il faisait chaud et lourd, et la mère de Denis avait sorti le boyau pour arroser les fleurs. Denis la taquinait. Elle l'arrosa et la sensation de fraîcheur était si délicieuse qu'il se mit, pour jouer, à se dérober hors d'atteinte de sa mère. Jusqu'à ce qu'il pose un pied nu sur un morceau de métal effilé comme un poignard. Il cria et le sang jaillit de son pied. Sa mère le transporta jusqu'à la maison. Elle perdit la tête en voyant le sang imbiber la serviette qu'elle avait enroulée autour de son pied. Denis pleurait et son père criait: «Arrête de gémir. Y'a pas de problème.»

Finalement, se rappelle Denis, sa mère avait hurlé et son père l'avait conduit, à contrecœur, jusqu'à une clinique pour lui faire soigner le pied.

Une autre fois, se rappelle Denis, il avait un mal de dents qui lui faisait si mal qu'il avait fini par en parler à sa mère. Sa mère avait pris rendez-vous avec le dentiste et son père l'avait conduit. En grimpant dans la chaise du dentiste, Denis tremblait. Son père ne voyait aucun intérêt à rester là. Il abandonna Denis et traversa la rue jusqu'au poste de police pour voir son copain, le chef. Le dentiste arriva et donna une injection d'anesthésiant à Denis en lui disant d'attendre dans le couloir. Voyant que personne ne regardait, Denis se faufila et partit se cacher dans l'auto. Le dentiste le chercha partout avant d'appeler le poste de police. Lorsque Raymond monta dans l'auto pour aller voir si Denis était retourné à la maison, il trouva le garçon et l'engueula copieusement d'avoir gaspillé tout cet argent, se rappelle Denis.

Pour Denis, le trait de caractère le plus difficile à supporter, chez son père, c'était son cynisme. Ray était un imitateur et un blagueur né, mais toutes ses farces avaient un côté méchant. Denis se rappelle qu'il ne pouvait jamais s'empêcher de rire, mais qu'ensuite il s'en voulait toujours de l'avoir fait.

Jeannine détestait voir Raymond se moquer des gens. Denis le savait et se sentait blessé chaque fois que son père se moquait de lui.

Denis se rappelle que la fois où il s'en est voulu le plus d'avoir ri, c'est lorsque GaGa Patate apporta sa roulotte à patates frites à l'atelier pour la faire repeindre. Tout le monde le connaissait: GaGa vendait des frites près du pont qui menait à Hull. Il était là depuis toujours, le dos voûté, posant la même question à tout le monde: «Petite, moyenne ou grosse?» Denis, ses oncles et sa sœur étaient tous dans l'atelier, et son père avait mis le chapeau de GaGa, avait grimpé dans le camion, avait sorti la tête par la fenêtre de service, le dos tout voûté, et avait demandé: «Petite, moyenne ou grosse?» Il imitait GaGa à la perfection. Ils riaient tous tellement fort qu'ils ne virent pas entrer GaGa. Denis entendit son cri de douleur avant de le voir. Il hurlait qu'il voulait reprendre sa roulotte, qu'il allait faire faire le travail ailleurs. Il fallut bien du temps à Raymond pour calmer GaGa. Il lui dit: «GaGa, je voulais juste l'essayer.»

Jeannine, se rappellent les enfants, était tout le contraire de son mari. Elle était patiente, affectueuse et protectrice. «C'était une vraie mère poule», dit une femme qui voyait souvent Jeannine avec les enfants. «Elle ne voulait pas qu'on taquine les enfants ou qu'on se moque d'eux.» Et elle en vint à détester l'habitude qu'avait Raymond de taquiner tout le monde, y compris les enfants, avec un surnom qui les faisait se sentir minables et stupides. Denis, c'était Ketchup. Anne, c'était La Petite Maigrichonne. Réginald, c'était le Gros Tata.

Anne et Denis se souviennent de leur mère comme d'une présence calmante au giron toujours accueillant. Le soir, elle les mettait au lit et laissait la porte ouverte. Puis elle s'assoyait et leur jouait une berceuse. Ils se rappellent que chaque fois qu'elle apprenait un nouveau morceau, elle appelait sa mère, déposait le récepteur sur le piano et le jouait pour elle. Tous les voisins de la rue Michaud appréciaient également sa musique. Le soir, ils s'assoyaient sur leur balcon pour l'écouter jouer du Mozart à ses enfants.

Elle ne dédaignait pas passer les week-ends à la maison et elle finit par préférer la compagnie de ses enfants aux sorties avec Raymond et l'autre couple.

Jocelyne Béland Saint-Louis affirme que Jeannine était souvent profondément malheureuse et qu'elle n'envisageait pas les excursions de week-end comme une aventure relaxante. Elle semblait avoir beaucoup de réticence à quitter la maison et considérait ces déplacements comme un devoir pénible.

Ce n'était pas seulement le traitement que Raymond infligeait aux enfants que Jeannine avait commencé à détester. Elle avait découvert qu'il était malhonnête en affaires et mythomane. Elle continua à le défendre devant ses parents, leur vantant même ses succès financiers, mais elle confia un jour à sa famille qu'elle ne s'occupait plus de la comptabilité de l'entreprise. Elle ne voulait être aucunement mêlée aux transactions malhonnêtes de son mari.

Ainsi, Raymond, éternel coureur de jupons, commença à passer de plus en plus de temps et à dépenser de plus en plus d'argent avec d'autres femmes. Il lui arrivait souvent de ne pas revenir à la maison le soir. Jeannine mit bien du temps à reconnaître qu'il la trompait, mais elle finit par le croire et cela devint la source de bien des querelles. Mais Raymond ne supportait aucune critique de la part de Jeannine, et il se mit à la gifler. L'oncle de Jeannine qui livrait du lait au 44, rue Michaud arriva un jour en pleine querelle. Il laissa le lait sur la table et sortit sur la pointe des pieds. Lorsqu'il la vit la fois suivante, Jeannine portait des verres fumés et ne voulait pas le regarder. Denis se rappelle que ces querelles lui faisaient si peur qu'il se couvrait la tête avec son oreiller chaque fois qu'il sentait qu'une chicane était sur le point d'éclater.

Denis se rappelle la première fois qu'il entendit sa mère traiter son père de coureur de jupons. Chaque fois que son père montait dans l'auto, elle disait: «Raymond, amène donc Denis avec toi.» Denis passait des heures assis dans l'auto stationnée devant un édifice d'Ottawa, ou devant un autre à Hull. Denis savait que son père rencontrait une autre femme. Il se demandait souvent ce qu'il était censé dire à sa mère. Il craignait la façon dont son père allait réagir s'il disait quelque chose, mais s'en voulait de le protéger. Lorsque sa mère lui demandait où ils étaient allés, Denis se contentait de dire qu'ils étaient allés visiter un commerce d'autos à vendre, ou qu'ils étaient allés chercher des pièces d'auto à Ottawa. Denis savait que sa mère avait tout deviné parce qu'elle ne lui demandait pas de détails.

Chaque fois que Denis et sa mère passaient devant l'appartement de Hull où Raymond avait l'habitude de se rendre, elle se tournait pour regarder. Denis faisait semblant de ne pas voir l'expression blessée sur son visage. Chaque fois qu'elle se sentait blessée ainsi, elle jouait de la musique triste au piano, le soir. «Va te mettre au lit, disait-elle, et je jouerai pour toi.» Mais lorsqu'elle jouait cette musique triste, Denis songeait à tout ce temps qu'il avait passé assis dans l'auto en attendant son père, mort de chaleur et les entrailles nouées.

Chapitre quatre

Hull, Québec, 1966

Henri Ferland, le chef de police de Pointe-Gatineau, se trouvait parmi la douzaine d'officiers qui avaient effectué une descente à l'atelier d'imprimerie de Gilles Paquin, ce soir glacial de janvier 1966. De toute évidence, Ferland était au courant du plan. Mais son copain Raymond n'avoua jamais qu'il avait servi d'informateur à Ferland; il déclara qu'il travaillait pour l'un des détectives de Ferland, Robert Sincennes, qui nia avoir jamais reçu d'information de la part de Durand. Comme toujours, Durand était seul à savoir ce qu'il faisait.

Après l'enquête préliminaire, Durand dit à des membres de sa famille qu'il allait recevoir 40 000 $ pour son témoignage, et qu'il allait utiliser l'argent pour refaire sa vie. Mais les officiers de police de la région d'Ottawa affirment qu'il se faisait des illusions. Selon eux, en 1966, le seul service policier qui aurait donné autant d'argent à un informateur aurait été la GRC: la Police montée aurait été prête à verser 40 000 $ à un informateur pour une enquête sur un meurtre, mais n'aurait jamais donné autant d'argent à un pauvre arnaqueur comme Durand pour avoir dénoncé un faussaire de patelin qui se spécialisait dans les billets de loterie et les diplômes d'école secondaire.

Le procès pour contrefaçon s'annonçait pour le printemps de 1967. Durand, de son côté, avait des problèmes domestiques. Il avait pris une hypothèque de 8000 $ sur sa maison en mars 1965 pour investir dans une nouvelle entreprise avec son ami Georges Sylvestre. Au départ, ils avaient fait de l'argent. Mais Durand l'avait dépensé beaucoup plus rapidement qu'il ne l'avait gagné, et dès Noël, cette année-là, il éprouvait de sérieuses difficultés financières. Il avait pris du retard dans ses paiements hypothécaires, avait accumulé des montagnes de factures impayées de fournisseurs et, lorsque tout le monde sut qu'il avait mouchardé Paquin et Tassé, les affaires commencèrent à péricliter à l'atelier de carrosserie et au garage.

Ses coups pendables se retournèrent contre lui. Il était lié à la fois aux policiers et au monde interlope. À présent, ni les uns ni les autres ne lui faisaient confiance. Il avait encore son copain Ferland mais dès le milieu de 1966, le sort en était jeté pour Ferland aussi. Il s'était mis tout le service sur le dos, et le conseil municipal menait une investigation discrète sur ses activités. En moins d'un an, cette investigation allait mener à une enquête judiciaire complète, et à la suspension du chef.

En dépit de ses difficultés financières croissantes, Durand fêtait et courait les femmes avec beaucoup de vigueur. Il avait des appétits apparemment insatiables et une énorme énergie physique. Il était rarement chez lui.

Jeannine n'avait jamais mis les pieds à l'atelier de carrosserie situé au sous-sol de la maison, mais dès que leurs difficultés financières s'accumulèrent, elle commença à faire des courses pour Ray et les gars à la station-service. Le mécanicien Marcel Legendre affirme qu'elle devint la «commissionnaire» de la compagnie. Peut-être essayait-elle de se rendre plus présente dans la vie de Raymond. Un jour, seule dans l'auto, Jeannine s'approchait d'une entrée du pont Macdonald-Cartier, qui venait d'être construit, lorsqu'une roue avant se desserra. Elle perdit le contrôle du véhicule et heurta un pilier de béton. L'auto était une perte totale, mais elle s'en était tirée saine et sauve. Le lendemain, Legendre se rappelle que Durand dit aux gars au travail: «Tu parles d'une malchance: elle a même pas un bleu.» Legendre déclare aujourd'hui que ses souvenirs de l'accident sont un peu embrouillés et que, par souci de justice pour Durand, il doit dire que cela ressemble au genre de remarque qu'on fait pour rire. Mais il précise qu'il retient à ce jour l'impression que Durand était un homme cruel et qu'il ne blaguait pas en parlant de malchance.

Deux mois après son témoignage à l'enquête préliminaire, Durand comparut devant le tribunal des faillites. Pendant les mois où il s'était promené dans sa Chevrolet Super Sport avec un pistolet dans sa poche et un insigne de la police dans son portefeuille, se vantant d'avoir travaillé comme enquêteur et dénoncé Paquin et Tassé, il s'enfonçait vers la faillite. À présent, la liste de ses avoirs et de ses dettes révélait combien lui avait coûté la poursuite du plaisir. Lorsqu'on lui demanda dans l'un des formulaires de faillite d'expliquer ce qui avait provoqué la faillite de ses entreprises, il écrivit tout simplement: «Trop de dettes, pas assez de revenus.» Il révéla qu'il était au courant depuis novembre 1965 qu'il avait des problèmes.

Ainsi, à trente et un ans, il perdit tout: la maison qu'il avait construite, son atelier de carrosserie, la station-service et ses intérêts dans deux autres compagnies. Ses dettes totalisaient plus de 40 000 $, ses avoirs environ 7000 $. Il devait de l'argent à six sociétés financières, à des fournisseurs de pièces d'autos, à d'autres concessionnaires, à son fournisseur d'essence, à une boîte de publicité et à la quincaillerie où travaillait son beau-père.

Pour Jeannine et les enfants, la faillite mit une fin abrupte à la vie rue Michaud. Un quart de siècle plus tard, les enfants s'en souviennent comme de la seule période heureuse de leur enfance.

Les souvenirs que garde Denis de cet été-là sont tous reliés à une journée ensoleillée, vers la fin de l'année scolaire. Il revenait de l'école. Anne traînait derrière lui, comme d'habitude, et son ami Beaver Bélair sautillait à ses côtés en le taquinant. «Ton père est en *banc-croûte*», disait Beaver. Denis n'avait aucune idée de ce que cela voulait dire, mais les oreilles lui brûlaient de honte. Il savait que si Beaver était au courant, toute la ville l'était aussi. Raymond avait fait quelque chose de mal.

Denis avait dix ans, cet été-là. Il craignait son père, mais cela n'avait rien d'extraordinaire; bien des gars de son âge craignaient aussi leur père. Denis se considérait comme un enfant normal d'une famille normale. Il ne parlait que français. Dans son monde, il était enfoui profondément au sein de la majorité. Il jouait au hockey l'hiver et passait ses étés au lac. Il était entouré d'une grande famille élargie de grands-parents, d'oncles, de tantes et de cousins.

La faillite changea tout. Pendant des années, par la suite, Denis crut que tous les problèmes de la famille étaient causés par ce mot affreux avec lequel Beaver l'avait taquiné, un mot qui avait l'air d'avoir été brisé en deux. *Banc-croûte.*

Au début de l'été, la société financière saisit la maison et la famille dut déménager. Mais la faillite était le dernier des soucis de Durand. Redoutant de plus en plus les ennemis qu'il s'était faits, Durand relogea sa famille dans un logement de la rue Bernier, dans le nord de Hull.

Après la faillite, se rappelle Denis, sa mère semblait terriblement malheureuse. Il se rappelle le jour où elle fit monter tous les enfants dans l'auto et fit le tour de Hull. Il sentit son cœur bondir lorsqu'elle stationna devant l'appartement où son père avait l'habitude d'aller. Ils restèrent assis là et attendirent. Denis ne disait rien. Il ne pouvait imaginer ce qu'elle allait faire. Attendait-elle Ray? Allait-elle parler à la femme? Lui demanderait-elle, à lui, d'aller chercher Ray? Il voulait pleurer. Il avait le sentiment que sa mère était au courant des secrets que gardait Denis, mais il savait qu'elle ne lui demanderait pas de trahir son père.

Denis était devenu le meilleur ami de Jeannine. Ils parlaient, il l'assistait dans les tâches ménagères, l'aidait à prendre soin d'Anne et de Marc et pouvait la faire rire comme le faisait jadis Raymond. Le soir, se rappelle Denis, lorsqu'il était au lit, il lui demandait de lui apporter un verre d'eau. Elle l'apportait et il essayait de la faire rire parce qu'il savait qu'elle avait enlevé son dentier. Elle se couvrait la bouche et disait: «Denis, fais-moi pas rire.» C'était devenu une sorte de jeu pour eux.

À la rentrée scolaire, se rappelle Denis, les temps durs revinrent. Il n'y avait pas d'argent et son père était rarement à la maison, le jour comme la nuit. Ils ne recevaient jamais de visiteurs. Il avait l'impression de vivre dans les limbes. Il crut qu'ils attendaient quelque chose. Denis devint camelot pour *Le Droit*. Tout l'argent qu'il faisait, il le donnait à sa mère. Un après-midi, des gars que Denis avait rencontrés arrivèrent et lui demandèrent d'aller au cinéma avec eux. Il dit qu'il ne pouvait pas. Jeannine l'entendit et dit: «Pourquoi tu n'y vas pas?»

«On n'a pas d'argent», lui dit Denis. Il crut qu'il allait pleurer.

Elle le prit dans ses bras et dit: «J'en ai, de l'argent.» C'est ainsi qu'il put aller au cinéma.

La faillite avait été traumatisante pour Jeannine et les enfants, mais pour Durand, elle semble avoir été une sorte de libération. Il avait vu, une fois, un épisode des *Plouffe*, une série télévisée populaire, dans lequel un des personnages prenait ses vacances en Floride. Cette émission de télévision lui avait fait un grand effet; ses amis se rappellent qu'il parlait toujours d'aller vivre sur une plage au soleil.

Comme bien des résidants de Hull, Durand reçut une éducation unilingue française. Au début de la vingtaine, toutefois, il avait acquis une connaissance fonctionnelle de l'anglais. Encore aujourd'hui, il est presque incapable d'écrire l'anglais et il a un accent français évident quand il le parle, mais dès l'automne de 1966, il avait suffisamment confiance en sa capacité de parler l'anglais qu'il décida de traverser la rivière vers Ottawa pour y trouver du travail. Il était trop connu à Hull. Il dénicha un emploi dans l'atelier de peinture de l'un des plus grands concessionnaires d'autos d'Ottawa, Campbell Ford. La salle de montre et l'atelier de carrosserie étaient au centre-ville, mais l'atelier de peinture était dans le quartier ouest, rue Scott. Son patron, le contremaître, était lui aussi francophone.

En dépit de la faillite, Durand arriva à acheter une nouvelle voiture à crédit, une Beaumont. Peu importe à quel point il était fauché, Durand refusait de rouler au volant d'une vieille bagnole. Avec l'auto, il se remit à rôder, à la recherche d'occasions. Ni la faillite ni l'enquête préliminaire n'avaient apparemment flétri sa vie imaginaire. Dans l'annuaire de Hull de 1967, qui énumère chaque résidant avec son adresse, le nom de son conjoint, son numéro de téléphone et son occupation, la mention Raymond Durand, au 3, rue Bernier, le désigne comme étant chef de police.

Chez Campbell, Durand évalua la situation sans tarder. Il obtint pour l'un de ses frères un emploi au même atelier que lui et, peu après, fut accusé par le contremaître de voler de la peinture. Selon un collègue à qui Durand se confia, il réagit en transportant des matériaux de l'atelier jusqu'au garage personnel du contremaître, puis appela la police pour dénoncer celui-ci. Lorsque l'administration de Campbell apprit la nouvelle, le contremaître fut congédié. Durand s'enhardit et mit le cap sur une nouvelle cible.

De temps à autre, Durand livrait des autos fraîchement repeintes jusqu'au garage du centre-ville. Il prenait toujours le temps de bavarder avec Patricia Holben, une standardiste rousse et bien en chair. Il dit à son frère qu'il avait une aventure avec une cadre principale de Campbell et qu'ils pourraient se la partager.

Patricia Holben était une femme joviale, sexy et bien en chair, qui vivait alors avec un fonctionnaire du ministère de la Défense, Albert Dudley. Avant de décrocher un emploi de réceptionniste chez Campbell, elle avait été serveuse dans un café voisin. Une coiffeuse nommée Lucille Savage, qui connaissait Patricia Holben lorsqu'elle travaillait au café, dit que tous les hommes chez Campbell y prenaient leur lunch. Selon Lucille Savage, Patricia Holben était toujours en train de rire des blagues salées des gars. «Les gars lui pinçaient les fesses. Elle était pas mal sûre d'elle-même. Elle paraissait heureuse. Elle ne se maquillait pas beaucoup et portait un uniforme. Parfois ses cheveux étaient blonds, parfois auburn.»

Lucille Savage décrit Dudley comme un homme de classe moyenne, à l'aise et profondément amoureux de Patricia Holben. Dans l'annuaire de la ville, ils étaient inscrits en tant que couple marié. Cependant, selon des membres de la famille de Patricia Holben, ils ne se sont jamais mariés. Lucille Savage dit que le couple partageait un bel appartement meublé d'antiquités, rue Frank, au centre d'Ottawa.

Durand dit à un membre de sa famille que pour impressionner Patricia Holben, il allait acheter une auto neuve et luxueuse. Il commença par demander à l'un de ses frères d'acheter sa Beaumont: il lui suffirait d'assumer les paiements, et c'est ce qu'il fit. Dès que les papiers furent signés, transférant le prêt à son frère, Durand acheta, à crédit, une Buick LeSabre rouge. C'était un véritable paquebot, une Buick haut de gamme. Immédiatement après, son frère découvrit que Durand n'avait fait aucun paiement sur la Beaumont.

Cet automne-là, Patricia Holben tomba amoureuse de Durand et quitta Dudley. Selon toute apparence, Durand, qui pesait alors 100 kilos, avait littéralement persuadé Patricia de quitter Albert Dudley. Ils s'établirent ensemble dans un appartement et Durand passa bientôt plus de temps avec elle que chez lui. Il se vanta auprès d'un collègue qu'il couchait avec Patricia Holben, mais son collègue se contenta de rire, pensant que c'était un autre des mensonges de Durand. Un après-midi, Durand amena son collègue à un appartement près de l'atelier. Il ouvrit la porte avec une clé, entra dans la chambre et ouvrit le placard. «C'est à qui, ces vêtements-là?» demanda-t-il.

— À Pat.

— Et ceux-là, c'est à qui?

— C'est les tiens.

Vers la même époque, Durand commença à dire à Jeannine qu'ils allaient déménager en Floride, qu'ils n'étaient plus en sécurité au Québec. Il expliqua ses absences en lui disant qu'il travaillait le soir pour gagner l'argent nécessaire au déménagement.

Par un après-midi chaud et ensoleillé, cet automne-là, la cousine de Jeannine, Jocelyne Béland Saint-Louis, qui gardait souvent les enfants de Jeannine et Raymond auparavant, arriva à bicyclette rue Bernier pour rendre visite à Jeannine. Elle n'avait pas gardé les enfants depuis des mois, et elle décida de passer voir comment ils s'arrangeaient dans leur nouveau logement. Elle trouva Jeannine profondément déprimée, plus triste que jamais. Tandis que les enfants jouaient dans la cour arrière au milieu des érables qui laissaient tomber leurs feuilles aux couleurs vives, elle et Jeannine s'assirent dans la balançoire et parlèrent. Pour la première fois, Jeannine se confia à sa cousine. Jocelyne se rappelle que Jeannine pleurait.

«Raymond veut déménager en Floride, dit Jeannine. Il est parti et quand il va nous trouver une maison, on va déménager. Ça pourrait être demain. Son frère va nous emmener pour une partie du trajet. Je ne veux pas partir.»

Une partie du malheur de Jeannine venait peut-être de sa découverte qu'elle était enceinte pour la quatrième fois. Mais elle était aussi désespérément fauchée, souvent à peine capable de nourrir les enfants. Elle était trop orgueilleuse pour demander de l'aide à ses parents et dépendait entièrement du sens des responsabilités de Durand. Elle se sentait vulnérable et apeurée.

Il est peu probable que Durand soit vraiment parti pour la Floride. Il fut de retour rue Bernier pour Noël. Il est plus probable qu'il soit allé vivre avec Patricia et qu'il ait tout simplement dit à Jeannine qu'il était parti en Floride.

Bien que Patricia Holben parût joviale aux yeux de bien des gens, elle était apparemment poursuivie par des démons intérieurs. Cet automne-là, dans un moment de panique, Durand appela un parent. Il avait découvert Pat sur le plancher de l'appartement qu'ils partageaient, rue Booth. Elle s'était tranché les veines. Durand, apparemment préoccupé davantage par le pétrin dans lequel il se trouvait que par la condition de sa maîtresse, demanda de l'aide à son parent. Appelle une ambulance, lui répondit-on. C'est ce qu'il fit, et Patricia se rétablit à l'hôpital. Durand n'expliqua jamais ce qui était arrivé et n'en reparla jamais plus. L'autre preuve que Patricia avait des problèmes vient de Nancy Granger, alors âgée de dix-sept ans, qui remplaçait Patricia au standard à l'heure du lunch. Nancy se rappelle que Patricia mangeait avec Durand au café et qu'elle devait souvent aller lui dire que l'heure du lunch était terminée. Nancy raconte son dernier souvenir de Patricia: «Elle pleurait beaucoup avant de partir. Je la revois au standard, les larmes coulant sur son visage.»

Peu après Noël, Patricia commença à sabler des camions à l'atelier avec Durand; elle travaillait tard dans la nuit. Durand peinturait les camions si rapidement qu'il commença à les livrer dans le centre-ville avant qu'ils soient secs. Comme il était payé pour le nombre de véhicules qu'il avait repeints, plus il travaillait rapidement, plus il gagnait d'argent.

Un vendredi soir, il alla chercher son chèque de paie ainsi que celui de son frère, et sortit de chez Campbell sans même regarder derrière lui. Il avait convaincu Patricia de déménager en Floride avec lui et de commencer une nouvelle vie. Ni l'un ni l'autre ne donnèrent leur avis de départ et personne ne sut où ils étaient allés. Durand prit les vêtements d'hiver de Patricia et lui dit qu'il les avait donnés à l'une de ses sœurs. Il les apporta à Jeannine et lui dit qu'il resterait en contact avec elle. Puis il cueillit Patricia et ils partirent vers le sud dans la grosse Buick rouge. Lorsqu'ils s'arrêtèrent le lendemain, ils étaient à Fort Lauderdale, en Floride.

Chapitre cinq

Fort Lauderdale, Floride, 1967

Au début, Fort Lauderdale marqua une rupture nette pour Raymond Durand. Personne ne le connaissait et il était libre de se refaire une identité. Il s'était débarrassé de sa ville natale, de sa langue et de sa culture. Il avait placé sa famille dans un isolement tranquille. Étant donné qu'il pouvait facilement transporter ses compétences, il n'avait eu aucune difficulté à se trouver du travail dans un atelier de carrosserie.

Raymond et Pat louèrent ensemble une maison meublée et climatisée. Comme Pat trouva un emploi dans une cafétéria, ils ne manquaient pas d'argent. Chaque fois que Ray sentait qu'il était temps d'envoyer quelques dollars chez lui à sa femme enceinte et à ses trois enfants, qui habitaient encore rue Bernier, il peignait des autos trois ou quatre soirs d'affilée. Il avait l'énergie d'un taureau.

Ils passaient leur temps libre à la plage. Ray adorait zyeuter les femmes. Il était obsédé par les gros seins. Pat n'était pas jolie — elle avait un visage long et dur, et des cheveux droits, alors auburn — mais Raymond était fou de ses seins, qui débordaient de son maillot de bain jaune. Il restait assis au soleil, buvait de la bière, nageait, se faisait bronzer, passait des commentaires sur les beautés qui défilaient. Il se prenait pour un beau gars. Il avait les cheveux ras, un dentier convenable, un torse poilu. Il avait un «pneu d'assez bonne taille» autour de la taille, mais il croyait que son charme compensait pour son excédent de poids.

En quittant le Canada, Ray avait dit à ses frères et aux autres membres de sa famille que sa vie était en danger parce qu'il avait escroqué de gros bandits à Montréal. C'était peut-être vrai. Chose certaine, il fuyait les créanciers et les tribunaux. Il devait de l'argent pour la nouvelle auto qu'il avait achetée et il était attendu comme témoin au procès de Tassé à la fin du printemps de 1967. Paquin devait être jugé plus tard. Mais Ray avait décidé qu'il avait fait sa part et qu'il n'allait pas attendre pour répéter ce qu'il avait déjà dit à l'enquête préliminaire.

Environ un mois après que Ray et Pat se furent établis dans leur nouvelle vie en Floride, Ray fit un voyage-éclair jusqu'à Hull pour déménager Jeannine et les enfants à Ottawa. On ne sait trop ce qui l'a poussé à y retourner, mais les consignes qu'il a données, avertissant Jeannine et les enfants de ne parler à personne à Hull, suggèrent qu'il s'inquiétait de leur sécurité. Peut-être avait-il l'impression que ses ennemis se rapprochaient. Un de ses frères et un autre parent affirment qu'à partir du moment où il quitta Campbell Ford, ils commencèrent à recevoir des appels demandant où était parti Raymond. Des gens le cherchaient.

Le déménagement à Ottawa obligea Denis et Anne à fréquenter une école anglaise — même s'ils ne parlaient ni ne comprenaient cette langue. Avenue Carling, dans l'ouest d'Ottawa, Durand leur trouva un appartement minuscule, sans téléphone. Il déclara qu'ils ne devaient ni appeler ni rendre visite à aucun membre de la famille. Personne n'était censé savoir où ils étaient. Ils se cachaient.

Le soir où ils emménagèrent, Denis était au lit et il entendit ses parents se disputer.

«Espèce d'enfant de chienne! criait son père. Faut pas mettre d'argent dans une enveloppe!»

Elle dit quelque chose comme: «Raymond, pourquoi tu me laisses avec ça qui me pend au-dessus de la tête?» Denis l'avait vue mettre beaucoup d'argent dans une enveloppe. C'était son père qui lui avait donné l'argent. Après la querelle, il entendit partir sa mère. Elle dut aller la poster. Denis se dit que son père devait beaucoup d'argent à quelqu'un et qu'il ne voulait pas payer.

À l'école, Denis se débattait avec l'anglais. Il était terriblement seul. Tout l'argent qu'ils avaient, se souvient-il, arrivait dans de petites enveloppes par la poste. Une fois encore, il devint camelot. Tout l'argent qu'il gagnait en livrant les journaux, il le donnait à Jeannine pour qu'elle achète du pain et du lait. Elle était très fatiguée et son ventre commençait à gonfler. Mais le plus difficile, c'était de ne voir personne. Jeannine n'appelait pas ses parents. Les enfants ne voyaient jamais leurs oncles ni leurs cousins. L'hiver sembla s'éterniser. C'était, dit Denis, comme s'ils étaient figés dans le temps, à vivre dans cet appartement, dans une ville étrange, parmi des gens qu'ils ne pouvaient pas comprendre.

Après avoir déménagé Jeannine et les enfants, Ray retourna en vitesse à Fort Lauderdale.

Des années plus tard, Pat affirma qu'à ce moment, elle ne savait aucunement que Ray était marié et père de famille. Elle dit un jour, après qu'ils eurent passé plusieurs mois en Floride, qu'il lui avait parlé de Jeannine et des enfants, et lui avait déclaré qu'il voulait les ramener. Pat raconta qu'elle avait été renversée mais qu'elle ne croyait pas avoir le choix. Elle était là, résidant illégalement aux États-Unis, ayant brûlé tous les ponts derrière elle, et amoureuse d'un homme marié dont la femme était enceinte. Elle resta donc avec lui et accepta le plan de Ray: il la présenterait à sa femme comme l'épouse de son patron. Elle espérait de toute évidence — et peut-être Ray lui donna-t-il raison d'espérer — qu'il finirait par divorcer de Jeannine.

Après avoir parlé à Pat de Jeannine et des enfants, Ray loua une petite maison pour sa famille aux abords de la ville, près des usines et des voies ferrées. Puis, au début d'avril, il obtint une luxueuse Thunderbird rouge décapotable. (L'un de ses frères dit plus tard que c'était une auto de location.) C'était le genre d'auto qui faisait tourner la tête des gens. Il la conduisit au nord de Hull où il la vendit immédiatement à une vieille connaissance pour 1500 $ comptant. Deux mois plus tard, l'homme qui l'avait achetée était en train de se faire couper les cheveux un matin lorsqu'il vit deux hommes en complet qui examinaient sa Thunderbird stationnée dans la rue. Ils l'attendaient à sa sortie de chez le coiffeur. Ils se présentèrent comme des officiers de la GRC et dirent qu'ils étaient à la recherche de l'auto. L'homme leur expliqua qu'il l'avait achetée de Raymond Durand. Ils saisirent l'auto et peu après accusèrent Durand d'avoir vendu au Canada un véhicule immatriculé aux États-Unis. Ils ne purent jamais le trouver pour lui annoncer l'accusation.

Avec l'argent de la vente de la Thunderbird, Ray acheta des billets d'avion pour Jeannine et les enfants.

Denis se rappelle que les bourgeons étaient à peine apparus et que les bancs de neige se mettaient à fondre à l'ombre des grands édifices lorsqu'il vit un jour son père descendre d'une auto. C'était au début du printemps 1967. Raymond arriva en coup de vent dans l'appartement et leur annonça qu'ils déménageaient en Floride.

Son père lui parla de la Floride: les palmiers, le soleil, la plage, l'océan. Denis ne le croyait pas; il ne croyait plus rien de ce que disait son père.

Le lendemain, ils allèrent acheter des valises. Sa maman choisit une valise à carreaux qui se pliait en deux. Elle dit qu'on pouvait y suspendre des choses. Elle portait des jupes et des robes. Denis ne l'avait jamais vue en pantalon. Elle dit à Denis qu'elle pourrait y suspendre ses robes et ses jupes, et qu'elles ne seraient pas froissées. Elle acheta une valise bleue pour les vêtements des enfants. Ce soir-là, ils firent leurs bagages et le lendemain ils prirent un taxi vers l'aéroport, toute la famille. Son père avait tous les billets. C'était la première fois que Jeannine et les enfants prenaient l'avion. Anne et Denis n'arrêtaient pas de regarder par la fenêtre. Lorsqu'ils furent sur le point d'atterrir, Denis vit le bleu de l'océan et le sable. Cela ressemblait à une carte postale. Il voulait être heureux, mais il ne cessait de penser à l'école et à leur prochaine maison. Il avait peur que ce soit un autre conte de fées de son père qui deviendrait un cauchemar pour tout le monde.

L'été où la famille partit pour la Floride, les États-Unis étaient déchirés par les émeutes raciales et l'opposition à la guerre du Viêt-nam. Partout dans le pays, des hippies convergeaient vers San Francisco pour ce qui allait devenir l'Été de l'Amour.

À Fort Lauderdale, Ray organisa son propre été de l'amour. Il déménagea sa famille dans la minuscule maison sombre qu'il avait louée. Contrairement à celle qu'il avait louée pour lui-même et pour Pat, cette maison n'était pas climatisée. Jeannine et les enfants souffraient de la chaleur, souvent incapables de dormir la nuit. Jeannine était maintenant enceinte de six mois.

Pourquoi Ray se soucia-t-il d'amener Jeannine et les enfants en Floride après y avoir emménagé avec sa maîtresse? Voilà un mystère qui trouble encore Denis, son frère et ses sœurs. Lui et Jeannine ne s'entendaient pas bien et il tolérait à peine les enfants. Peut-être ressentait-il une certaine responsabilité envers eux. La vérité, c'est peut-être aussi ce qu'il a raconté un jour à l'un de ses frères. Il dit qu'il croyait qu'il allait être plus facile d'obtenir un statut officiel d'immigrant aux États-Unis avec une femme et des enfants. Il a peut-être été mal informé sur les lois américaines de l'immigration, mais s'il le croyait vraiment, cela expliquerait pourquoi il prit une si grande peine et fit de si grandes dépenses pour déménager la famille.

Peu après que Ray ait déménagé sa famille d'Ottawa en Floride, le caporal Yves Chalifoux de la Police provinciale du Québec commença à le chercher. Il avait reçu l'ordre de remettre à Durand une mise en demeure afin de l'obliger à témoigner au procès de Tassé. Le procureur de la Couronne était anxieux. Son témoin clé avait disparu. Chalifoux parla à Georges Sylvestre, qui lui dit qu'il avait entendu des rumeurs selon lesquelles Durand avait fui vers la Floride et travaillait comme évaluateur dans un grand garage. Chalifoux trouva Albert Durand, l'un des frères de Raymond, qui déclara que Raymond l'avait appelé de Floride mais ne lui avait pas donné d'adresse. Puis Chalifoux trouva le père de Jeannine, Hermas Boissonneault, qui affirma qu'il cherchait Jeannine depuis plus de deux mois. Hermas ajouta que lui aussi avait entendu dire que la famille était rendue en Floride, mais qu'il n'avait aucune idée du moment de leur départ ni même de l'endroit où ils habitaient. Si Boissonneault était sincère — et il n'y avait aucune raison de penser qu'il ne l'était pas —, cela veut dire que Jeannine n'était pas entrée en contact avec ses parents après que Ray l'eut déménagée à l'appartement de l'avenue Carling. Peu importe ce que Ray lui avait dit, peu importe la raison qu'il lui eut donnée lorsqu'il l'avait avertie de ne rejoindre personne à Hull, c'était suffisant pour la faire obéir. Durant ces mois d'hiver où elle avait vécu dans la pauvreté et la solitude, avenue Carling, enceinte, avec les enfants qui pâtissaient à l'école anglaise, elle n'avait pas une seule fois appelé son père ou sa mère. Elle avait souffert dans le silence absolu.

Plusieurs jours après que la famille se fut envolée vers Fort Lauderdale, Ray amena Pat à la maison et la présenta à Jeannine et aux enfants en tant que Pat Anderson, épouse du propriétaire de l'atelier de carrosserie où il travaillait. Jeannine parlait très peu l'anglais et Pat ne parlait pas du tout le français. Et pourtant, elles arrivèrent à communiquer et Pat vint souvent en visite à la maison. Pour les enfants, elle était «ma tante Pat». Denis, Anne et Marc l'aimaient. Elle jouait avec eux, leur apportait des cadeaux, organisait des sorties à l'occasion. Ray était rarement là. La plupart des soirs, il ne revenait pas à la maison et lorsqu'il revenait, ce n'était que pour sortir en vitesse peu de temps après. Jeannine et les enfants, qui s'attendaient à ce qu'il leur fasse découvrir les plaisirs de la Floride, furent bientôt désillusionnés. Ils étaient laissés à eux-mêmes. À part quelques visites à la plage, il ne les amenait jamais nulle part.

Au début de mai, le caporal Chalifoux parvint à repérer Durand. La police avait obtenu une lettre qu'il avait écrite à son frère Albert, dans laquelle il se vantait d'avoir une maison de cinq pièces et un bon emploi. Il invitait Albert à aller le rejoindre, et écrivait qu'il pouvait lui trouver un emploi dans le même atelier de carrosserie. Collaborant avec la police de Fort Lauderdale, la police du Québec et le procureur de la Couronne rejoignirent Ray. Il refusa de retourner au Québec et, puisqu'ils ne pouvaient apparemment pas l'extrader, ils demandèrent à un tribunal la permission d'aller chercher son témoignage aux États-Unis. Usant d'une procédure judiciaire rarement invoquée, le procureur de la Couronne Maurice Chevalier assigna Durand à comparaître, puis s'arrangea pour que le juge au procès, le sténographe, l'avocat de la défense et lui-même s'envolent vers Miami pour entendre son témoignage. À 11 h, le 26 mai, à l'édifice du Bureau de poste principal de Miami, Durand répéta son témoignage puis fut contre-interrogé par l'avocat de la défense, Jules Barrière. Une fois de plus, Barrière interrogea Durand sur les gens pour lesquels il travaillait, dans cette histoire de dénonciation et lui demanda s'il allait être payé. Durand était aussi fuyant qu'un savon sur un carrelage.

«Bien, j'attends quelque chose, oui, de l'affaire, mais je ne suis pas sûr», dit-il lorsqu'on lui parla du paiement.

Lui avait-on offert de l'argent?

«Chaque fin de semaine, je travaillais avec M. Sincennes pour la police de Gatineau, mais ils ne m'ont jamais offert de me payer.»

Cependant, croyait-il mériter quelque chose?

«Tout ce que j'ai fait, je pense que c'était juste.»

Il ajouta qu'il avait discuté, avec quelqu'un de la Police provinciale, de l'éventualité d'un emploi. Puis, interrogé par Barrière, Durand raconta une histoire bizarre: il avait apporté une voiture d'occasion bon marché à un gars qui se trouvait en prison. Durand avait obtenu du prisonnier qu'il lui cède sa voiture, que la police avait saisie et qui était entreposée au garage de Durand. En retour, Durand avait donné une auto d'occasion au prisonnier et avait payé son amende afin de le faire sortir de prison. Le pauvre prisonnier découvrit plus tard que la bagnole que Durand lui avait refilée n'était pas munie des bons documents d'immatriculation. Durand lui avait dit que ce n'était qu'un simple malentendu, qu'il avait réglé en écrivant à Québec pour obtenir les bons documents. Barrière avait, semble-t-il, obtenu des renseignements contraires, mais il finit par abandonner tout espoir de tirer de Durand une version honnête de l'histoire.

Après son témoignage, Durand fut apparemment laissé libre. Il résidait illégalement en Floride et travaillait sans papiers, mais personne ne l'avait interrogé sur son statut d'immigrant.

Le juge, les avocats et le sténographe retournèrent rapidement à Hull pour terminer le procès. Quelques semaines plus tard, Tassé fut condamné à deux mois de prison. Paquin subit son procès la même année et reçut une sentence encore plus légère. On le condamna à une journée de prison et à une amende de 500 $. La Couronne en appela de la sentence de Paquin, mais celle-ci fut maintenue. Malgré les preuves incriminantes et la nature des crimes, les deux hommes ne reçurent qu'une peccadille. Ce dut être humiliant pour le procureur et pour la police. Ils avaient beaucoup investi dans l'affaire, avaient organisé toute une campagne, avaient encouru des frais pour aller interroger un témoin en Floride, tout cela pour une sentence de deux mois pour celui qui avait servi d'intermédiaire. Le faussaire réel s'en était tiré avec une amende et quelques heures de cellule.

Dans toute cette affaire, c'est peut-être Raymond Durand qui fut le plus pénalisé. Il avait maintenant la réputation d'un mouchard et, d'après ce qu'il dit à des membres de sa famille, il vécut plusieurs années, par la suite, dans la peur de la vengeance.

D'ailleurs, le départ de Durand pour la Floride coïncida avec le lancement d'une enquête judiciaire sur la conduite de Henri Ferland en tant que chef de police de Pointe-Gatineau. Le conseil de Pointe-Gatineau avait envoyé une pétition au gouvernement pour que soit mise sur pied une enquête, qui débuta en janvier et permit d'entendre les témoignages d'officiers qui travaillaient sous les ordres de Ferland. Ils déclarèrent que c'était un ivrogne qu'on avait vu, un jour, évanoui dans son auto devant le poste de police, une bouteille d'alcool ouverte sur le siège arrière. Les officiers ajoutèrent qu'ils l'avaient souvent vu ivre en public, et qu'il s'était présenté un jour, les jambes flageolantes, à la résidence du maire pour prendre charge d'une enquête sur un cambriolage. Ils dirent qu'il leur ordonnait régulièrement de ne pas porter d'accusation envers des gens arrêtés pour voies de fait ou autres infractions au bar qu'il fréquentait lui-même. Les rapports concernant tout incident survenu au bar ou près du bar devaient lui être envoyés personnellement dans une enveloppe scellée.

L'enquête révélait que Ferland était, au mieux, un ivrogne incompétent et, au pire, un policier malhonnête sur lequel on pouvait toujours compter pour arranger une contravention ou accorder sa protection au tenancier d'un bar qu'il appréciait. Mais la moralité publique de l'époque incita le juge qui présidait l'enquête à conclure qu'il n'y avait pas de crime à prendre un verre à l'occasion, et qu'un chef de police pouvait sans problème exercer sa discrétion lorsqu'il décidait de n'accuser personne. Quand les membres du conseil de Pointe-Gatineau reçurent le rapport, ils conclurent que le juge avait interprété la preuve de façon excessivement généreuse envers Ferland, et ils décidèrent de démettre le chef de toute façon.

Là-bas, à Fort Lauderdale, Jeannine avait trois enfants qui couraient dans la maison, aucun piano pour se consoler, et pour seule visiteuse la maîtresse de son mari. Savait-elle que Pat avait une liaison avec Ray? Selon Pat, Jeannine ne le savait pas, et les enfants sont du même avis. En tout cas, elle dut avoir des soupçons. Ray ne lui a jamais présenté son patron, le supposé mari de Pat. Et Ray ne revenait pas souvent à la maison le soir.

De Fort Lauderdale, Jeannine écrivit à ses parents, leur envoyant des photos de la famille avec Pat, que Jeannine décrivait comme une amie. En dépit du ton apparemment jovial des lettres, Jeannine n'était pas heureuse. Sa grossesse était douloureuse, et la chaleur n'améliorait pas les choses. Elle était également soucieuse de tenir les enfants occupés. Elle ne connaissait personne et avait très peu d'argent. Mais elle était débrouillarde. Un jour, Denis revint à la maison, après avoir exploré le quartier, les bras pleins de retailles de tissu qu'il avait ramassées derrière une manufacture de vêtements voisine. Jeannine en fut ravie et lui demanda de retourner en chercher. Elle encouragea les enfants à faire du bricolage, et elle-même commença à confectionner une courtepointe.

Pendant ce temps, comme d'habitude, Ray faisait les quatre cents coups. Jeannine avait été inquiète lorsque la police de Miami l'avait emmené, mais il était revenu en se vantant d'avoir obligé toute la cour à prendre l'avion juste pour l'écouter. Il raconta plus tard à un autre membre de sa famille qu'il avait reçu 25 000 $ pour son témoignage.

Un jour, peu après cet incident, il revint à la maison les cheveux teints rouge foncé. Comme d'habitude, il avait préparé un triste mensonge. «J'étais au soleil en train de me faire bronzer et ils sont devenus rouges», dit-il à Jeannine. Par une intéressante coïncidence, ses cheveux étaient maintenant de la même couleur que ceux de Pat. Denis se rappelle qu'en entendant son père, il s'était dit, d'une part, qu'il valait mieux ne pas rester trop longtemps au soleil s'il ne voulait pas avoir les cheveux rouges, et d'autre part, que son père mentait.

À la mi-juin, Jeannine entra au Broward County Hospital pour donner naissance à son quatrième enfant. Pat emménagea à la maison pour prendre soin de Denis, de Anne et de Marc tandis qu'elle était à l'hôpital. Les registres d'admission montrent que Jeannine mesurait 1 m 57, qu'elle portait des dentiers aux mâchoires supérieure et inférieure, qu'elle avait une alliance en or et qu'elle parlait peu l'anglais.

Le 16 juin, Jeannine donna naissance à une fille de 3 kg, blonde et en santé. Les registres indiquent que Jeannine pesait 84 kg lors de son admission. Après la naissance, on enregistra un poids de 82 kg. Son médecin lui recommanda de subir une ligature bilatérale des trompes. Les registres de l'hôpital disent tout simplement que la raison de la ligature, destinée à l'empêcher de devenir enceinte à nouveau, était «trop d'enfants». Ainsi, le lendemain de la naissance, elle retourna en chirurgie, on pratiqua une incision de huit centimètres sous son nombril et le chirurgien en service réalisa la procédure de Pomeroy, la norme à l'époque. Il sectionna chacune des deux trompes de Fallope, en enleva environ deux centimètres, en saisit les deux extrémités et les joignit, dans le sens de la longueur, comme deux index pressés l'un contre l'autre. Il les attacha avec du catgut, qui se dissoudrait en une vingtaine de jours, puis recousit l'incision.

Quand Jeannine entra à l'hôpital et que Ray dit aux enfants que «ma tante Pat» demeurerait avec eux, ils bondirent de joie. «Ma tante Pat» avait le rire facile et, contrairement à leur mère, elle adorait sortir et faire toutes sortes de choses. À la plage, elle nageait et jouait avec eux. Denis aimait la voir répliquer à son père. C'était une femme forte, solide, pas aussi grande que Jeannine, mais elle avait une confiance en elle-même qui semblait lui donner plus de substance.

«Ma tante Pat» devait dormir dans la chambre de ses parents. Les deux premiers soirs, Denis vit son père se faire un lit sur le sofa. Mais quelques jours plus tard, aux petites heures du matin, Denis se leva pour aller à la toilette et constata que le sofa n'avait pas été défait. Il se dit que son père devait dormir avec Pat; il savait que c'était mal.

Cette découverte le remplit de confusion. Il adorait sa mère mais ne pouvait le lui dire. Il aimait «ma tante Pat», mais avait peur de sa malhonnêteté. Était-ce de la malhonnêteté? Et si son mari le découvrait? Il passa des jours à errer dans le quartier à se demander quoi faire. Il pensait à sa maman à l'hôpital avec le bébé, à ce qui arriverait à son retour à la maison. Peut-être son père et «ma tante Pat» ne dormaient-ils ensemble qu'en attendant le retour de sa mère. Après quoi, «ma tante Pat» retournerait chez son mari.

Il détestait les mensonges de son père. Après avoir découvert ce qu'il se passait avec Pat, Denis n'avait plus envie de parler à Raymond. Il voulait lui casser la gueule. Son père faisait des problèmes à sa mère et à «ma tante Pat». Il ne semblait pas se soucier du bébé. Il ne s'intéressait qu'à lui-même.

Quand Jeannine sortit de l'hôpital, faible et souffrante, elle insista pour que le bébé, qu'elle avait appelé Martine, soit baptisé comme il se devait, avec parrain et marraine. Durand accepta, et appela le frère de son père, Robert Durand, invitant sa femme Claudette et lui à être la marraine et le parrain de Martine.

Robert Durand n'avait jamais été particulièrement proche de son neveu, sauf au cours de la dernière année que Raymond avait passée à Hull. Robert, qui a à peine dix ans de plus que Raymond, fut étonné par l'appel de son neveu mais accepta immédiatement. Raymond offrit de payer les billets d'avion du couple. Robert considérait cela comme un voyage gratuit en Floride et, bien qu'il ne fît pas confiance à Raymond, il ne le détestait pas non plus. Lui et Claudette trouvèrent une gardienne pour leurs trois enfants, presque du même âge que les trois aînés de Raymond et de Jeannine, et s'envolèrent vers le sud.

À leur arrivée, Ray les rencontra à l'aéroport et leur dit qu'ils pourraient coucher chez lui, dans la chambre des enfants. Au cours des premiers jours, Ray les amena avec les enfants à la plage, les présenta à Pat et les mit à l'aise. Il emmena Robert visiter l'atelier de carrosserie et s'occupa des arrangements pour le baptême.

Robert dit que Ray se vanta devant lui d'avoir obligé la cour à venir recueillir son témoignage à Miami: «Il disait que c'était un vrai party. Il les a emmenés partout. Il avait peur de retourner au Québec. Il avait peur aussi d'être découvert en Floride.»

Robert raconte que Raymond ne disait jamais qui le poursuivait ni pourquoi, mais il était clair qu'il était nerveux, inquiet que, si la police du Québec avait pu le retracer, d'autres puissent le faire aussi.

Lorsque Robert allait se promener avec Raymond, Claudette était coincée dans la petite maison chaude avec Jeannine et les enfants: «Il faisait tellement chaud dans cette maison, dit-elle, qu'on ne pouvait pas dormir. J'étais là toute la journée avec Jeannine et elle ne parlait pas. C'est à peine si elle disait un ou deux mots de toute la journée. Elle souffrait. Mais elle parlait aux enfants. Je crois qu'elle avait peur de Raymond. Dès qu'il apparaissait dans la porte, elle commençait une dispute avec lui, et il s'en allait. Il cherchait une excuse, j'imagine. Il disait: "Comment vont les enfants?" Et elle parlait des enfants et il commençait à l'engueuler sur ce que les enfants faisaient ou avaient fait. Il ne revenait pas dormir à la maison le soir.»

Claudette se rappelle aussi la tendresse de Jeannine envers les enfants: «Jeannine était un ange avec les enfants. Elle ne leur parlait pas fort. Elle disait: "Essaye ça." Elle ne criait jamais, elle était patiente, elle s'assoyait avec eux et leur parlait s'ils avaient de la difficulté. Elle ne sortait jamais, ni pour l'épicerie, ni pour rien d'autre. J'imagine qu'elle avait peur et qu'elle ne voulait pas parler.»

Quatre jours après l'arrivée de Robert et de Claudette, Martine fut baptisée dans une église catholique des environs. Pat avait été invitée, elle aussi, et servait de porteuse. Après le baptême, Raymond proposa d'aller passer la journée à la plage. Claudette se rappelle que Raymond ne voulait pas que Jeannine vienne. Dans la seule photo qui reste, semble-t-il, de cette sortie, Ray, Pat, Claudette, Denis, Anne et Marc sont assis sur des chaises de plage sous un auvent jaune. Ils sont entourés de glacières et de sable étincelant. Derrière eux, on voit l'océan. Anne, espiègle, alors âgée de huit ans, cligne des yeux en direction de la caméra et derrière elle, Denis, dégingandé à onze ans, semble saisi par le doute. À côté, Pat, bronzée, a un mince sourire qui laisse deviner qu'elle a eu sa part de peine et de misère. Derrière elle, on voit Ray, bedonnant et bronzé, une banane à la main, et le petit Marc qui regarde son père.

Le lendemain du baptême, Ray annonça qu'il avait des choses à faire. Il dit à Robert et à Claudette qu'ils devraient partir plusieurs jours avant la date prévue et il leur acheta des billets de première classe pour le vol de retour.

Il dit également à Jeannine que, puisqu'il n'y avait pas d'école française en Floride pour les enfants, elle devait retourner au Québec et l'attendre. Il partait pour la Louisiane et, dès qu'il aurait trouvé un endroit où les enfants pourraient fréquenter une école française, il les ramènerait.

Denis accueillit la nouvelle avec joie. Selon lui, son père avait peu de chances de trouver une école française en Louisiane, et il écarta de son esprit les plans à long terme pour se concentrer sur le retour à Hull. Ils allaient habiter chez ses grands-parents, les Boissonneault. La maison était petite et oncle Réginald était un peu bizarre, mais Denis avait hâte. Il pourrait voir ses amis, suivre ses cours en français, et son père ne serait plus là pour l'embêter.

Robert, Claudette, Jeannine et les enfants retournèrent à Ottawa par le même vol. Robert et Claudette furent accueillis par un parent, et ils remarquèrent que Jeannine avait été retenue par les officiers de l'Immigration, et que la mère de Jeannine était venue les accueillir. Ils prirent pour acquis que le délai n'était pas grave et, comme ils ne voyaient aucune raison d'attendre, ils partirent sans dire au revoir. Ils ne revirent plus jamais Jeannine.

Chapitre six

Hull, Québec, été 1967

Il était tard lorsque Jeannine et les enfants arrivèrent à Ottawa. Au comptoir de l'Immigration, Denis se tenait à côté de sa mère qui lui expliquait que Martine était née à Fort Lauderdale. Il se demanda pourquoi sa mère était si nerveuse. Entre les portes ouvertes, il aperçut sa grand-mère Boissonneault qui les attendait. Mais il y avait un problème du côté de Martine, et le temps qu'il fallut pour que sa mère règle la situation lui parut une éternité.

Lorsqu'ils finirent par entrer dans la zone d'attente, sa grand-mère le prit dans ses bras et serra les autres enfants contre elle. Ils montèrent dans un taxi, Denis sur la banquette avant. Durant le trajet d'une demi-heure à travers Ottawa, en direction de Hull, il détourna son attention du paysage pour la porter sur la conversation qui se poursuivait à l'arrière entre sa mère et sa grand-mère. À un moment donné, il entendit sa grand-mère dire: «Qu'est-ce qu'il pense, Raymond? Où est-ce que tu vas rester?» Denis sentit un signal d'alarme. Peut-être sa grand-mère ne voulait-elle pas les voir chez elle. Cela ne lui était jamais venu à l'esprit. À sa connaissance, ils ne pouvaient demeurer ailleurs. Chez ses grands-parents Durand, peut-être, mais sa mère voudrait-elle habiter là?

La panique de Denis se calma lorsqu'il vit le taxi s'arrêter devant la maison de sa grand-mère Boissonneault. Au moins, ils pourraient passer la nuit ici. Mais il ne se rappelait pas que la maison était aussi petite. Il n'y avait que deux lits à l'étage, une toilette et un lavabo sans baignoire, et un salon et une cuisine en bas. À l'intérieur, son grand-père les attendait avec son oncle Réginald. Son grand-père semblait avoir vieilli, et une plaie que Denis voyait sous son œil semblait s'être agrandie. Anne et Marc eurent peur de Réginald.

Sa grand-mère et sa mère firent des lits avec des courtepointes sur le plancher du salon. Martine dormit dans un petit panier près de la cuisinière.

Les autres dormirent ensemble. Jeannine paraissait épuisée. Denis croyait qu'elle serait heureuse d'être revenue et d'habiter avec sa famille, mais elle semblait tendue.

Ils passèrent tout l'été là, à dormir dans le salon. Denis était content d'habiter à Hull, dans l'ancien quartier de sa mère. Ils ne recevaient aucun visiteur, ne voyaient jamais leur parenté du côté des Durand. Un jour, Denis vit un oncle de Raymond entrer dans une maison en face. Lorsqu'il le dit à sa mère, elle fit rentrer tous les enfants. Ils restèrent assis dans le salon tandis que leur mère jetait un coup d'œil à travers les rideaux. Lorsque l'oncle de Ray fut parti, elle les laissa sortir de nouveau. Pour une raison quelconque, elle ne voulait pas que l'on sache qu'ils étaient de retour. Une autre fois, Denis rencontra d'anciens voisins de la rue Michaud. Il bavarda avec eux, et leur dit qu'ils étaient de retour et qu'ils habitaient chez les Boissonneault. Lorsqu'il revint à la maison et raconta cela à sa mère, elle se mit en colère.

«T'aurais pas dû leur dire, lui dit-elle d'un ton sévère. Dis à personne qu'on est ici.» Denis supposa que son père se cachait de quelqu'un, et il resta silencieux par la suite.

Denis aimait bien son grand-père et, debout à la table de la cuisine, il lui roulait ses cigarettes. L'affection de son grand-père le tirait de sa mélancolie. Le vieux était tellement calme, silencieux comme une souris.

Sa mère avertit Denis et les autres enfants de ne pas déranger Réginald. Denis l'ignorait sans problème. Mais Anne et Marc vivaient dans la terreur de leur oncle. Ils entendaient craquer le parquet lorsqu'il marchait à l'étage et trouvaient effrayant qu'il passe ses journées là-haut, seul. Ils se réfugiaient tous deux sous les jupes de leur mère chaque fois que Réginald descendait.

Ce fut un été chaud, et Denis se sentit soulagé du fait que son père n'était pas là pour le harceler. Il se sentait libre de ses mouvements jusqu'au coucher du soleil, et n'était pas toujours obligé de garder les petits. De temps à autre, son grand-père lui donnait des pièces de monnaie pour qu'il s'achète un cornet de crème glacée. Il était heureux et savait que, même s'ils ne pourraient demeurer pour de bon chez les Boissonneault, cette maison et ce quartier seraient toujours leur chez-soi.

Jeannine n'attendait que le passage du facteur. Tous les matins, elle vérifiait la boîte aux lettres deux ou trois fois. Elle était sans le sou et n'aimait pas dépendre financièrement de sa mère. Elle souffrait dans son orgueil de ne pas pouvoir acheter quoi que ce soit. Deux ou trois fois cet été-là, se rappelle Denis, ils reçurent de Raymond des lettres qui contenaient de l'argent. Et à l'occasion, son père appelait, toujours tard le soir. Denis, couché sur le plancher, entendait sa mère murmurer au téléphone.

Denis ne savait pas avec certitude si sa mère connaissait l'adresse de Raymond. Elle lui écrivit tout d'abord en Floride. Mais vers la fin de l'été, elle ne lui écrivait plus. Ils se contentaient de se téléphoner. Comme elle semblait pouvoir le joindre à volonté, elle avait peut-être son numéro. Où habitait-il? Avait-il trouvé une école française? Devraient-ils déménager cet automne-là? Denis essayait de ne pas y penser mais, à mesure que l'été passait, il devenait de plus en plus inquiet.

Dès l'instant de leur arrivée, Denis connaissait les tensions entre Jeannine et ses parents. Sa mère n'avait jamais critiqué Raymond devant ses parents. Elle avait pris sa défense. Elle avait épousé Raymond malgré les objections de sa mère et à présent, son orgueil l'empêchait de reconnaître qu'elle avait commis une erreur. Même si elle avait décidé de mettre fin à son mariage, elle n'aurait pas pu faire grand-chose. Elle avait quatre enfants et ses parents ne pouvaient les prendre tous à leur charge. Elle était à court d'argent. Et quitter Raymond aurait provoqué un scandale. Impossible de divorcer. L'Église considérait que c'était un péché et cela aurait fait jaser les voisins. Ne serait-ce que pour protéger la réputation de sa mère, Jeannine ne pouvait envisager cette possibilité. Denis pouvait presque entendre sa grand-mère demander: «Qu'est-ce que les gens vont dire?»

Denis sentait que sa mère était mal à l'aise. Il sentait qu'elle se débattait chaque jour avec une lourde question sans réponse: Si Raymond a tellement de succès, pourquoi ne s'occupe-t-il pas de nous? Elle souffrait encore des séquelles de la naissance de Martine et de sa ligature des trompes, et elle allaitait le bébé.

À la fin de l'été, Denis sentait monter la tension dans la maison. Aucun des adultes n'élevait la voix, ils étaient tous polis et respectueux les uns envers les autres, mais il avait l'impression que les sentiments se raidissaient. Un soir à la table, une querelle explosa.

«S'il n'était pas si égoïste, il nous aurait donné sa chambre. Martine et moi, on aurait pu dormir en haut», dit Jeannine, la voix tremblante de douleur.

Réginald en fut ébranlé. Denis savait que Réginald avait souffert de leur présence dans la maison. Depuis le mariage de Jeannine, il vivait seul avec ses parents. Le jour, ses parents allaient travailler et Réginald avait l'espace pour lui tout seul. Il avait besoin de se retrouver seul. Jeannine et les enfants avaient bouleversé son univers.

Denis ne fut pas surpris d'entendre sa grand-mère défendre Réginald. «C'est sa chambre, il y a droit: il a besoin de son espace à lui», dit-elle. C'était comme si elle défendait à la fois les besoins de Réginald et son refus d'accepter qu'il ait quelque problème que ce soit. Ce qui blessa vraiment Denis, ce ne fut pas que sa grand-mère défende les besoins de Réginald, mais le conseil qu'elle donna à sa fille: «Jeannine, tu es mariée. Ta place est avec ton mari.»

Jeannine reçut la remarque comme une gifle. Denis savait qu'elle avait souffert tout l'été sous le poids de cette pensée jusque-là inexprimée. Il vit la colère dans ses yeux. Juste au moment où elle allait se lever de table, en larmes, Hermas Boissonneault éleva la voix. «Il aurait dû lui donner sa chambre.»

La pièce devint silencieuse. Personne n'avait jamais vu le vieil homme en colère. Jeannine fut la première à réagir. Elle recula sa chaise et sortit. La querelle avait été brève, mais Denis sentit que la famille en était ébranlée. Les Boissonneault avaient dû reconnaître l'existence de sentiments qui n'étaient pas tout à fait charitables. Ils avaient toujours vécu selon un code qui valorisait l'unité familiale, l'amour et le respect mutuel. À présent, ils s'étaient permis d'exprimer de la colère et se sentaient tous blessés. Jeannine souffrait parce que sa mère avait pris le parti de Réginald: ce dernier s'était probablement senti blessé par la critique de son père. Dans une autre famille, un tel échange aurait pu être aisément oublié. Mais chez les Boissonneault, la blessure perdura. Laurette allait regretter le reste de sa vie ce qu'elle avait dit dans un moment de colère.

Denis se rappelle que le repas se termina dans le silence. Après avoir desservi, sa grand-mère se tourna vers lui et lui dit à voix basse: «Denis, va trouver ta mère.»

Denis courut dans le soir humide. Il faisait encore clair à l'extérieur, et il erra le long d'une demi-douzaine de rues. Il faisait sombre lorsqu'il la trouva, seule, debout et immobile devant le Cinéma de Paris. Elle pleurait doucement lorsqu'il s'approcha d'elle et lui prit la main.

«Denis, qu'est-ce qu'on va faire? Pourquoi est-ce que ton père nous traîne partout?» demanda-t-elle tandis que les larmes continuaient de descendre le long de ses joues. Il voulait pleurer lui aussi; il ne pouvait supporter de voir sa mère si vulnérable, si près d'éclater. Mais elle finit par se ressaisir. Elle avait laissé sortir une vie entière d'émotions refoulées, et cela l'avait soulagée.

«Regarde, Denis, dit-elle. C'est ici que je venais voir des films quand j'étais petite.» Elle se mit à lui parler de son enfance. Elle lui parla des films mémorables qu'elle avait vus puis, le prenant par la main, l'amena faire le tour du quartier. Elle désigna les terrains de jeux, les maisons d'amis, et elle parla de son enfance heureuse. Ils s'arrêtèrent et elle lui acheta un cornet de crème glacée. Ils étaient seuls ensemble, lui et sa mère. Ce fut la dernière fois qu'il eut sa mère pour lui tout seul. Elle lui fit sentir qu'elle avait besoin de ses conseils et qu'elle dépendait de son bon jugement et de son aide.

Finalement, ils revinrent à la maison. En les voyant rentrer, la grand-mère leur fit signe d'approcher: «Jeannine, dit-elle. Tout est arrangé. Tu vas prendre la chambre de Réginald.»

«Non, maman, répondit Jeannine. Il est trop tard. On ne peut pas rester ici.» Et ce fut tout. Aucune supplication, aucune excuse ne put amener Jeannine à se raviser. Secrètement, Denis avait espéré que sa mère oublie tout cela et qu'ils continuent d'habiter là, mais il craignait le pire.

Bien sûr, quelques jours plus tard, il entendit sa mère parler au téléphone avec son père: «Raymond, on ne peut plus rester ici.» Encore quelques jours plus tard, ils chargèrent tous leurs bagages dans un taxi. Il était minuit. Ses grands-parents et Réginald leur donnèrent un coup de main. Sa grand-mère embrassa tous les enfants. Elle pleurait. Il entendit sa mère leur promettre d'écrire, puis ils s'éloignèrent dans la nuit. Ce fut un long trajet. Denis demandait sans cesse où ils allaient, et sa mère lui répondait qu'ils allaient à l'aéroport de Dorval, à Montréal. «Mais où est-ce qu'on s'en va en avion?» demanda le garçon. «Dieu seul le sait», répondit-elle.

À l'aéroport, Denis aida à décharger les bagages et à faire descendre les enfants, puis il suivit sa mère jusqu'au comptoir des billets. On lui donna des billets et on lui attribua des sièges.

Puis, elle se tourna vers Denis. «Houston, Texas. C'est là qu'on s'en va. Au Texas.»

Elle ne le savait pas, se dit Denis. Papa venait de lui dire de se rendre à l'aéroport. Il ne lui avait même pas dit où ils iraient. Houston. Texas. Denis devint emballé. Des cow-boys. Des chevaux. Le Far West. Puis, il se demanda: Est-ce qu'il y a des écoles françaises au Texas?

Chapitre sept

Houston, Texas, automne 1967

Au milieu de l'après-midi, Jeannine et ses enfants atterrirent à l'aéroport Hobby de Houston. En descendant de l'avion, ils furent assaillis par une vague d'air chaud et humide. C'était le début de septembre et l'été n'était pas encore fini. Jeannine ne pouvait croire qu'il pouvait y avoir autant de végétation et faire aussi chaud. C'était ainsi qu'elle s'imaginait les tropiques. Elle ne s'attendait certainement pas à voir cela au Texas.

Houston, en pleine croissance à l'époque, se trouve à l'est de Galveston Bay, qui se déverse dans le golfe du Mexique. Autrefois une zone de marais salants, de criques, de bayous et de bourbiers, détrempée, plate et infestée de moustiques, elle s'était développée, depuis sa fondation en 1863, pour devenir l'un des ports américains les plus animés. C'est aujourd'hui la capitale du pétrole américain.

À la fin des années soixante, Houston, dont la population atteignait alors 1,1 million de personnes, était également reconnue comme une ville excessivement violente. En 1969, elle avait l'un des taux d'homicides *per capita* les plus élevés du monde. Les Texans sont des gens très accueillants et fiers, à juste titre, de la réputation de leur État, le cœur et l'âme du sud-ouest des États-Unis. Mais Houston est également autre chose. La ville constitue un mélange volatil d'une renversante richesse pétrolière et d'une affligeante pauvreté, qui engouffre tous les quartiers du centre-ville. La plus grande part de la richesse est aux mains de Blancs, et la plupart des difficultés qui accompagnent la pauvreté sont le lot des vastes populations noire et mexico-américaine. La violence qui rongeait la ville en 1967 lorsque Jeannine et les enfants arrivèrent et qui déchire encore la ville aujourd'hui est un problème de race et de classe. En 1967, les prisons locales étaient remplies de gens pauvres, à la peau foncée, et les forces policières étaient dirigées par des Blancs. Dans les journaux, les Noirs étaient encore appelés des nègres. Dans les rues, les Mexico-Américains étaient des *spics*.

Pour ceux qui pouvaient se le permettre à Houston cette année-là, une Mustang coûtait 2280 $, une lessiveuse 148 $ et une chemise en oxford seulement 3,99 $. Le salaire de base d'un ingénieur était de 11 000 $ par année. Cet été-là, les foules s'alignaient devant les cinémas pour voir *Bonnie and Clyde* et *The Good, the Bad and the Ugly*, avec Clint Eastwood. À la maison, la télévision présentait *The Flying Nun* et *The Rat Patrol.*

En arrivant à Houston, Ray et Pat s'étaient établis à Bellaire — ce nom avait peut-être incité Ray à s'imaginer que c'était un quartier cajun. En fait, c'était un quartier aisé, blanc et de classe moyenne, constitué de bungalows et de chênes trempés dans la mousse espagnole, et situé au sud-ouest du centre-ville. Ils avaient loué un appartement dans un immeuble avec piscine. Ray s'était presque immédiatement trouvé un emploi à l'atelier de peinture de Sam Montgomery Oldsmobile. Il se faisait maintenant appeler Ray Holben. Certains soirs, Pat l'aidait à sabler et à finir des autos.

Juste avant l'arrivée de Jeannine, Ray loua un bungalow de trois pièces, meublé, sur Beech Street, à quelques rues à peine de l'appartement qu'il partageait avec Pat. La maison avait un garage attenant, un grand chêne embellissait sa façade et elle se trouvait tout près de l'école élémentaire Maud-W.-Gordon. Dominant la cour de l'école, on pouvait voir un château d'eau au flanc duquel était écrit le nom de Bellaire en immenses lettres noires.

Ray alla chercher Jeannine et les enfants à l'aéroport. En route vers Bellaire, pendant que Denis écoutait attentivement du siège arrière, il émit un mensonge si énorme que son fils en eut le souffle coupé.

«Jeannine, lui dit-il en se donnant une claque sur le front. Tu ne croiras jamais ce qui s'est passé. J'étais parti en Louisiane pour trouver une école française pour les enfants, et qui est-ce que je rencontre sur l'autoroute? Pat et son mari. Ils s'en allaient à Houston pour ouvrir un atelier de carrosserie. Je suis arrivé ici avec eux, et ils m'ont donné du travail dans leur nouvel atelier.»

Denis ne pouvait savoir si sa mère croyait cette histoire ou non. Lui, en tout cas, ne la croyait pas. Mais il resta silencieux. Ses tripes bouillonnaient.

Durant le trajet, tandis que les enfants regardaient défiler la ville, Ray fit également un certain nombre de remarques acides à propos de Réginald. Jeannine lui avait évidemment parlé de la querelle, et Ray blâmait Réginald de les avoir mis à la porte. Il l'appelait «le gros tata». Et il se moqua du père de Jeannine, qui craignait les médecins et les dentistes, et continuait de couvrir d'un simple pansement adhésif l'excroissance cancéreuse qui lui soulignait l'œil.

«Ton père est tellement imbécile qu'il pense pouvoir arrêter le cancer avec un pansement», disait-il à Jeannine en ricanant.

Lorsqu'ils arrivèrent au bungalow de Beech Street, Jeannine et les enfants trouvèrent qu'il était sobrement meublé mais confortable. Le seul vrai confort était une berçante dans laquelle Jeannine prit plaisir à s'asseoir. Un soir, Anne sauta sur le dossier de la chaise qui se renversa, faisant tomber Jeannine. Anne était horrifiée de ce qu'elle avait fait, mais Jeannine garda son calme habituel et ne montra aucune colère. «Je t'en prie, sois prudente, Anne», dit-elle en redressant la chaise. Cette simple remarque frappa la mémoire d'Anne. Des années plus tard, elle se rappelait qu'elle avait renversé la chaise et que lorsque sa mère était mal à l'aise, elle ne criait pas, mais elle pleurait. Elle se souvenait aussi que lorsqu'elle pleurait, on voyait une fossette dans son menton, et une tache de naissance rouge apparaissait subitement sur son front.

Ils aimaient le nouveau quartier. Jeannine construisit une petite maison dans la cour arrière pour les enfants. C'était surtout Anne qui s'y amusait. Elle y installa une petite table et des chaises, et en fit sa maison. Les enfants furent secoués de découvrir qu'il n'y avait pas d'école française et qu'ils devraient aller à l'école anglaise. Denis avait onze ans, presque douze. Son père se contenta de le déposer un jour avec Anne à l'école Maud-W.-Gordon, et leur dit d'entrer. Denis fut admis en cinquième année plutôt qu'en sixième. Il était humilié mais s'aperçut qu'il n'aurait pu suivre le rythme en sixième. Son professeur lui consacra beaucoup d'attention et, en quelques semaines, il parlait anglais avec un accent texan. Anne fut admise en troisième année et Marc resta à la maison avec sa mère et Martine.

Comme auparavant, Ray se trouvait rarement à la maison, le jour comme la nuit, et l'argent était rare. Dès qu'ils eurent défait leurs valises, Ray amena Pat qui renoua avec Jeannine. Une fois de plus, Ray la présenta sous le nom de Pat Anderson. Pat venait souvent et Jeannine appréciait ses visites. Elle était solitaire et ne connaissait personne d'autre. Elle passait ses journées à la maison, ne parlant qu'aux enfants et à Pat lorsqu'elle venait. Comme Ray avait décidé de ne pas installer de téléphone à la maison, Jeannine se sentait doublement isolée. Ses parents ne pouvaient l'appeler et elle devait traîner les enfants avec elle lorsqu'elle voulait leur téléphoner d'une cabine téléphonique.

Dès que Denis et Anne commencèrent à parler l'anglais, ils devinrent plus autonomes. Denis s'inscrivit chez les scouts et fit connaissance avec certains des garçons de la troupe. Jeannine dut harceler Ray pendant des semaines pour qu'il lui donne l'argent nécessaire à l'achat d'un uniforme et au paiement des cotisations de Denis, mais il finit par le donner. Anne jouait toute seule dans la cour. Comme sa mère, elle était toujours en robe ou en jupe. Elle jouait à la mère. Elle s'inquiétait des sentiments des autres, elle pensait toujours aux autres, et partageait ses friandises. Comme Denis, elle avait des difficultés à l'école.

Denis, Anne et Marc s'attachèrent de plus en plus à «ma tante Pat». Elle arriva un jour avec des bicyclettes neuves pour eux tous. Elle les emmenait parfois magasiner. Anne se rappelle s'être endormie un après-midi sur le plancher du salon durant l'une des visites de Pat. En se réveillant, elle découvrit que Pat avait emmené Denis et Marc magasiner, et elle pleura, inconsolable, pendant des heures. Elle était en colère contre sa mère. Pat les amenait parfois à son appartement pour qu'ils puissent nager dans la piscine, et les enfants sentaient qu'elle était une véritable amie. Anne se rappelle que «ma tante Pat» leur apportait toujours un petit cadeau lorsqu'elle venait. «Je l'adorais», dit-elle.

L'aspect le plus pénible de la vie à Bellaire, pour les enfants, n'était pas les absences fréquentes de leur père, mais les querelles qui survenaient lorsqu'il était à la maison. Ces querelles remplissaient Denis d'effroi. Il s'en sentait un peu responsable, parce que ces disputes se rapportaient souvent aux enfants. Il découvrit aussi que son père tentait de convaincre Jeannine de commencer à utiliser un nouveau nom de famille, Holben. Denis ne pouvait comprendre pourquoi, et Jeannine non plus. «Pourquoi? demandait-elle à Ray. Ce n'est pas notre nom. Pourquoi est-ce que je devrais l'utiliser?» Elle refusa en dépit du fait quelle s'était mise à l'utiliser elle aussi. Même si les enfants avaient été enregistrés à l'école sous leur vrai nom, partout ailleurs Ray se présenta, lui et sa famille, en tant que M. et Mme Ray Holben et les enfants.

Sa bicyclette offrait à Denis une nouvelle mobilité et il s'en servit pour explorer le quartier. Un soir, par hasard, il découvrit la voiture de son père à l'appartement de Pat et, par la suite, il la vit souvent là. Il se dit qu'ils dormaient encore ensemble, et il était certain, à présent, que «ma tante Pat» n'avait pas de mari. Tout se tenait. Son père ne travaillait pas à un atelier de carrosserie tenu par M. Anderson. Il travaillait pour Sam Montgomery Oldsmobile, un grand concessionnaire bien établi.

Mais le fait de voir l'auto de son père chez «ma tante Pat» n'était pas aussi troublant que le fait de voir cette auto à la maison. Les viscères de Denis se nouaient aussitôt qu'il tournait le coin de la rue Beech et qu'il voyait l'auto dans l'entrée. Il savait qu'ils se querellaient. Cela allait de plus en plus mal.

Un soir, étendu dans son lit, il avait entendu Jeannine crier: «Raymond, arrête, tu me fais mal!» Il savait que son père l'avait frappée et cela le remplissait de terreur.

Mais les querelles ne survenaient pas seulement la nuit. Un soir où ils s'engueulaient, Jeannine ouvrit la porte et se précipita dehors. Denis sauta sur ses pieds. Où allait-elle? Son père les fit tous monter dans l'auto et partit à sa poursuite. Ils la trouvèrent marchant dans une rue loin de chez eux, sanglotant. Son père se rangea sur le côté, ouvrit la porte du passager et, roulant encore, lui cria d'entrer. Elle secoua la tête. Il la supplia et elle finit par entrer, à contrecœur. Les enfants étaient muets de peur.

Une nuit, Jeannine appela ses parents. Elle leur avait envoyé des photos d'elle-même, des enfants et de la nouvelle maison. Elle avait écrit que tout allait bien mais au téléphone, elle semblait déprimée. Selon Berthe, la sœur de Laurette, qui entendit parler de l'appel, Jeannine demanda quel temps il faisait là-bas.

«On vient d'avoir notre première neige et tout est blanc et propre», dit Laurette. Jeannine répondit aux questions sur ses enfants puis demanda à parler à son père. Elle lui demanda comment il allait, dit qu'elle s'ennuyait de la maison, et raccrocha. L'appel inquiéta ses parents.

Un soir, vers la même époque, la famille se rassembla pour dîner et, tandis qu'ils mangeaient, le petit Marc laissa échapper sa découverte de la journée.

«Maman, j'ai vu papa par-dessus ma tante Pat aujourd'hui.»

Ray jeta un regard méprisant à son fils. «Marc, on ne dit pas ces choses-là», lui reprocha-t-il. Jeannine fixa Ray sans rien dire, et ce fut tout.

Noël approchait mais l'atmosphère n'était pas à la fête. Jeannine avait ignoré la relation entre son mari et Pat, mais à présent, elle savait. Elle ne se confiait à personne mais elle eut une conversation révélatrice avec la seule personne en qui elle avait confiance, Denis.

Quelques jours avant Noël, elle dit à Denis que ce qu'elle voulait par-dessus tout, c'était un piano. Elle lui demanda de le faire savoir à son père, de lui dire que c'était le seul cadeau auquel elle tenait vraiment pour Noël. Sa demande indique qu'elle avait accepté sa situation, qu'elle voulait rester avec lui même s'il entretenait une maîtresse. Elle n'avait pas banni Pat de la maison; au contraire, ils continuaient de se voir. Peut-être Jeannine se sentait-elle soulagée que Ray ait quelqu'un d'autre pour satisfaire ses appétits sexuels. Il n'était certainement pas dans sa nature d'affronter Pat et rien n'indique qu'elle l'ait fait. Comme d'habitude, Jeannine se souciait probablement davantage des enfants que d'elle-même. Peut-être croyait-elle que si Ray continuait de les soutenir financièrement, il les laisserait tranquilles. Et peut-être, dans son esprit, était-ce une aubaine. Pourvu qu'elle ait les enfants, un piano et de l'argent pour vivre, il pouvait faire ce qu'il voulait, passer chaque nuit chez Pat s'il le voulait. Elle n'avait pas le choix. Pas moyen de retourner au Canada. Elle était trop orgueilleuse pour demander à ses parents de l'aider, ou trop certaine qu'ils n'auraient pas d'argent de toute façon. Et même si elle retournait là-bas avec les enfants, où iraient-ils? Elle n'avait pas travaillé depuis la naissance de Denis et elle avait encore un bébé au sein. Elle devait se dire qu'elle n'avait aucun contrôle sur la situation. De plus, elle habitait illégalement aux États-Unis. Par conséquent, même si elle avait pu parler l'anglais suffisamment bien pour demander de l'aide, où aurait-elle pu s'adresser? Une femme à la parole plus facile aurait pu envisager de se livrer aux autorités de l'Immigration et demander à être déportée. Mais Jeannine n'avait ni les capacités sociales ni la connaissance du fonctionnement d'une grande ville pour lui permettre d'envisager, et surtout de mener à terme, une telle solution. Ainsi, résignée à son sort, elle commença à se préparer aux vacances.

L'un de ses premiers gestes fut d'inviter la maîtresse de son mari à dîner le jour de Noël.

Sa demande d'un piano fut probablement révélatrice pour Ray. Comme Pat ne travaillait pas, il était clair que Ray, avec son seul salaire, avait deux foyers à charge. Naturellement, il essayait tous les trucs. Pat dira plus tard qu'il faisait sans arrêt des chèques sans provision. Néanmoins, il ne devait pas apprécier de devoir supporter le fardeau financier de deux foyers. Que Jeannine voulût un piano, cela dut indiquer à Ray qu'elle ne prévoyait pas s'en aller. Quels étaient donc ses plans? Et pourquoi insistait-il tellement pour que Jeannine commence à utiliser le nom de Holben?

Le matin de Noël, Jeannine découvrit que son vœu d'avoir un piano s'était réalisé, en quelque sorte. Le cadeau ne venait pas de son mari, mais de Pat, et ce n'était pas un piano mais un orgue-jouet électrique que l'on pouvait tenir sur les genoux. Denis vit sa déception. Mais Anne était ravie. Pour Noël, on lui avait donné un ensemble de thé qu'elle s'empressa d'installer sur la table de sa maison de poupée. Mais l'orgue l'enthousiasmait encore davantage. Sa mère lui montra comment l'allumer, et elle se mit à lui enseigner à jouer.

Pat vint dans l'après-midi du jour de Noël. Bien qu'elle n'eût pas d'enfants et qu'elle ne fût pas mariée, ses conditions de vie étaient remarquablement semblables à celles de Jeannine. Elle aussi vivait dans une ville qui ne lui était pas familière. Elle n'avait aucun ami à Houston, aucun emploi, aucun statut légal au pays. Les deux femmes étaient entièrement dépendantes de Ray qui, elles le savaient, était un mythomane, un coureur de jupons et un voleur. Il n'est pas étonnant que les deux femmes aient eu des affinités l'une pour l'autre et que Pat ait souvent offert des cadeaux aux enfants et même un à Jeannine pour Noël.

Étant donné la personnalité de Jeannine, il est peu probable qu'elles aient eu une franche discussion à propos de leur situation. Jeannine n'aurait jamais entrepris un tel échange et Pat n'avait aucun intérêt à le faire. Quel que soit le degré de sympathie et d'affection que Pat ait ressenti pour Jeannine, cela semblait insignifiant par rapport à l'impitoyable dissimulation qu'elle pratiquait chaque fois qu'elle entrait dans la maison de Beech Street. Elle continuait de duper Jeannine, une femme dont elle avait gagné l'affection. Pour y arriver, ou bien Pat entretenait sa culpabilité par rapport à ses gestes, ou bien elle justifiait son comportement à ses propres yeux en tenant la victime de ses mensonges dans le mépris.

Le mépris, voilà ce que vit Denis. Il se rappelle que, pendant que sa mère arrosait la dinde dans la cuisine, ce jour de Noël, son père et Pat se lançaient des clins d'œil complices dans le salon. Denis était le seul à le remarquer. Les trois autres enfants passèrent un joyeux Noël. Les problèmes des adultes qui les entouraient n'avaient pas encore envahi leur vie.

Cinq jours après Noël, Jeannine fit cuire un gâteau pour les anniversaires de Raymond et de Denis. Ce 30 décembre 1967, Raymond eut trente-deux ans, et Denis douze. Ils attendirent Raymond tout l'après-midi, puis, finalement, en début de soirée, Jeannine cessa d'attendre. Ils taillèrent le gâteau et Denis souffla ses chandelles. Ce ne fut pas son anniversaire le plus heureux. Sa mère était fâchée. Son père ne s'était même pas donné la peine de téléphoner pour dire qu'il ne venait pas à la maison.

Entre Noël et le jour de l'An, Jeannine parvint à appeler six fois chez ses parents. Tout ce que se rappelle Réginald, c'est qu'elle téléphona. Il ne se souvient aucunement des plans que Jeannine aurait pu faire, de messages d'urgence ou de signaux de détresse. Il savait seulement qu'elle appelait pour parler à la famille. En y repensant à présent, les appels paraissent étrangement suggestifs. Qu'essayait-elle de dire qui la poussait à téléphoner si souvent à la maison? Essayait-elle de réparer les torts que la querelle aurait pu causer aux fragiles sentiments familiaux? Était-ce seulement qu'elle se sentait seule ou tellement écœurée par la tromperie qui régnait dans sa propre maison, qu'elle devait parler à quelqu'un, même à quelqu'un à qui elle ne pouvait se résigner à se confier? Parlait-elle d'une possibilité de retour, d'une façon ou d'une autre? Jeannine n'était pas portée au bavardage. Ces appels avaient une raison pressante. Leur fréquence suggère qu'elle était désespérée. Mais pourquoi? Peut-être elle-même ne pouvait-elle définir ses besoins ou ses craintes. Elle aimait sa mère, mais la rigidité de celle-ci à l'égard des convenances les avait toujours séparées. Peut-être, par ces appels, Jeannine tentait-elle de dire enfin à sa mère que son mariage avec Raymond ne fonctionnait pas, que c'était un mauvais mariage. Si c'est le cas, elle n'y parvint pas. Sa mère dira plus tard qu'elle ne se doutait aucunement de l'état lamentable auquel étaient arrivées les relations entre Jeannine et Raymond.

Personne ne saura jamais ce que Jeannine essaya de dire au cours de ces conversations téléphoniques. Après son dernier appel, le jour de l'An, ni ses parents ni son frère n'eurent plus jamais de ses nouvelles.

Deuxième partie

LES ANNÉES DE DOUTE, 1968-1991

Il est une confusion pire que la mort,
Problème sur problème, douleur sur douleur

ALFRED, LORD TENNYSON,
Song of the Lotos-Eaters

Chapitre huit

Houston, Texas, 1968

Un matin, environ un mois après Noël, Denis se réveilla et se dirigea en trébuchant dans la cuisine pour prendre le petit déjeuner. Il trouva Pat assise à la table de la cuisine devant une tasse de café.

— Où est Maman? demanda-t-il, perplexe.

— Ton papa l'a emmenée à l'aéroport hier soir. Sa mère est malade. Elle est retournée au Canada pour prendre soin d'elle.

— Elle est partie pour combien de temps?

— Ton père a dit environ deux semaines.

Comme son père n'était pas là, Denis se dit qu'il était parti travailler. Il était plus contrarié que dérangé par le soudain départ de sa mère. Elle n'avait pas même pris le temps de dire au revoir. Il aimait «ma tante Pat» mais il était mal à l'aise à la pensée qu'elle emménage à nouveau. Et il supposait qu'elle emménagerait chez eux. Martine n'avait que six mois et avait besoin d'une gardienne à temps plein. Denis était étonné que sa mère n'ait pas au moins amené Martine avec elle, mais il savait que Pat adorait le bébé et prendrait bien soin d'elle. Chaque fois qu'elle était à la maison, Pat prenait Martine dans ses bras. Elle la câlinait et gazouillait à propos de ses boucles blondes, et la faisait rire. Denis crut que «ma tante Pat» avait convaincu sa mère de lui laisser le bébé.

Denis songea à tout cela pendant le petit déjeuner. Comme c'était samedi, il n'y avait pas d'école. Lorsque Anne se réveilla, elle posa des questions, elle aussi, sur l'absence de sa mère, et Pat expliqua à nouveau. Anne haussa les épaules et partit jouer. «Ma tante Pat» avait promis de les emmener nager à la piscine de son appartement. Ils partirent plus tard dans la matinée, déjeunèrent chez Pat et allèrent nager. Par la suite, Denis sortit seul. Il avait apporté sa bicyclette et, pour une raison qu'il ne peut se rappeler, il aboutit à la maison. Il était à l'intérieur, dans le corridor, marchant vers la porte — il croit qu'il s'en allait — lorsque soudain, la porte s'ouvrit et son père apparut en bousculant deux valises, dont l'une était le sac à carreaux que sa mère avait acheté avant de partir pour Fort Lauderdale.

— Bonjour, papa. Maman est partie?

— Ouais, ta grand-mère est malade.

— Elle est partie pour combien de temps? demanda Denis en tournant la tête, puisqu'il sortait.

— Deux semaines, peut-être.

Plus tard, cet après-midi-là, Ray rejoignit la famille à l'appartement de Pat, et ce soir-là, tous revinrent à la maison. Pat dormit avec Ray, et le lendemain, ils annoncèrent qu'ils allaient tous demeurer dans un appartement situé dans l'édifice de Pat. Le départ fut rapide. Denis se rappelle avoir vu Pat fourrer tous les vêtements de sa mère dans de grands sacs à déchets. Puis Pat déménagea ses objets de son appartement, qui n'avait qu'une chambre à coucher, dans le nouvel appartement, qui en avait deux. Ray dit aux enfants que le déménagement était temporaire, et qu'il avait trouvé une nouvelle maison.

Une semaine plus tard, ils emménagèrent dans la nouvelle maison sur Holly Street. C'était à 16 rues au sud de leur résidence de Beech Street. C'était un autre bungalow, un peu plus grand que le premier. Il leur dit qu'ils iraient à l'école élémentaire Paul-W.-Horne, dont on pouvait voir le terrain de jeux à travers les chênes de l'autre côté de la rue. Il leur montra la piscine publique à deux rues de la maison, une piscine avec trois plongeoirs. Il leur promit de construire une piscine dans la cour de leur nouvelle maison, et dit que les garçons auraient leur chambre, et les filles la leur.

Lorsque les enfants avaient déménagé pour la première fois, à l'été 1966, ils avaient été traumatisés. Depuis lors, ils avaient habité Ottawa, Fort Lauderdale, Hull et maintenant Houston. Ils s'étaient habitués à vivre dans des boîtes. Déménager trois fois au cours de leurs premiers mois à Houston, c'était plus souvent que d'habitude, mais ils ne posaient pas de questions. Et lorsqu'ils eurent défait leurs bagages dans la maison de Holly Street, ils eurent l'impression qu'ils allaient y être assez longtemps pour en venir à connaître le quartier.

Denis s'inquiétait de sa mère, mais il ne paniquait pas. Au bout de deux semaines, il avait demandé à son père si sa mère reviendrait ce jour-là, et Ray lui dit qu'elle avait été retardée parce que grand-mère Boissonneault était encore malade. Au bout de quatre semaines, Denis obtint la même réponse. Une fois de plus, il fut plus contrarié que fâché.

Ce qui le dérangeait le plus, c'était la nouvelle routine qu'on avait établie dans la maison. Il la considérait comme temporaire, mais il avait l'impression que Pat n'était pas de cet avis. Elle était sévère à propos de la nourriture, interdisait tout grignotage entre les repas et ne permettait pas aux enfants de fouiller dans le frigo pour trouver quelque chose à manger lorsqu'ils avaient faim. Elle réprimandait Denis sur la quantité de sucre qu'il mettait sur ses céréales et lorsqu'il l'ignorait, elle le disait à son père. Denis commença à en vouloir à Pat de lui faire des reproches.

Un soir, en passant devant la chambre, il vit Pat prendre l'appareil électrique dont se servait sa mère pour enlever les poils de son visage et le jeter dans un sac à déchets. Si Maman voit ça, songea-t-il, Pat va passer un mauvais quart d'heure.

Denis remarqua également que son père était là plus souvent que jamais, et que lui et Pat buvaient beaucoup. Denis n'avait vu son père ivre qu'une fois auparavant — cela faisait des années, à Gatineau — et Anne n'avait jamais vu son père tituber. Mais à présent, on aurait dit qu'ils vidaient une ou deux bouteilles de whisky tous les soirs. Plus ils buvaient, plus ils devenaient bourrus et grognons. Denis savait se tenir à l'écart de son père lorsqu'il était de mauvaise humeur, mais il ne voyait pas pourquoi il devrait s'écarter devant Pat lorsqu'elle avait une gueule de bois. Elle était résidante temporaire, se disait-il, et il valait mieux pour elle qu'elle ne l'oublie pas.

Mais Pat, de toute évidence, voyait les choses autrement, et bientôt, l'épicentre du conflit familial fut la relation entre Pat et Denis. Elle faisait des remarques, il lui répliquait et elle explosait. Elle s'attendait que les enfants fassent ce qu'elle leur disait et qu'ils le fassent en silence. Elle entendit une fois Ray traiter Denis de gros tata, et se mit, elle aussi, à l'appeler ainsi. Denis reçut cela comme une déclaration de guerre. Quand Maman reviendra, se dit-il, cette salope ne mettra plus jamais les pieds à la maison.

Gilbert Pavliska entra au bureau du shérif du comté de Fort Bend à 17 h 45, le 11 février 1968. Il avait découvert un cadavre. C'est du moins ce qu'il croyait. Le shérif adjoint Robert Madeira interrogea Pavliska, puis, en compagnie de l'expert en identification, Buster Dennis, ils le poussèrent dans une auto-patrouille et ils partirent, en suivant les directions de Pavliska. Il les guida sur un chemin de terre qui menait à une zone éloignée appelée réservoir Barker. Lorsque des pluies torrentielles s'abattent sur Houston, située à faible altitude, un réseau de bayous bordés de béton canalise les débordements dans le réservoir Barker, qui n'est qu'un parc onduleux et herbu de plusieurs kilomètres de côté, entouré de digues. Pendant la plus grande partie de l'année, l'intérieur du réservoir est sec. Il est plat et balayé par le vent, couvert d'herbes hautes, d'arbustes et de petits buissons.

En arrivant sur place, Madeira et Dennis laissèrent Pavliska au bord du chemin et, dans la noirceur qui tombait, enjambèrent un fossé et parcoururent une douzaine de mètres de broussailles. Là, dans un dépotoir sauvage entouré de buissons, entre un vieux frigo et une lessiveuse, ils trouvèrent un cadavre soigneusement enveloppé dans un couvre-lit bleu-gris. On l'avait soigneusement ligoté, aux épaules, à la taille et aux genoux, à l'aide d'une corde de coton de l'épaisseur d'un doigt. Madeira et Dennis se contentèrent de confirmer que c'était un cadavre et ils battirent en retraite devant le froid mordant, vers la chaleur de leur auto-patrouille. Les deux officiers découvrirent qu'ils se trouvaient dans le comté de Harris, juste à l'extérieur des limites de leur territoire. Par radio, Madeira demanda à son bureau d'appeler le service du shérif du comté de Harris, la treizième force policière en importance aux États-Unis. Elle administre les prisons du comté et dessert une zone immense qui encercle la zone métropolitaine de Houston.

Selon les registres du bureau du shérif du comté de Harris, l'appel arriva à 18 h 09 et plusieurs unités furent dépêchées sur place. La nuit était tombée. Au volant de l'une des unités qui répondirent à l'appel se trouvait le détective Johnny Klevenhagen, qui enquêtait sur un certain nombre d'homicides d'adolescents dont les cadavres en décomposition avaient été retrouvés dans des champs du comté. Lorsque Klevenhagen arriva, cinq autres officiers, en plus de Madeira et de Dennis, étaient sur les lieux. Ted Walsh, du bureau du coroner, était en route. Madeira et Dennis partirent bientôt, laissant Pavliska avec les officiers du comté de Harris.

Les officiers commencèrent un examen détaillé de la scène et du cadavre, qui semblait être celui d'une femme de race blanche aux yeux bruns. On prit des photos du corps et de la zone environnante.

Le corps reposait sur le côté droit, légèrement replié en position fœtale. On découvrit sous sa tête une petite serviette blanche. On sut que le corps se trouvait là depuis un certain temps parce que la décomposition avait commencé. Les officiers enquêteurs inscrivirent plus tard dans leur rapport que «des portions du haut de la jambe gauche semblaient avoir été mangées par la vermine». Ils cherchèrent une arme, mais en vain.

Lorsque la recherche fut terminée, des assistants du Belfort Ambulance Service déposèrent le cadavre dans un sac et l'emmenèrent à la morgue du coroner, dans le centre-ville de Houston.

Klevenhagen demanda à Pavliska de monter dans son auto-patrouille et ils se dirigèrent eux aussi vers le centre-ville. Au quartier-général de l'escouade des homicides du comté de Harris, un détective reçut la déclaration de Pavliska. Selon Klevenhagen, l'enquêteur en service avait des doutes: le gars avait parcouru 40 kilomètres pour emmener son fils pratiquer le tir à la carabine à air comprimé? Pourquoi ne pas avoir utilisé la cour arrière? Pas un seul enfant du Texas n'aurait attendu que son père l'emmène à la campagne pour tirer avec une carabine à air comprimé. La plupart des enfants se seraient emparés de cette carabine, auraient collé une cible sur un mur du garage et auraient tiré. Ce n'était tout de même pas un fusil de chasse, ni même un calibre .22. On demanda à Pavliska de s'expliquer.

«Nos maisons sont vraiment rapprochées, et les voisins aiment avoir la paix, dit Pavliska aux policiers sceptiques. Je travaille pour le service des autoroutes et je prends un raccourci à travers le réservoir. C'est pour ça que je connais le chemin. Je suis opérateur de niveleuse.»

L'enquêteur se demanda si Pavliska lui-même avait apporté un chargement d'ordures à ce qui était un dépotoir illégal et ne voulait pas le dire. Peut-être était-il seulement venu récupérer des choses. Peu importe. Convaincu que Pavliska lui disait tout ce qu'il avait besoin de savoir, le policier donna à l'opérateur de niveleuse la permission de rentrer chez lui. Pavliska avait passé presque toute la nuit debout et il faisait presque jour lorsqu'il arriva chez lui. Inquiets, les membres de sa famille l'attendaient.

À 9 h le lendemain matin, le cadavre, auquel on avait donné le numéro 68-500, fut transporté sur une table à roulettes dans un corridor de la morgue du coroner, au sous-sol de l'hôpital Ben-Taub. C'était lundi, et dans le corridor, une file de cadavres sur des civières attendaient d'être examinés par les pathologistes. Le numéro d'étiquette sur le corps trouvé par Pavliska indiquait que c'était le 500e à entrer à la morgue du coroner au cours des six premières semaines de 1968.

L'autopsie fut menée par l'adjoint du médecin légiste, le Dr Robert Bucklin, qui faisait de 75 à 80 autopsies par mois. Parlant dans un microphone situé au-dessus du corps partiellement décomposé, Bucklin nota que celui-ci était habillé d'une culotte blanche, d'un jupon court blanc, d'un soutien-gorge noir, d'une jupe verte et jaune et d'un pull-chemisier rayé jaune et vert. Il enleva un anneau nuptial de l'annulaire de la main gauche. Il observa des «défauts» à la tête et à la joue gauche, aux lèvres, au bras droit, à l'avant-bras, à la hanche et à la cuisse où «le corps a été dévoré par des animaux». Le visage était gonflé, décoloré, les yeux saillants. La personne pourrait être encore reconnaissable par un proche, mais il serait difficile de le déterminer avec certitude.

Bucklin remarqua la présence de dentiers supérieur et inférieur, sans inscriptions permettant de les identifier, et rapporta que le corps pesait 65 kg et mesurait 1 m 70. Il dit que les yeux «semblaient bruns» et que les cheveux étaient brun foncé, de 15 centimètres de long. Il découvrit et décrit «une cicatrice guérie de huit centimètres sous l'ombilic».

Bucklin ouvrit alors le corps, examina tous les organes et les pesa. Il ne remarqua rien d'extraordinaire. Il n'y avait aucun signe de maladie ou de déformation. Il rapporta la présence de fragments d'aliments dans l'œsophage, un peu de nourriture dans l'estomac. Il prit des échantillons et commanda des tests toxicologiques afin de déterminer la présence d'alcool, de barbituriques et de narcotiques. (Les résultats des tests n'indiquèrent aucune trace de narcotiques ni de barbituriques dans le sang de la morte, mais confirmèrent la présence d'alcool, qui se forme dans le corps pendant la décomposition.)

Bucklin examina l'utérus, les ovaires et les oviductes, et remarqua que la femme avait engendré. Puis, dans sa conclusion, il nota que les «ovaires et oviductes étaient normaux». Malgré l'état du cadavre, il avait pratiqué un examen complet et professionnel. Les cadavres décomposés posent toujours des difficultés, et celui-ci ne faisait pas exception. Bucklin avait cherché à être aussi précis que possible, en se bornant à décrire. Il avait noté la présence d'«une cicatrice guérie, de huit centimètres, sous l'ombilic», mais rien à l'intérieur du corps ne semblait l'expliquer. Si c'était une cicatrice chirurgicale, à quoi avait servi l'opération? A-t-il cherché une explication, ou s'est-il contenté de cocher des éléments de la liste? De toute façon, à la fin de l'autopsie, la cicatrice n'avait toujours pas d'explication, mais Bucklin avait fait une remarque sans équivoque sur la condition des oviductes. Il n'avait vu aucun signe de ligature des trompes.

L'examen des os révéla que les côtes un à six, du côté gauche, avaient été fracturées à l'avant et à l'arrière. De plus, Bucklin décrivit une fracture déprimée de cinq centimètres au sommet du crâne qui avait ouvert toute la cavité cérébrale.

Lorsqu'il eut complété l'autopsie, Bucklin et son patron, le Dr Joseph Jachimczyk, chef médecin légiste du comté de Harris, conclurent le rapport par une déclaration sommaire sur la cause de la mort. «Nous croyons que la décédée, INCONNUE, a connu la mort par suite d'une fracture du crâne et d'un hématome subdural, dû à un traumatisme à la tête et effectué au moyen d'un instrument contondant. Il s'agit d'un homicide.»

Le lendemain de l'autopsie, un mardi, les deux quotidiens de Houston publièrent un suivi sur la découverte du cadavre au dépotoir. Les articles étaient courts et perdus dans les pages intérieures. Comme les manchettes de la semaine se rapportaient à l'offensive du Têt au Viêt-nam, et à une étrange querelle à propos de deux sous d'essence qui avait fait un mort et deux blessés graves, dont un policier, ce cadavre non identifié ne faisait pas une grande nouvelle. Comme la femme était de race blanche et dans la trentaine, l'histoire avait un certain potentiel. Mais personne n'avait rapporté sa disparition, et elle avait deux dentiers. Rien à voir avec la femme du président d'une banque.

Le *Post* publia son article à côté des horaires télé, sous le titre: «Le cadavre du dépotoir a peut-être été victime d'un assaut grave». Citant Bucklin, le journal affirmait que la femme était morte depuis environ dix jours. Il la décrivait comme étant blanche, entre trente-cinq et quarante ans, 1 m 70, 65 kg, avec des cheveux bruns et une jupe de taille 18. L'article disait qu'elle ne portait ni chaussures ni chaussettes, et qu'elle avait un anneau nuptial décoré de sections d'or blanc et d'or jaune en alternance.

L'article du *Chronicle* était encore plus bref. «La morte a eu le crâne fracturé», disait un titre plaqué sur la page nécrologique, sous les rapports quotidiens de météo et de marées. Le *Chronicle* affirmait que le crâne de la femme avait probablement subi une fracture par suite d'un coup d'«instrument contondant». Ce qu'entendaient la police et le coroner par cette phrase familière, c'est que l'arme pouvait être n'importe quoi, une pierre ou une patte de chaise.

Six semaines après le départ de Jeannine, Denis jouait un jour à la balle avec Anne dans l'entrée de garage. C'était un samedi; Ray et Pat avaient emmené le bébé avec eux pour faire les courses. Anne se trouvait sur la pelouse, près du trottoir. Ils parlaient encore en français entre eux. Anne étudiait le visage de son frère et elle lui dit soudain: «Tu sais, Denis, Maman reviendra pas.»

Denis se figea. «Quoi?» cria-t-il.

«Promets-moi de pas le dire, hein? Pat m'a dit que Maman reviendra pas. Elle a dit que Maman nous aime pas.»

Il se mit à pleurer. «C'est pas vrai, Anne. C'est pas vrai», lui dit-il, s'écroulant par terre, en sanglots. Il ne pouvait s'empêcher de pleurer, ne pouvait convaincre Anne que cela ne se pouvait pas. Leur mère les adorait; c'était une trahison que de penser le contraire.

Finalement, il se ressaisit. Il en voulait à Anne d'avoir cru ce que Pat lui avait dit, à Pat de l'avoir dit, à son père d'avoir amené dans leur maison une femme qui voulait chasser sa mère. Il ne crut pas un instant que Pat avait dit la vérité. Il n'était plus certain de ce qui se passait, mais personne ne le convaincrait un jour que sa mère ne l'aimait pas. Il allait demander à son père. Il allait l'obliger à lui dire ce qui se passait.

Cet après-midi-là, tous les enfants allèrent se promener avec leur père. Pat resta à la maison. Les petits étaient assis à l'avant et Denis à l'arrière, du côté du passager. Au moment où ils passaient devant le nouvel Astrodome, il rassembla suffisamment de courage pour lui poser la question.

«Papa, quand est-ce que maman revient? Pat dit qu'elle reviendra pas. Pourquoi elle a dit ça?»

Inexplicablement, les questions de Denis provoquèrent la colère de son père. «Ferme ta maudite gueule à propos de ta mère!» hurla-t-il tout en balançant son puissant poing droit vers Denis. «Elle reviendra pas. Ta mère, c'est Pat. À partir de maintenant, tu l'appelles Maman. Elle prend soin de toi et c'est ta mère.»

Denis cria si fort qu'il en eut la vue troublée. Il hurlait sans cesse, ne pouvait s'empêcher d'accuser son père de lui mentir. Les autres enfants se blottirent dans les coins pour se protéger, et l'auto fit une embardée lorsque Ray jeta un regard derrière lui pour mettre son poing, une fois pour toutes, sur la tête de son maudit fils. Puis, soudain, Ray s'arrêta. Denis se rassit à l'arrière et pleura doucement. Ray l'engueula encore un peu, puis laissa tomber. Il menaça de le battre, mais cela n'empêchait pas Denis de pleurer. Il finit par l'ignorer. «Maudit bébé braillard», lui dit-il avec un sourire méprisant.

Maman ne reviendrait pas. Denis avait l'impression que sa vie venait de s'effondrer sous ses pieds. Le lendemain de la dispute avec son père, toute la famille partit en auto passer la journée à la plage de Galveston. Il faisait frais. Pat, Ray et le bébé prirent une table et les autres enfants durent s'asseoir sept mètres plus loin. Ray alluma un barbecue et fit griller des morceaux de poulet pour les enfants. Ils devaient aller les chercher, et s'éloigner à nouveau de Ray. Ils passèrent tout l'après-midi ainsi, blottis les uns sur les autres pour se protéger du froid. Denis raconta que ce fut le jour le plus triste de sa vie. Il se sentait malheureux et ne cessait de penser à sa mère. Où était-elle partie, et pourquoi?

Au cours des semaines suivantes, il arriva à la seule conclusion plausible. Son père et sa mère s'étaient disputés. Elle était retournée à Hull pour s'éloigner de lui pendant quelques semaines. Et dès son départ, Ray avait déménagé pour qu'elle ne les retrouve pas et qu'il puisse habiter avec Pat. Il imagina sa mère retournant à Houston vers la maison vide de Beech Street. Même s'ils n'étaient qu'à 16 rues, elle ne pourrait jamais les trouver. Dès lors, Denis retourna à l'ancienne maison aussi souvent qu'il le put. Il pédalait jusque-là, restait assis sur sa bicyclette au coin de la rue, et cherchait un signe du retour de sa mère. Il n'osait frapper à la porte et demander aux occupants s'ils l'avaient vue. Il avait peur que son père ou Pat ne s'en aperçoivent. Et de toute façon, il n'était pas certain qu'elle était revenue. Il voulait le croire mais n'en savait rien. La possibilité que sa mère soit partie pour de bon le terrifiait autant que son père et Pat. Ce qu'il voulait vraiment, ce qu'il imaginait, c'était de rester assis là un jour et de voir sa mère dans la rue. Il s'écrierait «Maman», et elle courrait vers lui et le serrerait dans ses bras comme avant. Ce scénario devint un fantasme dans lequel il se retirait chaque fois qu'il se trouvait en conflit avec Pat ou avec son père.

À la maison, le nouveau régime fut instauré et Pat devint la maman de tous les enfants sauf de Denis. Chaque matin, Pat se levait et commençait à boire avant midi. Du whisky. Lorsque les enfants revenaient de l'école, elle était déjà ronde comme un œuf. Elle leur préparait le souper en maugréant — c'était invariablement des dîners Kraft — puis envoyait les enfants au lit à 20 h. Elle et Ray s'assoyaient pour prendre un coup et, parfois tard dans la soirée, ils faisaient griller quelques steaks pour le souper.

Les enfants mirent peu de temps à s'apercevoir que Pat était dure et méchante. Ils devaient se brosser les dents selon ses ordres précis, sinon ils méritaient une «taloche» derrière la tête. En mangeant, ils devaient garder une main sur les genoux, et malheur à celui qui osait poser un coude sur la table. Ils ne pouvaient rien boire à table, pas même de l'eau ou du lait. Ce n'est qu'après avoir vidé tous leurs plats qu'ils pouvaient demander un verre de lait. Jusqu'à ce que Ray revienne du travail, les garçons étaient mal reçus dans la maison. Denis et Marc revenaient à la maison, déposaient leur matériel scolaire et se faisaient raccompagner jusqu'à la porte avant. Ils passaient plusieurs après-midis debout de l'autre côté de la rue, attendant la permission de rentrer. Les week-ends, Denis, Anne et Marc recevaient chacun un sandwich le matin, et partaient passer la journée au parc. Ils étaient seuls du matin au soir. Il faisait trop froid pour que d'autres enfants s'amusent dans le parc. Au cours de ces premières semaines à la maison de Holly Street, ils se rapprochèrent et devinrent de véritables amis.

À la maison, ils s'occupaient de toutes les tâches. Denis était responsable de la pelouse et des déchets. Il faisait la lessive qu'Anne et Marc étendaient sur la corde. En fait, Pat était obsédée par la saleté. Presque chaque jour, Anne devait laver les planchers et épousseter. Si l'un ou l'autre des enfants enfreignait les règles, Pat se mettait à frapper. Elle leur donnait une solide gifle. Au début, elle réservait un traitement particulier à Denis, et le reprenait pour les raisons les plus insignifiantes. Plus tard, elle se défoula également sur Anne et sur Marc.

Anne avait le sentiment d'être «en enfer, tout à fait en enfer». Elle était terrifiée par Pat. Elle ne pouvait s'imaginer pourquoi Pat la détestait, mais elle sentait que cette femme, qu'elle appelait maintenant maman, lui en voulait. Elle crut que c'était à cause de quelque chose qu'elle avait fait, mais elle ne savait quoi. Elle devint timide et obéissante, faisant exactement ce qu'on lui disait, sans se plaindre. Le soir, elle se blottissait en tremblant dans le coin de son lit. Elle tremblait sans cesse. Elle priait pour que sa vraie mère revienne. Elle avait trop peur de dire quoi que ce soit à son père pour lui demander où se trouvait sa mère. Il ne la battait jamais, mais elle avait l'impression qu'il contrôlait tout.

Après que Pat eut dit à Anne que sa mère ne l'aimait pas et qu'elle ne reviendrait pas, Anne se sentit responsable de ce qui était arrivé. C'était sûrement à cause de quelque chose qu'elle avait fait. Au début, elle ne pouvait se rappeler quoi. Puis, elle se souvint de la fois où elle avait renversé la berçante dans laquelle sa mère était assise. Sa mère n'avait montré aucune colère, mais elle était probablement furieuse. Et elle se rappela à quel point elle s'était mise en colère contre sa mère la fois où, en s'éveillant d'une sieste, elle s'était aperçue que Pat avait emmené les garçons magasiner avec elle. Au départ, elle ne voyait pas de rapport certain entre ces incidents et la disparition de sa mère, mais avec le temps, cela devint évident. Elle avait chassé sa mère. Elle était une petite peste et sa mère avait fini par l'abandonner. Elle ne disait jamais à personne que tout était de sa faute, mais elle pensait que les autres soupçonnaient la vérité. Certains jours, elle se sentait tellement angoissée qu'elle voulait s'endormir pour ne plus jamais se réveiller.

Anne avait remarqué aussi ce qui était arrivé à Marc. Auparavant, c'était un enfant normal, heureux et volubile. À présent, lui et Denis étaient inséparables, mais Marc était devenu une petite chose craintive et timorée qui ne regardait personne dans les yeux. Au souper, il s'assoyait la tête basse et s'enfuyait aussitôt qu'il avait fini. Elle le prenait en pitié parce qu'il était malheureux, et elle prenait Denis en pitié parce qu'il était souvent en larmes.

Martine, le bébé, était la préférée de Pat. Âgée de seulement six mois au départ de Jeannine, Martine était devenue le bébé de Pat. Celle-ci la chouchoutait et s'arrangeait pour qu'Anne en prenne soin. Comme Pat n'aimait pas tellement changer les couches, Anne s'occupait de la nourrir et de la changer. Anne était également chargée d'emmener promener Martine. Mais lorsque des visiteurs venaient, Pat s'emparait du bébé, fière comme une mère, déclarant à tout le monde que les boucles blondes de Martine venaient de son côté de la famille.

Lorsque l'officier L. E. Shipley entama son quart ce lundi matin, le 12 février 1968, au bureau du shérif du comté de Harris, il découvrit qu'on lui avait confié une nouvelle affaire. La veille, le lieutenant Joe Thorp s'était rendu sur les lieux de la découverte du corps au dépotoir, et il avait laissé une note demandant à Shipley de rejoindre l'adjoint Eddie Knowles à la morgue pour l'autopsie à 9 h du matin. Knowles put recueillir les vêtements, la serviette, le couvre-lit, les dentiers et l'anneau, ainsi que les empreintes du corps. Knowles prit également 13 photos couleur du cadavre, dont plusieurs du visage, à des fins d'identification.

Shipley nota soigneusement tout ce dont il aurait besoin au cours de l'enquête. Il déposa son rapport à 11 h 40 ce matin-là, dès son retour de la morgue. Shipley était perspicace et méthodique. Il nota que le corps était recouvert d'un couvre-lit en chenille et qu'une corde était nouée sous l'aisselle gauche. Une seconde corde avait été nouée derrière les genoux, et les deux cordes étaient attachées ensemble.

Les notes et les photos de Shipley montrent que la personne qui avait noué ces cordes avait pris son temps. Pour envelopper le corps dans le couvre-lit, on avait dû le soulever à plusieurs reprises. Comme c'était une femme lourde, cette personne s'était sûrement fatiguée.

La blessure à la tête, nota Shipley, avait probablement été provoquée au moyen d'un instrument plat et contondant. Un seul coup. Les six côtes qui avaient été cassées à l'arrière et à l'avant avaient-elles été fracturées après le coup à la tête? Impossible de le dire. Bucklin dit à Shipley qu'il avait fallu une force considérable pour briser les côtes.

Les photos de la morgue suggèrent que le coup mortel avait été porté de l'avant. La blessure se trouvait au sommet de la tête, juste au-dessus du front, et du côté gauche. Il semblait que son assaillant, un droitier, lui eût fait face. Ou bien qu'elle se trouvait au sol, et que le tueur avait frappé vers le bas. Ou bien le coup avait été assené avec beaucoup de force, ou bien l'arme utilisée était lourde; la blessure montrait que l'arme avait déchiré le cuir chevelu en laissant dans le crâne un trou d'environ la taille et la largeur du petit doigt de la main d'un homme. Le coup avait également provoqué des fractures qui rayonnaient à partir du trou proprement dit.

Même si, selon Bucklin, la femme avait des cheveux brun foncé, Shipley, dans son rapport, indiqua brun rougeâtre. Il conclut en disant que Knowles avait recueilli la serviette de coton blanc qu'on avait trouvée sous la tête de la femme. Il affirma qu'il enverrait une description de la femme au service des homicides de la police de Houston.

Pendant que Shipley regardait travailler Bucklin, les officiers J. Conley et R. L. Foudray, qui s'étaient également rendus au dépotoir la veille, y étaient retournés pour y effectuer une recherche plus détaillée à la lumière du jour. Thorp leur avait demandé de chercher des enveloppes ou quelque autre objet pouvant mener à la personne qui avait déposé le cadavre. Ils ramenèrent trois enveloppes portant des noms et les déposèrent dans des sacs comme preuves. L'une était adressée à Mrs. P. D. Bevis et portait une adresse de Bellaire, une deuxième portait le nom de Debbie Hooker et une date (7-10-67) mais aucune adresse, et la troisième était destiné à Christine Gardner, évaluatrice et perceptrice de taxes, Big Lake.

Tandis qu'ils fouillaient la zone, un homme arriva et se présenta sous le nom de Joe George. Ils l'interrogèrent et il leur dit qu'il parcourait la zone chaque matin pour jeter un coup d'œil sur son bétail qui broutait dans un champ voisin. Il leur dit qu'il avait vu une Chevrolet bleue, de modèle récent, stationnée juste à côté du dépotoir sur le chemin Clodine-Barker, le jeudi précédent, vers 15 h. Il dit qu'il avait cru voir une femme et un homme dans l'auto, mais qu'il n'en était pas certain. Conley et Foudray parlèrent également à Ruby Seymour, le contremaître préposé à l'entretien du barrage Addicks-Barker, qui arriva lui aussi pendant leurs recherches. Seymour leur dit qu'il longeait le site deux fois par semaine et qu'il aurait vu le corps s'il s'y était trouvé la dernière fois. Il leur dit qu'il n'avait pas remarqué la glacière qui se trouvait près du corps la dernière fois qu'il était passé. Il ne pouvait se rappeler exactement le jour où il avait traversé le dépotoir, mais il croyait que c'était vers la fin de la semaine précédente.

Cet après-midi-là, Bucklin appela Shipley et lui dit qu'il était certain que le coup à la tête avait été la cause de la mort. Les deux hommes parlèrent ensuite de la cicatrice de l'opération qu'ils avaient remarquée sous le nombril. Bucklin dit qu'il ne pouvait en trouver la raison parce que, comme Shipley l'avait remarqué dans un rapport qu'il déposa à 14 h 12, «la morte avait tous ses organes».

Shipley termina sa journée en rejoignant Knowles pour examiner de plus près les vêtements de la femme. En inspectant ces vêtements, il prit des notes mais ne trouva pas grand-chose. Il cherchait une étiquette de nettoyage, mais il n'y en avait pas. Il remarqua que le soutien-gorge était de marque Vogue, de taille 38, et que la jupe et la blouse étaient toutes deux de taille 18. Ni l'une ni l'autre, dit-il, ne portaient d'étiquette de marque.

L'après-midi suivant, Shipley reçut un rapport du lieutenant-détective Brock qui semblait, au départ, avoir résolu l'identité de la morte. La veille, Shipley avait fait envoyer une description de la morte au FBI, aux Texas Rangers et à tous les autres services de police du Texas. Tôt ce matin-là, Brock avait reçu un appel d'un détective nommé Cantrell, du bureau des autoroutes de Grand Prairie, au Texas. Cantrell lui avait dit qu'il cherchait une disparue nommée Retha Nell Gilbert, 44 ans, qu'on avait vue pour la dernière fois avec son mari John Gilbert, un Blanc de 25 ans. Gilbert, revenu en ville seul, le 9 février, avait été rapidement arrêté pour s'être trouvé en état d'ébriété, avoir troublé la paix et avoir résisté à son arrestation. Il avait apparemment «perdu la raison» et avait été interné dans une institution de Terrell, au Texas. Cantrell avait parlé à la mère de Gilbert, qui avait affirmé que sa bru portait un anneau nuptial très semblable à celui de la femme du dépotoir. Cantrell rapporta également que, la dernière fois qu'on l'avait vue, Retha portait une jupe de tricot vert, et qu'elle avait des dentiers en haut et en bas.

Shipley, qui travaillait maintenant dans cette affaire, avec son partenaire J. R. Hutchison, appela Cantrell et apprit que Retha Gilbert avait quitté son mari au début de janvier et passé deux semaines au YWCA de Dallas. Elle était revenue avec lui le 4 février et ils étaient partis piqueniquer. Ce soir-là, ils s'étaient durement querellés et on ne l'avait plus revue. Gilbert avait été arrêté quatre jours plus tôt et envoyé à la prison psychiatrique de Dallas. Selon les dates, il était peu probable que la femme du dépotoir fût Retha Gilbert — elle était disparue le 4 février, tandis que Bucklin avait estimé que le corps se trouvait là depuis dix jours lors de sa découverte le 11. Néanmoins, Shipley et Hutchison suivirent la piste. Ils contactèrent la police de Dallas qui envoya quelques officiers en uniforme pour parler à un ancien voisin de Retha Gilbert. Selon ce voisin, Retha mesurait 1 m 62, pesait 50 kg, et avait un buste de taille 34.

Pendant ce temps, Shipley reçut un appel d'une certaine Clara Wilson qui lui dit que la morte était peut-être sa nièce, Jean Lieb, une Blanche de 31 ans. Clara Wilson fut amené à la morgue et on lui montra le cadavre, mais elle avoua ne pas être certaine que c'était bien sa nièce. Elle repartit en assurant les enquêteurs qu'elle avait retracé le dentiste de sa nièce et qu'elle les rappellerait. Elle appela l'après-midi même pour dire que tout cela était une erreur. Selon le rapport de police, Clara Wilson déclara qu'en revenant de la morgue, «elle avait localisé sa nièce disparue; elle travaillait à la station-service Shamrock sur Almeda Road».

À 17 h 30 cet après-midi-là, Shipley et Hutchison conclurent que le cadavre découvert au dépotoir n'était pas celui de Retha Gilbert. Ils avaient reparlé au policier de Dallas qui avait interviewé le curé de Retha. Il la décrivait comme une femme de 48 kg aux cheveux blond foncé. La police de Dallas avait également appris que Retha avait téléphoné à son avocat le 6 février et lui avait dit qu'elle partait pour le Massachusetts.

Le lendemain matin, Shipley et Hutchison se trouvèrent dépourvus de nouvelles pistes. Ils décidèrent de récapituler leurs notes. Ils obtinrent les effets de la morte et les examinèrent une fois de plus en détail. La blouse, découvrirent-ils, portait en fait une étiquette. Elle avait été fabriquée chez Gia Knits de New York. Et dans la jupe, ils trouvèrent une étiquette de fabricant qui montrait que c'était un produit de White Stag Industries d'Edmonton, au Canada.

Shipley savait que lors d'une récente affaire de meurtre, Klevenhagen avait retracé des vêtements par l'intermédiaire d'un fabricant. Il demanda des contacts à son collègue qui lui donna les noms de plusieurs acheteurs qu'il connaissait dans de grands magasins de la région. Les acheteurs lui dirent que ni Gia Knits ni White Stag ne se vendaient à Houston.

Shipley appela Gia Knits à New York et obtint un certain M. D. Okum. Ce dernier lui expliqua que sa compagnie distribuait ses marchandises dans le nord-est des États-Unis et au Canada.

Entre-temps, Hutchison rendit visite à Maurice Levit de chez Levit's Jewellers, qui examina l'anneau qu'ils avaient trouvé sur le corps. Levit dit à Hutchison qu'il avait peut-être vingt-cinq ou trente ans et qu'il n'y avait pas moyen de l'identifier à partir d'une marque de joaillier.

Ces étiquettes de vêtements portaient les enquêteurs à croire que cette affaire était reliée d'une façon ou d'une autre au Canada. Mais comment? Le FBI et les Texas Rangers avaient répondu que les empreintes de la femme ne correspondaient à aucun de leurs dossiers. Peut-être était-elle canadienne? Ils préparèrent un dossier complet — le rapport du délit, toutes les photos, les empreintes et la note à propos de l'étiquette White Stag — et l'envoyèrent, par livraison spéciale, au directeur des Enquêtes criminelles, GRC, Ottawa.

Chapitre neuf

Big Thicket, Texas, 1968

Anne compensait la perte de sa mère en se rendant utile à la maison et à l'école. Comme elle avait l'impression de ne pas être une bonne personne, elle faisait tout pour en devenir une. Elle avait l'habitude de penser aux autres d'abord: c'était une étudiante sérieuse sinon brillante, et elle arrivait rapidement à repérer les blessures émotives des gens. En son for intérieur, elle avait l'impression d'avoir été saignée.

Par-dessus tout, elle voulait qu'on l'aime, qu'on la serre dans ses bras. Pat ne la prenait jamais dans ses bras, son père non plus. Depuis le départ de Jeannine, les enfants s'étaient tous rapprochés, mais Pat ne cessait de leur faire des manigances, opposant Anne à Denis et Marc. Pat se mit à garder Anne à la maison avec elle, lui disant: «Va pas jouer avec ton gros tata.» Au début, Anne voyait cela comme un signe d'affection. Comme cela lui donnait l'impression qu'on l'aimait, elle accordait sa loyauté à Pat. Ce fut la première qui se mit à l'appeler maman. Mais Pat ne donnait pas d'affection à Anne en retour. C'était une ivrogne à la langue acérée, qui maudissait tout le monde, et même, remarqua Anne, Raymond. Lorsqu'il revenait tard à la maison, Pat le traitait de bâtard. Pat le soupçonnait de rencontrer d'autres femmes. Ses soupçons la rendaient verte de jalousie.

Ainsi, après une brève idylle avec sa nouvelle «maman», Anne se tourna vers ses frères. Denis et Marc ne voulaient pas toujours la voir et ils n'avaient pas beaucoup de considération pour ses sentiments, mais ils l'aimaient, elle le savait. Et son père aussi. Il ne lui accordait pas souvent d'attention, mais c'était son père. Elle avait toujours été sa préférée. Il lui disait souvent qu'elle ressemblait à l'une de ses sœurs. Quant au bébé, Anne, tout comme Denis et Marc, se mit à en vouloir à Ray et à Pat de le chouchouter. On aurait dit que c'était le seul enfant qui comptait.

Lentement, sa vie prit une autre forme. Le trou béant qu'avait laissé le départ de Jeannine se combla jusqu'à ce qu'il ne reste qu'une minuscule ouverture, presque impossible à remarquer. À l'occasion, cependant, quand Anne se trouvait quelque part et qu'elle entendait quelques notes d'un morceau de musique que sa mère jouait souvent, elle devenait paralysée. Ce minuscule trou s'ouvrait grand, tous les souvenirs refluaient, et elle se revoyait assise sur les genoux de sa mère, sentant sa chaleur, son odeur et la force de ses mains. Mais elle ne pleurait pas, elle ne se laissait pas aller. Denis pleurait tout le temps, mais pas Anne. Rien ne pouvait la blesser autant que le départ de sa mère.

À la différence d'Anne, Denis ne pouvait réprimer ses sentiments et ses souvenirs. Jeannine avait été son amie autant que sa mère. Elle parlait de choses et d'autres avec lui, lui demandait son opinion, prenait des décisions avec lui. Elle le protégeait aussi de son père. Il ne crut pas un instant qu'elle était tout bonnement partie, ou qu'elle ne les aimait pas, lui et les autres enfants. Il croyait aussi que Pat avait prêté main-forte à la situation. C'était clair: ils étaient amoureux et avaient voulu écarter Jeannine. Denis se posait une question: sa mère saurait-elle se débrouiller pour trouver ses enfants et les arracher des mains de Ray? Il savait qu'elle serait désespérée et déterminée. Mais il faudrait plus que cela. Elle aurait à découvrir comment les trouver. Denis se dit qu'elle aurait besoin d'argent et d'aide. Elle ne parlait pas bien l'anglais et elle était trop timide pour aller frapper aux portes et demander à les voir. À sa place, se dit-il, il commencerait par l'école. Il demanderait où les enfants avaient été mutés.

Denis passait le plus de temps possible à sa nouvelle école. Il détestait rentrer chez lui. Pat passait ses journées avec, à la main, un verre avec des glaçons. La plupart du temps, elle sentait l'alcool, avait les yeux vitreux et disait des méchancetés.

Ce qui mettait Denis encore plus en colère que le fait qu'elle boive, c'était que Pat tenait les enfants dans un état de quasi-famine. Denis était constamment affamé. Anne et Marc aussi. Ils ne pouvaient jamais avoir de seconde portion aux repas, et elle leur permettait rarement de prendre une collation. Les repas étaient composés soit de thon ou de dîners Kraft. Il développa une aversion pour les deux: aujourd'hui, il est incapable de manger du thon. Le pire, pour eux, c'était lorsqu'ils se levaient le matin, au lendemain d'une fête, et qu'ils voyaient la cuisine remplie d'assiettes sales et de traces des agapes de leur père, de Pat et de leurs convives. Anne et Denis devaient nettoyer toute la cuisine. À l'occasion, ils s'arrangeaient pour chiper quelques restes. Plus tard, Denis découvrit que Pat gardait une réserve de pâtés au poulet surgelés au congélateur. Il lui en volait un de temps à autre et le mangeait, encore congelé, sur le chemin de l'école. Il blâmait Pat pour la faim constante qui le rongeait, et son père, de la laisser les priver.

Les week-ends, Ray commença à se faire aider par Denis à l'atelier de carrosserie. Ils partaient le samedi matin et travaillaient jusqu'au début de l'après-midi. Pendant que son père peinturait, Denis sablait et s'occupait du masquage. Ils parlaient en français lorsqu'ils étaient seuls ensemble, et à quelques reprises, Denis eut l'impression qu'ils étaient vraiment père et fils. À midi, son père lui donnait de l'argent pour acheter trois *chili dogs,* deux portions de frites et deux bouteilles d'eau gazeuse.

Un samedi, Denis venait de finir de manger son *chili dog* et ses frites, et restait assis à fixer son père. Lorsque son père lui dit: «Eh! as-tu encore faim?» Denis fut pris par surprise. Son père semblait vraiment se préoccuper de lui. Il s'en rappela toujours comme d'un moment de tendresse. «La prochaine fois, lui dit son père, apporte deux *chili dogs* pour toi aussi.» Comme Denis avait faim d'affection, cette petite ouverture effaça un lot de souffrance en lui. Pat le détestait mais, en quelque sorte, son père l'aimait encore. Et il s'aperçut qu'il aimait son père. Maintenant qu'il était en âge de travailler avec lui, il y avait des choses qu'il pouvait apprendre, des choses qu'ils pouvaient faire ensemble. C'était embêtant, car il détestait parfois Ray et détestait ce qu'il avait fait. Mais aussi, il y avait ces moments où il n'était que son papa. Le plus souvent possible, Denis essayait de parler en français avec Ray. Cela mettait Pat en colère, mais il avait l'impression que la langue et le travail les aidaient à se rejoindre plus que tout le reste.

Ray acheta une piscine et l'installa dans la cour arrière avec lampadaires, patio et chaises. Dès que la température le permettait, Ray et Pat organisaient des fêtes débridées autour de la piscine avec des gens qu'ils avaient rencontrés dans la rue. L'un des *spots* éclairait la fenêtre de la chambre de Denis. Un soir, il regarda par la fenêtre et vit son père avec Pat et plusieurs autres femmes, tous nus dans la piscine. Anne le vit elle aussi. Les adultes buvaient, faisaient cuire des steaks sur le barbecue et s'ébrouaient dans l'eau. Denis se sentait gêné et espérait que les voisins ne puissent voir cela. Il savait que son père se fichait de ce que pouvaient penser les autres.

Une autre fois, en arrivant à la maison, Denis entendit des coups qui provenaient du garage. Il y entra et trouva son père qui frappait avec une masse la portière de l'auto de Pat, du côté du passager.

«Ils veulent pas payer, hurlait-il. Maintenant, ils vont payer. Ils vont voir.»

Pat était à côté de lui, et lui saisit le bras. «Pas devant Denis.»

Denis pensa que c'était un quelconque contrat d'assurance qui avait mal tourné. Il y a toujours quelque chose, se disait-il.

La meilleure chose qui arriva à Denis cet hiver-là, qui l'aida à supporter la faim et la perte de sa mère, survint un soir alors qu'il assistait à une rencontre de la troupe de scouts à laquelle il avait été muté. Il se sentait seul. Un autre garçon de son âge, qui l'avait vu se tenir à part, alla le trouver en disant: «Salut, je m'appelle Jack.» Jack était là avec son beau-père, Keith, et ils habitaient Holt Street, à une rue de chez lui. Presque du jour au lendemain, Denis et Jack se lièrent d'amitié. Jack était enfant unique. Son vrai père vivait dans un autre État. Sa mère, Evelyn, était douce et agréable, et accueillit chaleureusement Denis chez eux. La maison de Jack devint rapidement une seconde maison pour lui. À l'occasion, il invitait Jack chez eux et Pat se comportait de façon sympathique. Anne aimait Jack. Pat disait sans cesse aux enfants de se dépêcher, et un jour elle dit à Jack: «Remue-toi, Jack!» Il se leva et se mit à bouger une jambe. Anne rit tellement qu'elle en eut les larmes aux yeux.

L'amitié de Jack aidait Denis à supporter la solitude. Dès qu'il sentit que Jack était un ami véritable, Denis lui confia que Pat n'était pas sa vraie mère. Il ne lui dit jamais ce qui était arrivé à sa vraie mère, mais il était important pour lui que Jack comprenne que Pat et lui n'avaient aucun lien de sang.

Ensemble, Denis et Jack se passionnaient pour le scoutisme. Ils partaient se promener avec les parents de Jack et à l'occasion, le beau-père de Jack les invitait au restaurant. Pat et Ray étaient ravis. Denis ne les embêtait plus. Denis était attiré chez son ami par la nourriture toujours disponible et par l'amour qu'il y sentait. Il voyait là des gens honnêtes qui ressentaient et se montraient de l'affection les uns pour les autres. C'était une vraie famille. Plus il passait de temps chez Jack, plus il avait honte de son père et de Pat. Parfois, lorsqu'il se sentait submergé par ces sentiments, il sautait sur sa bicyclette, pédalait jusqu'à Beech Street et regardait l'ancienne maison. Pourquoi est-ce que maman n'a pas pu nous trouver? se disait-il. Peut-être était-elle tout simplement en train de gagner l'argent qui les ramènerait à Hull.

À la fin de la première semaine suivant la découverte du cadavre, Shipley et Hutchison consacrèrent presque toute une journée à retracer de l'information sur la serviette qu'on avait retrouvée sous la tête de la morte. Les services de lessive commerciale leur dirent que c'était une serviette à main ordinaire, utilisée par les médecins, les barbiers, les propriétaires de motels et ainsi de suite. Cela ne leur donnait pas grand-chose. Peut-être avait-elle été tuée dans un motel et enveloppée dans le couvre-lit. Ils pouvaient toujours faire la tournée des motels avec des photos du couvre-lit. Mais il y avait trop de motels. Ils y penseraient au cours du week-end.

La semaine suivante, ils reçurent un appel d'un inspecteur Renshaw, de la GRC à Ottawa. Rien sur les empreintes, leur dit-il, mais il avait passé le dossier au surintendant Pritchett à Edmonton. Pritchett ferait suivre la piste White Stag par quelqu'un et les rappellerait.

Le même jour, Conley et Foudray arrivèrent avec une piste prometteuse. Une certaine Mme Frances Green avait appelé pour dire qu'elle aurait peut-être de l'information sur la femme du dépotoir. Conley et Foudray lui rendirent visite et notèrent les détails. Green dit qu'elle avait lu l'article dans le journal et que la description allait bien à une femme qu'elle connaissait, nommée Helen. Frances Green déclara que la dernière fois qu'elle avait vu Helen et son mari Billy, c'était le 18 décembre à 2 h, lorsque Helen était venue lui dire qu'elle déménageait à Austin. Frances Green ajouta que Helen semblait fâchée, que Billy la battait fréquemment et qu'il l'avait un jour menacé de la tuer. Mme Green montra alors à Conley et à Foudray une Pontiac 1959 qui était encore stationnée dans l'entrée de l'appartement que louait le couple. L'auto était remplie de vêtements, d'ustensiles, d'oreillers, de conserves et de chaises pliantes. Mme Green dit que tous les articles contenus dans l'auto appartenaient à Helen. Les officiers prirent le nom du propriétaire de l'appartement, puis allèrent du côté du Poor Joyce's Lounge où, selon Mme Green, Helen avait déjà travaillé. Comme ils trouvèrent le restaurant fermé, ils retournèrent au bureau et remplirent un rapport destiné à Shipley et Hutchison. Le lendemain, Hutchison appela la police d'Austin et donna la description d'Helen. Ils la retracèrent en quelques jours, et découvrirent qu'elle travaillait comme serveuse au Holiday Inn de l'endroit, et qu'elle habitait avec Billy chez la mère de ce dernier. Helen dit qu'elle avait l'intention de retourner chercher la Pontiac.

Cet après-midi-là, Shipley répondit à un appel du caporal J. W. Clark de la GRC à Edmonton. Clark avait vérifié chez White Stag et on lui avait dit que la compagnie avait des comptes auprès de 1200 entreprises, toutes du Canada et des Bahamas. La compagnie n'exportait pas aux États-Unis. Clark ajouta qu'il avait vérifié le fichier des disparitions, et qu'il était revenu les mains vides.

Un jour, ce printemps-là, Anne vit Pat étendue sur le dos, sur le plancher de la salle de bain de leur maison, vêtue uniquement de sa culotte. Anne se rappelle qu'il y avait du liquide rouge qui sortait de sa bouche. Elle se rappelle que son père s'était élancé, épaule en premier, contre la porte de la salle de bain, et avait fini par l'entrouvrir. Pat était là. Le liquide rouge ressemblait à du sang mais elle avait entendu quelqu'un — qui? — dire que c'était de l'iode. Anne fut envoyée dans sa chambre et personne dans la famille ne parla jamais de l'incident. Était-ce une tentative de suicide? Anne crut toujours que oui, mais ne peut se rappeler pourquoi ou qui a bien pu le lui dire. Était-ce un bout de conversation qu'elle avait entendu?

Anne vivait une telle peur de l'abandon que tous ses souvenirs d'alors sont fragmentés. Elle vit et entendit des choses qui descendirent, sans laisser de trace, au fond de son inconscient. Des bouts de sa vie disparurent. Ils s'accumulaient et fermentaient, la rendant chaque jour un peu plus frénétique. De l'extérieur, elle paraissait normale, peut-être légèrement hyperactive. Sous la surface, elle avait l'impression que sa vie était un trou noir sans fond qui un jour l'entraînerait dans le vide.

Au début de ce printemps, Ray écoutait de la musique country à la radio locale lorsqu'il entendit une annonce d'un *jamboree* et d'une vente de terrains à Big Thicket. L'annonce promettait qu'il y aurait un barbecue, un orchestre de musique country et des terrains de villégiature à vendre bon marché. Le samedi du *jamboree,* Ray mit la famille dans l'auto et sortit de la ville en direction est, sur l'autoroute Liberty. C'était à deux heures de route, au fond des pinèdes de l'est du Texas. Le *jamboree* était destiné à faire la promotion des Big Thicket Lake Estates.

La région de Big Thicket est une bande de forêt humide, chaude et infestée de serpents, de 200 kilomètres de long, qui s'étend jusqu'en Louisiane. La forêt est un mélange de pins, de noyers, d'ormes et de magnolias. Éparpillés à travers bois, on voit de petites villes et des moulins, des tentes de rassemblement religieux aux carrefours, et des établissements de barbecue, des maisons de bois nu avec des vérandas tout autour et des berçantes à l'avant. Des camions chargés de billots aussi gros que les roues rugissent sur les routes.

Ce samedi-là, Ray, Pat et les enfants arrivèrent aux Big Thicket Lake Estates en même temps que des centaines d'autres familles enthousiastes. Les publicités radiophoniques avaient décrit le développement comme une luxueuse retraite champêtre pourvue de toutes les installations nécessaires au confort. Ce que découvrirent les premiers visiteurs, c'était une contrée sauvage accessible par des chemins étroits que des bulldozers avaient tracés à la hâte à travers la forêt. Il y avait des centaines de lots fortement boisés à vendre, mais ils n'étaient munis ni d'électricité ni d'aqueduc. Au cœur des Big Thicket Lake Estates, il y avait un petit étang artificiel où les propriétaires pouvaient nager s'ils ne craignaient pas les serpents aquatiques.

À l'entrée du développement, il y avait un restaurant comptant une demi-douzaine de tables. Derrière, sous un abri, il y avait un juke-box, un plancher de danse et un podium d'orchestre. Les côtés s'ouvraient sur les bois. Ray s'arrêta au restaurant et laissa les enfants s'empiffrer au barbecue. Puis, il prit une carte et conduisit le long des minuscules chemins poussiéreux qu'on avait tracés à travers bois. Le lot que Ray acheta pour 160 $ se trouvait en haut d'un chemin de traverse découpé entre des magnolias élevés et des pins. La terre était cramoisie et le chemin était souvent lessivé ou entravé par de profonds ravins créés par la pluie battante.

Si Ray cherchait une cachette, les Big Thicket Lake Estates étaient taillés sur mesure. L'endroit était difficile à trouver, n'était marqué que par une enseigne délavée et, une fois à l'intérieur, les visiteurs du développement pouvaient facilement se perdre dans un labyrinthe de chemins sans issue. Très peu de lots furent occupés; la plupart demeurèrent à l'état sauvage.

Ray décida de construire, avec Denis, une maison sur ce lot boisé. Auparavant, ils durent abattre six ou sept pins d'au moins un mètre de diamètre.

Dès le printemps, ils allaient là-bas tous les week-ends. Ray abattit trois pins, les roula côte à côte et glissa des blocs de ciment dessous pour en faire les fondations du chalet. Dès que lui et Denis eurent installé le plancher de la maison, Ray érigea une tente sur la plate-forme. Pat et les enfants nettoyèrent les sous-bois épais et emmêlés. Ils taillèrent une clairière pour laisser la lumière du soleil pénétrer l'abri forestier. Un jour, Martine ramassa un serpent venimeux, attirée par ses jolies couleurs. Des bêtes de toutes sortes vivaient autour d'eux: des tatous, des lynx, des opossums, des cerfs et toutes les sortes de serpents imaginables.

Tous les vendredis après l'école, Ray chargeait l'auto, faisait monter Pat et les enfants, et ils se dirigeaient vers Big Thicket. Ils s'arrêtaient dans une cour à bois de Liberty pour acheter les matériaux dont ils avaient besoin. Le samedi et le dimanche, ils clouaient et sciaient toute la journée, et le soir, Ray et Pat se soûlaient. Denis travaillait comme un esclave, et Ray appréciait son endurance et comptait sur son aide. Denis en voulait parfois à son père d'être si autoritaire, mais il se sentait utile et proche de lui. Ensemble, ils parlaient en français toute la journée, et Denis apprenait des rudiments de menuiserie. Un jour, son père travaillait avec une scie mécanique lorsque celle-ci glissa et lui entailla la jambe jusqu'à l'os, près du genou. Il se retourna vers Denis et, grinçant des dents de douleur, lui dit d'aller chercher une bouteille de vodka et des guenilles. Denis courut pendant que le sang coulait de la blessure. Lorsque Denis revint, Ray versa une lampée de vodka sur la coupure et, le front dégoulinant de sueur, enserra la blessure avec les chiffons. Toute la soirée, il taquina les enfants, leur disant qu'il allait probablement perdre sa jambe, et ils pleuraient de crainte. Il ne se donna jamais la peine d'aller voir un médecin pour faire examiner cette blessure, qui lui laissa une cicatrice en zigzag sur la jambe.

Un autre week-end, après une longue journée de travail, ils faisaient un barbecue. Denis se mit à se disputer avec Pat. Le ton monta et Denis commença à pleurer. Pat et Ray étaient soûls.

«Vous autres, vous m'aimez pas, disait Denis en sanglotant. Pourquoi est-ce que vous voulez pas que j'aille vivre avec maman à Hull?» Il se retira dans la tente pendant que Pat lui criait après. Malheureux, il se recroquevilla sur son sac de couchage. À l'extérieur, il entendait Pat lui lancer des injures.

«Comment as-tu pu avoir un gros tata comme ça pour fils?» demandait-elle à Ray.

Ray était ivre et pensif. «Écoute, l'entendit répondre Denis. C'est mon premier-né. C'était un fils. Né le jour de ma fête. J'étais tellement fier de lui. On l'adorait. Mais il est devenu comme les Boissonneault. C'est un tata comme eux autres.»

La rage de Pat monta. «Eh bien! je vais aller le battre, ton gros tata!» déclara-t-elle.

Denis, silencieux, entendit son père dire: «Tu devrais faire attention, Pat. Il va peut-être te donner une volée.»

C'est ça, pensa Denis, il s'en fiche. Si elle arrive ici, je vais la battre. Il serra les poings et attendit. À l'extérieur, Pat avait entendu la remarque de Ray et se borna à lancer quelques jurons de plus à Denis. Par la suite, Pat demeura prudente avec Denis. Elle l'engueulait, le blessait émotivement et le giflait, mais elle semblait avoir peur de lui. Elle dut voir la haine brûler dans ses yeux et sentir que si jamais elle explosait, il ne pourrait s'arrêter.

Vers la fin de l'année scolaire, Denis et son père avaient élevé un chalet de dix mètres de côté, aux murs de contre-plaqué. À l'intérieur se trouvaient une cuisine, une salle de bain et trois petites chambres. Peu après, ils abandonnèrent la maison de Holly Street et emménagèrent dans les bois. Là, Denis avait l'impression qu'ils étaient complètement isolés. Ils n'avaient ni téléphone, ni électricité, ni voisins.

Le dernier jour de février, Hutchison reçut un appel apparemment prometteur d'une certaine Mme E. Smith. Mme Smith avait une histoire frappante à raconter. Elle affirme avoir été au Candlelight Lounge, sur Spencer Road, une dizaine de jours avant la parution de l'article à propos de la femme du dépotoir. Elle et la propriétaire du restaurant, Lois, étaient seules. C'était un samedi matin. Un couple entra et demanda à se joindre aux deux femmes. Les nouveaux venus se présentèrent comme étant Bobby et Buddy Geer. Après quelques bières, Mme Smith se leva pour aller aux toilettes et fut rejointe par Mme Geer. Dès que la porte fut fermée derrière eux, Mme Geer dit: «Rappelez-vous mon nom, Bobby Geer», et elle l'épela pour Mme Smith. Elle dit qu'elle n'était mariée à Buddy que depuis trois semaines et que plusieurs fois, il l'avait menacée de mort. Elle dit qu'ils habitaient au Bayshore Motel, sur l'autoroute 146. Ils retournèrent à la table et lorsque la propriétaire du restaurant, Lois, se leva pour aller aux toilettes, Bobby Geer la suivit et lui donna la même information. Quelques heures passèrent et finalement, Buddy Geer dit: «Allons-nous-en.» Mme Geer le regarda et dit: «Je ne pars pas avec toi. Tu vas essayer de me tuer.» Geer s'avança vers elle, la saisit et la transporta dehors jusqu'à leur Oldsmobile. Alors, dit Mme Smith, «il l'a déposée debout et elle a commencé à battre des bras, et il l'a frappée plusieurs fois, très fort, puis il l'a ramassée et l'a jetée sur le toit de la familiale Oldsmobile, puis il a ouvert la porte, l'a tirée du toit, l'a jetée à l'intérieur et a démarré». Mme Smith affirma que Bobby Geer correspondait parfaitement à la description de la morte, jusqu'aux dentiers.

Hutchison prit immédiatement le téléphone, composa le numéro du Bayshore Motel et parla à Mme Cook, la directrice. Mme Cook dit: «Non, M. et Mme Geer n'habitent plus au motel.» Ils avaient déménagé, dit-elle, aux Colonial Oaks Apartments. Elle donna à Hutchison leur numéro d'appartement et dit que Bobby était coiffeuse et venait tout juste de s'occuper de ses cheveux. Mme Cook ajouta qu'elle avait vu Bobby et Buddy la veille et elle assura l'enquêteur qu'«ils sont tous deux bien vivants».

Shipley et Hutchison étaient maintenant sur l'affaire depuis plus de deux semaines. Personne n'avait rapporté de disparition correspondant à la description de la morte. Pourquoi? Ils poursuivaient chaque piste, chaque appel avec application. Le détective Klevenhagen, qui est devenu, depuis, shérif du comté de Harris, dit qu'à ce moment, ils se rencontrèrent et discutèrent de ce qu'ils avaient trouvé. «Nous avons de bons signes d'identification. Si quelqu'un l'avait portée disparue, nous aurions pu l'identifier à partir de ce que nous avions. Mais aucune personne disparue ne correspondait à cette description.»

Klevenhagen dit qu'ils savaient tous que l'angle canadien était important, mais qu'ils n'avaient aucune idée de sa signification. Était-ce une voyageuse du Canada qui avait été tuée à Houston? Avait-elle récemment passé des vacances au Canada et acheté la jupe là-bas? La jupe était-elle un cadeau? L'avait-elle achetée dans une boutique de vêtements d'occasion?

«Comme il faisait assez froid à l'époque où elle fut tuée, il était vraisemblable qu'elle porte des vêtements épais. Mais les vêtements n'étaient pas assez épais pour indiquer qu'elle venait tout juste du Canada», dit Klevenhagen. «Il y avait un milliard de possibilités. Nous appelions au Canada pour trouver une personne de là-bas portée disparue.»

Cette année-là, en 1968, le comté de Harris et la police de Houston menèrent 252 enquêtes pour meurtre qui se terminèrent par des arrestations et des accusations. Klevenhagen dit qu'à lui seul, il enquêtait sur quatre homicides à l'époque. Sans compter les meurtres qu'ils ne pouvaient résoudre, comme le meurtre de la femme de race blanche, bien vêtue, dans la trentaine, dont la vie s'était terminée par un coup sauvage à la tête, dont le corps avait été ligoté, transporté vers un site éloigné et traîné sur 14 mètres à partir d'un véhicule, dans un champ couvert de broussailles où les animaux se nourrissaient de son cadavre.

Les médias locaux avaient soigneusement rapporté l'histoire, et le service du shérif du comté de Harris avait mené une enquête complète et professionnelle. Les enquêteurs n'avaient abouti à rien, et n'avaient pas même un nom à donner au cadavre. On aurait dit que la plupart des pistes impliquaient la violence conjugale. C'était une sorte de sport national sanguinaire. S'ils avaient été capables d'identifier la morte, une piste sanglante aurait, selon toute probabilité, mené directement à la personne qui avait glissé l'anneau nuptial à son doigt. Le moment était venu de bouger. Tous les jours, il se présentait d'autres corps, des corps avec des noms et dont les tueurs étaient encore au large. Les journalistes locaux ne hantaient pas le service du shérif pour résoudre le mystère du corps du dépotoir. Peut-être que si les journaux avaient consacré un ou deux reportages à l'affaire, l'enquête aurait été prolongée d'une autre semaine. Mais cela n'aurait peut-être pas fait de différence. Shipley et Hutchison furent donc réaffectés, et l'enquête fut suspendue. Le dossier demeura ouvert et on le réactiverait si quelque nouvelle information faisait surface.

Quelques semaines plus tard, le cadavre 68-500 fut retiré de la morgue, déposé dans un simple cercueil de bois et transporté au cimetière du comté de Harris, le cimetière des pauvres de Houston. Situé au coin des rues Oats et Beaumont, à 200 mètres de l'autoroute Liberty qui part à l'est de Houston vers Big Thicket, il est bien tenu et entouré de peupliers et de pins adultes. Un jardinier tond l'herbe et taille les buissons de lilas. Il n'y a pas de pierres tombales dans ce cimetière, mais une longue et étroite bande de ciment longe les sites, garnie de minuscules plaques métalliques. Chaque lot est identifié par une plaque de cinq centimètres de côté numérotée. Les registres du cimetière indiquent le numéro d'autopsie du corps enterré dans chaque lot. Le cadavre 68-500 fut enterré dans le site 5, rangée I, section C, juste devant la section réservée aux bébés. En quelques années, tout ce qu'on pouvait voir du terrain, c'était une légère dépression dans la pelouse onduleuse et bien tondue.

Lorsqu'on descendit le corps dans la fosse, il n'y eut ni service funèbre, ni visiteurs, ni fleurs pour marquer le décès d'une femme qui avait été la fille de quelqu'un, peut-être la sœur de quelqu'un, certainement l'épouse de quelqu'un et, à partir des preuves de l'autopsie, la mère de plus d'un enfant. Vingt-deux étés allaient passer avant qu'un visiteur solitaire, avec toute une vie de tristesse dans les yeux, arrive par un clair matin de mai, alors que les lilas étaient en fleurs, marche jusqu'au pied de cette tombe depuis longtemps oubliée, s'assure qu'il avait trouvé le bon lot, et s'effondre à côté, en murmurant: «Je t'ai retrouvée» et en pleurant toutes les larmes de son cœur.

Chapitre dix

Big Thicket, Texas, 1969

Ray continua de travailler à Houston après que la famille eut déménagé à Big Thicket. Il avait acheté une Lincoln Continental noire qu'il utilisait pour faire la navette de deux heures entre son emploi chez Sam Montgomery Oldsmobile et les Big Thicket Lake Estates. Tout l'été, il apporta des améliorations à la propriété. Il fit installer l'électricité. Il paya un homme de l'endroit pour creuser un puits. Longtemps après avoir complété son travail, l'homme s'arrêta de temps à autre, demandant d'être payé. Ray remettait sans cesse le paiement à plus tard, et il finit par ne jamais le payer.

Pat et les enfants passaient leurs journées au chalet, dans la petite clairière dans la forêt qu'ils avaient eux-mêmes aménagée. Les voisins les plus proches étaient un couple hongrois qui avait une propriété deux rues plus loin. La semaine, les visiteurs étaient peu nombreux. Denis obtint un chien et un calibre .22 et, avec Marc à sa suite, passa des jours à se promener dans les bois ou à marcher le long d'un gazoduc qui longeait leur propriété. Un jour, il rencontra un lynx et le tira, mais la balle ricocha. Il construisit un piège et captura un tatou.

Les week-ends, d'autres familles venaient camper sur les lots qu'elles avaient achetés. Enfin, il y avait d'autres enfants avec qui jouer. Souvent, un orchestre country était à l'affiche au restaurant, et Denis s'y rendait à pied, les vendredis après-midis, pour les voir décharger leur équipement et s'installer. Il développa une passion pour la musique country. Merle Haggard. Buck Owens and His Buckaroos. Le soir, il s'assoyait derrière le batteur et marquait le rythme avec les mains. Il les imitait à merveille et en vint bientôt à parler comme un gars du Far West. La première chanson country qu'il apprit — «Momma Tried», par Merle Haggard — semblait faire écho à sa propre douleur. Aujourd'hui, lorsqu'il entend les chansons qu'il découvrit cet été-là, il retrouve la solitude, la colère et la peur qu'il ressentait à Big Thicket.

Ray, lui aussi, tomba amoureux de la musique country. Denis se rappelle que son père fredonna pendant des mois les paroles de «Branded Man», de Merle Haggard, une chanson qui raconte l'histoire d'un homme qui ne peut échapper à son propre passé.

Denis garda contact avec son ami Jack et cet été-là, son père le conduisit jusqu'à Houston où il passa deux semaines merveilleuses chez Jack. Le beau-père de Jack avait deux tondeuses à gazon, et les garçons devinrent entrepreneurs en pelouse. Ils parcouraient les rues, Denis frappant à une maison, Jack à la suivante. S'ils obtenaient du travail, l'un d'eux tondait la pelouse avant, l'autre la pelouse arrière. Avec une partie de leurs revenus, ils accompagnaient la mère de Jack aux parties de bingo. Quelquefois durant ces deux semaines, Denis s'arrangea pour s'échapper et vérifier si sa mère se trouvait à Beech Street.

Au bout des deux semaines, ils achetèrent des boîtes de balles de calibre .22, et Jack se rendit avec Denis à Big Thicket pour deux semaines. Ils passaient leurs journées dans la forêt avec le fusil de chasse de Denis, chassant et parlant musique — Jack était fou des Beatles. Parfois, ils allaient nager au lac. Ils construisirent un radeau, le poussèrent sur un ruisseau et, certains jours, tentèrent leur chance à la pêche.

Ray avait pris l'habitude de rapporter à la maison, chaque semaine, deux caisses d'alcool: une caisse de vodka pour lui-même et une caisse de V.O. pour Pat. Il buvait de la vodka avec du jus d'orange, elle prenait le sien pur, *on the rocks*. Une bouteille par jour.

Cet automne-là, Marc entra à l'école. Les trois enfants prenaient l'autobus ensemble pour aller à l'école Hardin, à une demi-heure du chalet. Ils devaient marcher jusqu'à l'arrêt d'autobus, près de l'entrée du développement.

Denis aimait l'école Hardin. Il avait surmonté ses problèmes de langue et il était travailleur. Il s'inscrivit dans l'équipe d'athlétisme sur piste et dans celle de football. Il était assez grand mais mince comme un fil de fer. Un jour, l'entraîneur de football lui dit: «Faudrait que tu mettes un peu de viande sur tes os, fiston.» Denis profita de l'occasion pour demander à l'entraîneur d'écrire une lettre à sa mère, lui demandant de lui donner deux sandwiches plutôt qu'un dans son lunch s'il voulait rester dans l'équipe. L'entraîneur dut le prendre en pitié: il écrivit la lettre et, dès lors, Denis obtint deux sandwiches.

En dépit du fait qu'il était satisfait à l'école, cet automne et cet hiver-là, Denis était plus solitaire que jamais. Son meilleur ami se trouvait à Houston: il n'y avait plus de danses et les gens ne venaient plus camper les week-ends d'hiver. La situation se détériorait régulièrement à la maison. Certains jours, à l'école, il se rendait à la bibliothèque, prenait un atlas et traçait la route pour aller à Hull, au Québec. Il s'imaginait faisant de l'auto-stop jusqu'à la frontière canadienne, arrivant à Hull, marchant jusqu'à la maison de sa grand-mère et tombant dans les bras de sa mère. Il s'imaginait qu'elle habitait là. Elle aurait un emploi et serait débordante de joie en le revoyant. Ce serait une grande aventure et Denis montrerait à son père qu'il n'était pas un gros tata.

Anne aussi était solitaire et manquait d'affection. Elle avait une institutrice chaleureuse et sympathique. Anne vit un jour l'institutrice serrer dans ses bras une petite fille en larmes. Par-dessus tout, Anne ressentait le besoin d'être dans les bras de quelqu'un. Un jour, en larmes, elle alla voir l'institutrice et lui dit que quelqu'un avait volé son tube nasal Vicks. C'était un mensonge, mais elle voulait seulement qu'elle la prenne dans ses bras. L'institutrice prit Anne jusqu'à ce qu'elle cesse de pleurer.

La nuit, Anne rêvait de retrouver sa mère. La vie avec Pat et son père la rendait tellement malheureuse; certains jours, c'était insupportable. À l'école, elle rencontrait d'autres filles et, en les entendant parler de leur vie, elle se demandait ce qui allait de travers dans sa famille. Pourquoi sommes-nous si différents? Pourquoi n'y a-t-il aucun amour ici? Pourquoi y a-t-il tant de haine et pourquoi Pat essaie-t-elle toujours de nous séparer, les enfants?

Pat gardait l'œil sur Anne et, autant que possible, la tenait éloignée des garçons; mais ses tentatives de diviser les enfants finirent par modifier la dynamique familiale. Un vendredi soir, Denis murmura à Anne que Marc et lui avaient l'intention d'aller pêcher le lendemain. Il voulait qu'elle vienne et elle voulait bien, elle aussi. Il avait quelques dollars qu'il avait gagnés quelque part, et ils s'entendirent pour acheter une collation pour l'excursion. Pat entendit la conversation. Un peu plus tard, Anne alla la trouver pour se dégager de leurs courses habituelles du samedi.

— Maman, je ne pense pas aller magasiner avec toi aujourd'hui, dit-elle avant que Pat ne l'interrompe.

— Anne, tu vas venir avec moi. Va pas avec les garçons. Les petites filles doivent pas être tout le temps avec les garçons.

Elle disait n'importe quoi, et Anne le savait.

Ray se trouvait lui aussi à la maison, et lorsqu'il entendit Pat qui essayait de décourager Anne de participer à l'expédition de pêche, il bondit vers elle et hurla: «Pourquoi essaies-tu de séparer mes enfants?» Il était furieux, mais Pat n'en démordait pas:

«Pas question qu'elle aille avec ces petits vauriens», répondit-elle.

Ray se tourna vers Anne. «Qu'est-ce que tu veux faire?»

— Aller pêcher.

— Bien, vas-y, dit-il, et il se querella avec Pat pendant le reste de la soirée. Il était clair aux yeux des enfants qu'il prenait leur parti. Ils l'appréciaient pour cela. Lorsque leur mère était là, elle les protégeait de leur père. À présent, ils se rapprochaient de lui parce qu'ils sentaient qu'il les protégeait de la haine de Pat.

Un jour, Anne se trouvait en auto avec son père lorsque, à propos de rien, il lui dit: «Tu sais, ta mère a essayé de te jeter devant une auto.» Anne resta silencieuse, écoutant et s'interrogeant. «Ouais, poursuivit-il. Elle est allée dans un asile et dans une prison.» Elle n'avait jamais entendu cette histoire, ne pouvait rien se rappeler de semblable. Elle ne le croyait pas, mais elle était confuse. Comme elle savait que son père disait toujours des mensonges, elle se disait qu'elle n'allait pas «tomber dans un autre panneau».

La fête de Noël de 1969 fut plus sombre que toutes les précédentes. La forêt semblait les emprisonner. La tristesse de Denis fut brisée le jour de Noël lorsqu'il découvrit qu'on lui avait donné une paire de bottes de cow-boy. Tous les garçons en portaient, et il adorait ces bottes. Mais Pat décida qu'il ne pouvait les porter à l'école. Il y eut des disputes à ce propos mais elle ne démordait pas de son point de vue, et Ray l'appuyait. Il garda donc les bottes de cow-boy dans une grande boîte à chaussures en bois que son père avait construite et installée à l'extérieur du chalet. La boîte était fermée par un lourd couvercle pour éviter que le chien ne parte avec les chaussures de tout le monde. Un jour, cet hiver-là, Denis marchait sur le chemin de la maison, en revenant de l'école, lorsqu'il vit, horrifié, que le chien avait l'une de ses bottes à la gueule. Denis cria et courut après. Le chien se tapit sous le chalet avec la botte. Denis laissa tomber ses livres pour le rattraper et il vit Pat qui riait. Il se frappa la tête sous le chalet, et lorsqu'il eut finalement retrouvé sa botte, elle était en lambeaux. Il se retira en larmes.

Pat lui jeta un regard méprisant: «Ça t'apprendra à laisser tes bottes dehors», dit-elle. Il regarda dans la boîte à chaussures et y vit son autre botte. Impossible qu'il en ait laissé une à l'extérieur. Comment donc le chien l'avait-il attrapée? C'était Pat qui avait donné la botte au chien.

«Ma maudite salope», lui cria-t-il, restant hors de sa portée. Ils s'engueulèrent jusqu'à ce qu'elle lui dise de rester dehors jusqu'au retour de son père. À 22 h, il aperçut enfin les phares de la voiture de son père. Dès que celui-ci fut arrivé, il lui raconta ce qui s'était passé. Ils entrèrent ensemble et Pat reprocha à Denis de l'avoir engueulée. Ray les regarda tous les deux et envoya Denis se coucher sans dîner.

Dès le printemps, Ray avait cessé de travailler chez Sam Montgomery à Houston et avait trouvé un emploi dans un atelier de carrosserie à Beaumont, à une demi-heure des Big Thicket Lake Estates. Cet été-là, il transporta la famille dans une maison qu'il avait louée à Beaumont, et loua son chalet à une famille mexicaine. Mais dès septembre, ils étaient de retour dans le chalet et Ray se trouvait sans emploi. Il se mit à conduire l'autobus scolaire que prenaient les enfants. Le reste de la journée, il faisait des petits travaux. Puis, la digue construite pour créer le lac au cœur des Big Thicket Lake Estates se rompit, et ce qui avait été un étang de natation et de pêche entouré de maisons devint un trou de boue sèche. À présent, de la digue brisée au chalet, ils devaient marcher sur presque un kilomètre; il n'y avait pas moyen de passer en auto. On finit par effectuer des réparations afin de pouvoir passer en voiture sur la digue rompue, mais le lac ne fut jamais rempli.

Un jour, peu après leur retour au chalet, Denis marchait seul, rêvassant, lorsqu'il s'aperçut soudainement qu'il rêvassait en anglais. Il eut le sentiment que son ancienne identité lui échappait. Il utilisait si rarement le français qu'il n'y pensait même plus.

Au début, les enfants étaient ravis de voir leur père conduire l'autobus. Il le stationnait dans la cour et Denis le nettoyait. Mais ce plaisir s'envola vite pour Denis. Des Noirs habitaient sur le trajet de l'autobus, et un code non verbal les obligeait à s'asseoir à l'arrière de l'autobus. Un jour, un petit garçon noir qui se faisait taquiner se rendit en pleurant jusqu'à la banquette située derrière le chauffeur. «M. Durand, ils m'appellent le nègre.» Devant Denis et les autres enfants, Ray tourna la tête vers le garçon.

«Ferme ta gueule, le nègre, et retourne au fond de l'autobus», aboya-t-il à l'enfant, assez fort pour que tout le monde l'entende. Denis, sentant la douleur du petit garçon, eut envie de rentrer sous terre. Il ne pouvait croire que son père était cruel à ce point.

Leur second Noël à Big Thicket fut aussi triste que le premier, mais cette fois, ils savaient que c'était le dernier à cet endroit. Ray avait décidé qu'ils quitteraient le Texas. Il vendit le chalet à un homme avec lequel il avait travaillé chez Sam Montgomery Oldsmobile, échangea la Lincoln pour une familiale Oldsmobile, et loua une remorque U-Haul. Quelques jours après Noël, ils chargèrent l'auto et la remorque, et verrouillèrent le chalet. Il faisait nuit, et les enfants n'avaient aucune idée de l'endroit où ils allaient. Ray se contenta de leur dire de monter dans l'auto et démarra.

Ils roulèrent à travers une tempête de neige au Nouveau-Mexique, et Ray se mit à rire de toutes les autos qui avaient dérapé. «Les maudits chiens sales, dit-il à Pat. Ils savent pas conduire dans la neige. Moi, je le sais. J'ai passé vingt ans à conduire dans la neige quand j'étais dans la police à Montréal.»

Dans un restaurant de l'Arizona, ils reconnurent deux vedettes de l'émission de télévision «Hee Haw». Ray pressa Denis d'aller leur demander leurs autographes, mais Denis était trop timide. Anne finit par se lever et fut de retour, une minute plus tard, avec les signatures.

Ils se trouvaient en route le jour de l'anniversaire de Denis et de Ray, le 30, et ils étaient encore en route au jour de l'An 1970. Au début de la nouvelle année, ils arrivèrent à Los Angeles. Ils campèrent dans un motel, tandis que Ray cherchait du travail.

Deux semaines plus tard, Ray fit à nouveau les bagages et ils se dirigèrent au sud, vers San Diego. Il savait que c'était à un jet de pierres du Mexique et il aimait apparemment l'idée de vivre aussi près de la frontière. Le jour de leur arrivée, ils louèrent un appartement dans un complexe en bois décrépit de Bunker Hill Street. Il y avait deux édifices de quatre appartements chacun. Il plaça la famille dans l'un des appartements et se fit engager comme concierge des deux édifices. En une semaine, il s'était trouvé un emploi à temps plein dans l'atelier de carrosserie de Guy Hill Cadillac, un gros concessionnaire à quelques pas de l'appartement. C'était un début modeste, mais il avait des ambitions dangereusement grandes.

Chapitre onze

San Diego, Californie, 1970

Mission Bay Drive longe le coin nord-ouest de Mission Bay, une anse en forme de M en bordure du Pacifique, à 15 minutes du centre-ville de San Diego. Une mince bande de terre sépare la plus grande partie de la baie de l'océan. Le long de l'extérieur de cette bande se trouve Mission Beach, une étendue de sable doucement arquée, d'un brun grisâtre, qui sépare le martèlement de l'océan des falaises effritées de 15 mètres. Quand Ray, Pat et les enfants arrivèrent à San Diego, en janvier 1970, tous les matins, ils voyaient des surfeurs chevaucher les vagues de Mission Beach. Loin au-dessus de la plage, les cafés et les clubs de nuit rassemblaient bohémiens et hippies.

San Diego, comme les États-Unis en général à l'époque, était bouleversée par un grand soulèvement. La jeunesse du pays avait été politisée par la guerre du Viêt-nam et s'était écartée de la société en refusant la folie de la consommation. Les jeunes aimaient les drogues, la musique et le sexe. Ray aimait se trouver à la plage. Ce qu'il y voyait enflammait son imagination. Il avait depuis longtemps acquis un penchant pour les drogues et c'était un baiseur effréné. Mais il ne pouvait accepter le rejet de la consommation prôné par les hippies. Il venait d'un milieu pauvre et aspirait à une existence aisée de classe moyenne. Il y avait de la pauvreté à San Diego, mais il y avait aussi beaucoup de richesse. Il savait où il voulait arriver.

Il se mit à la mode: ses cheveux couvraient son col, il se fit pousser la moustache, acheta des pantalons à pattes d'éléphant — mais seulement pour brouiller ses origines étrangères. Il avait trente-cinq ans, était amateur de musique country, père de quatre enfants et totalement apolitique.

San Diego passionnait les enfants tout autant que leur père. C'était exotique et cela embaumait. Ce n'était pas désagréable d'être à l'extérieur toute la journée. Pat leur donnait chacun un sandwich le matin et les chassait de l'appartement. Denis, Anne et Marc découvrirent Sea World sur Mission Bay et trouvèrent une façon de se faufiler par-derrière sans payer. Ils virent si souvent le numéro des marsouins qu'ils auraient pu remplacer les entraîneurs.

Finalement, ils furent inscrits à l'école, et la vie revint à ce que la famille trouvait normal. Pat passait encore toutes ses journées à la maison avec le bébé. Elle buvait encore une bouteille par jour et, aux yeux des enfants, elle devenait de plus en plus mesquine. Ce qui la préoccupait le plus, ce n'était pas tant la santé et le bien-être des enfants que son propre besoin de les contrôler. Moins elle avait de contrôle sur sa propre vie, plus elle cherchait à dominer les enfants. Elle n'avait ni argent, ni emploi, ni statut légal, mais elle était responsable de quatre enfants; mais le plus difficile, c'était d'avoir un amant qui voyait tout. Elle pestait par-dessus tout contre la désobéissance des enfants. Auparavant, elle s'était contentée de les gifler; elle avait de plus en plus recours, également, à des coups de pied et de poing.

Ray leur faisait tout aussi peur, mais son comportement était un peu plus prévisible. S'ils obéissaient aux règles, s'ils évitaient de lui «taper sur les nerfs», s'ils faisaient ce qu'il leur disait, il les traitait presque décemment. Ils pouvaient blaguer avec lui, parfois le persuader de les emmener à certains endroits. C'était leur papa. Il était là depuis toujours. Ils n'avaient jamais connu d'autre père. Parfois, ils pouvaient désamorcer sa colère en lui rappelant de vieux souvenirs de choses amusantes qu'il avait faites ou dites. Il était sévère, mais pour Marc et Anne, ce ne fut jamais un signe qu'il ne les aimait pas.

Pour Denis, c'était autre chose. Il méprisait souvent son père et il avait l'impression que son père voulait qu'il soit ce qu'il n'était pas. Ray pressait toujours Denis, maintenant âgé de quatorze ans, de courir les filles. «Fais comme ton père, disait-il à Denis en public. Va courir les filles.» Denis était trop timide et taciturne pour entamer des conversations anodines avec des filles qu'il ne connaissait pas. Et il était écœuré de l'attitude de son père, qui tenait pour acquis que le sexe était la seule raison de se lier d'amitié avec une femme. Il détestait aussi l'habitude qu'avait son père de juger l'apparence des autres. En voyant une femme dans la rue, il lui disait, en français: «Maudit, t'es ben laide.» Comme il souriait en disant cela, la femme était confuse. Certaines saisissaient qu'il parlait en français et étaient charmées à la pensée de rencontrer un francophone. La plupart ne comprenaient pas qu'il parlait en français et supposaient qu'il était un étranger qui ne parlait pas l'anglais. Son sourire laissait croire qu'il disait quelque chose de sympathique.

Mais même si Denis n'aimait pas son père, il le considérait comme une force indestructible. C'était son père; un enfant ne pouvait pas choisir son père.

Pat, c'était autre chose. Il ne partageait aucun souvenir avec Pat. Et elle était fermée sur son passé. Elle ne parlait jamais de sa famille ni de ses origines. Ils avaient appris de Ray qu'elle avait des sœurs, des frères et un père. Et ils savaient qu'elle avait vécu dans un orphelinat et des foyers d'accueil. Une fois, elle leur parla des longs trajets qu'elle faisait à pied pour se rendre à l'école et de la fois où on l'avait battue pour avoir cueilli des pommes dans un arbre. À part cela, c'était une inconnue. Son cœur était si dur qu'elle ne se laissait jamais aller à la sentimentalité et était incapable de faire confiance aux autres. Elle était de nature soupçonneuse. Même Ray, un menteur accompli, professionnel, avait de la difficulté à lui faire croire ses histoires insensées.

Juste à côté, presque directement en face de Mission Bay, se trouvait Guy Hill Cadillac, alors deuxième concessionnaire Cadillac en importance de San Diego. Ray se trouva un coin dans l'atelier de carrosserie et bientôt tout le monde le connaissait. Il était rapide et sympathique, et il savait ce qu'il faisait. C'était le genre d'employé que les concessionnaires adorent. Il travaillait si rapidement qu'il faisait faire beaucoup d'argent à ses employeurs.

Fred Angelo était mécanicien chez Guy Hill. Il fit connaissance avec Ray et lui prêta 150 $ peu après son arrivée. «Il était fauché et, ah! il parlait tellement bien...»

À l'immeuble d'appartements, Ray recueillait le loyer et était responsable de l'entretien. Dès que la famille se fut établie dans ses nouvelles habitudes, Ray commença à appeler son oncle, Robert Durand, à Hull. Il voulait savoir ce qui se passait là-bas, qui disait quoi à propos de lui. Lors de l'un des premiers appels, Robert lui dit qu'il était en chômage. La compagnie de béton pour laquelle il travaillait depuis des années avait fermé ses portes. Ray lui proposa immédiatement de descendre à San Diego. Il dit qu'il pourrait lui trouver un emploi à l'atelier de carrosserie. Au départ, Robert ne prit pas l'offre au sérieux, mais elle le fit réfléchir. Il avait toujours rêvé d'habiter dans le sud des États-Unis.

Robert et Claudette étaient les seules personnes de là-bas qui avaient pu jeter un regard sur la vie que Ray s'était faite aux États-Unis. Ils avaient vu Ray partager son temps entre Pat, Jeannine et les enfants à Fort Lauderdale. Ils savaient qu'il était beaucoup plus amoureux de Pat que de Jeannine. Ils savaient aussi que Jeannine et les enfants étaient retournés à Hull, mais par la suite, ils avaient entendu dire qu'elle avait déménagé à Houston. Lorsque Ray leur dit qu'il appelait de San Diego, ils étaient curieux. Il leur parla du déménagement et il dit qu'il vivait dans un appartement avec Pat et les enfants. Robert ne peut se rappeler s'il demanda des nouvelles de Jeannine ou si Ray avança l'information, mais lors d'une conversation téléphonique, Ray lui dit que Jeannine s'était jetée devant une auto avec le bébé dans ses bras. Il dit qu'elle était devenue hystérique et qu'elle avait dû être hospitalisée dans un asile psychiatrique. Robert et Claudette furent tristes mais pas surpris du tout. Elle était si malheureuse la dernière fois qu'ils l'avaient vu. Ils ne posèrent pas plus de questions, mais présumèrent qu'elle se trouvait dans un asile de San Diego.

Lors de son appel suivant, Ray dit à Robert qu'il pouvait lui trouver une *green card** — on ne sait comment, Ray avait obtenu une carte verte pour lui-même, au nom de Ray Holben — et qu'il lui avait réservé un emploi à l'atelier de carrosserie. Robert ne le croyait pas mais, plus Ray parlait, plus il lui faisait paraître que le déménagement serait simple comme bonjour. Robert en parla à Claudette et ils décidèrent de plonger dans ce qu'ils croyaient être une magnifique aventure. Ils constatèrent que la transition serait difficile parce que leurs enfants ne parlaient pas l'anglais. Robert et Claudette comprenaient l'anglais, mais ni l'un ni l'autre ne le parlait couramment. Ils décidèrent que Robert irait en premier pour deux semaines afin de vérifier si tout allait bien. Il appellerait une fois arrivé, et s'il donnait le feu vert à Claudette, celle-ci ferait ses valises, ils vendraient la maison, feraient sortir leurs trois enfants de l'école et déménageraient. Robert s'envola pour Los Angeles en mars et Ray alla le chercher à l'aéroport.

Ray avait décidé que Robert habiterait l'appartement situé au-dessus du sien. À l'époque, cet appartement était occupé par un marin et sa femme. Claudette apprit plus tard que, pour sortir le marin de l'appartement, Ray vola son chèque de paie dans la boîte aux lettres, le déchira et dit au propriétaire de l'immeuble que le marin n'avait pas payé son loyer et qu'il causait des dommages. Apparemment, le marin ne se doutait aucunement que Ray avait manigancé son éviction car, le jour de son départ, il descendit lui dire au revoir.

Alors qu'il conspirait contre le marin, Ray amena Robert chez Guy Hill. Il avait convaincu le directeur du service de permettre à Robert de devenir son assistant.

Lorsque Robert fut convaincu que le déménagement était possible et que Ray lui eut donné sa *green card*, il retourna à Hull pour aider Claudette à s'occuper des derniers préparatifs. Il vendit la maison, la caravane, l'auto et tous les meubles. Ils disposaient de 15 000 $ en argent comptant qui représentaient pour eux un coussin financier, et plusieurs autres milliers de dollars qu'ils utiliseraient pour acheter une auto et meubler l'appartement. Ils s'envolèrent ensemble avec les trois enfants et emménagèrent dans l'appartement.

Les deux aînés, Luc et Luce, âgés de douze et de dix ans respectivement, furent inscrits à la même école que Denis, Anne et Marc. Claudette, comme Pat, demeurait à la maison avec son bébé, Robert Jr, âgé de dix-huit mois. Les deux femmes se voyaient beaucoup, mais Claudette n'aimait pas beaucoup Pat. Elle la trouvait méchante envers les enfants.

«Pat leur disait: "Mangez votre maudite bouffe et allez-vous-en." Elle était comme une matrone de prison», se rappelle Claudette. Elle remarqua que Pat buvait beaucoup et que Ray buvait et prenait des *goofballs*.

---

* Carte qui lui permettrait de travailler aux États-Unis. (*N.d.t.*)

Un jour, peu après leur arrivée, Claudette se trouvait seule avec Pat et elle lui demanda de façon anodine si les enfants s'ennuyaient de leur mère. Pat se mit immédiatement en colère, pointa un doigt vers Claudette et dit: «Prononce plus jamais son nom, sinon...» Après cette conversation, dit Claudette, Pat ne lui parla plus de la semaine. «Elle avait un air menaçant, dit Claudette. Elle me faisait peur.» Peu après, Ray vint à l'appartement de Robert et de Claudette et arracha le téléphone du mur. Claudette croit qu'il ne voulait pas qu'elle fasse des appels au Québec.

Claudette se rappelle également à quel point les enfants de Ray étaient affamés. Deux jours après leur arrivée, elle apporta de la viande hachée, alluma un barbecue et se mit à préparer des hamburgers pour les enfants. «Ray est arrivé en faisant claquer la porte à moustiquaire, s'est emparé du barbecue et l'a jeté par-dessus la clôture. Il a dit: "Occupe-toi de tes affaires." Il ne voulait pas que je nourrisse ses enfants. Il était fou, dérangé, drogué aux *goofballs.*»

En dépit des malheurs de Claudette, Robert et elle ne lâchèrent pas prise. Ils ouvrirent un compte de banque et achetèrent des meubles. Un jour, au travail, Robert discutait avec Fred Angelo, et la conversation dériva sur les autos. Angelo dit qu'il avait une Cadillac 1959 d'occasion à vendre. Puisque Ray s'était lui-même acheté une Cadillac 1960, de couleur or, Robert décida de se lancer dans les dépenses et fit de même. Angelo lui offrit une aubaine et il avait l'impression que tout s'arrangeait. Il avait une *green card*, un emploi, un appartement et même le genre d'auto qu'il avait toujours rêvé de posséder.

Peu après, Robert et Ray se trouvaient dans la Cadillac de Ray, et revenaient de la banque, lorsque Ray demanda soudain à Robert combien de temps il fallait à un corps pour se décomposer. Des années plus tôt, Robert avait travaillé comme embaumeur à Hull: il en savait long sur le processus de décomposition.

— Ça dépend qui, répondit Robert.

— Comment est-ce qu'on peut identifier un cadavre? demanda Ray.

— Oh! répondit Robert, les dents, des cicatrices, des tatouages. Des choses comme ça.

— Et combien de temps est-ce qu'un cadavre peut se conserver?

— Tout dépend, répondit Robert, pensant que Ray demandait combien de temps un cadavre se conserverait après avoir été enterré. Il pourrait se conserver pendant longtemps, selon les conditions du sol.

Pendant ce temps, au travail, Robert apprit rapidement quelques techniques de base. Mais, se rappelle Angelo, il y avait des problèmes. Depuis l'arrivée de Ray, des outils avaient commencé à disparaître. L'administration en vint à soupçonner Ray. Celui-ci n'avait pas remboursé les 150 $ empruntés à Angelo qui commençait à se demander s'il les obtiendrait un jour. Un matin, Ray arriva avec une petite familiale Ford à l'atelier et fit une proposition à Angelo. Il lui dit qu'il ferait un peu de travail de carrosserie sur la voiture et qu'il la lui donnerait en remboursement des 150 $ qu'il lui devait. Angelo accepta et, peu après, la vendit environ 200 $. Il reçut son argent avec soulagement. Puis, un jour, un détective de police se présenta et l'interrogea sur l'auto. Angelo lui dit qu'il l'avait obtenue de Durand, qui n'était pas là ce jour-là. Le détective lui dit que les papiers d'immatriculation de l'auto ne correspondaient pas au véhicule; en fait, ils étaient destinés à une auto qui avait été remorquée du terrain de stationnement d'un immeuble résidentiel de Bunker Hill. Angelo dit au détective que Durand était concierge de l'édifice en question. Le détective prit des notes et partit. Angelo dit ne pouvoir se rappeler ce qui arriva par la suite. Sans en être certain, il se rappelle vaguement que Durand s'était fait congédier peu après parce que l'administration de Guy Hill avait fini par lui attribuer la responsabilité des vols d'outils.

Un après-midi, vers la même époque, deux hommes se présentèrent chez Pat et lui annoncèrent qu'ils étaient des officiers de l'Immigration. Ils demandèrent à voir ses papiers et elle dit qu'elle n'en avait pas. Ils lui dirent qu'elle devrait quitter le pays et ils lui donnèrent deux semaines pour faire ses valises et déménager. Puis, ils grimpèrent l'escalier et répétèrent la scène avec Claudette, qui se rappelle que les deux hommes étaient polis et sympathiques. «Ils ont dit qu'on pourrait revenir si on remplissait les bons papiers», se rappelle-t-elle. Tandis qu'ils lui parlaient, Ray et Robert arrivèrent. Ils étaient tous expulsés du pays. Ils étaient surpris et fâchés. (Robert ne répond pas clairement lorsqu'on lui demande s'il savait ou non si la *green card* que Ray lui avait donnée était légitime ou fausse.) Quelqu'un les avait dénoncés. Les officiers de l'Immigration revinrent deux jours plus tard pour vérifier s'ils faisaient leurs valises et se préparaient à partir.

Les deux familles firent leurs bagages et vendirent ce qu'elles ne pouvaient apporter. On était à la fin de mars. Le jour de leur départ, Ray recueillit le loyer du mois suivant de tous les locataires et l'empocha. Puis, les deux familles partirent dans les deux Cadillac. Leur intention était de passer quelques jours dans un motel. Ray dit qu'il avait des réparations à effectuer sur son auto. Ils louèrent des chambres adjacentes au Swinger Motel de El Cajon, et Ray demanda à Robert de lui prêter son auto afin de pouvoir aller conduire sa Cadillac dans un atelier de réparation. Robert accepta et remit les clés à Ray. Pat conduisait l'auto de Ray et ce dernier suivait dans celle de Robert. Robert, Claudette et les enfants s'installèrent pour la nuit.

Le lendemain matin, ils s'aperçurent que Ray, Pat et les enfants n'étaient pas revenus la veille, et ils commencèrent à s'énerver. Ils avaient caché leurs 15 000 $ dans la valise de leur fille, qu'ils avaient laissée dans le coffre de l'auto. Cet après-midi-là, Claudette appela la banque. Elle voulait fermer leur compte. Elle dit qu'ils partaient le lendemain et demanda son solde. Un commis lui annonça que le compte était vide. Claudette était atterrée. Selon elle, il aurait dû y avoir plus de 1500 $ dans ce compte. Elle affirma avec insistance que la banque se trompait; mais le commis vérifia, et le solde était, en effet, presque à zéro. Tout juste la veille, on avait fait un chèque au montant de 1500 $. Claudette, maintenant certaine qu'il s'agissait d'une erreur, déclara qu'ils n'avaient pas fait de chèque pour ce montant. Le commis obtint une copie du chèque, qui avait été encaissé à cette succursale. À Claudette qui avait le cœur dans la gorge, le commis affirma que Robert avait signé un chèque au montant de 1500 $ à un certain Raymond Durand. C'était, dit le commis, pour l'achat d'une Cadillac.

Certains à présent que Ray les avait trompés, ils appelèrent la police et signalèrent ce qui s'était passé. Ils dirent qu'ils avaient été déportés et que Raymond Durand s'était enfui avec leur Cadillac, avait vidé leur compte en banque, avait leurs valises et l'argent qu'ils y avaient caché, et même leur carte de crédit. Robert enregistra une plainte officielle au poste de police. Lorsqu'ils revinrent, ils s'assirent et passèrent en revue leur situation fâcheuse. Ils avaient en tout et pour tout 38 $ en billets de banque et les vêtements qu'ils portaient; et ils affrontaient un ordre de déportation. On leur avait dit de se présenter à la frontière canadienne avant le 15 avril. Ils étaient consternés. Comme on leur avait dit que l'agence de sécurité sociale de la ville pourrait les aider, ils appelèrent le bureau et on leur donna de la nourriture, des vêtements et 2 $. Ils avaient suffisamment d'argent pour payer leur chambre pour la semaine. Ils se rendirent à la banque et insistèrent sur le fait que le chèque émis à l'ordre de Raymond Durand était un faux. La banque finit par couvrir une partie du vol. Puis, la police appela et dit qu'on avait trouvé la Cadillac de Robert, abandonnée dans la ville. Robert et Claudette se précipitèrent au terrain de stationnement où elle avait été remorquée et découvrirent que la seule valise qui manquait était celle de Luce, celle qui renfermait l'argent.

Ayant retrouvé l'auto et réussi à obtenir un peu d'argent de la banque, ils firent rapidement leurs valises et partirent vers le nord. Il leur fallut cinq jours pour se rendre à la douane de Buffalo, dans l'État de New York. Ils étaient furieux de peine et de colère, et Robert et Claudette faillirent craquer au cours de ce trajet qui leur parut sans fin, avec trois enfants dont l'un était aux couches.

De retour à Hull, ils louèrent un appartement avec l'aide de l'agence provinciale de bien-être social, achetèrent des meubles dans un magasin de la société Saint-Vincent-de-Paul, et Robert se mit à chercher du travail. Il fut le premier à subir une dépression. Il fut hospitalisé, puis Claudette le suivit, tous deux pour des troubles reliés au stress.

«J'ai failli devenir folle, se rappelle Claudette. Quand on est revenus, on n'avait ni maison, ni vêtements, ni meubles. Puis, la mère de Ray a dit à tout le monde qu'on était menteurs, que Ray ne nous aurait pas fait une chose semblable.» Maintenant retraités, Robert et Claudette habitent une maison mobile dans un parc situé près de Hull. Ils ont encore de la difficulté à raconter la façon dont leur confiance a été trahie.

Robert finit par trouver un emploi et la vie continua. Toutefois, au cours des mois qui suivirent leur retour, Robert cherchait vengeance. Il rendit visite à la GRC et raconta tout: que Ray avait volé tout ce qu'il possédait, que Jeannine avait disparu, et les questions que Ray lui avait posées à propos des cadavres. Robert dit à l'officier à qui il parla que Ray avait probablement tué Jeannine. L'officier lui dit qu'il n'y avait pas grand-chose à faire, que le vol était arrivé à San Diego et que l'affaire relevait de la police de l'endroit. Quant à Jeannine, rien ne fut fait. Peut-être l'officier croyait-il que Robert exagérait ou que l'affaire ne relevait pas de sa juridiction, ou que quelqu'un avait sûrement rempli un rapport de disparition — ou peut-être était-il tout simplement paresseux ou méfiant. Peu importe la raison, on renvoya Robert chez lui.

Robert rendit également visite à la mère de Ray et lui raconta l'histoire, mais elle défendit son fils et, plus tard, traita Robert de menteur. Il vit la tante de Jeannine, Berthe Laframboise, qui, à l'époque, était encore religieuse. Il lui révéla que Ray lui avait dit que Jeannine se trouvait dans un asile d'aliénés. Il raconta ce que Ray lui avait fait à lui, et dit qu'il soupçonnait Ray d'avoir tué Jeannine. Berthe entra en contact avec sa sœur, la mère de Jeannine, mais elles ne savaient trop que faire de toute cette histoire. À l'époque, au Québec, maints hôpitaux et institutions psychiatriques étaient administrés par des ordres religieux catholiques. Berthe dit à Laurette qu'elle connaissait des religieuses dans la plupart des asiles du Québec et qu'elle vérifierait auprès d'elles si Jeannine avait été internée dans l'un d'eux. Berthe commença à appeler des amies dans les institutions, en leur demandant de vérifier si on avait admis une certaine Jeannine Boissonneault ou une Jeannine Durand. Il y avait peu de chances pour que cela réussisse, car Berthe savait que Jeannine aurait bien pu être internée n'importe où aux États-Unis. Sa recherche dans les institutions du Québec s'avéra vaine. Lorsqu'elle en fit rapport à Laurette, elle ne surent pas trop que faire ensuite.

Dès lors, Robert avait l'impression d'avoir fait tout ce qu'il pouvait pour alerter les personnes importantes sur la vraie nature de Ray. Il était amer et en colère, particulièrement envers la famille de Ray. Lorsque tout cela fut terminé et que Robert eut accepté le fait qu'il avait ignoré les signaux d'avertissement et laissé la poursuite de ses rêves l'aveugler sur Ray Durand, la société émettrice de sa carte de crédit le retraça et lui envoya son compte impayé. Ray avait utilisé la carte de Robert pour payer l'essence et la nourriture en route vers la frontière canadienne. Ça faisait mal, se rappelle Robert, ça faisait vraiment mal de voir les repas et l'essence qu'il avait payés à la place de Ray, alors que ce dernier conduisait tranquillement le long de la côte ouest, jusqu'en Colombie-Britannique.

Denis se souvient du voyage vers le nord dans la Cadillac à partir de San Diego. Lorsqu'ils passèrent devant le motel où demeuraient oncle Robert et tante Claudette, son père abaissa la vitre. Il avait les clés de l'auto de Robert dans la main gauche et les lança par-dessus l'auto, de l'autre côté de l'autoroute. «Tiens, tes maudites clés, niaiseux», murmura-t-il avant de remonter la vitre. Denis n'avait aucune idée de ce qui se passait. Ils déménageaient encore une fois mais il ne savait pas pourquoi, ni pourquoi son père était en colère contre Robert. Tout ce qu'il savait, c'était qu'il valait mieux ne pas poser de questions.

Les enfants étaient assis à l'arrière et regardaient le paysage. Ils roulèrent à travers la Californie, et Denis se rappelle les séquoïas. Anne se rappelle que, quelque part en route, ils passèrent une nuit dans un motel et que Pat lui montra des nouveaux vêtements qu'elle lui avait trouvés. Elle était enchantée parce que Pat ne lui achetait jamais de vêtements. Reconnaissait-elle ceux de Luce? «Peut-être, dit-elle à présent. Mais je m'en fichais. C'étaient de nouveaux vêtements et ils étaient beaux.»

Ils se dirigèrent vers le nord, traversant l'Oregon et l'État de Washington. Ils prirent un traversier jusqu'à un endroit appelé Victoria. C'était au Canada. De l'autre côté les attendaient un vieillard avec un œil de verre, et une femme à la main griffue. Les enfants descendirent de l'auto et Pat les fit s'approcher.

«Je vous présente mon père, les enfants. Votre grand-père. Dites bonjour.»

Chapitre douze

Victoria, Colombie-Britannique, 1970

Le père de Pat était un vétéran borgne qui habitait une petite maison délabrée et travaillait comme manœuvre dans le port de Victoria. Personne ne parlait jamais de la mère de Pat, mais la femme qui vivait avec son père était de toute évidence sa seconde femme. Denis et Anne l'aimaient; elle était gentille et accueillante. Elle avait une main déformée et Ray se moquait d'elle en cachette. Ils avaient trois filles — dont l'une était plus jeune que Denis — qui étaient les demi-sœurs de Pat. Pat ne les avait jamais rencontrées.

Ils passèrent deux semaines avec la famille de Pat dans la maison délabrée auprès d'un ruisseau en banlieue de Victoria, se rappelle Denis. Les enfants ne savaient absolument pas où ils se trouvaient, et ils ne s'en souciaient guère. Ils étaient fatigués d'être déracinés à quelques mois d'intervalle, fatigués de se faire des amis puis de les perdre, d'essayer de faire du rattrapage dans une étourdissante succession d'écoles. «Grand-papa» se comportait convenablement avec eux, mais ils détestaient le mystère. Le grand-père croyait de toute évidence qu'ils étaient les enfants de Pat, et ils avaient trop peur d'elle pour mettre les choses au clair. Martine et Anne partageaient une chambre avec les demi-sœurs de Pat; Marc et Denis dormaient dans une seconde chambre, et Ray et Pat campaient sur le divan. Lorsqu'ils finirent par déménager, ce fut dans un duplex de Shearwater Street. Ils avaient l'impression d'arriver à la lumière du jour.

Les enfants étaient maintenant passés maîtres dans l'art de s'implanter dans un nouveau quartier. Ils se firent rapidement des amis et l'un des premiers enfants qu'ils rencontrèrent fut Lori Wells. Lori avait quatorze ans ce printemps-là, lorsqu'elle vit qu'une nouvelle famille avait emménagé dans un duplex de l'autre côté de la rue. Le père de Lori, Robert, était camionneur pour une société de produits d'entretien. C'était un homme organisé et travailleur, qui gardait ses outils en bon état et sa pelouse soigneusement tondue. Sa mère, Mary, travaillait comme préposée aux commandes pour la même société que son mari, et elle s'occupait avec amour de Lori et de sa sœur, Bobbi.

La nouvelle famille intriguait Lori. Ils étaient arrivés dans une Cadillac de couleur or, avec des ailerons à l'arrière. Et ils avaient des enfants. Elle dit qu'elle remarqua tout d'abord le grand garçon blond et bronzé, dont le visage portait de légères taches de rousseur. Il était joli et terriblement timide. Il avait une sœur qui était maigre et énergique. Elle avait des taches de rousseur et de longs cheveux bruns. À la première occasion, Lori se présenta au garçon. Il avait un accent texan et donnait à certains mots une prononciation française. Sa sœur Anne avait le même âge que Bobbi. Il y avait également un joli bébé et un minuscule garçon aux cheveux coupés en brosse.

Lori découvrit que la famille venait de déménager de Californie. Elle rencontra la famille de Denis, et vit un peu comment ils vivaient. Elle était étonnée de voir que les enfants étaient chargés de toutes les tâches de la maison et de voir aussi à quel point leurs parents étaient sévères. Après chaque bain, les enfants devaient nettoyer la baignoire. «C'étaient des enfants tranquilles et hésitants, dit-elle. Je n'avais jamais rencontré d'enfants semblables. Ils avaient tellement peur qu'ils n'osaient jamais ouvrir la bouche.»

Lori avait hâte que ses parents rencontrent ceux de Denis, Ray et Pat, et elle finit par les présenter les uns aux autres. Son père et Ray s'entendirent comme larrons en foire. Les week-ends, ses parents traversaient la rue pour prendre un verre avec les Durand et faire un barbecue le soir. Lori se rappelle avoir été étonnée de voir à quelle fréquence les Durand mangeaient du steak. Et ils buvaient sec. Elle raconte que sa mère buvait rarement et qu'elle ne l'avait jamais vue ivre. Mais une fois, après une soirée avec les Durand, elle se rappelle que sa mère revint à la maison en vacillant un peu.

C'était presque la fin de l'année scolaire, mais les enfants Durand furent immédiatement inscrits à la même école que Lori; celle-ci voyait souvent Denis et l'aimait bien. Mais elle ne savait pas à quoi s'en tenir avec son père. Un jour, elle marchait dans l'entrée avec Denis et vit Ray sur le balcon, les coudes appuyés à la balustrade. Lorsque Denis et Lori s'approchèrent, Ray dit quelque chose à Denis en français. Denis ne répondit pas et eut l'air embarrassé. Lori se rappelle avoir pensé: «Cette remarque se rapportait à moi. Sinon, pourquoi l'aurait-il dite en français?» Ce devait être grossier, se disait-elle. «C'était un gars bizarre. Les enfants n'aimaient pas le rencontrer», se rappelle-t-elle.

Denis et Anne se rappellent avec quelle facilité ils s'adaptaient au nouveau climat, à leur nouvelle maison. L'été arrivait et ils restaient dehors autant que possible. C'est dans Shearwater Street qu'Anne entendit par hasard une conversation qui devait la hanter à jamais comme une menace sans nom ni visage. C'était la nuit. Elle était au lit, mais devait aller aux toilettes. Elle entendit son père au téléphone. Il dit: «Madame Boissonneault», et Anne figea. Elle se rendit compte immédiatement qu'il parlait à la mère de Jeannine.

«On va bien. Jeannine et les enfants sont juste à côté de chez vous», l'entendit-elle dire.

«De quoi parle-t-il? Pourquoi ment-il?» se demanda Anne. À présent, elle craignait que Pat ne l'entende.

«Oui, on est en ville. On va passer plus tard dans l'après-midi, aussitôt que Jeannine et les enfants seront revenus.»

«Jeannine n'est pas là, on n'est pas dans la même ville que ma grand-mère», se dit Anne, maintenant à bout de nerfs. Pourquoi mentait-il? Ce que faisait son père dépassait son entendement. Elle avait une peur bleue, sans pouvoir dire pourquoi. Elle aimait son père. Il la protégeait de Pat. Comme Anne ne comprenait pas le sens de cet appel et n'arrivait pas à comprendre ses glaçantes implications, elle en réprima toute connaissance. Cet épisode ne s'était jamais passé. Ce n'est qu'à l'âge adulte qu'elle eut le courage de retrouver ce souvenir et d'en parler à quelqu'un.

Anne entendait souvent Pat l'appeler «ma petite». Chaque fois, Anne sentait une petite secousse de confusion. «J'avais l'impression de vivre la vie de quelqu'un d'autre, dit-elle des années plus tard. Ce n'était pas moi. Je n'étais pas heureuse. Ce n'était pas une vie. C'était seulement une existence.»

Elle ne voulait pas ressembler à Denis, qui se querellait toujours avec son père. Elle était désolée pour lui, mais il y avait trop de haine et de colère dans la famille. Elle était triste de voir Denis pleurer, demander des nouvelles de Jeannine et se faire dire qu'elle était partie parce qu'elle ne l'aimait pas. Mais elle ne pouvait entreprendre ce genre de batailles. Elle voulait la paix, pas la guerre.

Vers la fin de l'été, Ray fut engagé dans une nouvelle entreprise. Il avait trouvé un emploi dans un atelier de carrosserie spécialisé en travaux sur mesure — dentelles, bonbons, perles, et des «choses vraiment psychédéliques», se rappelle Denis. La plus grande partie du chiffre d'affaires venait des motocyclettes. Denis rencontra le propriétaire et par la suite donna un coup de main à l'atelier, les week-ends. Un samedi, vers la fin de l'année scolaire, alors qu'il était au travail, il alla prendre un lait au chocolat avec le propriétaire de l'atelier au café d'en face. Alors qu'ils buvaient ensemble, le propriétaire regarda Denis et lui dit: «Ton père est un imbécile.» Denis rougit sans protester. C'était vrai. Comme il savait qu'ils ne s'entendaient pas très bien, il ne fut pas surpris, lorsque les vacances commencèrent, de découvrir que le propriétaire était parti et que l'endroit avait changé de nom pour Ray's Kar Kare. Ray était devenu propriétaire.

Victoria était belle en été. C'était plus frais que San Diego, mais c'était au bord de l'océan et les maisons étaient propres et peintes de couleurs vives. La première fois que Denis vit l'édifice du parlement provincial, il pensa à Ottawa. Il était heureux d'être de retour au Canada.

Denis n'avait pas oublié sa mère, mais elle était disparue de sa vie depuis maintenant deux ans et demi, et toute trace physique d'elle avait également disparu. Cependant, elle avait laissé derrière elle des choses qui ne s'effaceraient jamais, des choses intangibles comme le goût de Denis et d'Anne pour la musique, leur timidité, leur sens moral. Elle habitait encore un coin de la vie de ses deux aînés, mais ils avaient surmonté le choc initial de sa disparition.

Denis se querellait encore avec son père, mais les disputes n'avaient pas la même allure mauvaise que ses querelles avec Pat. Un soir, après une dispute avec son père, Denis mesura brièvement la profondeur de la colère de Pat envers lui. Ray avait chassé Denis de la maison, mais comme il était soûl, Denis courut en un rien de temps vers l'arrière de la maison et se glissa par la porte arrière, se faufila dans le corridor puis dans sa chambre, et se cacha dans son placard. Il venait d'arriver dans le placard et se recroquevillait dans un coin derrière ses vêtements, lorsque Pat arriva. Elle était ivre et se dirigea tout droit vers le placard. Il se dit qu'il était fait. Il vit ses jambes lorsqu'elle ouvrit la porte et était sur le point de la bousculer pour la contourner lorsqu'il s'aperçut qu'elle ne l'avait pas vu. Tandis qu'il regardait ses jambes en écoutant, elle prit un de ses jeans et le déchira du genou au rebord. Il avait un petit trou au genou et ils s'étaient récemment disputés parce qu'il le portait. Comme il lui avait désobéi, elle détruisait le jean. Impossible de le porter, à présent. Cette nuit-là, Denis dormit caché dans le placard, trop effrayé et blessé pour en sortir.

Cet automne-là, ils furent à nouveau inscrits dans une nouvelle école, et en novembre, Denis tomba follement amoureux d'une fille de sa classe de huitième année. Elle s'appelait Gayle Wigmore, elle avait des cheveux longs et bruns et des yeux bleu-vert, et il n'avait jamais vu quelqu'un d'aussi beau.

Gayle, qui vit encore à Victoria, se rappelle la date précise à laquelle elle tomba amoureuse de Denis. Elle notait tout dans son journal intime. Le 12 novembre, elle écrivit: «Denis Durand me sourit et me fait de vrais clins d'œil» en classe de mathématiques. Et le jour suivant: «En sortant du cours de math aujourd'hui, je lui ai demandé sa photo. Il dit qu'il m'aime vraiment. Ça y est, je suis au septième ciel.»

Gayle était enfant unique. Bill, son père, un ingénieur, travaillait alors dans une base militaire des environs. Sa mère, Grace, était une «vraie maman de cuisine» qui accueillait ses amis et était heureuse de les nourrir tous, raconte Gayle. Denis, se souvient-elle, «avait des cheveux blonds, était grand et mince. Et il avait un visage très doux. Il était calme et c'est ce qui m'a attirée vers lui.»

Plus tard cette semaine-là, après les cours, Denis reconduisit Gayle chez elle et rencontra sa mère. Gayle dit que sa mère fut charmée par Denis et garde encore de lui le souvenir d'un «gars vraiment gentil et bien élevé».«Ma mère dit que de tous les garçons que j'ai fréquentés, Denis fut son préféré, dit Gayle. Il était très tranquille. Il n'avait pas vraiment d'amis ici à part moi.» Elle se rappelle que Denis pianotait toujours sur les meubles, marquant le rythme des chansons qu'il avait entendues à la radio.

Gayle devint l'âme sœur de Denis, comme Jack l'avait été à Houston. C'était sa compagne, et elle aidait à dissiper le nuage de solitude qui le surplombait. Comme il avait honte de l'alcoolisme et du comportement de Ray et de Pat, il était réticent à l'amener à la maison. Il ne voulait pas qu'elle sache qu'il était le fils d'un voleur, d'un ivrogne et d'un drogué, et tout le reste. Lorsqu'il lui parlait de son père, il disait à Gayle qu'il possédait un atelier de carrosserie, que c'était un homme d'affaires. Il lui parlait de son frère et de ses sœurs. Gayle finit par les rencontrer et elle se rappelle qu'ils le respectaient et que Denis les protégeait.

Denis aimait rendre visite aux Wigmore. Ils semblaient tellement bien dans leur peau. Gayle était née à Victoria, comme ses parents. Elle était entourée d'oncles, de tantes et de cousins. Chez elle, pour Denis, c'était la maison rêvée. Les parents de Gayle étaient respectueux l'un envers l'autre, et aimaient voir leur fille heureuse. Ils étaient stables et respectés. Denis avait envie de faire partie d'une famille aussi normale et aussi heureuse.

L'affection de Gayle lui était bienfaisante. Avec elle, il se sentait plus humain et appréciait ses propres qualités. Pour l'un comme pour l'autre, ce fut le premier éclair d'amour. «Il m'a fait une profonde impression», se souvient-elle.

Denis ne parla jamais à Gayle des voyages de sa famille. Lorsqu'elle s'en informait, il lui disait tout simplement que son père avait beaucoup voyagé à la recherche d'un emploi. D'ailleurs, il y avait bien des choses qu'il ne pouvait lui-même expliquer. On ne lui avait jamais dit pourquoi son père avait quitté la Floride. Il croyait que Ray était en fuite, qu'il avait escroqué des durs et que quelqu'un voulait le tuer. Et qu'il était au courant de secrets gênants. C'était un adolescent fier et sensible, sans grande confiance en lui-même. Comme sa mère, il considérait les questions de famille comme des secrets d'État. Son père le battait et Pat buvait: cela le remplissait d'une profonde honte. Il vivait dans la peur constante que des gens qu'il connaissait et respectait et, comme c'était le cas de Gayle, qu'il aimait, découvrent sa vie familiale sordide. Il avait l'impression de mener une double vie. Il y avait le Denis que tout le monde connaissait à l'école: un enfant bien élevé, aimable et poli envers ses aînés, un gars sympathique auprès de ses semblables, un personnage romantique pour sa petite amie. Puis il y avait le Denis à la maison, qu'on appelait Le Gros Tata, qui ne pouvait rien faire de bon, qui avait toujours des problèmes avec ses parents. Le Denis à la maison était un bon à rien que Pat giflait chaque fois qu'elle en avait envie. «Tu ressembles aux Boissonneault, lui disait son père. Tu vaudras jamais rien.»

Cet automne-là, Ray conclut une entente commerciale avec Robert Wells, le père de Lori. Ray avait parlé à Robert d'investir dans le Ray's Kar Kare. Il allait devenir son associé. Robert hypothéqua sa maison et fit un emprunt auprès d'une société financière. Il donna à Ray environ 7500 $ comptant, puis endossa un prêt additionnel de 3000 $ que Ray avait contracté. Pour Robert, c'était un bond gigantesque. Sa maison était son seul véritable actif, et il ne s'était jamais lancé en affaires auparavant.

Presque immédiatement après que l'associé de Ray se fut joint à la firme, les Durand déménagèrent de Shearwater Street à un bungalow de banlieue. Ce dernier, se rappelle Anne, ressemblait à la maison d'un médecin. Ils meublèrent l'endroit à crédit. Les enfants durent à nouveau changer d'école. C'était une épreuve particulièrement ardue pour Denis, car il ne pouvait plus se rendre chez Gayle à pied.

Ils fêtèrent Noël dans la nouvelle maison. Ray et Pat avaient souvent demandé à Denis pourquoi il n'invitait jamais sa petite amie, et Denis ignorait leur question depuis des mois. Il décida de se jeter à l'eau. Il invita Gayle à dîner au jour de l'An. Son père avait invité Cookie, un jeune homme qu'il avait rencontré, un marin qui habitait juste à côté avec sa petite amie. Denis craignit pendant des jours que Pat et Ray ne s'enivrent et ne le mettent dans l'embarras. Le jour de l'An, avec Ray, il se rendit chercher Gayle en auto. Ray était joyeux, se rappelle Gayle, et riait sans cesse. Pat, dit-elle, «a fait cuire le bœuf rôti le plus dur que j'aie jamais mangé». Gayle se rappelle avoir passé un bon moment et dansé avec le père de Denis. Le lendemain, elle écrivit dans son journal: «La famille de Denis est vraiment belle.»

Immédiatement après le jour de l'An, Ray dit à Robert qu'il devait faire un court voyage à Ottawa et lui demanda s'il pouvait emprunter sa carte de crédit au cas où il aurait des problèmes. Ce soir-là, Ray amena son ami Cookie et dit aux enfants qu'ils passeraient quelques jours avec Cookie et sa petite amie. Puis Ray, Pat et Martine partirent en Cadillac. Les enfants furent remplis de joie. Ce fut la fête. Cookie et sa petite amie étaient sympathiques et affectueux. Anne avait tellement besoin d'attention qu'elle dit à la petite amie de Cookie qu'elle croyait qu'elle commençait à être menstruée. Cela lui valut une embrassade, de la sympathie et une conversation bien utile.

Les enfants n'avaient aucune idée de l'endroit où étaient allés Ray, Pat et Martine, mais ils présumaient qu'ils seraient de retour dans quelques jours. Puis, un matin, ils se réveillèrent et Cookie leur dit qu'il n'y avait plus d'argent et qu'ils ne pouvaient plus prendre soin d'eux. Il leur dit de faire leurs valises pour qu'il les emmène chez leur grand-père. Cela les secoua, mais ils ramassèrent rapidement tout ce dont ils avaient besoin et se rendirent en silence chez les Holben. Le vieillard les reçut à la porte et Denis l'entendit dire à Cookie: «C'est correct. J'ai eu de leurs nouvelles. Les enfants peuvent rester ici.»

Ce soir-là, Denis se trouvait au lit lorsqu'il entendit frapper à la porte. Le vieillard ouvrit la porte. C'était Robert Wells. Denis entendit Robert dire: «Où est-ce qu'il est, l'enfant de chienne? Il m'a volé tout mon argent.» Denis se glissa jusqu'à la porte de la chambre et l'entrouvrit. Robert était en larmes. Denis n'avait jamais vu pleurer un adulte, et il en eut les larmes aux yeux.

Holben dit à Wells qu'il ignorait complètement où se trouvait Ray. Wells finit par partir, écrasé.

Lori se rappelle que son père s'était rendu à l'atelier de carrosserie, un matin, après le départ de Ray pour Ottawa, pour découvrir que l'endroit avait été complètement vidé. Il devait rembourser les prêts que Ray avait contractés à la banque, et toutes les dépenses que Ray avait payées avec sa carte de crédit. Au moment où il s'aperçut qu'on l'avait escroqué, les enfants étaient disparus de la grande maison blanche. Wells les trouva chez Holben, mais ils disparurent bientôt de là aussi. Il avait été complètement dupé par Ray, et avait été dépouillé de presque toutes les économies accumulées au cours de sa vie.

Chapitre treize

Ottawa, Ontario, 1971

Lorsque Denis, Anne et Marc montèrent à bord d'un bimoteur à l'aéroport de Victoria, le 22 janvier 1971, ils n'avaient pas la moindre idée de leur destination. Leurs sacs ne contenaient que leurs vêtements préférés et leurs brosses à dents. Il n'y avait ni souvenirs, ni cadeaux, ni oursons, ni photos d'enfants. Ils avaient déménagé tellement de fois, souvent si rapidement, qu'il ne leur restait aucun objet de leur passé. Presque trois ans plus tôt, par un soir d'été humide, ils avaient quitté la maison de leurs grands-parents maternels à Hull. Depuis lors, leur monde s'était transformé. Ils avaient perdu leur mère et, depuis son départ, les seuls gens qu'ils avaient revus de leur ancienne vie étaient Robert, Claudette et leurs enfants. Ils avaient appris une nouvelle langue; quant à leur langue maternelle, ils l'avaient utilisée si peu souvent qu'il leur fallait maintenant un effort conscient pour parler en français. Dans toutes les maisons où ils avaient vécu depuis lors, il n'y avait pas une seule tasse, une seule chaise, un seul tableau ou un seul album de photographies dont ils pouvaient dire: «Je me rappelle ça de Pointe-Gatineau.» Le passé semblait perdu à jamais.

Lorsqu'ils montèrent dans cet avion à Victoria, ils connaissaient tous les plats de Pat, et ils ne pouvaient emporter les effets domestiques qui avaient été rassemblés depuis Holly Street. Ils croyaient que tout cela leur serait expédié et qu'ils demeureraient avec quelque ami de Ray ou de Pat jusqu'à ce que leurs choses arrivent. Qui, ils ne le savaient pas. Cela ne valait pas la peine d'y penser.

Ils s'envolèrent pour Vancouver et, à l'atterrissage, une hôtesse vint à leur rencontre et les escorta vers une autre porte où ils attendirent un autre avion. Quelques heures plus tard, lorsqu'ils arrivèrent à Ottawa, leur père les attendait. Ils se glissèrent dans la Cadillac et roulèrent vers une petite maison habitée par un homme qui semblait être un ami de Ray. À l'extérieur, il régnait un froid sibérien, et la neige accumulée leur arrivait aux épaules. Denis savait qu'ils étaient à Ottawa mais ne se rappelle pas avoir été frappé, sur le coup, par l'importance de ce fait. Ils se trouvaient dans un quartier de banlieue, à la limite sud de la ville, et cela ressemblait à n'importe quelle banlieue de n'importe quelle ville.

Denis croyait encore que sa mère était revenue vivre avec ses parents et n'avait pu les retrouver encore. À présent, lorsqu'il y repense, il ne peut s'expliquer pourquoi il ne fit pas immédiatement le lien entre Ottawa et Jeannine. Il ne se rappelle aucunement lui en avoir voulu de ne pas être allée à leur recherche. «C'est stupide», dit-il maintenant en haussant les épaules, incapable de comprendre pourquoi il ne peut se rappeler avoir été rempli de hâte à l'atterrissage. Il avait quinze ans et la géographie de la région était un puzzle pour lui. Il craignait de parler de Jeannine ou même de penser à elle en présence de Pat et de Ray. Cette partie de leur vie était tabou. Il ne peut se rappeler avoir pensé à sa mère le soir de son arrivée, ni même pendant la première semaine. Il était de retour avec Ray et Pat, et il fallait qu'il s'y fasse. Ray s'inquiétait-il encore de ses ennemis? Il était bien caché dans une banlieue tranquille, mais il y avait beaucoup de fantômes dans la région d'Ottawa-Hull pour Ray Durand.

Ils passèrent environ une semaine dans cette maison, chez un inconnu. Denis ne peut se rappeler à quoi cela ressemblait, mais il se rappelle que cela ne dura pas très longtemps.

28 janvier 1971

Chère Gayle,

Salut! Le vol était agréable. Il fait très froid ici. J'ai un magnétophone à cassette. Je suis allé à un tournoi de pêche. Quand je suis arrivé ici nous sommes allés en motoneige. C'est vraiment amusant. Ça fait vraiment plaisir de parler français à nouveau. Mais j'aimerais mieux être avec toi...

Dis bonjour à ta mère et à ton père. Écris-moi au 2848 Grandeur, Ottawa.

Je t'aime,

Denis

Au moment où Gayle reçut cette lettre, Denis et sa famille habitaient rue Grandeur, au bord de la rivière, dans l'ouest d'Ottawa. Ils demeuraient à présent avec le frère de Pat, Harold, sa femme Barbara, et leurs quatre garçons. Harold était un vétéran de la guerre de Corée qui avait une jambe de bois. Âgé d'un an de plus que Pat, il avait des manières très directes. À la fin des années cinquante, il avait été camionneur chez Fraser Duntile où il avait rencontré Ray. Harold affirme que Ray et Pat apparurent sans prévenir à sa porte en janvier 1971:

«Ils n'avaient ni meubles, ni assiettes, ni rien. Mais ils avaient de l'argent. Ray avait toujours de l'argent. Ray dit qu'ils avaient dû quitter les États-Unis à cause de la guerre du Viêt-nam. Il ne voulait pas que Denis soit obligé de faire son service militaire.» Comme ils avaient besoin d'un endroit où habiter pendant quelques semaines, Harold leur offrit l'hospitalité.

«Ray maltraitait Denis», se rappelle Harold, ajoutant qu'il était horrifié par la mesquinerie de Ray. «Tous ses enfants devaient obéir au doigt et à l'œil sinon ils ne pouvaient même pas manger. Ray et Pat mangeaient du steak et donnaient du macaroni aux enfants.»

Denis était environ du même âge que l'un de ses «cousins», Derek, et il découvrit que Derek et l'un de ses frères, Michael, faisaient partie des cadets. Lorsque Derek lui suggéra d'assister à une réunion, Denis sauta sur l'occasion. Ils prirent un autobus par une froide soirée après le dîner, et mirent pied à terre au centre-ville.

En se rendant à la réunion des cadets, tremblant de froid, Denis remarqua une tour ornée d'une horloge. Une rue plus loin, il vit que la tour faisait partie d'un édifice massif de pierre flanqué de deux ailes. La Colline parlementaire. Il avait senti monter sa hâte depuis son départ de Victoria. Il savait que ses grands-parents habitaient à Hull et il avait toujours pensé que sa mère se trouvait avec eux. Mais à présent, pour la première fois, il fut frappé par l'idée qu'elle se trouvait près de lui. Il se rappela qu'il voyait la Colline parlementaire lorsqu'il était à Hull. Elle surplombait la rivière. À présent, il en voyait la façade. Sa mère se trouvait juste de l'autre côté de la tour, de l'autre côté de la rivière gelée.

Il ne pouvait le croire, ne pouvait croire qu'il ne s'était pas rendu compte plus rapidement à quel point il était près de la revoir. Il voulait crier, pleurer et courir, sur-le-champ. En dépit du froid arctique, il sentit en lui-même une chaleur bienfaisante. Il était presque arrivé chez lui. Son odyssée était terminée. Il ne repartirait jamais d'ici.

Son esprit courait si vite ce soir-là qu'il ne put se concentrer sur ce que voulait dire être cadet. Il se joignit aux cadets durant la réunion, mais sans y penser vraiment. Il était trop occupé à réfléchir à sa découverte.

À présent, tous les enfants savaient qu'il valait mieux ne pas prononcer le nom de Jeannine devant Pat ou Ray. Chaque fois que Denis se disputait avec son père, il savait que dès qu'il prononçait le nom de sa mère, la querelle s'enflammait. Ces soirs-là, Denis finissait par se précipiter sur la porte avant que son père ne l'attrape. Il savait que s'il voulait entrer en contact avec ses grands-parents, il devrait s'arranger pour ne pas être vu.

Le deuxième prénom de Denis était Hermas, et il savait qu'il l'avait reçu de son grand-père. Il savait aussi que le nom de jeune fille de sa mère était Boissonneault. Son père lui avait si souvent reproché d'être un Boissonneault qu'il n'aurait pu oublier ce nom même s'il l'avait voulu. Il ne pouvait se rappeler le nom de la rue où habitaient ses grands-parents, mais il savait que c'était à Hull. Il décida de les appeler à la première occasion.

Comme son père avait trouvé un emploi d'expert en sinistres pour Collision Appraisal Services, il était absent presque toute la journée. Mais Pat était là. Pour une raison ou une autre — Denis dit qu'il avait peur, que la maison était toujours pleine, qu'il paniquait à la pensée de ce qu'il allait dire à sa mère — le bon moment mit du temps à venir. Ils se trouvaient à Ottawa depuis deux semaines lorsque l'occasion se présenta. Un vendredi soir au début de février, Ray et Pat annoncèrent qu'ils partaient pour le week-end. Ils allaient au Carnaval de Québec. Les quatre enfants devaient rester avec Harold et Barbara. Denis les regarda partir, prit une grande respiration et décida de se lancer, le lendemain, dans ce qui devait être la rencontre la plus déterminante de sa vie.

Le samedi matin, il se glissa hors de la maison, une pièce de dix cents serrée dans sa mitaine, et il se mit à chercher une cabine téléphonique assez éloignée pour être certain qu'on ne le voie pas. Il faisait froid et, par endroits, les bancs de neige étaient plus hauts que lui. Il finit par repérer une cabine. Il entra, prit l'annuaire des pages blanches et l'ouvrit à la lettre B. Comme prévu, il y avait un Hermas Boissonneault, mais il habitait dans une rue dont il ne reconnaissait pas le nom. La rue Mutchmore. Mais c'était bien à Hull. Tremblant, il glissa la pièce dans la fente et composa le numéro. Une femme répondit. Il crut reconnaître la voix. Il chercha désespérément les mots en français. Il tâtonna, et finit par demander, en hésitant: «*Grandmama*?»

Il avait à peine prononcé le mot qu'il entendit sangloter à l'autre bout de la ligne.

«Denis? Denis? Laisse-moi parler à ta mère.»

C'était bel et bien sa grand-mère. Il reconnaissait sa voix, comprenait son français. Il répondit dans un mélange de français et d'anglais.

«Non, *Grandmama, she's not here.* Elle est avec toi, non?»

Là-dessus, ils fondirent tous deux en larmes. Lorsqu'elle fut capable de parler à nouveau, elle demanda: «Denis, où es-tu?»

Quand Denis lui expliqua qu'il se trouvait à Ottawa, elle le supplia de prendre un autobus jusque chez elle. Elle lui donna des renseignements, lui dit quels autobus prendre et comment trouver la maison. Comme il n'avait pas songé à apporter un crayon et un papier, il s'efforça de tout retenir. Avant de quitter la cabine téléphonique, Denis promit de passer le lendemain, un dimanche. Sa découverte l'étourdissait. Depuis trois ans, il avait rêvé de tomber dans les bras de sa mère, chez sa grand-mère. Aux pires moments, lorsque Pat le battait, que la faim lui rongeait l'estomac et que son père ridiculisait ses pleurs et ses rêveries mélancoliques, il avait imaginé une autre vie. Il n'avait pas douté un instant que sa mère l'accueillerait avec les autres enfants et l'inviterait à vivre avec elle — il lui suffisait de pouvoir retourner à Hull. C'était comme une quête médiévale où, par sa propre ingéniosité, surmontant toute adversité, il arriverait, triomphant, pour réclamer l'amour de sa mère. Ce qu'il n'avait pas imaginé, c'était qu'elle ne serait pas là. À présent, soudainement, il devait affronter la nouvelle que sa mère n'était jamais retournée dans sa famille à Hull. Qu'allait-il faire?

Le lendemain matin, il dit à l'un des garçons Holben qu'il allait faire un tour à Hull pour la journée. Il prit un autobus au centre-ville et ensuite, incertain, prit une correspondance pour un autre autobus qui se dirigeait vers la rivière des Outaouais, large et encroûtée de neige. Il descendit à la rue Marengère à Hull, mais ne put se rappeler le nom de la rue que sa grand-mère lui avait dit de chercher. Il ne lui restait pas un sou dans les poches et il commença à s'inquiéter à la perspective de devoir retourner à Ottawa à pied. Il se dit qu'il mourrait probablement de froid en cours de route. Il erra pendant une heure dans le froid mordant jusqu'à ce qu'il arrive, par hasard, à la rue Mutchmore. Cela lui rappela quelque chose. Il se rappela ce qu'elle avait dit: c'était la maison avec une boîte aux lettres rouge. Il parcourut toute la rue, mais aucune des maisons n'avait de boîte aux lettres rouges. Perplexe, il revint sur ses pas et remarqua, sur un coin, une grosse boîte aux lettres rouges des Postes canadiennes. En courant, il monta l'escalier de la maison qui se trouvait derrière, et frappa à la porte. La porte s'ouvrit toute grande, laissant s'échapper la vapeur créée par le contact de l'air chaud et de l'air sec, d'où émergea la grande femme à lunettes et aux cheveux gris qu'il appelait grand-maman.

Elle le prit dans ses bras et pleura. Il pleurait lui aussi, et elle le fit entrer dans la petite maison chaude avec un piano dans le salon. Son grand-père, la plaie de son visage plus grande que jamais, l'attendait à l'intérieur. Oncle Réginald s'y trouvait également, maintenant plus chauve et plus corpulent que dans ses souvenirs. Et sa grand-tante Berthe. Ils lui firent raconter et répéter, dans son français hésitant, l'histoire du départ de Jeannine et le trajet qu'avait suivi la famille depuis. En retour, ils lui dirent que Ray était venu leur rendre visite quelques semaines plus tôt, alors qu'Hermas et Réginald se trouvaient seuls à la maison. Il leur avait dit que Jeannine et les enfants habitaient à Vancouver. Il leur avait donné un numéro de téléphone et une adresse à Vancouver, mais il n'y avait pas de Jeannine au numéro, et les lettres que Laurette avait envoyées à l'adresse de Vancouver étaient revenues intactes. Ils lui dirent qu'ils avaient reçu un certain nombre d'appels téléphoniques de Ray au cours des trois dernières années. Il avait toujours dit que Jeannine était sortie quelque part, qu'ils allaient bien et qu'elle appellerait. Mais elle n'avait jamais appelé. Puis, ils lui dirent ce que Robert avait dit à Berthe, que Jeannine avait été internée dans un hôpital psychiatrique. Denis leur dit qu'il savait que son père avait escroqué Robert. Il dit qu'il ne pouvait croire que sa mère était devenue folle.

Au cours du lunch, les Boissonneault discutèrent et se querellèrent sur le sens de l'information que Denis leur avait donnée, conversant en un français rapide que Denis ne pouvait suivre. Comme Denis leur avait dit qu'ils avaient tous utilisé le nom de Holben aux États-Unis, Berthe décida cette fois de visiter les asiles pour vérifier s'il y avait une patiente nommée Jeannine Holben. Laurette suggéra que Jeannine était peut-être tout simplement devenue si excédée de Ray qu'elle s'était échappée et était entrée dans un couvent.

Plus tard, lorsque Denis et sa grand-mère furent seuls ensemble dans la cuisine, ils restèrent silencieux. Denis sentait qu'il y avait quelque chose qu'elle voulait lui dire.

Finalement, elle lui dit doucement: «Denis, tu te rappelles le soir où on s'est disputés...»

Denis la regarda. Comment aurait-il pu oublier? Il gardait encore une rancune contre Réginald. Il blâmait son oncle de les avoir obligés à partir. Il avait entendu son père dire tellement de méchancetés sur le compte de Réginald qu'il les croyait à moitié.

«Tu sais, Denis, on n'a jamais voulu que Jeannine parte. Je ne savais pas que les choses allaient si mal avec Raymond. Si j'avais su, j'aurais jamais dit que sa place était avec son mari.»

Denis vit que sa grand-mère était rongée de culpabilité à cause de cette remarque amère. De plus, il était clair qu'elle n'était pas sûre que Jeannine lui avait jamais vraiment pardonné. Laurette expliqua à Denis qu'après leur départ, une lettre que Jeannine avait envoyée à Raymond en Floride avait été retournée intacte. Laurette l'avait fait suivre à Houston mais une fois de plus, elle était revenue. Elle l'avait alors gardée pendant des mois. Finalement, sans nouvelle de Jeannine depuis trop longtemps, Laurette avait commis ce qu'elle considérait comme un grand accroc au savoir-vivre: elle avait ouvert la lettre. Elle ne la montra jamais à Denis, mais elle lui dit clairement ce que la lettre lui avait révélé: que Jeannine n'avait plus beaucoup d'affection pour Raymond. Laurette ne voulait pas se permettre de révéler les détails de la missive. Mais Denis se demanda ce que sa mère avait écrit. Avait-elle dit à Raymond ce qu'elle savait de sa relation avec Pat? Avait-elle dit qu'elle ne voulait plus vivre avec lui? Avait-elle révélé à quel point elle se sentait mal à l'aise de vivre dans sa famille? Laurette avait-elle lu quelque chose dans la lettre qui la portait à croire que Jeannine leur en voulait encore? Peu importe, Laurette était paralysée par l'incertitude. Elle ne pouvait être certaine que sa fille ne lui en voulait plus. En même temps, elle ne pouvait croire que Jeannine avait abandonné ses enfants. Et pourquoi Raymond leur avait-il menti? Selon Laurette, une seule explication était possible. Jeannine avait quitté Raymond. Elle ne pouvait plus le supporter. Comme elle savait qu'il ne la laisserait jamais abandonner les enfants et qu'elle ne pourrait pas se résigner à retourner dans sa famille, elle était tout simplement entrée dans un couvent. Seule une vie consacrée à la prière et à l'amour de Dieu lui permettrait de vivre en paix avec elle-même après avoir abandonné ses enfants. Quant à Raymond, il avait été tellement embarrassé par le départ de sa femme qu'il avait menti à ce propos. Laurette savait que Jeannine n'était pas folle. Par conséquent, Jeannine ne pouvait se trouver ailleurs que dans un couvent.

Laurette vivait dans un univers tellement petit, tellement ordonné, qu'elle ne pouvait imaginer d'autres possibilités moins simples. Elle n'avait jamais été victime du crime organisé, n'avait jamais subi un accident d'auto. Elle avait protégé ses enfants des vulgarités de la vie. Tout au long de son existence, elle avait lutté contre la pauvreté. Elle n'était pas sortie triomphante de ce combat, mais elle avait au moins la satisfaction d'avoir essayé. À force de travail et en économisant ses sous, elle était toujours arrivée à payer les factures de la famille et à verser une contribution hebdomadaire à l'église de sa paroisse. Elle s'ennuyait de Jeannine, mais croyait qu'elle était heureuse dans un couvent. Laurette pouvait imaginer à quel point les rituels quotidiens d'un couvent pouvaient être réconfortants pour Jeannine, mais elle ne pouvait imaginer le décor dans lequel vivait sa fille. Lorsqu'elle songeait à l'environnement physique de l'existence monastique de Jeannine, elle ne voyait qu'un vide.

Denis, les Boissonneault et la tante Berthe passèrent tout l'après-midi ensemble à réfléchir à tout cela. Denis n'avait pas prévu de rester à dîner, mais il ne pouvait refuser un bon repas. Avant son départ, ce soir-là, Laurette lui promit qu'elle se rendrait chez Harold Holben et qu'elle affronterait Raymond. Elle allait insister pour qu'il lui dise ce qu'il savait. Quant à recourir aux autorités — une idée proposée par Hermas — Laurette dit qu'il n'en était pas question. Qu'allait-il arriver aux enfants? demanda-t-elle. Peu importe ce qu'elle pensait de Raymond Durand, Laurette ne pouvait ignorer le fait qu'il était le père de ses quatre petits-enfants. Pendant cette journée de conversation avec Denis, elle avait bien pris soin de ne pas critiquer Raymond. Elle avait même reproché à Denis certains de ses commentaires à propos de Ray. «C'est ton père», lui avait-elle dit plusieurs fois. Elle était peut-être désespérément assoiffée de nouvelles à propos de Jeannine, mais elle ne pouvait s'abandonner tout à fait à ses sentiments. Il y avait des conventions sociales à respecter. Par-dessus tout, elle ne voulait pas de scandale. «Qu'est-ce que les gens vont dire?» demandait-elle aux autres. Elle ne pensait pas seulement aux voisins. Elle pensait aussi à Jeannine. Et si Jeannine ne voulait pas qu'on la trouve?

L'obscurité était tombée lorsque Denis prit le chemin du retour par autobus. Il n'avait pas eu l'intention de rester si tard. En s'approchant de la maison des Holben, il vit l'auto de son père stationnée dans la rue. Ils étaient de retour. Il sentit un poids dans son estomac. Il se prépara à une dispute. Lorsqu'il entra dans la maison, il n'y avait de la lumière que dans le salon. Tout le monde semblait s'être mis au lit. Denis enleva ses bottes, suspendit son manteau et entra dans le salon où il trouva son père assis sur le divan, sous la lampe, feuilletant un catalogue de Distribution aux consommateurs.

— Où c'est que t'étais? grogna-t-il.

— Je suis allé me promener en autobus.

— Menteur. T'étais à Hull. T'es allé voir tes grands-parents. Je le sais.

Ébranlé, Denis nia, mais bientôt, son père se mit à hurler. Denis cessa de se retenir.

— T'as dit que Maman était revenue chez ses parents. Elle était pas là. Où est-ce qu'elle est? Pourquoi tu veux pas me le dire? T'as menti à Grand-maman. T'es revenu avec ses valises. Qu'est-ce que tu lui as fait?

Ray le regarda sans broncher. Denis l'avait déjà vu ainsi. Son père pouvait se trouver dans la situation la plus embarrassante possible, il s'en sortait par une série de mensonges tellement effrontés qu'ils étaient efficaces. À présent, Ray écartait tout cela d'un haussement d'épaules, accusant Denis de mentir, et les Boissonneault de déformer ses paroles. Le ton monta. Denis avait perdu une grande partie de sa peur. Sa visite à ses grands-parents lui avait donné le sentiment de disposer de quelque chose de solide et, enfin, d'avoir quelqu'un de son côté. Ses peurs n'étaient pas imaginaires; son père était vraiment un menteur. Il se dit que si les choses s'envenimaient vraiment avec son père, il s'enfuirait et irait vivre chez les Boissonneault. Ils le protégeraient. Ils l'aimaient, c'était sûr.

À mesure que la querelle se poursuivait, Denis découvrit que son père n'était pas sur le point de se livrer. Soudainement, Ray baissa le ton et commença à tenter de persuader Denis que les Boissonneault étaient des gens mauvais, qu'on ne pouvait leur faire confiance. Puis, il montra le catalogue. Il était ouvert à une page qui montrait des batteries. Désignant l'une d'elle, il lui fit une proposition.

«Si tu me promets de plus jamais retourner là-bas, je t'achète une batterie», proposa-t-il.

Denis était estomaqué. C'était un appât tellement évident. Son père essayait d'acheter sa loyauté. S'il lui restait des doutes avant d'entrer, il ne lui en restait plus à présent. Il était certain que son père camouflait une information essentielle à propos de Jeannine. Il allait devoir trouver une façon de lui tirer les vers du nez. Ray n'allait pas la livrer facilement. Denis opta pour une trêve temporaire.

«O.K., papa, murmura-t-il. O.K.» Et il se traîna jusqu'à son lit.

Lorsque Laurette se rendit à l'adresse de la rue Grandeur que Denis lui avait donnée, la famille avait déménagé. C'était dimanche soir et personne ne répondit à la porte. Elle était épuisée par ses vains efforts, mais peut-être également un peu soulagée. Laurette était au début de la soixantaine, son mari mourait du cancer et elle soutenait encore sa famille grâce à son emploi de couturière pour un manufacturier de tentes d'Ottawa. Sa vie s'était déchirée et elle ne savait comment réparer l'accroc. Elle ne savait pas si sa fille voulait encore avoir contact avec elle. Et elle avait peur de Raymond Durand. Elle n'avait jamais rencontré un homme ayant autant de charme et de malveillance. Il l'avait toujours traitée avec le plus grand respect mais à présent, peut-être pour la première fois, elle voyait à quel point ses gestes étaient vides. Elle le trouvait menteur pour une raison qu'elle était incapable de discerner. Il l'effrayait. Protégeait-il Jeannine, ou se protégeait-il?

Laurette avait passé toute sa vie dans une petite communauté francophone qui renforçait son sentiment d'appartenance et d'identité. Son emploi, son église, sa famille et sa musique définissaient les frontières de son monde. Elle n'avait jamais voyagé, n'avait presque rien lu et se sentait complètement désorientée par l'époque. Elle voyait les jeunes aux cheveux longs dans les rues, entendait leur musique à la radio et écoutait les avertissements de son curé à propos des dangers de la drogue. Elle devait avoir l'impression que son monde était en train de disparaître et qu'un nouveau monde naissait, un monde qu'elle ne comprendrait jamais et dont elle ne voudrait jamais faire partie. Tous les changements semblaient parvenir des États-Unis. C'était un si grand pays, un endroit si vaste pour se perdre. Si Jeannine était là quelque part, Laurette ne pouvait imaginer comment elle pourrait un jour la trouver. Il y avait des centaines de milliers de petites villes et de villages où Jeannine aurait pu s'enfuir.

Son dernier lien avec sa fille, c'étaient ses petits-enfants, les seuls petits-enfants qu'elle eut. Lorsque Denis l'avait visitée, elle l'avait supplié d'emmener son frère et ses sœurs pour qu'elle puisse les toucher, les prendre dans ses bras, peut-être saisir un peu de Jeannine à travers eux. La visite de Denis l'avait laissée avec des sentiments confus. La nouvelle qu'il avait apportée était affligeante, mais il ressemblait tellement à Jeannine. Il avait ses cheveux blonds, son front haut, sa nature douce. Il fallait absolument qu'elle voie les autres.

Ce printemps-là, Denis, Ray et Pat se rendirent à une fête de la famille Durand à Hull. Pendant la fête, Denis sortit prendre l'air, s'aperçut qu'il n'était qu'à quelques rues de la maison des Boissonneault, et décida d'aller s'y réfugier pour une heure. Personne ne remarqua son absence. Chez les Boissonneault, Denis demanda à sa grand-mère pourquoi elle n'était pas allée parler à son père. Elle lui expliqua qu'elle l'avait fait. Il lui donna la nouvelle adresse et la supplia d'essayer à nouveau. Laurette voulait connaître les petits. Elle voulait désespérément les voir. Denis dit qu'il essaierait de les lui amener, mais il craignait que Marc ne parle à Pat, et il savait qu'Anne aurait trop peur.

Une semaine plus tard, Denis persuada Anne et Marc d'aller faire une promenade avec lui après l'école. Laurette travaillait dans Bank Street, à une bonne demi-heure de marche. Ils dévalèrent bruyamment le trottoir, se blottirent dans leurs manteaux pour lutter contre le froid. Finalement, ils arrivèrent devant un édifice de deux étages. Denis vit sa grand-mère devant sa machine à coudre par une fenêtre du deuxième étage. Ils restèrent là jusqu'à ce qu'elle jette un coup d'œil dans la rue et les aperçoive. Son visage s'éclaira et elle leva l'index pour dire: juste une minute. Denis avait dit à Anne et à Marc à qui ils rendaient visite. Marc avait peur, mais pas autant qu'Anne. Elle ne pouvait s'empêcher de trembler. Elle voulait s'en aller sur-le-champ, et suppliait Denis de les ramener à la maison. Elle était furieuse qu'il l'ait amenée.

Laurette finit par sortir, et se précipita pour prendre Anne et Marc dans ses bras. Elle pleurait sans cesse. Elle les amena dans un restaurant et choisit une banquette. Anne s'assit dans un coin, incapable de parler, tremblant de peur. Laurette leur apporta à tous des boissons gazeuses. Elle ne cessait de câliner Marc et Anne. Elle vit à quel point Anne était effrayée et dit à Denis, en français: «Regarde, elle a tellement peur.» Elle croyait qu'Anne ne pouvait comprendre, mais Anne se rappelle qu'elle était assise là, étonnée de comprendre parfaitement ce que disait sa grand-mère. Plus tard, en retournant à la maison, Anne avait encore plus peur. Elle dit à Denis qu'elle trouvait sa grand-mère gentille mais qu'elle était certaine que Pat ou Ray découvriraient ce qui s'était passé. Mais ni Pat ni Ray n'eurent vent de leur excursion.

Enhardi par le succès de son expédition, Denis décida d'amener Anne chez ses grands-parents à Hull. Il se dit qu'il serait trop risqué d'emmener Marc. Quelques semaines plus tard, Denis demanda à son père la permission d'emmener Anne dans un cinéma du centre-ville. Son père les y déposa et accepta de les reprendre après le film. Dès que Ray fut parti, Denis dit à Anne qu'ils allaient prendre un autobus pour Hull. Anne refusa. Elle gémissait de peur. Denis dut la faire entrer de force dans l'autobus. Elle ne se calma que lorsqu'ils furent en train de prendre une collation dans la cuisine de Laurette. Ils y passèrent une heure et demie, et partirent avec des pièces de monnaie tintant dans leurs poches.

À Victoria, Robert Wells rumina tout l'hiver la trahison de Ray. Au printemps, sa femme lui dit de faire ce qu'il devait faire. Robert prit donc l'avion, se rendit à Ottawa et réussit à repérer Ray et Pat. Il engagea un avocat et lança une poursuite contre eux pour rupture de contrat et abus de confiance. Dans sa plainte, Robert dit qu'il avait hypothéqué sa maison, endossé des prêts que Raymond avait contractés, vidé son propre compte d'épargnes et prêté à Ray sa carte de crédit pour devenir associé dans Ray's Kar Kare. Selon lui, ou bien Ray n'avait jamais investi l'argent dans la compagnie, ou bien il le retirait à présent pour son propre usage. Robert affirmait que Ray lui devait plus de 12 000 $ en plus des frais juridiques. Un matin, Ray arriva au travail chez Collision Appraisal Services, et découvrit qu'un huissier l'attendait. On lui remit l'avis juridique de la poursuite. Ray réagit en engageant un avocat, Gary Schreider, pour sa défense.

Les réunions des cadets se déroulaient tous les lundis soir. Denis manquait une rencontre sur deux pour aller passer la soirée chez ses grands-parents. Il en vint à connaître Réginald et comprit qu'il ne pouvait lui tenir rancune. Ce n'était pas sa faute s'il se sentait emprisonné dans sa chambre. En tout cas, Denis était désolé pour lui.

Certains soirs, lorsque sa grand-mère sortait, il bavardait avec Hermas, dont la santé déclinait. La bosse cancéreuse qui affligeait son visage le tuait à petit feu. À la différence de Laurette, Hermas entretenait de noirs soupçons sur ce qui était arrivé à Jeannine. Avec Denis, il émettait des théories.

Un soir, à l'étonnement de Denis, Hermas lui dit: «Je pense qu'il l'a tuée. Si j'étais plus jeune et en santé, j'irais là-bas pour découvrir ce qui s'est passé. Je pense qu'il lui a attaché une pierre et qu'il l'a noyée dans un lac. Il y a pas mal de lacs au Texas. Est-ce qu'il y en avait un près de l'endroit où vous étiez?» Denis lui parla du lac de Big Thicket et le vieillard hocha la tête, comme pour dire: «Tu vois, je te l'avais dit.» Denis ne contredit pas son grand-père, mais il considérait la théorie macabre du vieillard comme rien de plus que de la spéculation morbide. Denis n'avait aucune idée de ce qui était arrivé à sa mère. Il savait que son père cachait quelque chose et il s'imaginait que Pat était dans le secret. Il ne pouvait croire un seul instant que son père avait tué sa mère. Mais il était prêt à croire le pire à propos de Pat.

Au début des années soixante, à l'époque où Pat était serveuse, elle avait connu une coiffeuse nommée Lucille Savage, qui travaillait en face du restaurant. Un jour, après son retour à Ottawa, elle rencontra Lucille par hasard. Elles échangèrent des plaisanteries et Lucille mentionna qu'elle et son mari, Maurice, passaient la plupart de leurs week-ends à leur chalet du lac Champeau. «Viens donc, une bonne fois», dit Lucille à Pat. Ce n'était pas une invitation formelle mais une vague remarque qu'elle avait prononcée par politesse et pour terminer une conversation. Peu après, Lucille, une petite blonde nerveuse, se reposait avec Maurice, un samedi, à leur chalet enfoui dans les collines de la Gatineau, lorsqu'une Cadillac or s'avança et que le conducteur se mit à klaxonner. Lucille se leva pour voir qui faisait autant de bruit et vit Pat sortir de l'auto. Pat lui fit signe de la main et lui présenta son mari, Ray Durand. En hôtesse polie, Lucille les invita à entrer. Plus de vingt ans plus tard, elle regrette encore de l'avoir fait.

Maurice, un petit homme sympathique et musclé aux incisives proéminentes — elles lui donnent un sourire à la Dracula —, n'a jamais oublié, lui non plus, l'instant où Ray Durand est entré dans sa vie. «Il ne me connaissait même pas lorsqu'il est entré dans mon chalet, mais il m'a dit: "Allô Maurice. Tu te souviens de moi? On allait à l'école ensemble. T'as un frère qui s'appelle René." Je ne suis jamais allé à l'école avec lui. Il doit avoir entendu parler de mon frère par ma femme. «Cette fin de semaine-là, il s'est emparé du chalet. Il allait acheter tout le lac. Il conduisait sa Cadillac dorée, fumait le cigare, avait les poches pleines d'argent.»

Maurice lui-même n'était pas une mauviette. Il avait déjà été vendeur pour une chaîne de clubs de santé et il savait comment mâter un importun. Un jour, il avait gagé avec des collègues qu'il pouvait vendre une carte de membre à la prochaine personne qui se pointerait à la porte du club de santé dont il était alors gérant. On était à dix minutes de la fermeture et lorsque la porte s'ouvrit, quatre personnes entrèrent, à la recherche d'un restaurant. Maurice leur vendit des cartes de membre à tous les quatre et gagna son pari. À présent, il se reposait un peu de l'industrie des clubs de santé et se cherchait une nouvelle carrière.

Maurice se rappelle avoir été complètement renversé par la force de la personnalité de Ray. «Ce gars-là avait un magnétisme très fort. C'était une personne joyeuse, et les gens étaient séduits. S'il avait pu utiliser son magnétisme de la bonne façon, il aurait pu avoir beaucoup de succès.»

Ray, Pat et Maurice fêtèrent tout le week-end. Lucille, qui ne buvait pas beaucoup, se tenait à l'écart, renversée. À l'époque, Lucille était propriétaire d'un salon de coiffure dont la clientèle comprenait le premier ministre Pierre Trudeau et une demi-douzaine de membres de son cabinet. Elle travaillait fort, elle était sérieuse et elle entretenait sa belle apparence en faisant de l'exercice et en se faisant bronzer presque tous les jours en bikini. Ray déclencha des signaux d'alarme chez elle. Il était agressif, vulgaire, et la regardait d'une façon qui la mettait mal à l'aise.

Lorsque le week-end se termina, Ray et Pat partirent en auto, au grand soulagement de Lucille. Mais Ray revint la même semaine. Il avait repéré un chalet à vendre. Il s'arrangea pour y passer l'été sans payer de loyer, sur la promesse qu'il l'achèterait à l'automne. Tout l'été, Ray se consacra à l'escroquerie à temps plein.

Maurice commença à se lier d'amitié avec Ray et le vit agir. Il ne pouvait croire que Ray était affreux à ce point. «Je me rappelle m'être assis avec lui dans un restaurant, et il a dit qu'il devait s'asseoir le dos au mur parce que la dernière fois, un gars lui avait lancé une bouteille par la tête. Il m'a raconté qu'il avait été dans la police. Il m'a dit qu'un jour, il enquêtait sur un vol dans une épicerie de Gatineau. Il courait après les voleurs et les avait vus jeter un sac d'argent par la fenêtre. Il s'était lancé à leur poursuite, les avait attrapés, était retourné sur ses pas et avait retrouvé l'argent. Il avait gardé l'argent, mais ses supérieurs l'avaient soupçonné et congédié.»

Ray parla également de la Floride à Maurice. Il dit qu'il s'était enfui en Floride «parce qu'il se cachait de gens de Montréal. Il a dit qu'il avait dû se teindre les cheveux roux et livrer un témoignage à Miami.»

Plus Maurice passait de temps avec Ray, plus il en apprenait sur sa relation avec Pat et les enfants. Il demanda un jour à Ray depuis combien de temps il vivait avec Pat, et Ray lui répondit: cinq ou six ans. «Il a dit que sa première femme s'était sauvée avec son oncle. Il a dit qu'il pensait qu'elle se trouvait dans une institution psychiatrique, ou quelque chose comme ça.»

Tout ce dont se souvient Maurice des enfants, c'est que les cheveux de Denis allongeaient et qu'il n'aimait pas vraiment aller au chalet. Anne était maigre et avait des taches de rousseur. Ils faisaient tout le nettoyage du chalet, lavaient toujours la vaisselle. Martine, dit-il, recevait un traitement différent: «Pat s'occupait d'elle plus que des autres.»

Lucille se rappelle à quel point Pat était mesquine envers les enfants: «Denis était timide et il avait l'air d'être constamment en pénitence. Je me rappelle avoir essayé de lui parler. Denis ne se mêlait pas aux autres. Il avait l'air effrayé. Il ne fréquentait personne. Anne faisait pitié, elle était tellement petite. Pat lui faisait laver le plancher, la vaisselle. Anne et Denis s'occupaient des tâches ménagères. Ils ne recevaient pas beaucoup d'affection. Marc faisait encore plus pitié. C'était la petite fille qui recevait de l'amour. Elle était gâtée. Elle était belle, elle avait des bouclettes. Pat lui achetait de beaux vêtements. Pat était toujours en train de l'embrasser, de la serrer dans ses bras. Elle lui chantait des chansons. C'était une poupée. Par rapport aux autres, elle me rappelait la petite Shirley Temple.»

Denis passa la première moitié de l'été dans un camp de cadets du nord de l'Ontario. Lui et sa grand-mère Boissonneault s'écrivaient. Il lui envoyait des photos et lui faisait part de son bonheur. Le camp lui offrait un répit bienvenu par rapport à Ray et à Pat, et cela donna à Denis de la confiance en lui-même. Il revint en se sentant sûr de lui. Il s'était fait des amis et avait gagné le respect des chefs du camp.

Le soir où il revint en autobus, son père était censé le rencontrer au terminus. Mais comme Ray n'était pas là, Denis fit de l'auto-stop jusque chez les Boissonneault avec son bagage sur le dos. Il dîna avec Réginald et ses grands-parents, puis prit la route vers le chalet du lac Champeau. Il fit de l'auto-stop et finit par parcourir les 15 derniers kilomètres à pied. Il arriva aux petites heures du matin, complètement épuisé. Il réveilla son père qui lui dit qu'il avait oublié quel jour il était censé aller le chercher. Avant d'aller se coucher, il apprit que son père lui avait trouvé un emploi pour le reste de l'été.

Peu après le retour de Denis, Ray se lança dans une autre escroquerie. Il avait travaillé sur la carrosserie de l'auto de Maurice et découvert le carnet de banque de Maurice dans le compartiment à gants. C'est ainsi qu'il apprit que Maurice avait un joli petit trésor à la banque. Peu après, il fit une proposition à Maurice. Il lui dit qu'il voulait établir une compagnie appelée Auto Appraisal and Checking Service.

«L'idée, se rappelle Maurice, c'était de faire épargner de l'argent aux compagnies d'assurances. Lorsqu'on avait fini de réparer une auto et que la compagnie d'assurances devait payer, Ray vérifierait pour voir si les pièces que l'atelier était censé avoir installées avaient bien été posées. La compagnie d'assurances nous verserait ensuite un pourcentage de l'argent qu'on allait lui faire épargner. «Ray m'a dit: "Viens, je vais te présenter comme mon associé." Je me suis promené avec lui, et on a rencontré des représentants de compagnies d'assurances. Il était reçu à bras ouverts. Ils étaient tous d'accord. Ils disaient: "Vous, les gars, vous allez mener une chaude lutte contre les ateliers de carrosserie." Les compagnies d'assurances étaient favorables à notre projet, mais les ateliers de carrosserie s'y opposaient.»

Maurice serra les dents et accepta d'avancer l'argent nécessaire au lancement de l'entreprise. «On a ouvert un bureau rue Rideau, à Ottawa. J'ai payé le loyer, j'ai signé un bail, j'ai engagé une secrétaire, j'ai meublé le bureau et j'ai installé des cloisons.»

Maurice fit également imprimer du papier à lettres et des cartes personnalisées, fit installer des téléphones et accepta de verser un salaire à Ray jusqu'à ce qu'ils aient des revenus réguliers.

Ce premier mois, Maurice se rappelle avoir passé des journées entières assis dans le bureau, à attendre que quelque chose se passe. Un jour, il était assis à son bureau lorsque le téléphone sonna et qu'on demanda M. Côté. «J'ai dit: "M. Côté?" Et Ray s'est mis à me faire signe de l'autre bout de la pièce. Il a pris le téléphone.»

Selon toute apparence, Ray avait un complice qui était allé emprunter 2000 $ à une société financière. Il a dit à cette société qu'il était employé de Auto Appraisal and Checking Service et que son patron était M. Côté. Quand le représentant de la société financière téléphona pour vérifier les références de l'emprunteur, Ray prit le téléphone et dit à son interlocuteur qu'il était M. Côté.

«Ray prend le téléphone, se rappelle Maurice, et dit: "Quoi? Il demande d'emprunter 2000 $? Il ne m'en a pas parlé. Ne lui prêtez pas l'argent. S'il veut de l'argent, je vais lui en donner. Dites-lui de venir me voir."»

Ray s'adossa ensuite dans son fauteuil et laissa le représentant de la société financière se convaincre lui-même d'émettre le prêt. Comme Ray l'expliqua plus tard à Maurice, le représentant de la société financière lui dit: «Eh bien! étant donné qu'il a signé les papiers, je vais lui prêter l'argent.» Le piège fonctionna si bien que Ray le répéta plusieurs fois.

Maurice s'opposait à ce que Ray utilise la compagnie pour ses escroqueries, mais Ray s'arrangeait toujours pour calmer ses peurs. Il présentait cela comme une «maudite» bonne blague à jouer à des gens qui méritaient un coup de temps à autre. Mais Maurice devenait nerveux. Ray ne semblait pas rapporter de contrats.

À la maison, les relations entre Denis et Ray se détérioraient. Deux fois, Ray avait surpris Denis qui marchait dans une rue de Hull près de la maison des Boissonneault. Il n'avait pas fait de scène, mais il n'était pas très heureux de la chose.

Pendant la plus grande partie de juillet et tout le mois d'août, Denis travailla dans un atelier de carrosserie de Hull, gagnant 22 $ par semaine, dont il devait verser 15 $ à Pat pour sa pension. Cela ne lui laissait pas beaucoup d'argent pour ses autres dépenses, mais Denis se débrouillait. Et Ray lui dit qu'il pouvait garder ses deux derniers chèques de paie au complet pour s'acheter des vêtements pour l'école. Au début de septembre, Ray amena Denis au magasin Giant Tiger, rue Eddy, à Hull. Lorsqu'ils furent à l'intérieur, Ray demanda à Denis combien d'argent il avait. Quand Denis répondit qu'il avait moins de 20 $, quelque chose se déclencha dans l'esprit de Ray. Il se mit à hurler en direction de Denis, qui fila vers la porte. Ils coururent dans la rue, et Ray donnait des coups de pied en direction de Denis pendant qu'ils criaient l'un après l'autre. Comme c'était une lutte sans merci, Denis lança le nom de Jeannine. Lorsqu'ils furent finalement épuisés, Denis était amoché mais n'avait rien de cassé. Ray, toutefois, était secoué. Il fit monter Denis dans l'auto et le conduisit chez sa mère, rue Rouville. Il entra dans la maison avec Denis et demanda à sa mère de prendre soin de son fils parce qu'il en avait assez. Désignant Denis, il dit: «Tu vas vivre ici, maintenant.»

Marie-Anna était d'accord. Elle avait une grande maison et prenait des pensionnaires. Elle aimait Denis et Ray avait dit qu'il paierait pour la chambre et la pension de son fils. Denis était soulagé. Il ne serait pas toujours en train d'éviter les coups, et il y avait près de là une école qu'il pouvait fréquenter. Il s'ennuierait de son frère et de ses sœurs, mais il pourrait leur rendre visite et ils viendraient le voir, il en était sûr.

À la fin de l'été, Ray, Pat et les enfants retournèrent vivre dans une maison de briques de Hull où ils avaient habité brièvement en juin. Ils n'avaient pas encore défait leurs valises que Ray donna le coup de grâce à sa proie.

«Un jour, je suis arrivé au bureau, se rappelle Maurice, et Ray avait la tête entre les mains. J'ai dit: "Qu'est-ce qui ne tourne pas rond?" Il a dit: "Je me retire. Je m'en vais." J'ai dit: "Pourquoi?" Il a dit: "La seule chose que je voulais posséder, je me la suis fait enlever. Le chalet."»

Maurice était anxieux. Il voyait déjà disparaître tout son investissement. Ray lui dit qu'il avait besoin de 4500 $ avant midi le lendemain, sinon il perdrait le chalet.

«J'ai dit: "Je vais te trouver l'argent"», se rappelle Maurice. Il offrit de prêter à Ray l'argent qu'il lui fallait. Le lendemain matin, Maurice retira les 4500 $ de son compte et accompagna Ray chez un notaire pour conclure l'entente. «Ray a parlé au notaire, puis il est venu me voir en disant: "Il ne peut pas me voir maintenant." Il a dit: "Va manger, Maurice, et je vais te prendre à 13 h 30." J'ai attendu, j'ai attendu, puis j'ai appelé le notaire. Il a dit: "Ray était ici à 11 h, et les papiers sont tous signés." Je pense qu'il a acheté le chalet pour 2000 $ et qu'il l'a revendu le même jour pour 8000 $. Il est parti avec mon argent et le profit de la vente du chalet.»

Lorsqu'il comprit ce qui était arrivé, Maurice téléphona à Ray à la maison que Ray avait louée. C'est le propriétaire de la maison qui répondit. «Il m'a demandé si j'étais un ami de Ray, raconte Maurice. Il a dit que Ray lui avait volé deux motoneiges, son bateau et la plupart de ses meubles.»

Maurice dit qu'il n'a jamais pris la peine d'aller voir la police. «Qu'est-ce que j'avais? Aucune preuve. Je ne pouvais rien montrer.»

Après la disparition de Ray, Maurice ferma le bureau. La compagnie de téléphone lui envoya sa facture. Le montant d'appels interurbains de Ray pour un seul mois s'élevait à près de 600 $, se rappelle Maurice: «Environ une semaine plus tard, je revenais du lac et j'ai vu des papiers qui volaient sur la route. Je me suis arrêté: c'étaient nos dossiers du bureau. Ray avait tout jeté dans le fossé.»

Pendant ce temps, de retour à Ottawa, l'avocat de Robert Wells avait obtenu un jugement contre Ray mais ne pouvait le mettre en application. Il ne pouvait trouver Ray. L'avocat que Durand avait engagé avait déclaré à la cour qu'au début de septembre, il avait téléphoné à Ray afin de lui dire qu'il n'avait pas été retenu de façon convenable. Ray avait promis qu'il passerait au bureau le lendemain. Ce ne fut pas le cas et lorsque l'avocat appela chez Ray, il découvrit que le service téléphonique avait été interrompu. L'avocat présenta une pétition à la cour afin de pouvoir se retirer en tant que procureur.

Lorsque Robert Wells découvrit qu'il avait gagné la poursuite mais perdu la guerre, il prit l'avion et retourna à Ottawa. Comme il savait que le nom de jeune fille de Pat était Holben, il consulta l'annuaire téléphonique d'Ottawa et trouva un certain Harold Holben. Il se présenta chez Harold et demanda Ray. Harold se rappelle que Robert était un homme grand, aux cheveux gris et à l'humeur morose. Comme il n'avait aucun intérêt à protéger Ray, il voulait bien donner son adresse à Robert. Mais le week-end précédent, en allant voir Ray et Pat, Barbara et lui avaient trouvé la maison vide. Ils avaient déménagé à nouveau. Robert finit par retourner à Victoria les mains vides. Non seulement il avait été escroqué par Ray, mais il avait gaspillé de l'argent en frais d'avocat et pour deux voyages à Ottawa. Sa fille Lori dit qu'il ne se remit jamais vraiment du coup. Il mourut plusieurs années plus tard, souffrant encore du souvenir qu'on l'ait persuadé de mettre toute sa richesse en jeu.

Rue Rouville, Denis, timide au début, en vint à se sentir à l'aise avec sa grand-mère Durand. Elle lui préparait des repas nourrissants, le traitait comme son propre fils et promettait qu'il pouvait vivre avec elle aussi longtemps qu'il le voulait. Il lui parla des mensonges de son père à propos de Jeannine. Elle lui offrit de la sympathie, mais rien de plus. Il n'était pas loin de la maison des Boissonneault, et même s'il se sentait plus proche d'eux dans son cœur, il voyait bien qu'il n'y avait pas de place pour lui dans leur petite maison.

Denis s'inscrivit à une école technique d'Ottawa et reçut une bourse du gouvernement pour une partie de ses dépenses scolaires. Il utilisa une partie de cet argent pour s'acheter une batterie, qu'il garda au sous-sol chez sa grand-mère. Il passait tous ses temps libres à répéter.

Plus tard au cours du mois d'octobre, en revenant de l'école, Denis trouva sa grand-mère Durand assise dans la cuisine, une lettre à la main. «Assieds-toi, dit-elle. J'ai une mauvaise nouvelle. Ton père est parti. Tu vas vivre avec moi pour de bon.»

Chapitre quatorze

San Diego, Californie, 1971

Anne se rappelle la nervosité qui se lisait sur le visage rondelet de son père lorsqu'ils s'approchèrent du guichet de l'Immigration américaine à l'aéroport de Toronto. Elle l'entendit dire à l'officier en uniforme qu'ils allaient à Los Angeles en vacances pour deux semaines. Ils transportaient une montagne de bagages et Anne se dit que l'officier devinerait le mensonge de Ray et leur refuserait le passage. Et s'il lui posait des questions, à elle? Saurait-elle quoi dire? Elle sentit ses genoux trembler. L'attente était angoissante. Mais ils finirent par être tous admis et Ray, Pat, Anne, Marc et Martine se dirigèrent vers le hall des départs.

Denis n'était pas venu avec eux. Il était parti de chez eux un mois plus tôt. Anne se rappela qu'un jour il était venu au chalet, près du lac, et qu'elle se rendit compte aussitôt que ses affaires étaient disparues et qu'il ne vivait plus avec eux. «Pourquoi?» avait-elle demandé à son père.

«C'est un fauteur de troubles, il ne nous aime plus et il ne veut plus vivre avec nous», lui avait dit son père.

Un soir, ils étaient tous allés dîner chez la grand-mère Durand et Denis se trouvait là. Ils ne parlaient pas beaucoup, mais elle vit sa chambre et comprit qu'il habitait là. Il semblait heureux et à l'aise. Elle l'enviait, mais elle lui en voulait aussi. Elle se sentait abandonnée par son frère aîné. Elle l'avait toujours respecté.

Ce soir-là, grand-mère Durand leur avait servi de la soupe maison. Anne aimait aller manger chez elle. Sa grand-mère les nourrissait bien. Elle enviait cela à Denis, aussi. Après le repas, sa grand-mère avait quitté la pièce pour aller chercher quelque chose et Ray s'était approché de la poubelle pour en tirer une boîte de conserve.

«Regarde, avait-il dit à Pat. Elle dit toujours qu'elle fait de la soupe maison. C'est de la Campbell.» Il rit et montra la boîte à tout le monde. Anne se sentait mal à l'aise, à la fois du manque de respect de son père et de la supercherie de sa grand-mère.

Anne passa trois ans sans voir Denis. Elle pensait souvent à lui et se sentait, la plupart du temps, profondément malheureuse qu'il ait quitté la famille. Elle devint encore plus retirée. À présent, elle n'avait plus personne avec qui partager ses secrets. La visite chez sa grand-mère Boissonneault l'avait terrifiée, mais le courage de Denis l'impressionnait. Elle se rappelait à quel point elle avait voulu serrer sa grand-mère Boissonneault dans ses bras et à quel point elle s'était retenue parce qu'elle avait peur et qu'elle savait qu'elle n'était pas censée se trouver là. Elle se rappelait la colère de son père lorsqu'il leur avait tous interdit d'aller chez Mme Boissonneault. Elle sentit en elle un petit noyau de force: elle avait été capable de rendre visite à sa grand-mère en dépit de sa peur et des avertissements de son père.

Elle avait maintenant douze ans, mais elle serait bientôt adolescente, et elle était encore désespérément maigre, mal habillée et aussi timide qu'une enfant de six ans qui entre à l'école pour la première fois. Son père lui disait qu'elle ressemblait à une Durand, à l'une de ses sœurs. Elle avait un joli petit nez, des yeux bruns et un air espiègle. Elle ressentait une lourde culpabilité. Elle croyait encore que sa mère était partie à cause d'elle. Elle n'écoutait pas les propos échevelés de Denis lorsqu'il affirmait que son père avait fait quelque chose à Jeannine. En son for intérieur, elle avait la certitude que si elle s'améliorait, Pat l'aimerait et son père l'aimerait davantage et la traiterait mieux. Et sa maman reviendrait.

Ils atterrirent à Los Angeles et, en moins de deux jours, ils furent de retour à San Diego dans une auto neuve que Ray avait achetée. Ray leur trouva un logement aux appartements Diana, sur Claremont Drive, à cinq minutes de leur ancienne demeure de Bunker Hill Street. Anne fut inscrite en septième année au Einstein Junior High School. Cette fois-ci, son père l'inscrivit sous le nom de Anne Holben. Le nom «Durand» avait complètement disparu. On les appelait les Holben.

En dépit de tous les déplacements, Anne avait réussi à toujours obtenir d'assez bons résultats scolaires. C'était une étudiante moyenne. Elle se faisait des amis, mais ne parlait jamais de sa maison ou de sa famille, et enviait les autres filles qui avaient de beaux vêtements et bavardaient à propos de leurs chambres et de leurs familles.

À la maison, elle travaillait sans cesse. Chaque matin avant l'école, Pat lui faisait nettoyer le frigo, épousseter tout l'appartement, passer l'aspirateur et laver les éviers. Pat était obsédée par la propreté. Si le nettoyage n'était pas précisément exécuté selon ses ordres, elle attrapait Anne par les cheveux et la poussait contre le mur. Elle devenait de plus en plus rude envers Anne.

Anne partageait sa chambre et son lit avec Marc. Une nuit, elle dormait profondément lorsqu'elle sentit qu'on la tirait. Elle se réveilla. «Pat me battait. Je suis restée étendue là et je me suis mise à pleurer. Elle me battait, me battait, me traitait d'imbécile de salope. Je savais que Marc s'était réveillé. Je me rappelle qu'il a mis sa main sur moi. Elle était soûle.

Elle avait l'air d'une sorcière et elle me battait. Ses cheveux était raides. Elle avait des verres fumés. Elle avait l'air d'une méchante sorcière. Elle portait une robe de nuit qui lui descendait sous les genoux. Cette robe avait une boucle pourpre et était décorée d'un tissu brillant.»

Cette fois-là, Pat cassa le nez d'Anne. Le lendemain matin, en se réveillant, Anne découvrit que son visage était gonflé.

«Mon père a dit: "Qu'est-ce qui t'est arrivé?" J'ai dit: "Je suis tombée." Et Pat me regardait, en ayant l'air de dire: "Si tu parles, je vais te battre encore." Je savais que si je disais quoi que ce soit, j'y passerais. Je pense que Papa le savait mais il ne voulait pas l'affronter. Il n'a pas dit: "Où est-ce que tu es tombée?" Je sentais que si mon père m'aimait, il s'arrangerait pour qu'elle arrête. Je me suis habillée et je suis partie pour l'école. J'ai dit à tout le monde que j'étais tombée en courant.»

Elle s'arrangeait pour avoir de bons résultats scolaires, mais elle n'aimait pas aller à l'école. «Je détestais aller à l'école. Pat me faisait toujours porter des vêtements démodés de trois ans. C'était affreux. Mes cheveux étaient mal arrangés. J'étais très timide. J'avais des amis. Des filles qui étaient gentilles envers moi. Elles venaient de familles heureuses. J'aimais aller chez elles parce que je pouvais manger. Et je mangeais à m'en rendre malade. Des Reese's Peanut Butter Cups, des bonbons aux arachides. Il y avait un petit magasin pas très loin. Mes amis m'en achetaient.

«Les parents de mes amies étaient très gentils. J'aurais voulu avoir des parents semblables. Je me rappelle, un jour, mon amie roulait sur ma bicyclette et j'étais assise sur le guidon, et une auto nous a frappées. Lorsque l'auto s'est arrêtée, j'ai rebondi sur le capot. Le conducteur a dit: "Ça va? Je vais te reconduire chez toi." Et j'ai dit: "Non, s'il vous plaît, s'il vous plaît, ne me conduisez pas chez moi." Je pensais que c'était ma faute et que Pat me battrait parce que je m'étais fait frapper. Je ne leur ai jamais dit. J'étais pas mal amochée et je leur ai dit que j'étais tombée de ma bicyclette.»

Non seulement Anne était terrifiée par Pat, mais elle était profondément convaincue qu'«elle nous détestait. Je ne sais pas pourquoi elle nous détestait. Je me disais qu'elle était méchante».

Comme Denis avant elle, Anne put avoir un aperçu secret de la haine de Pat. Les enfants étaient obligés de laisser leurs chaussures à l'extérieur, près de la porte, avant d'entrer. Un jour, Anne vit Pat jeter à la poubelle ses chaussures préférées. Pat ne savait pas que quelqu'un l'avait vue. Plus tard ce jour-là, lorsque Anne demanda à Pat si elle avait vu ses chaussures, Pat la regarda sans expression. «Non», répondit-elle, et elle se retourna. Anne passa les jours suivants à fulminer. À cause de cet incident et de sa fracture au nez, elle se sentit désespérément seule. Elle avait hâte de rencontrer quelqu'un en qui elle pourrait avoir confiance.

À Hull, Denis se sentait tendu et un jour, au cours d'une conversation, il finit par dire à sa grand-mère ce qui le dérangeait. Il se sentait abandonné, et en même temps, il craignait qu'un jour son père ne vienne l'arracher à sa grand-mère, et que le vieux cauchemar ne recommence. Elle réagit avec compassion et le rassura.

«Denis, tu vas vivre avec moi comme si tu étais mon fils. Raymond ne va pas venir t'enlever malgré toi.»

Pour Denis, cette remarque changeait tout. Il éprouva un sentiment de sécurité qu'il n'avait pas connu depuis l'enfance. Et il commença à prendre des habitudes. Marie-Anna semblait apprécier sa compagnie. Il l'aidait à faire la vaisselle, pelletait la neige l'hiver, et chaque soir allait la trouver dans la cuisine pour prendre une collation avec elle. Il devint profondément attaché à la vieille femme qui, dans cette maison, avait élevé 11 enfants et avait survécu à un mari. Il se sentait relié à une famille, à une communauté. La seule note discordante des premiers mois avec sa grand-mère fut le souvenir de sa mère. Il avait raconté toute l'histoire à Marie-Anna et elle avait semblé bouleversée, mais elle avait accepté la chose comme une fatalité. Elle n'avait émis aucune suggestion et n'avait offert à Denis que de la sympathie. Il se sentait frustré de la voir passive, mais il lui était tellement reconnaissant de lui avoir donné un foyer qu'il ne lui en voulait pas.

20 janvier 1972

Chère Gayle,

Salut!... Tu m'as demandé des nouvelles de mes parents. À vrai dire, je ne les vois plus. Ils n'habitent plus à Touraine [l'emplacement de la dernière maison que Ray avait louée]. *Ils m'ont laissé tout seul. Mais je travaille après l'école. Donc, je paie chambre et pension. Ce n'est pas très bien de faire ça à son fils...*

Je t'aime,

Denis

Peu après son entrée à l'école technique d'Ottawa, Denis se trouva un emploi de concierge, le soir. Il revenait de l'école, prenait une bouchée et retournait de l'autre côté de la rivière, à Ottawa, pour laver des planchers, vider des cendriers et nettoyer des édifices commerciaux, de 18 h à 22 h. Avec l'argent qu'il gagnait, il acheta une bicyclette, et il lui restait toujours quelques dollars en poche pour se payer des friandises et des films. Il avait installé sa batterie au sous-sol, et répétait en vue de faire des *jams* avec d'autres musiciens. Un soir, il put monter sur une scène et jouer avec ses copains au cours d'une danse organisée dans une salle de la Légion canadienne.

Après avoir passé des années confronté à l'inattendu et aux déménagements rapides et nocturnes, il appréciait la routine. C'est exactement ce qu'il trouvait chez sa grand-mère. Il n'avait que seize ans, mais se sentait adulte. Sans personne pour le harceler, il adhéra volontairement à un horaire fixe qui lui permit de remplir toutes ses obligations. Dans une lettre à Gayle, il disait qu'il mesurait 5 pieds 10 pouces (1 m 78) et pesait 155 livres (70 kg), et qu'il avait fait réparer ses dents. Des années à manger des friandises avaient rempli sa bouche de caries. Ce travail dentaire lui donnait un beau sourire. Il se sentait bien dans sa peau et cela lui donnait une confiance accrue en lui-même. Il découvrit qu'il pouvait parler aux gens sans bégayer ni rougir.

Denis en vint également à connaître certains des frères de son père, et fut accueilli dans le groupe. Le frère cadet de Ray, Serge, vivait encore à la maison. Un autre frère, André, habitait en face. Et à l'étage, dans un appartement distinct de la grande maison de sa grand-mère, le frère le plus proche en âge de son père habitait avec sa femme et un pensionnaire. Ce frère, Michel, surnommé Le Gros, vivait de prestations du Bien-être social, gardait quelques vieilles picouilles à la piste de courses sous harnais locale, et utilisait son pensionnaire, un jeune handicapé mental qui recevait lui aussi des chèques d'assistance sociale, comme domestique et homme à tout faire. Michel, un homme assez gras, avait les yeux fuyants et une grosse tête chauve semblable à un œuf brun. Sa femme Estelle, une blonde séduisante, avait déjà été sa belle-fille. Michel était marié à la mère d'Estelle, Pauline Filion, lorsqu'il s'était enfui avec Estelle qui n'avait pas seize ans. On ne sait pas au juste quel âge elle avait à l'époque. Ce qu'on sait, c'est qu'elle était suffisamment jeune pour que quelqu'un appelle la police, et Michel fut obligé de demeurer discret jusqu'à ce qu'elle arrive à l'âge adulte. Et comme si tout cela n'était pas suffisamment compliqué, la propre fille de Michel, qu'il avait eue de Pauline, était pensionnaire au rez-de-chaussée chez sa mère, Marie-Anna.

Il fallut un certain temps à Denis pour saisir toutes ces relations emmêlées (entre autres, la femme de Michel et sa fille aînée sont demi-sœurs). Mais c'était une bande fascinante et il se lia d'amitié avec eux tous. Aux yeux d'un garçon de seize ans, Michel était un spécimen assez intéressant. Il n'avait pas d'emploi régulier, mais faisait de l'argent grâce à un certain nombre de combines. Certains week-ends, Denis accompagnait Michel à la piste de courses pour aider l'employé à nettoyer les écuries. Il était certain que ses chevaux allaient lui rapporter une fortune, et il ne cessait de les vanter. D'autres fois, Denis voyait Michel et son employé vendre des pommes qu'ils avaient cueillies dans Dieu sait quel verger. Michel était même chauffeur de taxi et, les samedis soir, il lui arrivait de donner quelques dollars à Denis pour qu'il l'accompagne. Chaque fois qu'il recevait un appel pour prendre un client dans un bar mal famé, il envoyait Denis chercher le client.

Michel passait souvent ses avant-midi à lire le journal. Un jour, une annonce dans un affreux tabloïd hebdomadaire consacré au crime le mit en émoi. «Vous cherchez à retracer des parents disparus?» disait l'annonce. «Appelez-nous». On donnait le numéro de téléphone de la salle des nouvelles du tabloïd, qui était publié à Montréal. De toute évidence, le journal utilisait cette annonce pour recueillir des idées d'articles. Comme Michel avait souvent parlé de Jeannine avec Denis, il savait que ce dernier la cherchait désespérément, et il lui en parla. Ils en discutèrent pendant quelques jours jusqu'à ce que Denis soit d'accord. Michel appela le journal et leur donna les grandes lignes de l'histoire. Le reporter annonça qu'il arriverait le lendemain matin avec un photographe. Presque aussitôt, Marie-Anna eut vent du plan et demanda à un autre de ses fils de rappeler au journal, pour leur dire ne pas se déranger pour rien. Elle était furieuse envers Michel parce qu'il se mêlait de ce qui ne le regardait pas, et tint pour acquis que le second appel avait tué l'idée.

Mais le reporter et le photographe se présentèrent tout de même le lendemain. Pendant que Madame Durand se tenait à l'écart en se rongeant les sangs, le reporter recueillit le récit de Denis amélioré par Michel. À la fin, le reporter leur proposa de se rendre au poste de police pour raconter l'histoire à nouveau. Le groupe se dirigea donc vers le bureau de la Police provinciale du Québec le plus proche. En cours de route, le reporter poussa Denis du coude et lui dit que c'était probablement son père qui avait tué sa mère.

Au poste de police, encouragé par Michel et par le reporter, Denis répéta son récit au caporal Meloche. Pendant ce temps, le photographe mitraillait Denis et l'officier de police, exposant tout un rouleau de pellicule. Meloche dit à Denis qu'il était trop jeune pour porter plainte, qu'il devrait soit revenir lorsqu'il aurait dix-huit ans, soit demander à l'une de ses grands-mères de venir déposer une plainte formelle.

Denis courut chez lui et essuya le refus de sa grand-mère Durand, qui ne voulait signer qu'à la condition que sa grand-mère Boissonneault signe elle aussi. Denis savait qu'elle était fâchée. Elle et un autre oncle reprochaient à Michel de provoquer des problèmes qui allaient déteindre sur la famille Durand.

Peu après, Denis se rendit chez les Boissonneault pour raconter l'histoire à Laurette. Elle était scandalisée.

«Denis, as-tu pensé aux enfants? lui demanda-t-elle. Qu'est-ce qui va leur arriver si ton père se fait arrêter?» Elle refusait de mêler la police à ce qu'elle considérait comme une affaire privée, familiale. Aucune supplication ne lui fit changer d'idée. Denis était atterré. Elle ne semblait pas encore certaine que Jeannine n'était pas disparue volontairement. Au moment où Denis sortit, elle lui rappela que quelqu'un dans la famille pouvait l'aider s'il avait besoin de la police. Elle parlait de son neveu, Michel Béland, le fils de sa sœur.

Deux mètres, les cheveux foncés et la mâchoire carrée, Michel Béland était le cousin de Jeannine. Il avait une dizaine d'années de moins qu'elle et se souvenait d'avoir rencontré Jeannine à son chalet. Il avait participé à ses fiançailles, et l'avait vue pour la dernière fois avec Ray à son mariage en 1965. Michel était entré dans la GRC deux ans avant de se marier et, en 1972, il était en poste à Montréal. Il savait que Jeannine était disparue et avait souvent dit à sa mère qu'il aimerait donner un coup de main pour la retrouver, mais seulement si Laurette le lui demandait. Il était mal à l'aise du fait qu'elle n'était pas allée voir la police, mais avait l'impression de devoir respecter ses vœux dans cette affaire.

Quelques semaines après la visite du reporter et du photographe, le tabloïd publia l'article à la une avec une photo de Denis, l'air à la fois innocent et peiné, tenant une photo de sa mère. Le titre, entre guillemets, disait: «MA MÈRE A ÉTÉ ASSASSINÉE». À l'intérieur, le journal publiait deux pages pleines de photos assorties d'un texte mal écrit à partir d'une recherche bâclée. On s'était servi des paroles de Denis, on les avait fait passer de la zone grise des possibilités à la zone criante de certitude des tabloïds, et on les avait imprimées. Denis s'inquiétait du fait qu'on lui avait fait dire que sa mère avait été assassinée, mais il était content d'avoir été pris au sérieux. Il apprit plus tard que l'un de ses oncles, en contact avec son père, lui avait parlé de la visite de Denis à la police, et lui avait envoyé un exemplaire du journal.

Par hasard, le jour même où l'article parut, Michel Béland traversait le pays en train. Il venait d'être envoyé à la base d'entraînement de la GRC à Regina. Il devait y travailler au cours des deux années suivantes, en tant qu'instructeur. Il s'était procuré un exemplaire du journal avant de monter à bord, et il se sentit soulagé en le lisant. Par coïncidence, il connaissait Meloche, et tint pour acquis qu'on lancerait une enquête. Enfin, se dit-il, quelqu'un va percer ce mystère.

22 avril 1972

Chère Gayle,

Mon père a appelé il y a quelques semaines pour que j'aille le rejoindre à Houston. Je lui ai dit non parce que je suis bien ici; il a dit: «Je vais t'envoyer un billet d'avion et tu pourras descendre me voir cet été.» J'ai dit non, parce que j'ai d'autres plans pour cet été (comme aller à Victoria, B.C.). Ma photo est dans tous les journaux ici parce que je cherche ma mère que je n'ai pas vue depuis presque cinq ans. Comme tu le sais, la femme qui était chez moi le jour où tu es venue me voir n'était pas ma mère. Des reporters sont venus à la maison et ont pris des photos de moi. Ils m'ont posé des questions et ils ont publié ça. Ne sois pas surprise si tu vois ces choses dans les journaux de la Colombie-Britannique. Il paraît que c'est dans tout le Canada.

Je t'aime,

Denis

Chapitre quinze

San Diego, Californie, 1972

Trois mois après son retour à San Diego, Ray Durand eut trente-cinq ans. Il avait pris plus de 20 kilos depuis Fort Lauderdale, mais il avait encore la rapidité et l'agilité d'un homme beaucoup plus mince. Tout ce qu'il faisait, il le faisait à l'excès. Il buvait trop, mangeait comme un glouton, draguait les femmes sans égard au lieu et aux circonstances, travaillait comme un possédé et faisait la fête avec le zèle d'un sénateur romain. Son anglais s'était amélioré mais il avait encore un accent français. Il s'était trouvé un emploi chez Bay Ford, sur Mission Bay Drive, à moins de cinq rues de chez Guy Hill Cadillac. Un jour, un de ses collègues l'appela Frenchy, et Ray adopta ce nom. Il en aimait la sonorité. À ses collègues de l'atelier de carrosserie, aux gens qu'il rencontrait, il se présentait sous le nom de Frenchy Holben. Même Pat se mit à l'appeler Frenchy. Cette nouvelle identité était une caricature de l'original, et elle avait un effet désarmant. Elle donnait aux gens l'impression que ce gars ne se formaliserait pas s'ils faisaient une blague sarcastique à propos des Français ou des étrangers, qu'il n'avait aucune susceptibilité à propos de ses origines ethniques. Il était capable de prendre une blague, et essayait clairement de s'insérer dans le milieu.

Mettre les gens à l'aise, cela convenait aux buts prédateurs de Ray. Il voulait avant tout que ses victimes soient complètement désarmées. Il se donnait l'allure d'un gars inoffensif, bon vivant, un blagueur et un fêtard qui parlait un anglais compréhensible mais estropié.

Plusieurs mois après son retour à San Diego, Ray commença à travailler comme réparateur de carrosserie chez National Paint, un atelier spécialisé dans les travaux rapides. Il devait garder cet emploi pendant les huit années suivantes.

Peu de temps après, Daniel Knight, un gars costaud à la démarche lente, qui parlait lentement en réfléchissant bien, fut embauché chez National Paint. Il se rappelle l'«habileté exceptionnelle dans le travail de carrosserie [de Ray Durand]. C'était le genre de gars qui travaille à forfait. Il pouvait prendre une tâche qui demandait dix heures, et la faire en quatre ou cinq. Il était très rapide, très ordonné. Tous ceux pour qui il travaillait l'aimaient parce qu'il leur rapportait beaucoup. Par contre, il n'était pas apprécié de tous ceux qui travaillaient pour lui. C'était un filou, toujours en train de manigancer une façon de diminuer ses employés et de ne pas les payer. Ou de les payer très peu.»

Daniel, maintenant actionnaire d'un atelier de carrosserie pour les camions dans la région de Los Angeles, dit que National Paint était «un atelier bien achalandé, qui fonctionnait bien. Dans le journal, on annonçait une promotion: 50 $ de travail de carrosserie gratuit avec un travail de peinture. Et on offrait trois niveaux différents de qualité de travail de peinture. Cette offre de travail gratuit était un bon appât pour attirer les clients et leur en vendre un plus gros. Presque toutes les autos ont besoin d'un travail de carrosserie en même temps qu'elles ont besoin d'un travail de peinture.»

Dès que Ray eut suffisamment d'argent, il déménagea la famille des Appartements Diana à une maison de Cameo Lane avec des orangers dans la cour arrière et une piscine hors terre. Il acheta une petite autocaravane et passa plusieurs week-ends avec Pat et les enfants dans Butterfield Country, une zone de camping et de plein air située non loin de San Diego. De l'extérieur, ils avaient l'air d'une famille aisée, de classe moyenne.

Jolie blonde au front haut, Martine entra à l'école alors qu'ils habitaient Cameo Lane. Marc avait neuf ans, et l'allure et l'énergie de son père. Les trois enfants ne parlaient que l'anglais. Martine gardait des souvenirs de Denis mais ne savait presque rien de ses propres antécédents. Lorsqu'elle fut en âge de se poser des questions, elle demanda à Pat où elle avait rencontré Ray et pourquoi ils n'avaient pas de photos de mariage. Curieuse et insatisfaite des réponses de Pat, Martine commença à fouiller les objets de cette dernière chaque fois qu'elle en eut l'occasion.

Pat ne battait jamais Martine. Elles étaient proches, et Martine en voulait à son père de maltraiter la femme qu'elle croyait être sa mère naturelle. Elle se rappelle que Ray dit un jour à Pat, devant des gens: «T'es tellement laide et niaiseuse.» Elle se rappelle qu'il la bousculait. À mesure que Martine grandissait, Pat lui faisait pitié.

Contrairement à Denis et à Anne, Marc et Martine grandirent sans morale. Avant sa disparition, Jeannine avait transmis à ses deux aînés la notion du bien et du mal. Ils grandirent plongés dans les idées catholiques de culpabilité et de péché. Mais Marc et Martine n'acquirent rien de cet absolutisme moral. Les seuls parents qu'ils connurent étaient esclaves de l'avidité et de leurs appétits insatiables. À mesure qu'ils grandirent, Marc se mit à ressembler à son père, et Martine à Pat. À treize ans, Marc avait le charme irrésistible de Ray. Il pouvait parler à n'importe qui, avait un air sympathique et un sens de l'humour époustouflant, et était habile de ses mains. À la différence de Denis, Marc n'avait pas besoin d'encouragement de la part de Ray pour parler aux filles. Il était sexuellement précoce. Aux yeux de plusieurs, Marc a hérité de l'indifférence compulsive de Ray à l'égard de la vérité.

Du point de vue émotionnel, Martine était plus proche de Pat lorsqu'elle était enfant, et adopta une grande partie du tempérament de Pat. Elle pouvait déformer la vérité pour se sortir de situations désagréables, mais ce n'était pas pour le plaisir de semer la confusion. Parce qu'elle était une jolie blonde, elle attirait le genre d'attention et d'affection que l'on n'accorda jamais à son frère. C'était l'enfant chérie, habituée à ce que l'on fasse des choses pour elle et à ce que les gens s'occupent d'elle grâce à sa beauté.

14 octobre 1972

Chère Gayle,

Il est maintenant 3 heures du matin. Je viens de prendre un bain chaud et je t'écris au lit (c'est pourquoi mon écriture est un peu penchée). Je me sens bien car j'arrive d'un party où nous avons joué...

Crois-le ou non, je ne peux pas boire de bière et je ne fume pas. Ma grand-mère espère que je sois toujours ainsi.

Tu me manques beaucoup et je vais rêver à toi ce soir. Il se peut que je t'appelle bientôt: sois prête. Gayle, je veux te dire quelque chose. Je t'aime de tout mon cœur. XOXO

Je n'ai pas entendu parler de mon père, de mon frère et de mes sœurs. Je ne les ai pas vus depuis un an. Ils me manquent beaucoup, je me sens parfois très seul, et quand je vais marcher dans les bois derrière notre maison, je pense (à la vie, à toi, à mon frère et à ma sœur). J'aime mon frère et mes sœurs, et parfois j'ai juste envie de pleurer. Je t'aime aussi...

Si Lorraine Wells te demande mon adresse [donne-la-lui], ça ne me dérange pas, car c'est mon père qui ne voulait pas qu'on le retrouve. Je ne veux tout simplement pas te faire mentir.

Denis XOXOXOXOXOXOX

Après la publication de son récit dans le journal, Denis n'entendit plus parler du reporter. Personne ne chercha à le rejoindre à propos de Jeannine. Le caporal Meloche lui avait dit de revenir lorsqu'il aurait dix-huit ans, s'il voulait porter plainte formellement. Mais Denis n'y pensait pas beaucoup. Il n'avait rien à ajouter. Il avait l'impression d'avoir déjà révélé tout ce qu'il savait.

Quant aux Boissonneault, ils se contentaient de tenir le coup. Tante Berthe avait entrepris une nouvelle tournée des asiles psychiatriques, jetant un coup d'œil dans chaque chambre et entrant dans chaque dortoir, et n'avait vu aucune patiente qui ressemblât à Jeannine. Elle ne savait pas quoi faire de plus.

Denis s'impatientait du manque d'initiative des Boissonneault. Mais il n'était plus hors de lui. Lorsqu'il lui arrivait d'entendre une chanson qui était populaire en 1968, cela déclenchait une vague de nostalgie pour sa mère, mais cela passait. Si les parents de Jeannine ne pouvaient l'aider, il n'avait pas l'impression de pouvoir faire grand-chose de plus.

À l'été de 1972, il travailla à l'atelier de carrosserie d'un de ses oncles, et à la rentrée scolaire, un autre oncle lui trouva un nouvel emploi d'entretien ménager, à l'Hôtel Lord Elgin, dans le centre-ville d'Ottawa. Il commença un samedi matin et, alors qu'il attendait dans le lobby, il vit passer deux filles. L'une d'elle avait les cheveux bruns, un corps séduisant, et ressemblait un peu à Sally Field. Denis et elle échangèrent des regards. Il découvrit une heure plus tard qu'elle travaillait comme femme de ménage au même étage que lui. Son nom était Line Lafond et bientôt, ils prirent leurs repas du midi ensemble. À l'époque, elle fréquentait un autre garçon et, comme Denis rêvait encore de Gayle, ils devinrent amis, rien de plus. Mais à la fin de l'automne, ils sortaient ensemble et Denis avait un nouvel emploi d'entretien dans une banque située près de chez sa grand-mère.

Lorsqu'ils commencèrent à se fréquenter, Denis téléphonait chez Line presque tous les jours. Le père de Line, Ben, chauve et rougeaud, était propriétaire d'une cour de ferraille et d'un atelier de réparation d'autos situé à côté de chez lui, à une dizaine de kilomètres au nord de Pointe-Gatineau. Il n'y avait qu'un téléphone pour l'entreprise et la résidence. Chaque fois que Denis appelait Line, Ben répondait de l'atelier et devait courir à la maison pour dire à sa fille de prendre l'appel. Denis le savait, et hésitait toujours car il craignait qu'un jour Ben perde son calme et lui raccroche au nez. Il se rappelle que son propre père avait travaillé dans un atelier situé sous sa maison, et il imaginait la réaction que Ray aurait eue si un ami de l'un de ses enfants avait appelé. Mais Ben était toujours poli et amical, et Denis en vint à admirer sa patience. La mère de Line, Rolande, était commis dans un grand magasin de Hull. Petite et agréable, Rolande était également accueillante. Lorsque Denis et Line sortaient ensemble, Rolande allait chercher Denis et le raccompagnait à la maison, comme si cela allait de soi. C'était une famille de cinq enfants, trois filles et deux garçons. Denis découvrit que les Lafond formaient une famille très proche, profondément enracinée dans la région et dans la culture québécoise. Ben connaissait Ray de réputation, et il n'en voulait pas à Denis pour autant.

Au cours de ce Noël-là, Denis sentit sa vie changer. Il était sur le point d'avoir dix-huit ans, il venait de tomber amoureux de Line et il se sentait accepté par les Lafond. Il n'avait plus à faire semblant d'être un autre. Il avait éprouvé une passion pour Gayle, mais il ne l'avait jamais vraiment laissée entrer dans sa vie. Il avait trop honte de sa famille pour lui révéler quoi que ce soit de son passé. Avec les Lafond, il n'avait rien à cacher. Ils habitaient à une quinzaine de kilomètres de l'ancienne maison de Denis, rue Michaud, et ils savaient tout des Durand. Ils avaient lu l'article à propos de la disparition de Jeannine. Pour eux, Denis était un bon gars auquel leur fille accordait beaucoup d'affection. Ils étaient peinés pour lui. Line, elle aussi, était compréhensive. Denis se mit à lui raconter sur sa famille des choses qu'il n'avait jamais dites à personne.

Deux jours avant Noël, juste avant son dix-huitième anniversaire, Denis se trouvait chez Line lorsqu'il reçut un appel. C'était Ray. Il dit à un Denis étonné qu'il habitait à San Diego et qu'il voulait qu'il lui rende visite. Mais une dispute éclata au cours de l'appel, et Denis raccrocha. Il savait que Ray avait lu l'article du journal, et il se demandait si son père savait que le caporal Meloche lui avait conseillé de revenir lorsqu'il aurait dix-huit ans. Quelques jours plus tard, Ray rappela à nouveau. Ils se disputèrent encore et Denis raccrocha. Au troisième appel, Ray coinça Denis dans ses émotions.

«T'es un sans-cœur, dit-il à Denis. Tu veux rien savoir de ton frère et de tes sœurs.»

Ce fut suffisant. Denis dit qu'il voulait voir les enfants, et Ray offrit à Denis et à Line des billets d'avion pour qu'ils aillent passer deux semaines là-bas. Ils atterrirent juste avant l'anniversaire de Denis et de Ray. Sur une photo d'époque montrant Denis et Ray en train de souffler les chandelles de leur gâteau, Ray porte de longs favoris et une moustache, et Denis a les cheveux qui lui couvrent les oreilles. Il est grand et ses cheveux blonds sont devenus plus foncés. Une autre photo, prise à l'occasion de la même visite, montre Denis avec Martine assise sur ses genoux. Martine rit, et elle ressemble beaucoup à Denis. Avec leur front haut et leurs cheveux blonds, ils ressemblent tous deux à leur mère.

Denis et Line passèrent deux semaines là-bas, et Ray les convainquit de rester une semaine de plus. Denis passa la majeure partie de son temps à travailler avec son père chez National Paint. Denis se rappelle que Ray fut particulièrement gentil à son égard durant ces trois semaines. Pendant que Denis travaillait, Line faisait connaissance avec les enfants et allait à la plage avec eux. Line et Denis aidèrent également la famille à emménager dans une nouvelle maison que Ray avait achetée sur Greenford Drive, à l'extrémité nord de San Diego.

Denis s'inquiétait des mauvais traitements que les enfants subissaient aux mains de Pat. Anne dit à Denis que Pat lui avait cassé le nez. Il détestait voir Anne se lever à 6 h pour nettoyer la maison avant de partir pour l'école, tandis que Pat dormait parce qu'elle avait bu la veille.

Denis tenta de parler de Jeannine à Anne, mais Anne refusa. Elle voulait que Denis revienne dans la famille et cesse d'être en conflit avec leur père.

Tout au long de cette visite, Ray tenta à plusieurs reprises de convaincre Denis de demeurer à San Diego. «Un soir, se rappelle Denis, il m'a emmené à l'atelier. Il m'a montré une Jaguar. Il m'a demandé si je voulais rester et travailler avec lui. Il a dit qu'il endosserait mon emprunt si je voulais acheter la Jaguar.» Comme son père, Denis avait un faible pour les autos, et la Jaguar était splendide. C'était une décapotable 1957, de couleur argent, dans un état impeccable.

Denis résista et, à la mi-janvier, Line et lui prirent l'avion de retour vers Hull. Les parents de Line, qui s'étaient inquiétés, furent soulagés de les voir revenir. Le voyage avait soudé la relation de Line et de Denis, et ils se mirent à songer au mariage.

Denis retourna à sa chambre chez sa grand-mère, et, le soir, à son emploi de concierge à la banque. Il avait pleuré en quittant son frère et ses sœurs à San Diego, et il pensait constamment à eux. Un soir, au début de mars, il partit pour le travail avec un mauvais rhume de cerveau. En cours de route, il s'arrêta dans une pharmacie pour acheter des médicaments. Frissonnant et écœuré de l'hiver, il entra à la banque avec sa clé de concierge. Il prit un verre d'eau pour avaler le médicament. En fouillant dans ses poches, il s'aperçut qu'il avait perdu son paquet de pilules. Il ne lui restait plus un sou en poche pour en acheter un autre. Il s'effondra sur le sol. Malade, épuisé, presque fauché et sans grandes chances d'avenir, il repensa aux appels de son père. O.K., se dit-il, ça suffit. Il prit le téléphone et appela Ray, à frais virés.

«Papa. J'ai changé d'idée. Je veux descendre.»

Le lendemain, Frenchy acheta un billet d'avion à Denis et lui envoya l'argent nécessaire pour acheter des malles de transport pour sa batterie. Dès la mi-mars, Denis était de retour à San Diego, et travaillait avec son père. Il avait l'intention de gagner de l'argent, de retourner à Hull en juin pour épouser Line, et de s'établir à San Diego avec elle.

Temporairement, Denis emménagea avec sa famille, et Ray entreprit immédiatement d'obtenir de nouveaux papiers pour Denis. Lui et Denis avaient des copies du certificat de baptême de Denis. Ray en prit une, transforma la date de naissance, changea son deuxième prénom pour «Holben», et effaça «Durand». Lorsqu'il eut complété la contrefaçon, il envoya Denis demander un permis de conduire. Le commis repéra immédiatement les changements, et Denis sortit honteux. Mais Ray ne se laissa pas si aisément démonter. Ray prit le second certificat de baptême et accorda une plus grande attention aux détails. Lorsque Denis retourna au bureau d'immatriculation, il obtint sans problème un permis de conduire au nom de Denis Holben. Ray joignit au permis de conduire une carte de Sécurité sociale qu'il avait obtenue avant l'arrivée de Denis, et qui portait également le nom de Denis Holben. Avec sa nouvelle identité, Denis obtint un emploi à l'atelier de carrosserie National Paint.

Presque aussitôt établi, Denis regretta sa décision. Son père n'avait pas changé, ni Pat. Elle était ivre à longueur de journée, et son père était tout aussi dur. À présent, Denis avait dix-huit ans et les voyait tous deux sous un jour nouveau. Les trois années qu'il avait passées sans eux lui avaient fait oublier à quel point il détestait leur malhonnêteté et leur alcoolisme.

En dépit de son malaise, Denis tint bon et tenta de rétablir ses relations avec son frère et ses sœurs. Peu de temps avant la date prévue de son mariage, il loua un appartement, acheta des meubles à crédit, vendit la Jaguar et fit un paiement comptant sur une fourgonnette. Au moment où il se préparait à partir pour Hull, il annonça à son père qu'il inviterait Anne à assister au mariage. Ray se mit en colère et dit qu'il n'était pas question qu'elle parte.

«Pourquoi? demanda Denis. Pourquoi est-ce qu'elle ne peut pas venir? C'est parce que tu te fais appeler Holben? Ça a quelque chose à voir avec Jeannine, hein?»

Ray le regarda froidement. «Je sais où se trouve Jeannine. Mais elle est pas prête à vous voir. Quand elle ira mieux, je vais t'emmener la voir.»

Denis était sidéré. C'était la première fois que son père lui disait autre chose que «Jeannine est retournée au Canada». À présent, malgré ce que lui dictait son instinct, il croyait Ray. Il jubilait à la pensée que Jeannine se trouvait quelque part et qu'il pourrait la revoir un jour. Denis se tut. Il ne voulait pas être en mauvais termes avec son père, ni risquer de rompre son dernier lien avec Jeannine. Denis avait eu des doutes en songeant à la perspective de retourner à San Diego après son mariage. À présent, il avait le sentiment de devoir y retourner. Il se mit à imaginer un moyen d'amener son père à lui révéler où était Jeannine. Il s'imaginait qu'il pourrait probablement le surprendre en état d'ivresse pour lui tirer les vers du nez. Ou bien, pensa Denis, peut-être qu'après le mariage, Ray allait l'emmener voir Jeannine.

À Hull, six semaines avant le mariage, Line gagna un prix de 5000 $ à la loterie. Ils étaient en extase et Denis téléphona à son père pour lui annoncer la bonne nouvelle.

«Bravo, lui dit Ray. Ça va te faire de l'argent pour t'établir ici.»

Après le mariage, Denis et Line s'envolèrent pour San Diego, et Ray les accueillit à l'aéroport. Il dit à l'heureux couple qu'afin de leur épargner des frais d'intérêt, il avait fini de payer les meubles et de faire les versements sur l'auto de Denis. Il dit à Denis qu'ils seraient quittes pour 3000 $. Denis sortit sa liasse de billets et compta 3000 $.

«Comptant, se rappelle Denis. Sur la table. Le 28 juillet 1974. Je lui ai dit: "Tu vas me donner des reçus?" Il a dit: "J'attends que le magasin de meubles les envoie." J'ai dit: "C'est cool." Je lui devais encore 300 $. J'avais dépensé le reste pour l'appartement et la nourriture. Il m'a dit: "O.K. Tu peux me payer avec ton chèque de la semaine." Je gagnais seulement 125 $ par semaine. Un mois plus tard, à l'atelier, il m'a dit: "Tu me dois encore 300 $. Je vais faire un marché avec toi. Le stéréo que je t'ai donné pour ton mariage, je l'ai payé 300 $. Je l'ai acheté à crédit. Si tu fais les paiements mensuels, on est quittes." J'étais d'accord, et une fois de plus, je lui ai demandé les reçus pour les meubles, mais il a remis ça à plus tard.

«Un jour, je suis revenu à la maison, et Line m'a dit qu'un homme avait appelé pour les meubles. Elle ne parlait pas très bien l'anglais. J'ai appelé le magasin de meubles, et le gars m'a dit que j'avais trois mois de retard dans les paiements. J'ai dit: “C'est impossible. Mon père a payé.” J'ai appelé le concessionnaire d'autos [qui lui avait vendu la fourgonnette] et il m'a dit la même chose.

«Là, j'ai appelé mon père. J'ai su, au son de sa voix, que c'était vrai. Je l'ai traité de maudit enfant de chienne. Il m'a dit: “Ferme ta gueule. J'arrive.” Il vivait à environ 25 kilomètres. Il est arrivé et il a sonné à la porte de l'appartement. Comme Line ne voulait pas le laisser entrer, je suis descendu. Il a dit: “Suis-moi à l'atelier.” Quand on est arrivé là, il a dit: “T'es un menteur. J'ai pas fait ça.” J'ai dit: “Écoute, j'ai parlé à ces gens-là.” Je lui ai dit que j'en avais assez, que j'appellerais mon beau-père et que je retournais au Canada. Ben avait accepté de payer nos billets.

«Et j'ai dit: “Va chier. En plus de ça, je vais chercher Jeannine. Tu l'as tuée.”

«J'étais en train de mettre mes outils dans mon petit coffre. Il m'a saisi par le cou. Il m'a soulevé par le cou au-dessus du coffre d'outils, et il m'a écrasé sur un pilier. De l'autre main, il tenait un marteau. Il était tellement furieux qu'il a donné un grand coup sur une auto pendant qu'on parlait.

«J'ai dit: “Vas-y, tue-moi comme t'as tué maman.” J'ai dit ça en français. J'ai vu ses yeux. Il était enragé! J'ai cru qu'il allait me frapper.»

Un instant, Denis crut qu'il allait mourir. Le monde s'arrêta. Puis, la rage de Ray se dissipa tout aussi rapidement qu'elle avait éclaté. Sa main relâcha son étreinte sur la gorge de Denis et il resta debout, écrasé par la défaite.

Pour seulement 3000 $ comptant, Ray avait compromis sa relation avec Denis. Donner à Ray un peu d'argent, ou quelque chose qu'il désirait, c'était comme donner à un requin l'odeur du sang. Quand Ray voulait quelque chose, peu importe qui l'avait: son fils, son oncle ou un voisin vulnérable; la seule chose qui comptait, pour lui, c'était comment il allait l'obtenir.

Le lendemain matin, Denis vida son compte de banque, qui comptait environ 1500 $, et, ce soir-là, son père alla le chercher avec Line pour le conduire à l'aéroport. Il savait que Denis avait 1500 $ à la banque, et il demanda à Denis s'il avait laissé assez d'argent pour payer son loyer, le téléphone, l'électricité, et verser un paiement sur la fourgonnette. Denis lui mentit en disant qu'il avait laissé les 1500 $. Ray proposa immédiatement à Denis de lui laisser un chèque en blanc qu'il pourrait utiliser pour couvrir d'autres dépenses auxquelles Denis n'avait pas songé. Denis signa donc un chèque en blanc, sachant que, de toute façon, le compte était vide.

Le lendemain de leur retour à Hull, Ray appela Denis, bouillonnant de rage. Il avait essayé de vider le compte de Denis des 1500 $, et découvert que Denis était passé avant lui.

«J'ai le bras long, dit-il à Denis. Je vais te faire disparaître.»

Denis répondit qu'il allait rendre visite au caporal Meloche dès le lendemain. «Ça s'est passé rue Beech, à Bellaire, hein, papa?» demanda-t-il. Ray raccrocha.

Deux semaines plus tard, la belle-mère de Denis reçut une lettre estampillée à Tijuana. C'était Ray. Il disait qu'il avait dû s'envoler vers le Mexique à cause des défauts de paiement de Denis. Il se plaignait que Denis l'avait trompé. La lettre se terminait par un avertissement:

«Dis à Denis que, quand il va s'y attendre le moins, je vais être derrière lui et ça va être sa fin. Denis, prépare-toi.»

Chapitre seize

San Diego, Californie, 1975

Anne en voulut à Denis lorsqu'il partit de la Californie avec Line. Elle se sentit abandonnée à nouveau, et en voulut à Denis parce qu'il n'était pas arrivé à s'entendre avec leur père. Anne ignorait les détails, mais la crise de colère qu'avait eue Denis à l'égard de Ray faisait en sorte qu'elle se demandait s'il tenait à faire partie de la famille.

À l'époque du départ de Denis, Anne était devenue une belle jeune fille aux cheveux châtains. Elle avait les yeux brun clair, et une poignée de taches de rousseur éparpillées autour d'un nez de forme parfaite. C'était la conciliatrice de la famille; elle consolait les blessures à l'âme et protégeait les enfants des crises de rage de Pat.

Après que la famille eut déménagé dans la maison de ville de Greenford Drive, Anne rencontra Paul Brady et se mit à le fréquenter. Il habitait en face. Paul était blond et mesurait 1 m 88, et sa mère était officier de police à San Diego. Anne voyait déjà Paul lorsqu'elle avait quatorze ans, mais clandestinement. Frenchy était méfiant à l'égard des garçons qui s'intéressaient à Anne. Elle, pour sa part, se sentait coincée entre les désirs contradictoires de son père et de Pat, qui voulaient à la fois l'isoler et l'éloigner.

«Ils ne voulaient jamais que je voie qui que ce soit ou que j'aie des amis. Mais ils voulaient que je reste à l'extérieur de la maison jusqu'à l'heure du coucher. Le soir, je me faufilais par la fenêtre pour voir des amis. [L'heure du coucher, c'était encore 20 h, même lorsque Anne fut devenue grande.] J'emmenais Marc avec moi pour qu'il ne me dénonce pas. C'était un enfant peureux, lui aussi. Pat était méchante envers lui mais pas autant qu'envers Denis et moi.»

Pat était la plaie de l'existence d'Anne. «Elle nous faisait faire la vaisselle aussitôt le repas fini. Elle faisait couler de l'eau tellement chaude qu'on ne pouvait pas plonger les mains dans l'évier. Je disais: "C'est chaud." Et elle disait: "Non, c'est pas chaud." Et elle me mettait les mains dedans. Oh! ça brûlait. Je me rappelle avoir souvent pleuré en faisant la vaisselle, tellement c'était chaud. Elle était épouvantable.»

Contrairement à Denis, maintenant retourné à Hull, qui ne pouvait oublier Jeannine parce qu'il rencontrait constamment des gens qui la connaissaient et qu'il se trouvait souvent dans des endroits qu'ils avaient visités ensemble, Anne pouvait oublier sa mère pendant de longues périodes. Elle avait enterré tout son passé, jusqu'à son nom. Il était devenu impossible de la distinguer des autres enfants du voisinage. Rien ne la rattachait à Hull ou à ses origines québécoises. Lorsque par hasard elle retrouvait son passé, elle avait l'impression d'être devant un précipice, sur le point de tomber.

Un jour, elle grimpa au grenier de la maison de Greenford Drive, à la recherche d'un pantalon que, croyait-elle, Pat avait jeté. Fouillant dans les boîtes, elle remarqua une valise dans un coin.

«J'ai ouvert la valise et j'ai vu des photos de ma mère. Je les ai regardées et je les ai jetées, j'ai refermé la valise et je suis restée là, debout, et je tremblais, je tremblais sans arrêt. Et je me disais: "Qu'est-ce que je vais faire? Qu'est-ce que je vais faire?" Je paniquais. C'était ma mère. Je suis sortie de là, je suis allée dans ma chambre puis, je ne sais pas pourquoi, mais je suis descendue et j'ai dit: "Pat, je l'ai vue."»

«Tu as vu qui?»

«Tu sais, elle.»

«De quoi tu parles?»

«Tu sais. Jeannine.»

Anne se rappelle: «Je n'ai même pas dit "maman". J'ai dit "Jeannine". Et Pat s'est mise à dire: "Maudit, qu'est-ce que tu faisais là, ma petite salope?" Et elle m'a donné une claque. "Que je te voie plus fouiller en haut."» Anne dit qu'elle ne revit jamais la valise.

Les week-ends, la famille partait encore en excursion dans Butterfield Country. Là-bas, Anne se fit une amie qu'elle voyait souvent. Mais lorsqu'elle eut quinze ans, cette amitié prit fin brusquement. «Mon amie est venue me dire que mon père lui avait tripoté les seins. J'ai rien dit. J'ai juste fait semblant qu'elle avait rien dit. On n'était plus amies après.»

Plus tard, la même chose se reproduisit à la maison. «J'invitais des amies. On avait des lits superposés et il se faufilait dans la chambre, et je sais qu'il les tripotait. Je n'ai entendu personne dire: "Arrête." Je ne sais pas si elles dormaient ou non. Mais je pouvais le voir étendre son bras.»

Anne n'en parla jamais. Du moins au début. Puis, un jour, alors qu'elle donnait un coup de main à l'atelier de carrosserie après l'école, une de ses amies qui travaillait avec elle lui confia que Frenchy lui avait pris les seins. Cette fois-ci, elle décida d'en parler à Pat.

«J'ai dit à Pat que mon père avait tripoté les seins de mon amie. Pat a répondu: "Ah oui?" Puis, le lendemain, mon père est arrivé avec mon amie. Ils se sont placés devant moi. Il a dit: "Comme ça, Anne, tu essayais de faire des problèmes. Tu as dit que j'abusais de ton amie." J'ai dit:

"Ouais." Il s'est tourné vers mon amie et il a dit: "Je t'ai juste tripoté les tétons, hein?" Elle a dit: "Ouais." Mais elle était vraiment furieuse. Pat et mon père ont juste haussé les épaules, comme si c'était pas grand-chose. J'ai été mise en pénitence pour ça. Pas de télévision, pas de sorties.»

Plus tard, cette année-là, l'anxiété croissante d'Anne à propos de la vie dans sa famille atteignit un stade critique. Elle se sauva et se cacha chez Paul. Elle demeura dans sa chambre, à l'insu de ses parents à lui. Le matin, elle vit son père partir pour le travail. Frenchy téléphona à toutes ses amies et fouilla le quartier. Il finit par découvrir où elle se trouvait. Comme il croyait que les parents de Paul étaient complices, il appela le supérieur de la mère de Paul au Service de la police de San Diego. Il se plaignit qu'elle abritait une mineure. Lorsque Anne découvrit ce que son père avait fait, elle se rendit à la police. On lui demanda si son père abusait d'elle. Elle resta bouche bée et ne put parler de sa vie. Lorsqu'on la remit à Frenchy, elle eut l'impression de retourner en prison.

Quelques mois plus tard, lorsqu'elle eut seize ans, elle eut une autre querelle avec son père et il lui dit que si elle n'aimait pas la maison, elle pouvait déménager chez son amie Marcie. Anne en parla à Marcie, qui demanda la permission à ses parents. Ils furent d'accord, et pendant sept heureux mois, Anne vécut avec les parents de Marcie et ses deux sœurs. Comme elle continua à travailler à l'atelier de son père après l'école, il la voyait quotidiennement. Un jour, elle eut le malheur de dire à son père à quel point elle était heureuse. Presque immédiatement, il l'obligea à revenir habiter avec lui, Pat, Marc et Martine. «J'avais tout simplement l'impression qu'il ne voulait pas que je sois heureuse», se rappelle-t-elle.

Moins d'un an après le départ de Denis, Frenchy devint l'unique propriétaire de National Paint. Il n'expliqua jamais à la famille comment c'était arrivé. Tout ce qu'ils savaient, c'était que le propriétaire initial était soudainement parti et que Frenchy était le patron. Frenchy embaucha Daniel Knight, Paul Brady (l'ami d'Anne) et, plus tard, lorsque Anne commença à fréquenter Fred Angelo, il l'embaucha lui aussi. (Fred est le fils de Fred Angelo Sr, qui avait travaillé avec Frenchy chez Guy Hill Cadillac, et qui fut étonné de voir que Frenchy était revenu en ville.) Il y avait une véritable camaraderie entre les gars de l'atelier. Mais ils s'entendaient tous pour dire que Frenchy était le pire patron imaginable et que les employés ne restaient pas longtemps. Le personnel comprenait deux peintres, quatre débosseleurs, une demi-douzaine d'apprêteurs ainsi qu'une secrétaire. Daniel raconte que l'atelier était toujours bourdonnant comme une ruche. «Le revenu mensuel était d'environ 80 000 $ à 90 000 $. Mais il y avait une rotation rapide chez les employés. Il y avait tout le temps de nouveaux visages dans le personnel parce que Ray bousculait toujours ses employés.»

Fred Jr, qui travaille à présent dans un atelier de carrosserie situé juste au nord de San Diego, n'avait pas encore vingt ans lorsqu'il se joignit au personnel, et il se rappelle l'ambiance démente: «Il y avait toujours des étincelles à l'atelier. Ou bien Frenchy était en train de fourrer quelqu'un, ou bien il y avait un problème et il faisait une crise sur le dos d'un des gars ou il le coinçait. Parfois, la paie sortait mal: on avait nos chèques mais il n'y avait pas de fonds. On allait voir Frenchy en disant: "Eh! je peux pas encaisser mon chèque." Il disait: "Si t'aimes pas ça, maudit, sors d'ici." Il m'a même dit ça une ou deux fois. Et c'était pas le pire venant de lui.»

Fred Jr, un pince-sans-rire agile, bon vivant, à la peau olivâtre, fréquenta Anne pendant plusieurs années et se familiarisa avec Ray, à la fois chez lui et au travail. Il se rappelle la philosophie des affaires de Frenchy: tout le monde reçoit le même traitement.

«Frenchy disait: "Ils ont rien qu'à venir ici une fois, attends que je mette la main sur eux autres, ça va sauter." Dans North Park [la zone qui entourait l'atelier], il y avait beaucoup de personnes âgées, et il les écœurait sans arrêt. On en voyait entrer et on était surpris de les voir sortir encore habillés. Il n'avait pas de cœur. Il disait: "Mon vieux maudit enfant de chienne." C'était son slogan. "Maudit vieux." C'était un tricheur professionnel. Il en voulait toujours plus. Te voler sur ton auto, c'était pas assez. Ce qu'il voulait, c'était ta maison, les culottes de ta femme.»

Lorsqu'il se mit à faire de l'argent, Frenchy se fit toute une nouvelle bande d'amis, qui devinrent ses plus grands copains. Celui dont Frenchy était le plus près, c'était Harry «Skip» Dawson, un gars blond, court et rondelet. Maintes fois, Fred le vit arriver à l'atelier et tendre une enveloppe à Frenchy. Un jour, Frenchy s'aperçut que Fred l'avait vu, et lui expliqua que c'était de la cocaïne.

Ses deux autres amis intimes, c'étaient Brian Rand, que Frenchy appelait *Pumpkinhead* (tête de citrouille) à cause de son visage rond, et Dick Dickson, qui était grand, mince, blond et séduisant. Ils développaient de nouveaux terrains.

Fred se rappelle que Frenchy et Skip, en particulier, avaient «l'esprit ouvert». Ils étaient ouverts à n'importe quoi. Ils avaient l'esprit vif et agressif. Brian et Dick, se rappelle-t-il, étaient plus «relaxes».

Frenchy, Skip et Brian devinrent inséparables. Le *clubhouse,* c'était l'Old Ox, à Mission Valley. C'était un bar-restaurant, avec une cheminée de pierre, un comptoir de chêne, des murs de briques de démolition, des fenêtres à verrières et une foule mouvementée. Frenchy et ses copains devinrent des habitués si bien connus que quelqu'un accrocha une photo du groupe à l'un des murs.

Ils firent connaissance avec plusieurs membres de l'équipe de football des Chargers de San Diego, qui buvaient à l'Old Ox, et Frenchy et les autres prétendaient avoir suffisamment de tuyaux sur l'équipe pour tenir le *bookie* occupé. Fred se rappelle que Frenchy et ses copains parlaient des paris qu'ils avaient faits, et se disputaient à savoir qui devait 2000 $ à qui cette semaine-là. Ils étaient souvent entourés de femmes sexy, en blouse de soie et jupe courte. Frenchy conduisait à présent une Lincoln Continental bleu marine et gardait une épaisse liasse de billets en poche.

Frenchy et ses copains buvaient, sniffaient et couraient les femmes, et chacun d'eux s'adonnait à des combines malhonnêtes. S'ils n'étaient pas à l'Old Ox, en train de rire, de boire et de manger, ils se trouvaient en train de fêter chez Frenchy. Anne se rappelle avoir vu son père sniffer de la coke avec Pat et quelques-uns de ses copains.

Frenchy atteignit ses quarante ans durant ces années prospères à San Diego. Pointe-Gatineau, Jeannine et Denis appartenaient au passé lointain et brumeux. Si le fait d'aborder la quarantaine le remplissait d'anxiété, ses succès durent soulager sa nervosité. Il était devenu un homme d'affaires prospère, un personnage reconnu. Il habitait dans une ville baignée de soleil sur la côte californienne. Il avait des copains semblables à lui et un repaire où ils manigançaient des histoires de sexe et de crime. Il avait tout ce qu'il avait voulu. Mais comme pour bien des hommes qui ont tout, cela ne lui suffisait pas. À présent, Frenchy semblait connaître suffisamment ses propres appétits pour savoir qu'aucun de ses succès ne durerait. Il avait l'impression qu'un jour tout irait mal. Et que ce jour-là, il aurait besoin d'un refuge.

Martine se rappelle être allée à Butterfield Country en week-end avec son père: en parcourant les collines du nord, il lui dit qu'un jour il allait acheter un endroit là-bas. Au début de 1975, Frenchy se rendit dans ces collines désertiques, infestées de serpents et couvertes de buissons d'armoise, à une heure et demie au nord-est de San Diego, et découvrit un développement retiré sur une colline, à une quinzaine de kilomètres de l'établissement le plus proche, le hameau d'Aguanga. Le terrain était bon marché; lui et Brian Rand achetèrent des lots voisins de 20 acres pour 17 000 $, payables en un dépôt comptant de 141 $ et des paiements mensuels de 141 $. C'était le retour de Big Thicket — sauf que, cette fois-ci, le terrain se trouvait dans le désert au lieu de la forêt.

Frenchy baptisa son lot «le ranch». Tout au sommet de la colline, il installa une maison mobile de triple largeur, et arracha les cactus, la manzanita, le chaparral et la sauge. Le sol était un mélange d'argile rouge et de granit effrité.

Le ranch était le retranchement de Frenchy. Si jamais il avait besoin de se perdre à nouveau, c'est là qu'il irait. Le ranch n'était qu'à une centaine de kilomètres de la frontière mexicaine et à 50 kilomètres de l'océan.

De là, Frenchy pouvait voir à des kilomètres dans trois directions. Il pouvait repérer le nuage de poussière d'une voiture qui s'approchait à une grande distance dans la vallée parsemée de rochers. C'était à une heure et demie, par des routes secondaires, en direction de l'oasis de Palm Springs, et à environ la même distance, par autoroute, de San Diego et de Los Angeles. Le ranch n'avait pas de plaque d'adresse, et il fallait une carte d'agent immobilier pour s'orienter dans le labyrinthe de sentiers poussiéreux qui arrivaient du Sage Road.

Bill Parker, un facteur ventru qui habitait la petite ville de San Jacinto à 40 kilomètres au nord du ranch, acheta lui aussi un lot de 20 acres en 1975. Son terrain était contigu à celui de Frenchy. Il se rappelle que Frenchy et Pat étaient «vraiment sympathiques. C'étaient de vrais fêtards. Ils disaient qu'ils venaient du Canada, qu'ils étaient partis sur un coup de tête pour la Floride. Après ça, ils avaient eu un atelier de carrosserie au Texas. Ils en avaient acheté un à San Diego. Il m'a dit qu'il avait fait partie de la Police montée et qu'il s'était fait tirer dans la jambe. Il avait toujours un revolver dans sa botte.»

Vers la fin des années soixante-dix, Frenchy et sa famille passèrent de nombreux week-ends au ranch. Il creusa un puits de 250 mètres, installa une piscine, amena l'électricité, agrandit la maison mobile, construisit une cheminée et un atelier, et transforma l'endroit en résidence secondaire. Si jamais il avait à rester là-haut, il fallait que ce soit confortable.

Anne rompit avec Paul Brady avant d'avoir seize ans et commença à fréquenter Fred Angelo après avoir déménagé de chez Marcie. Fred était fou d'elle mais se méfiait de Frenchy. «Il la protégeait beaucoup, se rappelle Fred. Il ne voulait pas que les gars lui mettent la main au cul.»

Un soir, il y eut un affrontement. «J'étais allée rencontrer Fred à la patinoire intérieure, se rappelle Anne. Mon père s'en est rendu compte. Il est arrivé et il a dit qu'il allait tuer Fred. Il a dit que je baisais avec lui, mais c'était pas vrai. J'étais vierge.»

Anne rencontra son père à la porte de la patinoire. Fred était encore à l'intérieur, mais il vit Frenchy «qui me pointait du doigt, en me traitant d'enfant de chienne. Il attendait que je sorte. Il allait me casser la gueule. Je ne savais pas quoi faire. Il était gros. J'ai appelé mon père et il a dit: "J'arrive." Il est arrivé en Cadillac. Ils se sont regardés.»

Après s'être salués — ils ne s'étaient pas revus depuis Guy Hill —, les deux hommes reprirent la charge de leur progéniture respective et jurèrent que les enfants ne se verraient plus. Ce soir-là, Fred Sr dit à son fils qu'il connaissait Ray, et lui raconta même que Frenchy avait trompé son propre oncle. Frenchy faisait peur à Fred Jr, mais il ne pouvait rester éloigné d'Anne. «On a commencé à se fréquenter et on est tombés amoureux, dit Fred. Et peu à peu, j'en suis venu à connaître Frenchy.»

Lorsqu'il se mit à fréquenter Anne, Fred travaillait dans une cuisine d'hôpital. Lorsque Frenchy eut accepté sa relation avec Anne, Fred se vit offrir un emploi d'apprêteur chez National Paint. Il l'accepta et apprit ce métier qu'il pratique encore aujourd'hui.

À l'époque, Anne avait commencé elle aussi à travailler à l'atelier. Elle apprêtait les autos les week-ends. Elle était payée pour le travail, mais comme pour tous les autres employés, Frenchy diminuait souvent son chèque de paie. Elle se disputait avec Ray et lorsqu'elle étudiait à l'école secondaire, elle était constamment en brouille avec son père. Lorsqu'elle sortit de l'école, son père obtint un certificat de naissance qui montrait qu'elle avait dix-huit ans, un an de plus que son âge réel.

«J'ai trouvé un appartement et j'ai emménagé avec Fred. Mon père m'avait dit que je pouvais vivre avec Fred. Un an plus tôt, il était prêt à tuer Fred, mais là, il me recommandait d'aller vivre avec lui. J'étais contente de m'en aller... C'était bien d'avoir ma propre vie, d'ouvrir le frigo quand j'en avais envie, de manger quand je voulais, de connaître quelqu'un qui n'allait pas jeter mes vêtements dehors, j'aimais vraiment ça.»

Son premier emploi consistait à livrer les pièces d'auto pour un concessionnaire Pontiac. Ce n'était pas un emploi extraordinaire, mais elle avait l'impression d'avoir décroché le contrat le plus convoité du monde. Elle gagnait sa vie toute seule. «Je travaillais, je revenais à la maison, je sortais avec des amis, je faisais la cuisine. J'étais une personne très, très propre. Je faisais capoter tout le monde. C'était fou. J'époussetais et je passais l'aspirateur chaque jour. J'ai commencé à fumer à seize ans. J'éteignais une cigarette et, aussitôt, je nettoyais le cendrier.» Elle était obsédée et avait un énorme sens des responsabilités. «J'ai toujours eu un emploi, j'ai toujours payé mes affaires, je n'ai jamais été en retard au travail, je ne me suis jamais portée malade à moins de l'être. J'étais une bonne employée.»

Elle n'allait pas souvent à la maison, mais s'inquiétait beaucoup de Marc et de Martine. Elle n'oubliait jamais les anniversaires, apportait toujours des cadeaux à tout le monde à Noël et couvrait Martine de présents. Elle continua à voir son père, en grande partie parce qu'il l'employait comme assistante bénévole. Il faisait cela avec tout le monde. Pour Frenchy, l'amitié ordinaire n'existait pas. Tous ceux qu'il connaissait devaient faire quelque chose pour lui, y compris, peut-être même particulièrement, ses enfants. Des années après qu'Anne eut quitté la maison, il l'appelait encore pour lui dire d'aller chercher quelque chose dont il avait besoin et de venir le lui porter, vite. Les amoureux d'Anne recevaient le même traitement. Paul Brady travaillait pour Frenchy, à l'atelier et dans d'autres entreprises. Même chose pour Fred Jr — il se rappelle d'ailleurs à quel point ça le rendait furieux. «Frenchy était le genre de gars qui pouvait te faire faire n'importe quoi... Il était bien clair avec toi. Puisque j'allais devenir son gendre, il fallait que je sois un robot. Il semblait dire: "Quand je te dis de faire telle chose, arrête tout et fais-la." Ça devenait vraiment effrayant. La famille avait l'air de te pomper, et il était impossible d'être toi-même.»

Anne lui fit comprendre clairement que Pat n'était pas sa vraie mère. Elle ne lui expliqua jamais ce qui était arrivé à sa mère, et Fred n'insista jamais. Fred vit Anne et Pat dans des «chicanes de chien et chat». Au cours de sa dernière année à la maison, Anne avait vaincu sa peur de Pat. Il était clair pour Fred que Pat était «vraiment accrochée à Frenchy». Mais il ne pouvait comprendre sa relation avec les enfants: «Pat se soûlait parfois et commençait à gueuler, et Anne répondait: "Eh! t'es pas ma mère." Pat disait: "Frenchy, entends-tu ça?" Et Frenchy disait: "Je dis rien pantoute. Je me tiens en dehors de ça." Anne était vraiment forte là-dessus. Elle pouvait exploser comme un pétard. Elle avait un caractère pas mal fort. Si Pat la contrariait, elle mettait les choses au clair avec elle. Anne ne prenait aucun blâme de qui que ce soit.»

Un an avant qu'Anne quitte la maison, Frenchy avait acheté une maison plus grande, non loin de là, dans la région de Scripps Ranch. Il avait également emprunté de l'argent pour ouvrir un second atelier National Paint près de chez lui. Il avait l'intention d'ouvrir d'autres ateliers à travers la ville. Daniel Knight, qui finit par rester pour diriger le premier atelier, dit que le nouvel atelier se trouvait sur Dowdy Street, dans la région de Mira Mesa: «C'était un édifice neuf. Il acheta une cabine de peinture neuve, chauffée. Tout était du dernier cri. Les frais généraux étaient incroyables. Tout avait été acheté à crédit.»

Frenchy aurait pu faire une petite fortune, mais à l'époque, il avait le nez trop «poudré». Il était devenu cocaïnomane. «Il en prenait en grandes quantités, se rappelle Daniel. On peut mettre pas mal de profits dans son nez. Ça a tué des tas d'entreprises. Si on tient ça à l'échelle personnelle, on peut toujours le contrôler. Ce n'est pas ce qu'il faisait. Il avait des tas d'amis combinards et il essayait toujours d'impressionner les gens. S'il découvrait qu'un de ses employés en prenait, il préparait des lignes pour les deux — chaque fois qu'il arrivait.» Selon bien des gens qui l'ont connu à l'époque, Frenchy s'était également attelé au commerce de la coke.

Fred dit que Frenchy prenait tellement de coke que «je ne sais pas s'il lui restait un nez. Le cartilage de son nez avait disparu. Il prenait tout le temps de la maudite poudre. Il en avait toujours.»

La cocaïne rendait Frenchy paranoïaque et semblait le propulser vers des excès plus prononcés, et libérer ses désirs sexuels dépravés. Fred se rappelle que Frenchy encourageait Anne à inviter ses amies à passer des week-ends au ranch. Fred se méfiait toujours des invitations de Frenchy:

«Frenchy s'attaquait à tout. Il courait après tout le monde. J'emmenais même pas mes parents là-bas [au ranch] parce que j'avais peur qu'il boive et qu'il colle ma mère.»

Ce que Fred ne savait pas, c'est qu'à la maison, Frenchy avait déjà franchi les limites. Il entrait dans la chambre de Martine la nuit. Elle ne le disait à personne, mais elle savait que ces visites, ces attouchements, n'étaient pas corrects. Lorsqu'elle eut neuf ans, il posa la barre plus haut: «Papa se déguisait en Père Noël. Je m'assoyais sur ses genoux. Je savais que c'était mal. Il mettait son doigt dans mon vagin. Pat le voyait faire. Elle était au courant mais elle n'y pouvait rien.»

Plus tard, une amie de Martine lui dit que Frenchy l'avait tripotée elle aussi. Encore une fois, Martine eut trop peur pour dire quoi que ce soit, mais elle cessa d'inviter des amies à passer la nuit ou à venir au ranch les week-ends.

À mesure que Frenchy se plongea dans la drogue et le sexe, Pat se sentit abandonnée. Elle essaya la coke et y prit plaisir. Mais elle pouvait bien s'en passer. Elle dut voir Frenchy perdre le contrôle, mais elle lui resta dévouée. À mesure que ses expériences l'éloignaient de Pat, leur relation semblait être pour Frenchy un carcan. Il se mit à la malmener. Dans le passé, il l'avait parfois giflée. À présent, lorsqu'il courait après elle, c'était en brandissant les poings. Il lui noircissait l'œil, lui frappait la tête sur le mur, la poussait jusqu'à l'autre bout de la pièce. Parfois, il l'attaquait sans même avoir été provoqué. D'autres fois, Pat déclenchait l'attaque en lui reprochant de courir après les femmes. Elle le traitait de «courailleur» et elle menaçait souvent de dire aux enfants ce qu'elle savait à propos de Jeannine. Des années plus tard, dit Pat, ces menaces entraînaient certaines des pires attaques de Frenchy. Et pourtant, elle ne l'a jamais quitté. Selon toute apparence, elle l'aimait et le désirait encore.

Marc et Martine disent que les choses se détériorèrent beaucoup à la maison après le départ d'Anne. Martine porta le fardeau de l'intérêt sexuel que lui portait secrètement son père. Il l'initia également aux drogues. À onze ans, se rappelle-t-elle, elle se frottait de la cocaïne sur les gencives: «Je savais que c'était une sorte de drogue. Plus tard, il m'a dit qu'il aimait mieux que j'en prenne à la maison, parce que dans les rues, on savait jamais sur quoi on tombait.»

Marc était malheureux parce qu'il se sentait indésirable. Même s'il était plus âgé que sa sœur, Martine eut la plus grande chambre lorsqu'ils emménagèrent dans la maison de Scripps Ranch. Puis, on lui donna son propre téléphone. «Marc m'en voulait, se rappelle Martine. Il avait l'impression que je recevais un meilleur traitement. C'est vrai. Je recevais tous ces présents, ces vêtements, ces cosmétiques. Marc ne recevait rien.»

Lorsqu'il atteignit l'adolescence, Marc était incontrôlable. Il brûlait de ressentiment et, comme son grand frère l'avait fait avant lui, il eut une série de disputes avec son père. Il décrocha de l'école à quinze ans, déménagea, et vécut un temps chez des amis. Il eut une aventure avec une femme beaucoup plus âgée que lui, une ex-secrétaire de Frenchy. Il était brouillon, trompeur et malin. Il avait grandi vite et appris à s'occuper de lui-même. Il continua de travailler à l'occasion pour son père et pour divers ateliers de carrosserie. Il finit par devenir peintre de carrosserie. Il était compétent, mais sa vie personnelle était lamentable.

Le départ de Marc signala la fin de la période San Diego. La bulle éclata, le bon temps était passé. Frenchy s'effondra, mais pas autant que ses copains. À certains égards, c'était une répétition de Pointe-Gatineau. Frenchy fut le seul qui ne finit pas par manger à même une gamelle en se faisant bronzer derrière les barreaux.

À la fin des années soixante-dix, criblé de dettes, Frenchy vit venir les choses. Comme la faillite était inévitable, il en tira avantage. Selon Fred, Frenchy commença à «sortir du matériel de l'atelier et à le transporter au ranch. Il savait que ça allait fermer.» Il s'était construit un garage en blocs de ciment au ranch, et cachait dans le garage tout l'équipement dont il aurait besoin pour ouvrir un autre atelier de carrosserie. Un jour, après que Frenchy eut fait tous ses préparatifs, les huissiers arrivèrent à l'atelier de Dowdy Street. «Ils ont mis des cadenas à la porte. Tous les outils et tout ce qu'il y avait dans l'atelier, ça restait là.»

Frenchy perdit tout à San Diego — ses entreprises et sa maison. Il emballa les effets personnels qu'on lui avait permis de garder, et partit vers le ranch. Comme Anne et Marc demeuraient derrière à San Diego, ils n'étaient que trois à partir — Frenchy, Pat et Martine.

Peu après le déménagement de Frenchy, les autorités fédérales de San Diego se mirent à enquêter sur le projet de développement dans lequel plus de 50 personnes avaient investi, au total, presque 500 000 $. À la fin de l'enquête, qui dura plus d'un an, les copains de Frenchy, Brian Rand, quarante et un ans, Richard «Dick» Dickson, quarante-quatre ans, et Norman Schwartz, trente-cinq ans, furent accusés de nombreux délits de fraude postale. Ils furent reconnus coupables de la plupart des accusations. Schwartz, qui était président de la compagnie de développement, reçut une sentence de quatre ans de prison, et Dick Dickson et Brian Rand eurent droit chacun à une sentence de deux ans. Ni Anne, ni Marc, ni Martine ne revirent jamais les trois hommes.

Presque en même temps que le procès pour fraude se déroulait à San Diego, les agents fédéraux firent une descente à l'entrepôt AA-1 U Store-It à San Jacinto, une petite ville située à 22 kilomètres au nord du ranch de Frenchy, et saisirent 11 millions de dollars de faux billets américains. La saisie fut décrite comme la plus grande confiscation de faux billets jamais effectuée en Californie. Trois hommes furent arrêtés dans une ville avoisinante en rapport avec la saisie, et le lendemain, un quatrième suspect, Harry «Skip» Dawson, trente-trois ans, fut arrêté dans une cabane près de San Diego. En fouillant la cabane, la police trouva 40 000 $ en faux billets de 20 $.

Avant l'arrestation, Frenchy dit à un certain nombre de gens que Skip, qui visita plusieurs fois le ranch après que Frenchy y eut transporté ses affaires, était arrivé un jour avec une mallette, pleine de faux billets, menottée à son poignet. Après son arrestation, dit Anne, «Skip m'a appelé. Je ne sais pas s'il était sous caution ou quoi. Il a dit: "Tout ce que tu sais sur moi, c'est que je suis ton agent d'assurances. Dis ça à ton père." Il a dit qu'il ne pouvait pas parler. Je l'ai dit à mon père. Je n'ai jamais revu Skip.»

Skip fut trouvé coupable et, après la fin des appels, fut condamné à deux ans de prison.

Chapitre dix-sept

Aguanga, comté de Riverside, Californie, 1980

Le comté de Riverside part des montagnes de Santa Ana, qui s'élèvent des collines de la côte du Pacifique derrière Los Angeles, à 320 kilomètres à l'est, tout droit vers la fournaise du désert du Colorado. Des forêts de pins lodgepole couronnent les cimes fraîches des montagnes. Dans la partie ouest du comté, sur le sol désertique qui entoure Palm Springs, les riches de Hollywood vivent comme des lézards au soleil.

Dans la partie est du comté de Riverside, séparée du Pacifique par les montagnes Santa Anas, et du désert par les montagnes de San Jacinto, se trouvent une série de vallées fertiles, de canyons et de *mesas* parsemés de rochers. Le climat est méditerranéen, la géologie fragile. La faille de San Jacinto, qui rejoint la faille de San Andreas plus au nord, longe la base des montagnes de San Jacinto et laisse régulièrement échapper des blocs de granit gros comme des maisons. Dans la vallée de San Jacinto, l'une des plus grandes entre les deux chaînes de montagnes, des oranges mûrissent dans des vergers qui ont été temporairement nettoyés des rochers transportables.

Au tournant du siècle, Hemet et San Jacinto, une paire de villes voisines situées au centre de la vallée et dont la population combinée atteint environ 100 000 habitants, étaient entourées de vergers où poussaient des abricots, des oranges, des pommes et des pamplemousses. Mais à la fin des années soixante-dix, lorsque Frenchy emménagea dans son ranch, installé sur Sage Road — une route en canyon qui longe la bordure méridionale de la vallée —, la culture fruitière était en déclin. La terre avait pris trop de valeur pour les orangers, qui bordent encore quelques rues de Hemet et de San Jacinto. Les prix des maisons et des terrains à Los Angeles avaient poussé les gens à s'installer dans les montagnes et les vergers furent rapidement remplacés par des lots. Le ranch de Frenchy est à une demi-heure d'auto de Hemet, et le mouvement des banlieues n'avait pas

(pas plus qu'aujourd'hui) atteint cet endroit, en grande partie parce qu'il n'est pas aussi accueillant que la vallée. Dans le canyon, il n'y avait pas de services municipaux, l'eau manquait, les chemins étaient tortueux, il n'y avait presque pas de terrains nivelés, et la pelouse ne poussait pas.

Néanmoins, en 1980, il y avait des gens qui achetaient des terrains aux alentours de chez Frenchy. Pour la plupart, c'étaient des réfugiés, des gens comme Frenchy qui appréciaient les aspects rébarbatifs du territoire. C'étaient des vétérans paranoïaques du Viêt-nam, de grisonnants prospecteurs, des familles de hippies, des ermites aux yeux à fleur de tête et, pour la plupart, des entrepreneurs de l'industrie naissante de la drogue. Dans les collines rocheuses que longe le Sage Road, ils construisaient des cabanes, vivaient dans des autobus, installaient des laboratoires de cristal amphétamine, transbordaient des drogues venant de la frontière mexicaine, et se cachaient. Ceux qui ne faisaient pas d'importation produisaient sur place la meilleure marijuana de tout l'État. Pendant un certain temps, au début des années quatre-vingt, on y cultivait tellement d'herbe que la région fut surnommée Pot Hill. Le climat, l'altitude et l'étendue de la saison fertile sont idéaux pour la culture du *pot.* Il n'y manque que l'eau, mais avec suffisamment d'argent, on pouvait payer un puisatier pour qu'il fore le granit. Pendant quelques années, les cultivateurs de *pot* firent fortune dans ces collines, et Frenchy ne fit pas exception. En fait, il réussit mieux que les autres, car contrairement à la plupart, il échappa à l'arrestation.

Presque aussitôt après s'être établi, Frenchy prit un abonnement au magazine des cultivateurs de *pot, High Times,* et se mit à rassembler l'équipement nécessaire à la culture de *pot* à grande échelle. Son assistante à temps plein était Martine. Pour quelques dollars par semaine, et toutes les feuilles qu'elle voulait fumer, elle s'occupait des plants à longueur d'année.

Dans un hangar de blocs de ciment qu'il avait construit, Frenchy installa des puits de lumière en fibre de verre, et étendit un riche lit de terreau. Chaque mois de novembre, dans la maison, il faisait germer des graines de première qualité et les mettait dans de petits pots sous des lampes chauffantes. Il les laissait pousser jusqu'en janvier, puis les transplantait dans le hangar.

«De janvier à octobre, raconte Martine, j'étais en charge de l'arrosage et des soins des plantes. Lorsqu'ils atteignaient deux mètres, je commençais à couper les feuilles d'eau. Elles inhibent la croissance des boutons. On peut les fumer. Ça s'appelle du *shake.* Aux environs de juillet ou d'août, on commençait à faire attention aux boutons. Si on les taille bien, les boutons peuvent atteindre 60 centimètres de long. On essaie de tirer d'un plant un demi-kilo de boutons. On avait des plants d'au moins trois mètres de haut. Il fallait travailler toute la journée pour les entretenir.»

Le *shake* était pour Martine et avant même d'avoir treize ans, elle fumait du *pot* pour oublier l'âpreté de ses journées avec Frenchy et Pat au sommet de cette colline. Elle fréquentait une petite école blottie sous un bosquet de cotonniers, sur le chemin du canyon. Et elle acquérait une séduisante beauté. Elle avait les cheveux droits et blonds, les yeux bleus, et les longues jambes de sa mère. On lui avait dit que son père était originaire du Québec, mais elle ne connaissait rien de cet endroit. Elle croyait que Pat était sa mère, et personne ne lui avait jamais dit le contraire. Anne et Marc voulaient lui parler de Jeannine, mais ils remettaient toujours cela à plus tard.

Son train de vie et la faillite à San Diego avaient vidé les goussets de Frenchy. Il se disait que la culture du *pot* lui permettrait de faire ses frais. C'est ce qui arriva. Un plant bien entretenu pouvait produire 500 grammes du *pot* de la meilleure qualité, qui pouvait se vendre au détail jusqu'à 2000 $. Par moments, il y avait jusqu'à 100 plants dans le hangar, qui n'était pas beaucoup plus grand qu'un garage simple. Comme ses plants ne produisaient pas tous un demi-kilo de boutons et que Frenchy vendait souvent sa récolte en gros, ses revenus provenant du *pot* variaient largement. Il dit un jour à ses enfants qu'il faisait 80 000 $ par année, en petites coupures, sans payer un sou d'impôt.

Ils faisaient les récoltes à la même époque chaque année, à peu près au moment de la pleine lune d'octobre. «On coupait le plant à la base et on l'accrochait, la tête en bas, à un fil de fer tendu en travers du salon, dit Martine. Ça mettait trois jours à sécher et à mûrir comme il faut. Ensuite, on cueillait les boutons et on brûlait les tiges. On étalait une grande feuille sur la table et on enlevait toutes les graines qui se trouvaient dans les boutons. On mettait toutes les graines dans un pot, et certaines germaient presque immédiatement. On avait une balance et on emballait en paquets d'un demi-kilo.»

De récolte en récolte, Frenchy devenait de plus en plus paranoïaque et plus préoccupé par des mesures de sécurité. Après avoir emballé sa récolte, il la scellait dans des barils de 180 litres qu'il enterrait dans des lits de rivières desséchées. Il installait des clôtures et des barrières verrouillées, tellement nombreuses que pour entrer et sortir, il devait déverrouiller et reverrouiller trois barrières. Au sommet d'un poteau, dans sa cour, il installa une caméra de surveillance et des amis et clients dignes de confiance reçurent l'ordre de klaxonner selon un code établi à l'avance, afin qu'il sache qu'il pouvait les faire entrer. Dans cette région, toutes ces mesures de précaution n'étaient pas rares. Les flancs des collines qui entouraient le ranch étaient parsemés de maisons de fortune et de tentes entourées de chiens féroces et d'enseignes en interdisant l'accès. On criait aux inconnus de s'en aller, et personne, mais personne, à moins d'habiter la région, n'allait se promener tout bonnement dans les collines. À l'approche de la saison des récoltes, des coups de feu déchiraient souvent le silence des nuits. Les gens de l'endroit racontent encore l'histoire du chevelu qui, un jour, tira une balle dans les fesses d'un policier. La plupart des cultivateurs étaient armés et, là-bas, cela ne voulait pas dire armés avec une vieille carabine à écureuils rouillée. Cela voulait dire des fusils d'assaut M-16, des revolvers automatiques de 9 millimètres et des fusils de chasse de haut calibre à visée infrarouge.

Un jour, à la fin d'octobre, Frenchy, qui avait son propre arsenal et portait souvent un revolver à la hanche, dut affronter deux voleurs de récoltes armés qui se présentèrent portant des masques d'Halloween. Sur la propriété, ils attaquèrent un de ses assistants, qui cria à l'aide. Frenchy apparut et leur tira dessus. Ils s'emparèrent de sa Cadillac et démarrèrent en trombe. Frenchy les poursuivit en camion jusqu'au bas de la colline, mais il recula lorsqu'un des hommes masqués logea une balle à travers son pare-brise. Ils abandonnèrent sa Cadillac au bord du chemin où ils avaient caché leur propre auto. Frenchy ne sut jamais qui c'était.

Frenchy vendait la plus grande part de ses récoltes à San Diego. Pendant un certain temps, Marc eut une maison en copropriété, et Frenchy paya ses factures de téléphone. Il menait la plupart de ses transactions à partir de chez lui. Il remplissait son coffre arrière de récoltes et roulait jusqu'à San Diego. Frenchy vendait à des gars qui avaient travaillé dans son atelier et, un temps, il embaucha même l'un de ses ex-employés comme distributeur.

Moins d'un an après s'être établi, Frenchy avait un grand cercle d'amis autour du ranch. Comme toujours, il était charmant et amusant, et il organisait des fêtes auxquelles tout le monde participait. Il invitait souvent Bill Parker, le postier de San Jacinto, et sa femme pour des barbecues. Il montra à Daniel et à Arlene Knight un lot de 20 acres tout près, et les convainquit de l'acheter et d'emménager dans la région, ce qu'ils firent. Tout le monde le connaissait sous le nom de Frenchy Holben. Pour eux, c'était un officier de la GRC à la retraite et un réparateur de carrosserie hors pair.

Durant cette première année, l'homme dont il fut le plus proche était un retraité rubicond du nom de Byars B. Clark. B. B., comme on l'appelait, et sa femme Frances, qui marchait à l'aide d'une canne, habitaient dans une maison mobile le long de Thomas Road. Ils étaient dans la soixantaine et se rendaient souvent en visite chez Frenchy. Il leur fit découvrir les plaisirs relaxants du *pot*, qui soulageait les douleurs arthritiques des jambes de Frances. Après une soirée chez Frenchy, elle oubliait souvent sa canne et devait appeler pour aller la chercher le matin. Peu de temps après leur rencontre, Frenchy leur suggéra d'acheter la propriété de Brian Rand, son voisin. Rand avait besoin d'argent, et Frenchy offrit de cosigner un emprunt pour que B. B. puisse acheter la maison. B. B. mordit à l'hameçon, et les Clark devinrent les plus proches voisins de Frenchy. Frenchy se servit bientôt de B. B. pour faire des courses.

En octobre 1979, Frenchy et Pat invitèrent au ranch tous les gens de l'endroit qu'ils avaient rencontrés, ainsi que quelques vieux amis de San Diego, dont un psychiatre qui avait été le voisin de Frenchy, pour célébrer leur 25e anniversaire de mariage, qui devait avoir lieu le 30 octobre. Depuis quelques années, ils célébraient leur mariage fictif à cette date, mais cette année-là devait être spéciale. Ils dirent à tout le monde qu'ils étaient mariés depuis vingt-cinq ans. Bill Parker se rappelle que la fête fut un immense succès. Ils mangèrent du steak, des crevettes et du homard, et fêtèrent jusqu'aux petites heures du matin. Ce qu'aucun des convives ne savait, et que même les enfants ne soupçonnaient pas, c'était la signification secrète de la date du party. Car à cette date — le 30 octobre, vingt-cinq ans plus tôt — Frenchy avait épousé non pas Pat Holben mais Jeannine Boissonneault. De façon perverse, Frenchy avait choisi l'anniversaire de son mariage avec Jeannine pour célébrer son union avec Pat. Il avait fait de Pat la mère de ses quatre enfants et il faisait semblant qu'elle était la femme qu'il avait épousée un après-midi de l'automne 1954.

Environ un an après avoir emménagé au ranch, Frenchy et Pat partirent dans leur autocaravane passer des vacances en Floride. Ils rencontrèrent l'un des frères de Ray et sa mère, Marie-Anna. Au cours des vacances, Marie-Anna donna à Frenchy l'adresse et le numéro de téléphone de Denis. Ils ne s'étaient ni parlé ni écrit depuis la querelle de 1974. Marie-Anna dit à Frenchy que Denis travaillait dans un atelier de carrosserie à Hull, et que Line et lui avaient maintenant deux filles, Mélanie, née en 1976, et Geneviève, née plus tôt cette année-là. Frenchy était deux fois grand-père. La nouvelle le surprit et, apparemment, le toucha, et lorsqu'il retourna au ranch, il appela Anne pour la lui annoncer. Peu de temps après, Anne vint au ranch pour le week-end et, avec Frenchy, décida d'appeler Denis. Elle composa le numéro et reconnut la voix de Denis.

«Salut, Denis. C'est Anne. Ta sœur.»

Cet appel d'Anne, éternelle conciliatrice de la famille, mit Denis dans tous ses états. Il avait recommencé sa vie et, depuis plus de sept ans, n'avait eu aucun contact avec son frère ou ses sœurs. Après son retour au Canada, Line et lui avaient déménagé au dernier étage d'une vieille maison de Hull, et il avait obtenu un emploi à l'atelier de carrosserie de Serge Dagenais, qui avait déjà travaillé pour Frenchy. Denis travaillait pour Serge depuis plus de six ans, et durant tout ce temps, disent Serge et sa femme Rolande, Denis n'avait pas parlé une seule fois de son passé.

Denis avait pris de la maturité, était devenu un homme grand et sérieux qui parlait rarement à moins que l'on s'adresse à lui. Les week-ends, il jouait de la batterie dans un groupe country-western; il ne fumait pas, buvait rarement et était dévoué à Line et à ses enfants. Il avait été adopté par les Lafond. Il était particulièrement proche du père de Line, Ben, et utilisait souvent le garage de Ben, le soir, pour repeindre des autos pour des amis. Il avait les yeux tristes et une nature généreuse qui le rendait attachant. Pour les employés de l'atelier de carrosserie, c'était un gars ordinaire, apprécié et accepté, mais différent. Contrairement aux autres qui, pour la plupart, ne parlaient que français, Denis parlait un anglais impeccable. Il pouvait jurer comme un charretier dans les deux langues, mais il ne se bagarrait pas avec les autres gars. Le mécanicien et les réparateurs de carrosserie avec lesquels il travaillait aimaient les tatouages, avaient souvent des dents manquantes, et plusieurs travaillaient avec un cigare planté au coin de la bouche. Avec ses cheveux blonds et ses dents blanches éclatantes, Denis avait l'air d'un garçon de plage jeté au milieu d'une bande de mineurs.

Lorsque Denis réalisa qui l'appelait, il fut enthousiaste. Anne avait quinze ans la dernière fois qu'il l'avait vue, Marc n'était qu'un petit garçon, et Martine fréquentait l'école élémentaire. À présent, Denis avait environ vingt-cinq ans, Anne vivait seule, Marc travaillait dans un atelier de peinture et habitait à San Diego, et Martine venait d'atteindre l'adolescence. Denis et Anne bavardèrent et se racontèrent les changements survenus, et il lui parla de ses enfants. Puis elle le pressa de descendre leur rendre visite.

«Viens donc cet été», lui suggéra-t-elle.

«J'aimerais bien, lui dit-il. Mais je ne veux pas voir cet écœurant.»

«Oh! répondit Anne. Papa a tellement changé. Il est juste à côté de moi. Veux-tu lui parler?» Avant que Denis ne puisse répondre, elle passa le téléphone à Frenchy.

Denis se rappelle qu'ils se saluèrent maladroitement. Frenchy dit à Denis qu'il était maintenant à la retraite et vivait sur un ranch qu'il avait acheté. La conversation ne fut pas longue mais, par la suite, Denis y pensa constamment pendant des semaines. Il voulait tellement rencontrer son frère et ses sœurs. Finalement, il rappela Anne pour lui annoncer que Line et lui iraient passer quelques semaines en Californie en juillet. Il lui demanda de lui faire une réservation dans un motel situé près de la plage de San Diego. Il lui dit qu'il ne voulait pas voir son père, et lui demanda de venir à leur rencontre à l'aéroport de Los Angeles. Il s'imaginait qu'ils se rendraient à San Diego pour passer du temps avec Marc et Anne, et qu'ils inviteraient Martine à leur rendre visite, afin de la voir elle aussi.

Lorsqu'ils arrivèrent à l'aéroport de Los Angeles, Line et Denis ne virent personne qui les attendait. Ils prirent donc leurs bagages et se promenaient lorsque Denis crut voir Pat, moins grosse que dans ses souvenirs, portant des lunettes et l'air confuse, et une grande fille blonde qui, se dit-il, était peut-être Martine. Était-ce bien bébé Martine? Il alla les trouver et les salua. Il prit Martine dans ses bras, et les quatre sortirent ensemble de l'aérogare. Et là, debout devant une Cadillac décapotable, se trouvait Frenchy en personne. Il portait une barbe, avait fait friser ses cheveux maintenant grisonnants, et avait encore un «pneu» autour de la taille. Ils se regardèrent. Frenchy avait l'air nerveux et, pensa Denis, *stoned*. Ils se serrèrent la main et montèrent dans l'auto.

Pendant la plus longue partie du trajet vers le ranch, Denis fulmina. Anne, se disait-il en lui-même, allait se faire parler. Il lui avait dit qu'il ne voulait pas voir Frenchy.

Denis n'était jamais allé dans la vallée de San Jacinto et ne savait pas à quoi s'attendre. À quoi ça ressemble ce ranch, ainsi que mon père l'appelle? se demandait-il. Ils traversèrent la vallée de San Jacinto, entrèrent dans le canyon sur Sage Road, tournèrent à gauche sur Thomas Road, puis prirent finalement la piste de terre qui menait chez Frenchy. Cela ressemblait à un désert rocailleux, se disait-il. Trois fois, Frenchy s'arrêta pour déverrouiller des barrières puis les reverrouiller derrière lui. À la dernière barrière, Denis remarqua une caméra montée sur un poteau et, à 100 mètres environ, une maison mobile installée sur une piste de béton, au sommet d'une colline. Des broussailles drues bordaient l'entrée, et quelques petits édifices restaient accrochés à la pente sud de la colline. Tout était sec, friable, brun.

Dès que Denis et Line eurent transporté leurs bagages dans la chambre de Martine, ils enfilèrent leur maillot de bain et sautèrent dans la piscine. Ils nagèrent et sirotèrent des boissons froides pendant environ une heure, puis Frenchy attira Denis vers lui pour lui faire faire le tour de la propriété. Il lui montra son puits et les deux citernes de 1000 litres qu'il remplissait à l'aide de la pompe du puits. Puis, il montra à Denis une demi-douzaine de plants qui poussaient à côté de la maison.

«Tu sais ce que c'est?» demanda-t-il.

«On dirait de la marijuana.» Denis était renversé. Le vieux fumait du *pot?* C'était nouveau. Tandis qu'il réfléchissait, il entendit de la musique rock qui venait de l'un des hangars.

«C'est quoi, cette musique-là?» demanda-t-il.

«Attends», répondit Frenchy avant de courir vers la maison. Il revint avec une clé et mena Denis vers une porte cadenassée à l'un des hangars. La musique provenait de l'intérieur.

«La musique, c'est pour mes plants», dit Frenchy à Denis, qui était décontenancé. Lorsque son père ouvrit la porte, il fut envahi par une vague de chaleur intense et humide, la douce odeur du cannabis et l'éclatante couleur verte des plants. À l'intérieur, il vit des rangées bien droites de plants de *pot,* certains de cinq mètres de haut. Chacun était relié à un tube de plastique qui déversait de l'eau sur ses racines. Les tubes étaient rattachés à une minuterie, expliqua Frenchy, et il montra à Denis un bureau encombré de sacs d'engrais qu'il donnait aux plantes.

«C'est comme ça que je gagne ma vie, dit-il à Denis. Je fais une auto de temps en temps pour pas me faire pincer par le gouvernement. Il y a 80 plants ici. J'ai commencé avec 100. Ça vaut entre 80 000 $ et 100 000 $.»

Denis était ahuri. Son père était devenu *dealer.*

Ce week-end-là, Denis et Line rencontrèrent B. B. et Frances, qui vivaient dans une maison mobile juste derrière la maison de Frenchy. B. B. conduisait un vieux camion et portait une salopette; Denis remarqua que Frenchy l'utilisait comme garçon de courses. Le samedi, Anne vint avec son amie Marcie. Marc vivait avec elles mais n'était pas venu parce qu'il travaillait.

«J'avais tellement hâte de le voir», se rappelle Denis. Le dimanche soir, Denis, Line, Anne, Marcie et Martine se rendirent jusqu'à San Diego. Denis et Line prirent une chambre dans un motel et rencontrèrent Marc chez Anne.

«Je ne l'aurais pas reconnu. C'était juste un petit garçon quand je suis parti.» Marc faisait maintenant près de 1 m 85, avait les cheveux et les yeux bruns et un sourire engageant. Ils vécurent de tendres moments cette semaine-là. Pour la première fois de leur vie, les quatre enfants étaient ensemble sans que Frenchy ne soit là pour les surveiller. Trois d'entre eux vivaient en toute indépendance par rapport à lui, et Martine semblait pouvoir se débrouiller avec Frenchy et Pat. Denis avait hâte de leur parler à tous de Jeannine, mais il hésita. Il ne voulait pas gâcher la magie de la visite.

Un soir, Frenchy et Pat se rendirent à San Diego et ils se rencontrèrent tous dans un bar. Ils burent et dansèrent. À un moment donné, Denis se trouva assis près de Marc. La musique était si forte qu'ils pouvaient à peine s'entendre. Lorsque Marc lui cria: «Comment va maman?», Denis devint confus. Peut-être voulait-il dire Pat. Il la désigna. «Elle est là.»

Marc regarda, secoua la tête. «Non. Maman. Comment va-t-elle?»

Denis le fixa un instant. «Viens dehors avec moi, Marc.»

Les deux sortirent. Denis se tourna vers Marc.

«Qu'est-ce que tu voulais dire?»

«Bien, Frenchy nous a dit que maman vivait avec toi au Canada.»

Denis devint fou de rage. Il se calma et rappela à Marc l'histoire de leur vie depuis Houston. Il énuméra tous les mensonges que Frenchy leur avait racontés à propos de Jeannine; il décrivit sa rencontre avec les grands-parents Boissonneault, et il conclut en expliquant à Marc pourquoi il était retourné au Canada en 1974.

À présent, c'était Marc qui était fou de rage. Il avait si souvent entendu son père lui raconter que Denis était un peu fou, que lui-même avait commencé à croire Frenchy. Il n'avait jamais su pourquoi Denis était parti en 1974. Lui aussi avait eu ses querelles avec Frenchy et Pat, et maintenant, en entendant la version que Denis lui donnait de l'histoire familiale, en entendant la vérité à propos de sa vie, il était prêt à tuer son père. Marc avait un tempérament explosif, et Denis dut le saisir et le dissuader de retourner au bar pour s'en prendre à Frenchy. Il finit par le calmer et ils retournèrent à leur table, mais Marc resta d'humeur morose toute la soirée.

Le lendemain, Denis et Line ramenèrent Martine au ranch et, cet après-midi-là, Marc s'y rendit avec Marcie. Il entra brusquement, regarda Denis et dit: «Je veux te parler.» Ils sortirent et Frenchy suivit à quelque distance, essayant d'écouter leur conversation.

Lorsqu'ils furent seuls, Marc interrogea Denis à nouveau, lui fit raconter l'histoire en détail. En retour, Marc parla à Denis de ses relations avec Frenchy, lui déclara que son père lui faisait voler du matériel de peinture à l'atelier pour lequel Marc travaillait, et que Frenchy vendait du *pot* et de la coke.

Après leur conversation, Marc s'en alla, profondément troublé, et Denis eut un pressentiment. Marc, avait-il découvert, avait un tempérament volatil, et il s'inquiétait de ce que son frère fasse quelque chose de stupide pour Frenchy, qu'il détestait clairement et passionnément. Mais il était également soulagé. À présent, il avait son frère de son côté, quelqu'un qui connaissait Frenchy et qui savait que Denis n'inventait rien lorsqu'il parlait des abus, des mensonges et de la douleur qu'ils avaient endurés. Mais Marc n'en savait pas assez pour être vraiment utile. Ce dont il avait besoin, pensa Denis, c'était de la collaboration d'Anne. Elle avait des souvenirs de Jeannine; elle se rappelait peut-être des choses sur la disparition de leur mère, des choses qu'il avait oubliées.

Line et lui partirent le lendemain. De retour au Canada, Denis devint obsédé par l'idée de rejoindre Anne. Plusieurs semaines avant Noël, il l'appela à San Diego et l'invita à passer Noël avec lui. Il lui offrit un billet d'avion et lui offrit d'assumer toutes ses dépenses pendant son séjour au Canada. Anne était enthousiaste, si enthousiaste qu'elle appela son père pour lui apprendre la bonne nouvelle. Deux jours plus tard, Frenchy appela Denis pour lui dire qu'il avait décidé de retourner au pays pour Noël, lui aussi.

«T'inquiète pas pour les billets d'avion, dit-il à un Denis décontenancé. Je vais les payer.» Frenchy dit que Marc ne pouvait pas y aller mais que lui viendrait avec Pat, Anne et Martine. Denis insista pour qu'Anne habite chez lui, et Frenchy accepta, expliquant que lui, Pat et Martine coucheraient chez Marie-Anna.

Peu après, des rumeurs circulèrent dans la famille Durand à propos d'une altercation que Denis se préparait à avoir avec son père. Denis n'eut aucune connaissance de ce bavardage jusqu'à ce que, une semaine avant Noël, sa grand-mère Durand l'appelle à l'atelier pour lui demander de passer la voir après le travail. Comme il s'arrêtait souvent pour prendre de ses nouvelles, cette demande n'avait rien d'inhabituel. Mais lorsqu'il arriva ce soir-là, il la trouva nerveuse. «Assieds-toi», lui dit-elle, et elle déposa un bol de soupe devant lui. Pendant qu'il mangeait, elle lui dit qu'elle préparait une fête pour l'anniversaire de Raymond. Ils avaient loué une salle paroissiale, et tous ses frères et sœurs allaient s'y trouver. Elle lui avait commandé une plaque en cadeau, sur laquelle seraient gravés les noms et les dates de naissance de ses parents, de même que ceux de ses enfants. Il n'était pas revenu chez lui depuis des années et il avait si bien réussi aux États-Unis. Elle était fière de Raymond et espérait que Denis le soit lui aussi. Puis, elle laissa échapper la bombe. Elle avait entendu dire, dit-elle à Denis, qu'il avait l'intention de faire arrêter son père lorsqu'il viendrait. Denis s'arrêta et la fixa.

«Qui t'a dit ça?»

Elle ne voulut pas le dire, puis avoua que c'était l'un de ses oncles. Denis se sentit blessé. Il jura que ce n'était pas vrai, et exigea qu'elle lui amène l'oncle qui lui avait dit cela afin de pouvoir l'affronter. Mais sa grand-mère demeura sceptique.

Finalement, Denis sortit. Au moment crucial, sa grand-mère, qui l'avait toujours traité comme un fils, avait pris le parti de Raymond. Elle était au courant de ce qui était arrivé à Jeannine, savait que c'était un voleur et un menteur, et qu'il avait quelque chose à voir avec la disparition de Jeannine, et pourtant, elle lui organisait une grande fête. Elle accusait Denis de comploter pour la gâcher. Il était furieux. Toute la famille savait quel genre d'homme était Raymond, mais le traitait en héros. Il les méprisait parce qu'ils refusaient d'ouvrir les yeux sur la vraie nature de Raymond. Quelle réussite? pensa Denis. Quelle réussite? Comme *dealer* de drogue? Il se demanda s'ils étaient au courant. Et à propos de Jeannine? Ils savaient tous que personne ne l'avait vue depuis Houston et que Frenchy avait menti sur son sort. Ça, ça ne dérangeait personne?

Quelqu'un de la famille semblait avoir parlé à Frenchy du complot apparent de Denis car, même si Frenchy, Pat, Anne et Martine arrivaient tous de la Californie à Toronto, seule Anne prit le vol de liaison pour Ottawa. Les autres louèrent une auto à Toronto pour se rendre à Hull: c'est Frenchy qui le dit plus tard à Denis.

Cela valait mieux, songea Denis en attendant l'arrivée du vol d'Anne à l'aéroport d'Ottawa: il n'aurait pas à voir son père. Quand Anne finit par arriver — son vol avait été retardé par une tempête de neige —, Denis la fit monter en auto et, 15 minutes plus tard, ils étaient dans son chaleureux appartement du dernier étage, au centre de Hull. Anne embrassa ses deux nièces et joua avec elles jusqu'à l'heure du coucher. Elle était fatiguée, mais Denis voulait lui parler. Vers 22 h, il l'amena dans la cuisine et, pendant les cinq heures suivantes, il lui parla de leur passé.

Anne se rappelle qu'assise à la table de la cuisine, elle vit Denis apporter une boîte de photos et de coupures de journaux. Elle n'avait jamais vu auparavant le récit qu'avait publié le tabloïd de Montréal et, à mesure qu'il le lui traduisait, elle n'en croyait ni ses yeux ni ses oreilles.

«Anne, je pense que papa a tué maman», lui dit-il. Elle garda son calme, mais en elle-même, raconta-t-elle plus tard, «je lui en voulais de dire que mon père avait tué ma mère. Je me disais qu'il inventait. Je me disais qu'il voulait tellement savoir ce qui s'était passé, qu'il avait tout inventé. À ce moment-là, je pensais qu'elle [Jeannine] s'était remariée et ne voulait rien savoir de nous.»

Denis parla sans cesse, avant de s'apercevoir qu'Anne n'était pas convaincue. «Elle a une maudite tête dure, pensa-t-il. Elle ne veut pas voir la vérité.»

Denis lui dit que lorsque son grand-père, Hermas Boissonneault, avait succombé au cancer quatre ans plus tôt, Denis s'était rendu à l'église pour les funérailles. Il avait regardé l'un après l'autre tous ces visages, s'était même arrangé pour passer l'assiette de la quête durant la messe, afin de pouvoir repérer Jeannine.

«Anne, lui dit-il, les larmes aux yeux. Elle n'était pas là. Si maman avait été encore en vie, elle serait allée aux funérailles de son propre père.»

Plus tard, Denis se rappela une autre histoire, à propos d'Hermas, qu'il n'avait pas racontée à Anne. Hermas avait passé les derniers mois de sa vie sur le divan du salon de la maison familiale. Un soir, son état s'était aggravé et on l'avait emmené à l'hôpital. Il était décédé le lendemain. Après son départ de la maison, Laurette ou Réginald avait trouvé son portefeuille sur le divan. Il était ouvert sur une photo de Jeannine. Il avait pensé à elle, avait scruté sa photo, jusqu'à la pénible fin de sa vie.

Quand Denis finit par céder à 3 h, il alla se coucher avec un sentiment de défaite. Anne tomba endormie, fâchée contre son frère de garder vivantes de vieilles haines. Pourquoi ne pouvait-il laisser tomber et mettre fin à ses luttes avec son père? se demanda-t-elle. Elle avait pris l'initiative de réunir la famille et Denis ne réagissait pas favorablement. Il n'était pas intéressé à la réconciliation. Pis encore, il avait contaminé Marc avec ses stupides idées de meurtre. Après qu'elle ait entendu Denis, pendant cinq heures, plaider, pleurer et se livrer à de patientes explications, le seul point sur lequel ils s'étaient accordés, c'était qu'Anne se joindrait à eux pour le dîner de Noël chez les Boissonneault. Elle avait hâte de revoir sa grand-mère.

Quelques jours après l'arrivée d'Anne, Frenchy arriva en ville et fut chaleureusement accueilli par sa parenté. Ils demeuraient chez Marie-Anna, et Martine commençait à rencontrer la famille étonnamment grande de son père. Elle ne pouvait jamais dire qui était qui. Mais elle appréciait toute l'attention qu'on lui accordait et fit connaissance avec sa grand-mère.

Martine avait souvent entendu dire que Denis était stupide, qu'il avait une sorte de problème psychologique, mais elle voulait le voir, ainsi que sa sœur Anne, et elle se rendit chez Denis en un certain nombre d'occasions. La veille de Noël, elle alla voir Denis et eut envie d'aller patiner sur le canal Rideau, à Ottawa. La surface du canal qui part du centre-ville d'Ottawa et serpente doucement à travers la ville est transformée en patinoire l'hiver. Le soir où Denis et Martine s'y rendirent, il neigeait légèrement, la glace reflétait les couleurs des lumières de Noël le long des rives du canal, et ils se retrouvèrent seuls.

«Martine faisait de petites pirouettes. Elle était tellement heureuse, se rappelle Denis. J'ai patiné jusqu'à elle et je lui ai dit: "Martine, j'ai quelque chose à te dire." Elle s'est tournée vers moi. Ça s'est passé à ce moment-là. Je n'ai pas pu lui parler. Je ne voulais pas la perturber. Elle était tellement heureuse et innocente. Elle m'avait demandé pendant des heures de l'amener. Il n'y avait personne d'autre sur la glace. C'était paisible et je continuais de me dire: "Qu'est-ce que ça va changer si je le lui dis?" Je ne le lui ai pas dit.»

Des années plus tard, lorsqu'on lui parle de cette visite au Canada, Martine se rappelle que des gens essayaient de lui dire quelque chose, mais que ça ne sortait pas. C'était arrivé ce soir-là avec Denis, et une autre fois chez sa grand-mère Durand. «On aurait dit, quand j'étais là, qu'elle voulait me dire quelque chose. Elle faisait comme si elle avait quelque chose sur le cœur. Je lui ai demandé: "Ça va? Est-ce que j'ai fait quelque chose de mal?" Elle a dit: "Non, c'est rien."»

Le jour de Noël, Anne, Denis, Line et les enfants se rendirent chez les Boissonneault. Anne se rappelle que Réginald répondit à la porte. Elle le salua et il disparut aussitôt à l'étage. Laurette était âgée et malade. Bien que personne ne fût au courant, elle n'en avait que pour deux ans à vivre. À partir de 1981, se rappelle Denis, elle passa ses jours assise tranquillement, le regard lointain. Denis avait l'impression qu'elle pensait constamment à Jeannine. Elle parlait souvent d'elle et de Raymond, mais se retenait souvent de critiquer son ancien gendre en présence de Denis. «Oh! disait-elle, je devrais pas dire ça, Denis. C'est ton père.» À présent, Laurette croyait que Jeannine avait peut-être refait sa vie. Elle avait toujours cru que Jeannine était entrée au couvent. Mais après être restée sans nouvelles pendant des années, elle en était venue à croire que Jeannine voulait que personne ne soit au courant de sa nouvelle vie. Elle refusait d'accepter la possibilité que Raymond ait commis un meurtre. Elle entretenait un espoir naïf.

En 1971, lorsque Raymond lui avait rendu visite et qu'il avait laissé à Hermas et Réginald une adresse de Jeannine à Vancouver, Laurette lui avait immédiatement écrit. La lettre était revenue, encore scellée, estampillée de la mention *Adresse inexistante.* Cependant, même après que Denis lui eut dit tout ce qu'il savait, elle continua en secret d'écrire à Jeannine à Vancouver. Réginald se rappelle que chaque fois qu'une de ses lettres revenait intacte, elle s'assoyait pour en écrire une autre, supposant que son écriture était illisible ou qu'elle avait mal indiqué l'adresse sur l'enveloppe. Elle envoya neuf lettres et finit par se décourager: la dernière portait une note personnelle d'un employé des postes. Selon Réginald, cette note disait tout simplement: *Cette adresse n'existe pas en Colombie-Britannique.*

Laurette était enchantée de voir Anne tout épanouie. Elle la serra dans ses bras et lui dit que Jeannine l'avait beaucoup aimée. Après le dîner, Laurette joua du piano et Anne se rappela que plusieurs de ces airs étaient des pièces que jouait sa mère. Laurette sortit ses albums et donna à Anne plusieurs photos de Jeannine. Plusieurs d'entre elles avaient été découpées avec des ciseaux, remarqua Anne. Après que Laurette eut envoyé sa dernière lettre à Vancouver, elle était désespérée et, dans un moment de colère, avait découpé l'image de Raymond de toutes les photos de ses albums. À présent, il ne restait plus une seule photo de Raymond dans toute sa maison.

Plus tard ce soir-là, Denis suggéra d'appeler Marc en Californie. Ils le rejoignirent à son appartement, et Denis traduisit ses paroles pour Laurette. Le fait de recevoir Anne et d'entendre Marc la rendit si joyeuse, se rappelle Denis, qu'à Noël, elle semblait remplie de lumière et de joie. Anne partit ce soir-là «avec l'impression, une fois de plus, que même si je n'avais pas de mère, j'avais une grand-mère. Je me sentais vraiment bien.»

Même si Marie-Anna appela Denis pour l'inviter au party d'anniversaire, Denis refusa d'y aller. Il se sentait loin de la vieille dame et de toute la famille Durand. Anne déclina l'invitation elle aussi. Elle ne voulait voir personne. Elle ne se rappelle pas pourquoi elle ne voulait pas voir les Durand. Denis la dérangeait encore mais elle était contente de le rencontrer, lui et sa famille.

Un mois après son retour en Californie, Anne rendit visite à son père et lui parla de ce que Denis lui avait dit.

«Denis pense que tu as tué maman. C'est fou, non?» lui dit-elle. Frenchy se mit à rire mais ce n'est pas ce qu'Anne voulait entendre. En elle-même, elle avait une peur bleue que «Denis [lui ait] dit la vérité». Ce qu'elle voulait entendre de la bouche de son père, c'était une explication rationnelle et crédible de ce qui était arrivé à Jeannine. Par-dessus tout, elle voulait pouvoir appeler Denis et dire quelque chose comme: «Jeannine vit à Armpit, dans le Kentucky. Elle a épousé un mineur et a quatre enfants, et si tu veux lui parler, vas-y.» Elle voulait que Frenchy écarte ses peurs et ses doutes, et lui permette de continuer à l'aimer comme un père. C'était le seul parent qu'il lui restait et elle ne voulait pas le perdre, malgré ses défauts. Mais Frenchy ne fit rien pour la rassurer ce jour-là; il ne lui offrit même pas le moindre espoir. Elle eut tout à coup beaucoup plus de difficulté à l'aimer, mais elle n'en montra rien. En tout cas, elle se rapprocha de lui encore plus qu'auparavant. C'était comme si elle voulait entrer dans sa tête et lui raconter son histoire à lui. S'il ne pouvait se défendre, peut-être le ferait-elle pour lui.

Cette année-là, Frenchy agrandit son ranch de *pot*. B. B. Clark, son «homme à tout faire», faisait partie de l'exploitation. Frenchy avait encore des plants dans le hangar au puits de lumière. Mais il convainquit B. B. d'ensemencer ses 20 acres. Selon deux voisins qui connaissaient B. B., Frenchy assura ce dernier qu'avec les profits d'une seule récolte, il pourrait finir de payer sa terre. Frenchy installa un système d'irrigation et sema plus de 150 plants. Il étala une couche de verre brisé au pied des plants pour empêcher les animaux de les ronger. Toute cette année-là, B. B. et Frenchy en prirent soin et, à l'automne, les plants étaient beaux.

«On récoltait normalement à la pleine lune d'octobre, dit Martine. Mais cette année-là, papa m'a envoyée à la serre plus tôt que prévu. Il était prématuré de les arracher. Mais il m'a dit de le faire. La récolte du terrain de B. B., c'était son problème. Mais nous, on a récolté plus tôt que prévu. Et [papa] n'a pas seulement coupé les plants, comme on est censé le faire. Il les a arrachés du sol. On s'y est mis ensemble. On a arraché les tiges et on a râtelé le sol pour faire comme s'il n'y avait rien eu. Et on a semé de la pelouse ordinaire. Je ne lui ai pas demandé pourquoi.»

La récolte fut entreposée et séchée. Quelques jours plus tard, on l'emballa et la transporta quelque part. Puis, après que la récolte du hangar eut disparu, se rappelle Martine, «il nous restait quelques plants sur le ranch, à côté de la maison — probablement dix plants. Je revois Pat les arracher rudement, comme si elle n'avait pas de temps à perdre. Elle a arraché tous les plants et les a mis dans la baignoire de la maison. Je ne savais pas où on allait en venir. Un peu plus tard, des policiers sont arrivés à la maison avec une auto non identifiée. Tout ce que je savais, c'est qu'elle avait mis les plants dans la baignoire, mais ils ont fouillé toute la maison sans les trouver. Papa m'a dit plus tard qu'il avait tout caché dans le faux plafond. Les flics ont tout fouillé — ma commode, les matelas, le placard. Mais ils n'ont pas vérifié le faux plafond.

«La police nous a tenus en joue. Ils ont fait promener papa sur toute la propriété. Papa semblait calme... Un hélicoptère est passé au-dessus de nous pendant qu'ils fouillaient le terrain.»

Comme les policiers ne trouvaient rien sur la propriété de Frenchy, ils ont dirigé leur attention vers celle de B. B. Selon toute apparence, ils avaient des mandats de perquisition pour les deux propriétés. À la maison de B. B., ils ont découvert une balance qui, selon Martine, appartenait à Ray. Puis, en fouillant derrière sa maison, ils ont découvert la plantation.

Ce jour-là, Arlene Knight était chez elle, juste à côté de la maison de B. B. «J'ai vu B. B. monter dans la voiture de police avec sa femme qui criait et qui se débattait en disant que c'était la faute de Frenchy. Elle a dit aux flics que tout ça, c'était à Frenchy», se rappelle Arlene.

B. B. fut accusé de cultiver de la marijuana et libéré sous caution. Peu après, dit Arlene, il subit une crise cardiaque et perdit sa terre. Frenchy affirmait qu'il était maintenant propriétaire du terrain. D'autres disent qu'il eut également l'auto et la maison mobile de B. B. Finalement, B. B. fut trouvé coupable et, à cause de son âge, mis en probation. Environ un mois après la descente, Martine vit B. B. parler à son père: «Il me semblait, d'après ce qu'il disait, qu'il allait mal et que papa lui avait joué un mauvais tour. Il lui a dit quelque chose de mauvais. À ce moment-là, papa essayait de se sortir de la situation, en disant: "Tu savais ce que tu faisais quand tu faisais ça." Mais c'est un vieux. Je veux dire, c'est correct de cultiver du *pot* sur sa terre, mais de laisser B. B. en subir toutes les conséquences? Ça, c'est pas correct.»

On n'a jamais su au juste comment la descente avait été organisée. Frenchy dit plus tard qu'il avait repéré un avion de surveillance plusieurs jours avant l'arrestation et qu'il savait que la police allait venir peu de temps après. Les enquêteurs locaux disent qu'ils utilisaient alors des avions de surveillance avec des caméras à rayons infrarouges pour chercher les plantations. Mais ils disent que lorsqu'ils repéraient une plantation, ils procédaient rapidement, sans attendre trois jours. Quoi qu'il en soit, Frenchy savait que la police viendrait et il s'arrangea pour être en règle.

Quelques mois après l'arrestation, un acte de cession de la propriété fut enregistré auprès du registraire du comté de Riverside. Par cet acte, «Byers B. Clark et Frances M. Clark» transmettaient à «Ray D. Holben et

Patricia D. Holben» leur intérêt dans le lot de 20 acres qu'ils avaient acheté des Rand. Sur tous les autres formulaires juridiques que B. B. a signés, son nom est épelé «Byars B. Clark». Mais sur celui-ci, il a signé «Byers B. Clark». En l'absence d'une analyse graphologique du document, il serait injuste d'affirmer que cette signature est une contrefaçon. Cependant, il est étrange que B. B. ait mal épelé son propre nom.

Peu après son arrestation, B. B. déménagea au Texas et, selon les gens qui l'ont connu, lui et sa femme sont morts depuis. Après leur départ, Frenchy se mit à chercher de nouveaux locataires. Il lui fallut peu de temps pour en trouver: c'était un couple, Rick et Jenny, et leur petite fille. Selon Arlene et Daniel Knight, Rick et Jenny louèrent la propriété de Frenchy, ensemencèrent un champ de *pot* grâce à ses connaissances et à son assistance, et exprimèrent l'intention de verser un gros paiement à Frenchy à même leurs profits. Mais les choses prirent une tournure désagréable lorsque Jenny entreprit une recherche juridique et découvrit que Ray ne possédait pas un titre certain sur cette terre. Elle entendit également parler de ce qui s'était passé entre Frenchy et B. B.

«Rick était une personne assez effrayante, se rappelle Daniel. C'était un gros gars, d'allure vraiment sinistre. Il avait voyagé. Il pouvait vous faire imaginer n'importe quoi.»

Après que Rick eut vent de la réputation de Frenchy, il commença à énerver ce dernier. «Un soir, Rick a mis un masque de gorille, se rappelle Daniel. Frenchy faisait un party. Rick a regardé par-dessus la clôture [chez Frenchy], puis s'est déplacé et a regardé encore une fois par-dessus la clôture. Puis, il a pris un petit serpent à sonnettes et l'a déposé sur le terrain de Frenchy. Quand les gens ont vu le serpent à sonnettes, il s'est levé et s'est montré avec son masque de gorille. Ils ont hurlé de peur!»

Cet automne-là, quand la récolte fut prête, la police arriva en grand nombre. «Il y en avait tellement que ça a vraiment effrayé [leur petite fille], dit Daniel. Elle s'est mise à courir vers la maison, elle était affolée. Rick est sorti par la porte arrière. Les flics ne l'ont jamais trouvé.»

Ils trouvèrent la récolte en arrière et arrêtèrent Jenny, qui était à la veille d'accoucher. Daniel se rappelle: «Je me suis rendu près de la barrière et Jenny a dit: "Et mon bébé?" C'est alors que nous sommes allés chez eux et que nous avons offert de prendre soin de sa petite fille. Nous avons revu Jenny quelques jours plus tard.» Elle avait été libérée sous caution.

Tandis qu'elle était en liberté sous caution, Jenny, qui, apparemment, avait déjà travaillé avec un détective privé, obtint une copie de ce qu'on appelle une déclaration d'assermenté. Elle avait été préparée par un shérif adjoint du comté de Riverside, Joseph M. de Armond Jr, qui était à l'époque rattaché à l'escouade des narcotiques de la police du comté. Apparemment, la déclaration avait été enregistrée auprès de la cour, en faveur d'une requête de mandat de perquisition sur la propriété de Rick et de Jenny. Dans cette déclaration, de Armond affirmait qu'il avait rencontré, dans un restaurant public, à 11 h 20, le 28 septembre, un «citoyen informateur» nommé Raymond Holben.

> Raymond Holben dit qu'il avait prélevé un échantillon de marijuana qui poussait sur une de ses propriétés, qu'il loue présentement à Rick et à Jenny. M. Holben a dit à votre assermenté qu'il laisse actuellement ses locataires utiliser l'eau de son puits, parce que le puits situé sur la propriété louée s'est tari. M. Holben a dit qu'il avait pris l'initiative de vérifier le puits situé sur la propriété, et découvert qu'une canalisation d'eau traversait la propriété, dans un boyau de plastique noir, en direction d'une zone de sauge et de broussailles. M. Holben a dit à votre assermenté qu'en inspectant la zone, il a vu de 50 à 60 plants de marijuana qui poussaient sous les broussailles. Votre assermenté n'a aucune raison de croire que M. Holben donnerait de fausses informations, et votre assermenté croit que M. Holben a agi en tant que citoyen inquiet.

Jenny fut trouvée coupable et envoyée en prison, mais elle laissa cette déclaration à des gens qu'elle connaissait. En peu de temps, on en afficha des copies sur des babillards, au bureau de poste et dans des restaurants de toute la région du ranch. Frenchy avait maintenant une réputation de mouchard, et il commença à recevoir des menaces de mort.

Après cet incident, Frenchy ne sema plus jamais de *pot* dans son hangar. Cet automne-là, il loua l'endroit à Scott Hall, à l'un de ses frères et à l'un de ses amis. Scott était un Californien blond de 85 kg et de 1 m 85, qui semblait tout juste débarqué d'une planche de surf. Il avait grandi sur un ranch, près de la côte qui longe San Diego et Los Angeles et, à dix-huit ans, avait obtenu un emploi chez un constructeur d'avions ultralégers. La compagnie l'avait envoyé travailler à Temecula, une petite ville située non loin du ranch de Frenchy, et il avait entendu dire qu'un gars nommé Frenchy avait un endroit à louer. Scott emménagea dans la maison mobile, à quelques pas de la maison de Frenchy, et un jour, dans la cour, il vit Martine et tomba amoureux d'elle. Il commença à fréquenter Martine et à parler à Frenchy.

«[Frenchy] était un fourreur hypocrite, très secret, se rappelle Scott. Et il nous disait plein de conneries — il nous disait qu'il avait été maître-brasseur et flic. C'était un escroc de première classe. Il était très manipulateur. Mais il était intelligent, aussi. Et je l'appréciais, j'aimais me trouver avec lui. Il était malin et faisait rire tout le monde. On a fait la foire ensemble. On a passé du bon temps, pas mal de bon temps.»

Cet automne-là, Scott déménagea, mais continua de fréquenter Martine et revint de temps en temps au ranch. Après le départ de Scott, Frenchy décida de faire des rénovations à la maison mobile double largeur que B. B. puis Rick et Jenny avaient habitée. Un soir, la maison mobile prit en feu et les murs brûlèrent. Daniel Knight se rappelle s'y être rendu après l'incendie pour examiner la maison. «Il était assez évident que quelqu'un avait arrosé l'intérieur avec quelque chose et y avait mis le feu. Ce n'était pas suffisant pour tout faire brûler. C'était seulement un feu de paille.»

Sans récolte dans le hangar, Frenchy agrandit son atelier de carrosserie au ranch. Il avait tout l'équipement et le petit garage, et il se mit à prendre de plus en plus de contrats. Il enseigna le métier à Martine et les deux se mirent bientôt à réparer et à peindre plusieurs véhicules par semaine. De plus, Frenchy achetait régulièrement des autos lors de ventes aux enchères, et les réparait pour les revendre.

Quelques années plus tôt, tandis qu'Anne sortait encore avec Fred, Frenchy avait acquis un petit bulldozer qu'il utilisait sur la propriété. «Derrière la propriété, il y avait une petite route qui menait à un endroit... [où] il se tenait toujours, pour une raison bizarre... Et on n'était pas censé y aller. Il allait toujours là avec son bulldozer. Il était comme un chien avec son os, il était toujours en train de creuser ou de déplacer des choses. Il nous disait: "Eh! tenez-vous loin d'ici." Il adorait son bulldozer et on disait: "Qu'est-ce que tu enterres?" Et il répondait: "Des déchets." Il conduisait ce bulldozer sur toutes les collines.»

Anne avait rompu avec Fred parce qu'ils s'étaient mis à se disputer. Il l'avait frappée à quelques reprises et elle avait décidé de rompre. Fred avoue avoir été brutal avec Anne et dit qu'en partie, c'était parce que Frenchy le rendait fou. Ils ne se virent plus jamais. Anne emménagea avec quelques jeunes filles et se mit à fréquenter d'autres gars. Elle était contente que son père soit parti de San Diego. «Je me sentais vraiment libre. Je pensais qu'enfin il ne me dérangerait plus. J'entendais dire des choses de la part de gens, des choses comme: "Ton père m'a volé" ou "Ton père a diminué mon chèque de paie." Je me suis dit que je ne voulais plus en entendre parler.»

Mais elle se sentait seule. Elle n'était pas proche de Marc. À présent, il était marié, avait un enfant et un emploi stable, et se débrouillait très bien. De plus en plus souvent, Anne passait ses week-ends au ranch. Elle y amenait souvent des amis. Ils passaient leurs journées dans la piscine et leurs nuits dans les clubs et les bars de la vallée. Ils fréquentaient des bars à Temecula, à Winchester, à Hemet et à San Jacinto. Tous se trouvaient à une demi-heure d'auto du ranch. Ils y écoutaient de la musique western et de la danse. Souvent, son père se joignait à eux pour une sortie.

Brenda Nares, une amie d'Anne qui habitait à San Diego, raconte que pendant plus d'un an, «tous les vendredis soir, on allait au ranch pour le week-end. On sortait avec son père. C'était un gars pas mal fou, rusé. Il prenait pas mal de coke. La plupart du temps, il laissait Pat à la maison. Mais parfois, elle venait et elle prenait toute une cuite.»

Brenda dit qu'Anne et son père étaient bons amis. Anne, raconte-t-elle, lui dit un jour que Pat n'était pas sa vraie mère. Lorsqu'on lui demandait où était sa vraie mère, se rappelle Brenda, Anne disait: «Elle est partie, c'est tout.» Lorsque Brenda fut au courant, Anne lui dit de ne jamais en parler devant Martine. «Elle ne sait pas que Pat n'est pas sa mère, et on ne veut pas qu'elle le sache parce que ça lui ferait de la peine.»

Frenchy vendait encore de la coke et se poudrait lui-même le nez aux cristaux blancs. Il courait également les jupons. Il eut des aventures avec quelques femmes qu'il avait rencontrées lors de ses sorties. Les relations entre Frenchy et Pat s'envenimaient. Au cours des premières années de leur relation, Pat était restée forte. Elle n'était jamais une partenaire égale et il la mettait rarement dans le coup lorsqu'il préparait une arnaque, mais ils fêtaient et buvaient ensemble. Elle tenait la maison et il faisait de l'argent. Après qu'ils eurent déménagé au ranch, ils allèrent chaque année à Hawaii, firent souvent de longs voyages en Amérique du Nord dans leur autocaravane, et ils prirent l'habitude d'aller jouer à Las Vegas. Lorsqu'ils n'étaient pas sur la route, ils mangeaient une ou deux fois par semaine dans des restaurants de l'endroit. Au ranch, ils organisaient souvent de grandes fêtes. Certains week-ends, dit Martine, une vingtaine de personnes restaient à coucher: «La drogue circulait librement. Il achetait tout l'alcool. Chacun apportait son propre sac de couchage. Le lendemain, il préparait des œufs, des saucisses, des biscuits — tout le bataclan.»

Plus Frenchy fréquentait des jeunes, des amis de ses enfants, plus il commençait à insulter Pat. Il lui disait qu'elle était laide, stupide et grosse. Elle commença à vivre dans son ombre. Il n'était pas encore prêt à la quitter, mais le temps était proche.

Un jour, à la fin de 1983 ou au début de 1984, Martine était à l'atelier du ranch, en train de peindre une auto avec Marc. Les deux avaient acquis de l'habileté. Ils travaillaient pendant quelques heures, finissaient bien avant midi et s'assoyaient ensemble pour fumer.

«Pat était soûle, se rappelle Martine. Elle est sortie et s'est mise à m'engueuler parce que je fumais des cigarettes. Elle s'est approchée de moi et m'a giflée. Je l'ai saisie par le collet pour la coller au mur. Mais je ne l'ai pas fait. J'ai dit: “Maman, retourne à la maison.” Je ne pouvais pas la frapper. Elle est partie et j'ai dit: “Elle ne se conduit pas comme maman.”»

Marc, accroupi dans un coin, la regarda d'un drôle d'air.

«Ce n'est pas ta vraie mère, Martine, dit-il d'un ton calme. Ta vraie mère, papa l'a tuée.»

Martine était muette de confusion. «Je l'ai cru. J'ai fini mon travail. Papa est revenu à la maison et il savait que quelque chose n'allait pas. Il m'a appelé et a dit: “Tout ce que Marc t'a dit, c'est pas vrai.” J'ai dit: “C'est pas ma mère.” Il a dit: “Mais comprends-tu que je suis ton vrai père?” Quand il a dit ça, j'ai su que c'était vrai, que Pat n'était pas ma mère.

Pendant que Martine se tenait là, songeant que sa vie avait été un mensonge, elle vit son père sortir de la maison avec une carabine de calibre .22.

Complètement soûl, il s'est mis à la poursuite de Marc: «Il allait tuer Marc. Marc s'est précipité sur papa, il lui a serré le cou. Il s'est emparé de la carabine et l'a brisée en morceaux, et des éclats de bois ont volé partout sur l'auto qu'on venait de repeindre. J'ai sauté sur le dos de Marc.»

D'une façon ou d'une autre, se rappelle Martine, elle réussit à les séparer. Marc partit et Frenchy se retira dans la maison. Par la suite, Martine eut la trouille pendant des semaines. Elle était fâchée contre Frenchy et Pat, et encore plus contre Denis, Anne et Marc. Elle appela Denis et Anne.

«Pourquoi est-ce que vous ne m'avez rien dit?» leur cria-t-elle au téléphone. Ils étaient dans l'embarras. Rien de ce qu'ils dirent ne la rassura. Elle ne savait pas qui aimer ni en qui avoir confiance. Elle ne pouvait pas abandonner la femme qui avait été sa mère — non pas une mère extraordinaire, mais la seule qu'elle avait connue —, mais se demandait en même temps comment elle pouvait même à nouveau regarder Pat dans les yeux en sachant qu'elle leur avait menti toute sa vie. Et elle se demanda qui avait été sa vraie mère. Qui était Jeannine? Avait-elle des grands-parents et de la parenté quelque part qu'elle ne connaissait pas?

Et Frenchy? Avait-il tué sa mère? Elle pensa à son père et à son mépris envers les autres. «S'il désirait très fort quelque chose et que vous étiez un obstacle pour lui, c'était fait, vous étiez mort.»

Elle se souvenait de choses qu'il avait dites et combien souvent il avait menacé de tuer des gens. «Il disait: "Bon, si ce gars-là ne veut pas faire comme je lui dis, je vais le tuer, l'enfant de chienne." Les gens disent parfois des choses comme ça. Ils ne parlent pas sérieusement. Il ne faut pas prendre ça au sérieux.» Mais peut-être, commença-t-elle à se demander, «peut-être qu'il voulait dire cela littéralement. Il y avait un gars nommé Bill See. Il le détestait tellement, l'enfant de chienne, qu'il allait le tuer, qu'il disait. Ah! les clients! S'il ne voulait pas payer, il allait le tuer, qu'il disait.»

L'esprit de vengeance, elle le savait, était «très fort» chez Frenchy. Il disait: "Ce gars-là pense qu'il va me fourrer. Eh bien, je vais le fourrer tellement qu'il ne verra plus jamais la lumière du jour." Il pouvait piétiner quelqu'un juste pour avoir ce qu'il voulait.»

Scott Hall se rappelle à quel point Martine était fâchée, à quel point la nouvelle «l'a fait capoter».

«Je me doutais toujours qu'il y avait des secrets. Après que Marc lui a dit la vérité, elle se demandait sans arrêt qui était sa vraie mère et où elle se trouvait. Elle trouvait ça tellement pénible, elle ne pouvait pas l'accepter.»

Quelques mois après la révélation de Marc, Martine quitta la maison et emménagea avec Scott. Elle avait seize ans. Elle continuait d'aller au ranch et gardait contact avec Frenchy et Pat, mais elle ne pouvait continuer d'y habiter.

Scott dit qu'à ce moment-là, elle ne voulait plus avoir affaire à Frenchy. «Je devais m'occuper de Martine. Ce qui la dérangeait le plus, c'était qui était sa vraie mère et où elle se trouvait. Et ce qui était arrivé. Continuellement, sans arrêt. Des cauchemars, tout ça. Martine est allée en enfer.»

Quand Scott finit par entendre la version de Denis, il dit: «Après avoir mis tout ça ensemble, je lui disais que son père avait tué sa mère. Ça ne faisait pas de doute.» Ce que Scott ne pouvait voir, c'était pourquoi Anne n'avait pas tiré la même conclusion, pourquoi elle demeurait proche de son père. «Ils étaient proches. Ils étaient constamment au téléphone.»

Est-ce que Martine et Anne parlaient de cette histoire? «C'est bizarre, dit Scott. Elles auraient pu, mais on aurait dit qu'elles ne voulaient pas en parler. On aurait dit que tout le monde savait mais ne savait pas, et savait que s'il fallait affronter la situation, cela exploserait et tout le monde serait contre tout le monde. Elles gardaient ça sous la table et quand elles se rencontraient, elles voulaient en parler, mais elles savaient que si elles le faisaient, ça foutrait le bordel entre elles.»

Selon Scott, l'année qui suivit le déménagement de Martine, ils allaient au ranch, mais chaque fois, Martine en revenait profondément perturbée. Il choisit de la tenir éloignée de l'endroit pendant des mois. Ils habitèrent ensemble pendant plus d'un an, puis se marièrent. En y repensant maintenant, il dit qu'il ne s'était pas rendu compte dans quoi il s'embarquait.

Après que Martine eut déménagé, Frenchy entreprit une série de changements dans sa vie. Sa faillite de San Diego se trouvait loin derrière et, selon Martine, il avait fait suffisamment d'argent dans le commerce du *pot* et de la coke pour financer une nouvelle entreprise. Il décida que ce serait à Temecula. À l'époque, la plus grande entreprise de Temecula était une compagnie d'articles de cuir de style western. La rue principale était faite d'édifices en bois, à façades de style western, qui abritaient des boutiques d'antiquités et d'objets de collection, ainsi que des magasins et des boutiques de vêtements de style western. Mais on vendait de nouveaux terrains et on projetait d'établir des centres commerciaux, et en quelques années, la population de Temecula allait exploser.

À Temecula, Frenchy avait rencontré Rick et Sharon Dial, qui possédaient leur propre atelier de réparation d'autos. Il travailla un peu pour les Dial, sans frais, et ils entamèrent une relation d'affaires. Ensemble, à Temecula, ils louèrent un édifice sur Front Street, et divisèrent l'édifice en deux. D'un côté, il y avait Dial Automotive, de l'autre Frenchy's Body Shop. Martine fut sa première employée.

«L'argent pour [lancer Frenchy's] venait du *pot,* croit Martine. Lorsque je travaillais là, la rotation était incroyable. Il y avait papa, moi et un autre gars. Ensuite, on a engagé un peintre. Il était sur Front Street. Un emplacement de choix. À partir de ce moment-là, il a fait de l'argent comme de l'eau.»

Frenchy appela Marc à San Diego et lui dit qu'il lui louerait un appartement à Temecula et lui donnerait un bon emploi à l'atelier. Marc hésita. Il avait fini par se libérer de Frenchy. Il avait maintenant vingt-deux ans, avait une maison et un emploi qu'il aimait. Il appela Anne et elle lui dit de ne pas y aller. Marc appela ensuite Denis à Hull et Denis le supplia de rester à San Diego. Mais Frenchy fit monter l'offre et Marc finit par céder.

Anne fréquentait un gars de Hemet. Elle décida de déménager à Hemet pour se rapprocher de lui. Frenchy était ravi. Anne allait vivre tout près, il avait une nouvelle entreprise et deux de ses enfants travaillaient pour lui. Il installa Pat dans le bureau, comme secrétaire, et l'argent se mit à rentrer. Il prenait et vendait encore de la coke. L'entreprise lui permettait de blanchir ses profits provenant de la drogue.

Chapitre dix-huit

Aguanga, Californie, 1985

L'atelier de carrosserie de Frenchy prit de l'expansion aussi rapidement que Temecula. Tout comme à San Diego, l'emplacement bien choisi et la publicité intense que faisait Frenchy attiraient une file constante de clients. Peu après l'ouverture, l'atelier regroupait six débosseleurs, deux peintres, trois préparateurs et plusieurs autres assistants. Mais une fois de plus, il y avait une rotation rapide et continue du personnel.

C'était la même rengaine. Frenchy trompait les clients, trichait avec ses employés et vendait de la drogue. Plusieurs ex-employés et clients affirment que Frenchy avait souvent le nez plein de coke et plusieurs l'ont vu dans son bureau avec des sacs de *pot* d'un demi-kilo.

Un ex-employé dit qu'il allait parfois manger avec Frenchy: «Il s'arrêtait, plongeait une cuiller dans un sac et reniflait. Et il avait des connexions. Il connaissait des gros vendeurs.»

Frenchy s'occupait des plaintes des clients avec son tact habituel. «Quand des clients furieux entraient, il disait: "Sors d'ici ou j'appelle la police"», dit un de ses ex-hommes à tout faire.

Ni Martine ni Marc ne restèrent longtemps à son emploi. Martine se trouva un meilleur travail et, quelques mois après son arrivée de San Diego, Marc eut une vive altercation avec Frenchy et claqua la porte. Il réclama de l'argent à Frenchy. Des années plus tard, il affirme que son père retenait souvent sa paie et lui dit qu'il recevrait son argent s'il livrait de la drogue pour son compte. À partir de ce moment, Marc et son père devinrent ennemis jurés. Marc déménagea à Hemet et, à l'été de 1985, rompit avec sa femme. Il avait alors deux enfants.

Cet été-là, Denis, Line et leurs enfants retournèrent en Californie. Denis s'était bien débrouillé depuis leur dernier voyage. Line et lui avaient emménagé dans une maison voisine de celle de ses parents à elle, à Chelsea, non loin de Pointe-Gatineau, et Denis avait son propre atelier de carrosserie. Son beau-père, Ben Lafond, avait ouvert une nouvelle cour de ferraille et opérait un service de remorquage et un atelier de réparation sur un terrain qu'il avait acquis à deux minutes de chez lui. Il avait invité Denis à établir un atelier dans la cour, ce qu'il avait fait. Il avait appelé son commerce Collision Chelsea.

Denis avait deux employés et son entreprise le faisait bien vivre. Il passait les week-ends, avec Line et les enfants, sur une propriété au bord d'un lac que Ben Lafond leur avait donnée, à côté de son chalet du lac Serpent, dans les collines de la Gatineau. Denis construisit un chalet sur le terrain et lorsqu'il émergea des fondations, il eut la forte sensation d'avoir trouvé sa place dans le monde. Il avait sa propre famille et il faisait partie de la grande famille Lafond. Il jouait encore de la batterie les week-ends, mais pas trop souvent. Il n'était ni ambitieux ni mondain. Il n'avait pas d'amis intimes à part Line, et il était bien dans sa peau.

Laurette Boissonneault mourut en 1983. Une fois de plus, Denis arriva à l'église tôt le matin des funérailles, et examina le visage de chaque personne présente. Son cœur défaillit lorsqu'il s'aperçut que Jeannine n'était pas dans la foule. Il vit le cousin de Jeannine, Michel Béland, qu'il connaissait en tant qu'officier de la GRC, mais n'eut aucune chance de bavarder avec lui. Il voulait, mais ne cessait de se dire qu'il n'avait aucune information nouvelle à offrir, ni à Michel ni à personne d'autre, à propos de Jeannine.

Plus il se sentait enraciné, plus il devenait préoccupé par la question qui avait hanté sa vie depuis si longtemps déjà. En un certain sens, les voyages en Californie faisaient partie de ce qui était maintenant une quête de vérité sur Jeannine.

Cette fois-ci, Denis, Line et les enfants se rendirent en Californie en voiture. En arrivant, Denis découvrit que sa grand-mère, Marie-Anna Durand, était en visite chez son riche fils Frenchy. Denis et Line demeurèrent dans la vieille maison mobile de B. B. au ranch. Le lendemain de leur arrivée, Marie-Anna fit venir Denis dans la cuisine de chez Frenchy pour lui parler. Elle le culpabilisa en lui disant qu'elle avait dû aller jusqu'en Californie pour lui rendre visite. Il ne l'avait pas vue depuis la querelle qui avait entouré la fête qu'elle avait organisée pour Ray à Hull. C'est alors qu'apparut le but véritable de la conversation. Elle avait entendu dire par Frenchy que Denis allait ramener Marc à Hull avec lui. Jusque-là, c'était vrai. Denis et Marc s'étaient parlé et Denis l'avait pressé de déménager au Canada. Marc était intrigué et avait accepté. Denis avait obtenu une copie du certificat de naissance de Marc afin de s'assurer qu'il n'aurait aucun problème à traverser la frontière. Apparemment, Marc avait taquiné Frenchy en lui annonçant qu'il allait déménager à Hull. Frenchy avait demandé à sa mère de persuader Denis d'abandonner son idée.

«Denis, je ne veux pas que tu ramènes Marc avec toi, lui dit Marie-Anna. Ton père dit qu'il fait des problèmes. Il a dit que Marc va tout simplement te compliquer la vie au Canada.»

Denis était furieux du fait que sa grand-mère se mêle de ses affaires, qu'elle tienne pour acquis qu'elle pouvait lui dire quoi faire.

«Je regrette, grand-maman, lui dit-il. Mais si Marc veut revenir, ça va pour moi.» Et il sortit de la cuisine.

Denis passa une semaine à travailler avec Frenchy dans son nouvel atelier de carrosserie. Il fit un effort pour être poli avec Pat. Il amena les enfants à Disneyland et visita San Diego.

Il apprécia la visite mais fut incapable d'accomplir un but qu'il s'était fixé. Il voulait que les quatre enfants de Jeannine — Anne, Marc, Martine et lui — emmènent Frenchy dans un coin et lui posent la question: Où est Jeannine? Mais il découvrit que Marc voulait tuer Frenchy, qu'Anne ne voulait pas blesser le vieux et que Martine se sentait confuse. Elle buvait beaucoup et rebondissait d'une maison à une autre, d'un emploi à un autre. Denis parla à Marc à plusieurs reprises, mais découvrit que son frère était instable et imprévisible. Puis, Marc changea d'idée à propos de déménager au Canada; il dit à Denis qu'il ne trouvait pas que c'était une bonne idée. Marc était en colère contre Anne. Il avait l'impression qu'elle protégeait Frenchy; et Anne, pour sa part, avait l'impression que Marc essayait de causer des problèmes. Quand les vacances de Denis furent terminées et qu'il partit pour le Canada, il avait la vague impression que tout ce dont il avait besoin se trouvait à sa portée, mais qu'il n'avait pu l'ordonner pour en trouver le sens. Quelque chose, non pas la vérité, mais un élément nécessaire pour la découvrir, se trouvait tout proche. De quoi avait-on besoin? se demanda-t-il en cours de route. Quels étaient les indices qu'il avait négligés? Aurait-il dû essayer lui-même de faire parler Frenchy à nouveau? Il en doutait. Il avait découvert qu'il y avait une frontière qu'on ne pouvait traverser avec Frenchy. Il pouvait tolérer son père pourvu que le nom de Jeannine ne soit jamais mentionné. Il le savait, Frenchy le savait, son frère et ses sœurs le savaient. Denis et Marc étaient les seuls qui osaient traverser cette frontière. Marc le faisait, mais il le faisait pour la même raison qu'il aurait aimé piquer Frenchy avec un bâton bien aiguisé. Il nourrissait une haine viscérale pour son père et il prenait plaisir à l'emmerder. Mais Denis avait depuis longtemps dépassé le point où il pouvait tirer du plaisir du fait de contredire son père. Il traversait la frontière si cela servait à quelque chose. Autrement, il préférait rester vigilant. Un jour, Frenchy glisserait et Denis allait enfin trouver ce qu'il cherchait.

Au moment où Frenchy avait établi l'atelier à Temecula, il s'était complètement isolé au ranch. Tous les amis qu'ils s'était faits, tous les voisins qui avaient participé aux fêtes le méprisaient à présent. Il savait qu'il avait des ennemis et vint à s'en méfier tellement que lorsqu'il rentrait chez lui en auto, le soir, il demandait à Pat de sortir en premier et d'entrer dans la maison. Il recevait des menaces de mort et les prenait au sérieux. Un jour, Scott était avec lui en camion et un jeune homme leur avait tiré dessus. Arlene Knight, qu'il soupçonnait de conspirer contre lui, déclare que quelques gars arrosèrent un jour de balles la maison de Frenchy. Et un autre homme, qui habitait près de chez Frenchy et était atteint du cancer, dit à plusieurs personnes que la dernière chose qu'il avait l'intention de faire lorsque la fin serait proche, c'était de loger une balle dans la tête de Frenchy, et ainsi de rendre service à tout le monde. Quand le moment arriva, il était trop faible et mourut sans voir son vœu exaucé.

Arlene Knight a des yeux bruns et brillants, de longs cheveux soyeux brun foncé, et une compréhension intimidante et prémonitoire de la nature humaine. Elle affirme qu'elle savait que Frenchy était mauvais longtemps avant que son mari Daniel ne le reconnaisse. En 1985, elle avait commencé à le surveiller la nuit à partir de sa maison. Elle l'avait vu dans sa cour en train d'enterrer des choses: «Il avait des cachettes dans tout le ranch. Il déposait les choses, puis les couvrait d'une couche de verre pour que les animaux ne puissent les déterrer, puis les couvrait de terre.»

Apparemment, Frenchy sentit qu'on l'observait et en vint à craindre et à mépriser Arlene.

«Un jour, Frenchy pensait que je n'étais pas chez moi, se rappelle-t-elle. Il est arrivé. Il avait une clé de notre maison. J'étais à l'intérieur. Je l'ai vu arriver et je me suis cachée dans la salle de bain. Je suis restée là debout et j'ai attendu qu'il arrive. J'avais ma Betsy-Lou, un magnum calibre .357. [Il est entré] et je lui ai collé l'arme à la tête. J'ai dit: "Je vais te tuer. Si tu ne sors pas d'ici immédiatement, je vais te tuer." Et il a reculé. Je l'ai poussé sur le balcon. Il avait de la cocaïne dans sa poche, et le sachet est tombé. Et je sais qu'il allait le cacher [dans ma maison] pour me faire arrêter. Quelle autre raison avait-il d'avoir ça sur lui?»

Vers la même époque, Pat arriva et confia à Arlene qu'elle avait commencé à craindre Frenchy et qu'il lui avait demandé de garder Arlene à l'œil. Elles devinrent amies — pendant un certain temps, Arlene était la seule amie de Pat — et à mesure qu'Arlene la connaissait, elle comprit à quel point Ray était obsédé par la propreté et à quel point il contrôlait Pat. Frenchy voulait que tout soit immaculé, sans un grain de poussière, et Pat travaillait comme une bonne à nettoyer sans cesse. «L'endroit était tellement impeccable qu'elle nettoyait régulièrement les glissières des portes coulissantes», dit Arlene.

Sur les conseils d'Arlene, les deux femmes se mirent à fouiller la maison pour y découvrir les cachettes de Frenchy. «On a commencé à chercher. Dans le placard, elle avait de beaux vêtements qu'elle ne portait jamais. Des manteaux de fourrure. Le placard [de la chambre principale] paraissait normal. Il y avait un crochet à chaussures et, lorsqu'on tirait dessus, tout le plancher s'ouvrait. Une porte secrète. Sa maison mobile donnait l'impression d'être sur une plaque de béton. Mais ce n'était pas le cas. Elle était plus haut.» Daniel se rappelle qu'il y avait des fondations surélevées sous la maison, mais que Frenchy avait disposé une pointe de terre tout autour afin de donner l'impression que la maison reposait sur une plaque.

Dans l'espace sous le placard, dit Arlene, ils découvrirent «six sacs de coke. Pat les a découverts avec moi. Elle n'était pas au courant.»

Une nuit, vers la même époque, Frenchy eut des douleurs au thorax et fut transporté à l'hôpital où il passa une semaine. On ne sait pas au juste si c'était une crise cardiaque ou seulement un signal d'avertissement, mais son médecin lui ordonna de perdre du poids et de faire plus d'exercice. Il commença à marcher tous les matins, puis à courir. Il perdit beaucoup de poids en peu de temps, et en vint à apprécier la discipline physique. Il avait deux dobermans et lorsqu'il courait, c'était avec un de ses chiens ou les deux, et un pistolet. Il disait que le pistolet, c'était pour les serpents. À mesure que sa condition physique s'améliora, il décida de se faire plaisir: il se fit faire une ligature du ventre et se fit enlever les poches sous les yeux. Il changea également de coupe de cheveux et se rendit régulièrement chez le coiffeur, pour les cheveux et la barbe. Ces changements lui donnèrent une allure distinguée. Il avait cinquante ans et ses cheveux et sa barbe grisonnaient. Il commença à porter des verres fumés et à dire aux gens qu'il était une vedette de cinéma et qu'il possédait une maison à Hollywood.

Son changement d'apparence lui donna une conscience aiguë de l'aspect le plus laid de son existence: Pat. Il se plaignait à Anne qu'il était écœuré d'être marié à une alcoolique. Un jour, Pat se présenta à l'atelier avec un gros œil au beurre noir. Elle dit à l'un des gars qu'elle était tombée en bas du balcon à la maison et s'était cogné la tête. Mais les gens qui la connaissaient soupçonnaient que Frenchy l'avait malmenée.

L'une des personnes que Frenchy rencontra après avoir ouvert boutique était une femme au début de la cinquantaine à la taille svelte, au visage profondément ridé, qui avait des manières timides et un sourire joyeux. Comme elle m'a demandé de ne pas utiliser son nom, je l'appellerai Jane. Elle avait une fille de quinze ans qui habitait avec elle et que j'appellerai Janet. Jane rencontra Frenchy à l'atelier de Rick Dial.

«Il était toujours joyeux, il blaguait et plaisantait, dit-elle. Il était drôle. Il a organisé un party de Noël à l'atelier et on était nombreux à y aller. C'était beau. Il y avait pas mal de monde. Pat était là. Ils étaient toujours ensemble. Ensuite, ils ont organisé des barbecues chez eux. Ils avaient une belle piscine. J'y suis allée, avec d'autres. Puis, il m'a demandé de sortir avec lui, et ça m'a surprise. Je l'ai regardé, c'est tout. Ça m'étonnait. Une semaine ou deux plus tard, il m'a demandé à nouveau. J'ai dit non. Il m'a demandé pourquoi. J'ai répondu que c'était parce qu'il était marié. Il a dit: "C'est pas ma femme. C'est une femme que je suis allé chercher au Canada et que j'ai ramenée au Texas pour qu'elle élève mes enfants après la disparition de ma femme." Il m'a raconté deux versions différentes. Il m'a dit que sa femme était partie avec un autre gars et l'avait laissé avec quatre enfants. Il connaissait Pat parce qu'il travaillait avec elle au Canada dans un garage. Une autre fois, il m'a dit que sa femme avait eu une dépression nerveuse et qu'il avait dû la placer en institution. Il m'a dit que c'était terriblement cher de la garder dans un endroit vraiment beau. À l'époque, je me suis rappelé l'autre version et je me suis dit: Il était peut-être gêné à propos de sa femme. Ça avait meilleure allure auprès des voisins de dire qu'elle s'était sauvée avec un autre. J'en suis restée là.»

Frenchy mentit à Jane et insista. «Il a dit qu'il était désolé pour [Pat]. Elle avait été tellement bonne pour les enfants. Alors il a dit: "Je l'ai juste gardée chez moi. Mais on n'est pas mariés. Demande-lui." Alors, il a dit que son nom était Durand et qu'il avait pris son nom à elle. C'était incroyable, les histoires qu'il racontait. Je suis gênée d'avoir été tellement stupide. De toute façon, il m'a dit que la raison pour laquelle il avait pris son nom à elle, c'était qu'il était policier dans la GRC et que dans une affaire récente, il avait attrapé un des méchants mais qu'il y en avait encore d'autres au large, et que c'était dangereux pour lui de rester au Canada. Et ils lui avaient payé ses dépenses pour lui permettre, à lui et à sa famille, de vivre au Texas. En partant de là-bas, il ne pouvait même pas en parler à sa propre mère. Puis, il avait dû trouver une façon de gagner sa vie. Il travaillait dans un atelier de carrosserie et la famille qui en était propriétaire l'adorait tellement qu'ils ont voulu le lui donner quand ils ont pris leur retraite.

«Eh bien! je viens du Minnesota. Ma grand-mère avait toujours un calendrier avec un gars de la police montée sur son cheval. C'était tellement romantique. Je me disais: "Quelle vie palpitante!" Il ne pouvait communiquer avec sa famille là-bas. Il avait tout simplement disparu. C'était vraiment secret. Un gros secret. Cette histoire n'a jamais changé. Mais l'histoire de sa femme — j'ai entendu les deux versions.»

Frenchy lui fit de l'œil et Jane finit par succomber à ses attentions. «On a commencé à sortir ensemble. Il voulait m'épouser. Pat restait à la maison à l'époque où on sortait ensemble. Il disait qu'il ne savait pas quoi faire avec elle parce qu'elle ne travaillait jamais. Et il se sentait coupable de la mettre à la porte. Il a décidé de le faire. Il m'a demandé ce que j'en pensais. Il m'a dit qu'elle l'avait aidé dans l'entreprise. Et je lui ai dit qu'elle avait élevé ses enfants. Il ne voulait pas qu'elle fasse partie de l'entreprise. Il a fait évaluer la maison et il a dit qu'il allait lui donner la moitié de ce qu'elle valait. Je croyais qu'il l'avait fait. [Il a dit plus tard qu'il avait donné 100 000 $ à Pat.] Il lui a loué un appartement à Hemet. Anne était avec nous. Nous sommes allés dans un joli endroit et il a payé le premier et le dernier mois de loyer, et il a dit qu'elle pouvait se débrouiller avec tout l'argent qu'il lui avait donné.»

Après avoir passé dix-huit ans avec Frenchy, après l'avoir suivi sur tout le continent, après avoir travaillé sans solde comme bonne, cuisinière et gardienne d'enfants, Pat était remerciée. Des années plus tard, elle dit qu'elle aimait encore Frenchy lorsqu'il la mit à la porte, et qu'elle fut blessée et surprise. Elle avait gardé ses secrets, souffert ses infidélités, enduré ses coups. Elle avait également bu son alcool, sniffé sa coke, parié son argent et passé des vacances avec lui à Hawaï, en Floride et à d'autres endroits sur tout le continent.

Frenchy lui acheta une voiture d'occasion et, pendant un certain temps, lui donna 700 $ par mois. Il lui dit également qu'ils partageraient la propriété, qu'elle obtiendrait un titre sur les 20 acres de Rand et sur la maison mobile qui s'y trouvait. En retour, elle allait lui céder la totalité de leurs 20 acres et la maison qui s'y trouvait. Il l'avait considérablement rénovée. Il y avait ajouté un second étage et avait clôturé la piscine.

Le 4 décembre 1985, deux actes de cession furent enregistrés sur les deux propriétés attenantes. Les actes montrent que Frenchy renonçait à toute revendication de la propriété de Rand et la transférait au nom de Pat. Et elle fit l'inverse avec la propriété dans laquelle ils avaient vécu ensemble. Un autre acte de cession enregistré deux ans plus tard montre que Pat transférait à nouveau la propriété de Rand à Frenchy. L'année suivante, la propriété fut vendue. Pat dit plus tard à une femme qui faisait des recherches sur le titre de la propriété qu'elle ne reçut jamais, pour cela, un sou de Frenchy, et qu'elle ne se souvenait aucunement de l'avoir redonnée à Frenchy.

Lorsque Frenchy mit Pat à la porte, elle avait cinquante-deux ans et était une alcoolique invétérée. Elle avait beaucoup voyagé, mais elle n'avait aucune expérience du monde. Elle n'avait aucune compétence digne d'un emploi, peu d'amis, peu d'instruction et aucun statut légal aux États-Unis. Elle cachait un sombre secret à propos de son passé. Elle était maintenant à la merci du destin. Frenchy n'était plus là pour subvenir à ses besoins. Obligée de recourir à ses propres ressources, elle réagit par le courage et la ruse. Elle n'était peut-être pas très brillante, mais elle parvint très rapidement à refaire sa vie.

Durant ses années au ranch, Pat avait fait connaissance avec une coiffeuse de Hemet. L'alcool servit peut-être à les mettre en contact, car elles partageaient une réputation de buveuses. Elles commencèrent à sortir ensemble. La coiffeuse connaissait un homme célibataire dans la cinquantaine, nommé Bert Matheis, qui possédait sa propre maison et était entrepreneur et homme à tout faire. Bert, un homme volubile, solitaire, qui aimait les chats et semblait connaître tout le monde à Hemet, passait ses jours au volant, réparant des choses et échangeant des objets. Un soir où il se trouvait chez lui, le téléphone sonna.

«C'était la fille [la coiffeuse], se rappelle-t-il. Elle a dit qu'elle apporterait quelque chose. Elle amena Pat. Pat avait été sa cliente — coiffure et manucure — depuis, j'imagine, sept ou huit ans. De toute façon, elles sont arrivées. Elle a dit que le mari de Pat venait de la mettre à la porte et qu'elle se retrouvait en appartement. Elle a dit que le mari de Pat la battait beaucoup, et qu'elle buvait beaucoup.»

Selon Bert, la coiffeuse ne resta que 25 minutes, puis dit: «Faut que je rentre. Laisse-moi rapporter ton auto, Pat.» Elle laissa Pat avec Bert.

«J'aimais bien Pat. Elle m'a dit qu'elle était en procédure de divorce. Elle avait son appartement et pas longtemps après, j'ai dit: "T'es folle de payer un loyer." Elle était tout le temps chez moi. Je lui ai dit qu'elle pouvait rester avec moi.»

Peu de temps après que Pat eut emménagé, ils se marièrent. «Pat n'a pas un joli visage, dit maintenant Bert. Mais c'est une des personnes les plus gentilles que j'aie rencontrées. Elle a sauvé deux chatons. On les a adoptés. Elle me disait que Ray était méchant, qu'il vendait de la drogue. Elle avait peur de lui comme du diable.»

Anne fut réjouie de la décision de Frenchy de se débarrasser de Pat. Elle n'avait jamais pardonné à Pat de l'avoir battue et de lui avoir fait assumer tous les travaux domestiques. Elle ne voulait pas qu'on la blesse, mais elle ne voulait pas non plus la voir dans la famille. À présent, elle était plus proche que jamais de son père, lui parlait tous les jours et savait qu'il adorait Jane, la femme qu'il fréquentait. Elle ne voulait pas qu'il reste avec une femme qui leur avait causé autant de souffrances, à elle et aux autres enfants. Mais à cause de sa nature, Anne passa outre à ses sentiments et continua d'appeler Pat et de lui offrir des cadeaux à son anniversaire et à Noël. Elles habitaient maintenant toutes deux à Hemet, et Anne demeura en contact avec elle.

Denis réagit différemment. La séparation de Frenchy et Pat lui donna un choc. Il avait toujours tenu pour acquis que Pat savait quelque chose du sort de Jeannine. Mais à présent, il n'en était plus certain. Si Pat savait quelque chose, se dit-il, son père ne l'aurait pas mise à la porte. Ne craindrait-il pas qu'elle parle? Il ne savait plus quoi penser. Il se mit à douter de la véracité de toutes les idées qu'il avait entretenues depuis longtemps. Tout au long de l'hiver, il rumina, puis décida de retourner en Californie à l'été pour évaluer la situation.

Une fois Pat mise à l'écart, Frenchy redoubla d'efforts auprès de Jane. Il voulait l'épouser. «Il était charmant, dit-elle. Mais j'étais célibataire depuis tellement d'années, et je continuais de repousser l'idée. Je disais: "Attendons jusqu'à l'Action de Grâces." Puis, je disais: "Attendons jusqu'à Noël." J'avais mon appartement. Ma fille vivait avec moi.»

Son incertitude provenait en partie d'une visite qu'elle avait reçue de Marc, un soir. «Il est venu me voir et il m'a dit: "Écoute. Mon père a toujours utilisé les gens de son entourage. Je pense que tu devrais savoir ça avant de t'engager." Je ne savais pas quoi penser. Ça n'avait aucun sens. Marc disait que Pat lui faisait pitié. Il disait que son père contrôlait tout l'argent sans en laisser à Pat. Je me suis dit que Marc me disait ça parce qu'il plaignait Pat.»

Après cette visite de Marc, Jane eut des appréhensions. Mais alors, elle apprit que lui et Frenchy étaient en désaccord depuis quelque temps, et elle se demanda si les remarques de Marc n'avaient pas pour but de prendre une revanche sur son père.

À l'approche de Noël, Jane et Frenchy firent des plans pour passer un mois à Hawaï. Frenchy proposa qu'ils se marient à Las Vegas avant leur départ. Mais Jane tint bon et finit par offrir un compromis. Ils allaient se marier à Hawaï. Ils arrivèrent là-bas juste avant Noël et Jane se rappelle que Frenchy transportait au moins 20 000 $ comptant. «Il avait beaucoup d'argent sur lui. Je trouvais ça ridicule.»

Ils passaient leurs journées à la plage. Tout ce qui intéressait Frenchy, se rappelle-t-elle, c'était se faire bronzer et manger. Le mariage eut lieu sur un bateau nolisé au large de l'île de Maui, le 30 décembre, jour du 50ᵉ anniversaire de Frenchy. Des photos de la cérémonie les montrent tous deux bronzés, portant des *leis* et se servant mutuellement un morceau de gâteau de noces. On servit des côtelettes à bord. Le cousin de Jane et sa femme, qui habitent à Hawaï, servaient de témoins.

Moins de deux jours après son mariage, Jane sentit que tout avait changé, et elle commença à craindre d'avoir fait une erreur: «Vous savez, quand vous avez l'intuition que quelque chose cloche? Ça ressemblait à ça. Je ne suis pas la plus grande nageuse du monde. Il savait ça. Un jour, il voulait que je nage très, très loin. Je lui ai dit non. Il m'a presque traînée dans l'eau. Il voulait que j'aille avec lui. J'ai dit non. C'était très loin. Il est devenu très méchant.»

De retour en Californie, Jane et sa fille emménagèrent au ranch et en peu de temps, elles en apprirent davantage sur la famille de Frenchy. Jane avait déjà rencontré Anne et savait que Frenchy l'appelait chaque jour, et qu'il l'invitait souvent à aller manger avec eux au restaurant les week-ends. Comme il était si distant avec ses autres enfants, elle pensait qu'ils étaient exceptionnellement proches. Frenchy lui dit que Denis habitait avec sa grand-mère au Québec, et qu'il ne voulait pas voir Martine au ranch parce qu'elle lui avait volé quelque chose. Marc se présenta un jour au ranch. Il avait peut-être recommencé à travailler pour Frenchy, à l'époque. Il travaillait pour lui quelques mois, puis Frenchy le congédiait et le réengageait quelques mois plus tard. Le soir où Marc arriva, dit Jane, «on était au bar. Marc et Ray parlaient dans un coin et je suis arrivée. Marc était là debout, il a pris son portefeuille, il en a tiré une photo et l'a mise sur le comptoir. Une petite photo. L'expression du visage de Frenchy est passée du jour à la nuit. Un nuage l'a écrasé. Il n'a rien dit. Il a terminé ce qu'il faisait derrière le bar. Puis il est parti vers la cuisine. J'ai jeté un coup d'œil à la photo. C'était une femme. Puis, Marc a dit: "C'est ma mère." J'ai dit: "Oh!" C'est tout ce que je lui ai dit. Entre-temps, je pensais: Pourquoi est-ce que ça le dérange tellement? Parce que son gars avait une photo?»

Peu après son arrivée au ranch, Frenchy imposa à Jane une série d'exigences. «Quand on s'est mariés, j'avais une Camaro noire que mon fils m'avait apportée. Frenchy voulait que je la mette à son nom. J'ai dit: "Pourquoi?" Il a dit: "Pour la confiance." Ensuite, il voulait savoir si j'avais de l'argent en banque. Je n'ai pas été très sincère. Je sentais qu'il cherchait à me contrôler. Il voulait que je travaille au bureau [chez Frenchy]. Je voulais garder mon emploi. Il m'a emmenée travailler là. Il ne m'a jamais donné un sou.»

Peu de temps après, Frenchy fit une autre suggestion qui la fit frissonner. «Il m'a dit: "Tu sais, je ne suis jamais sorti avec une femme qui n'avait pas des gros seins." Moi, je suis tout à fait à l'aise dans ma peau. Il a dit: "Pourquoi est-ce que tu ne te fais pas poser une prothèse?" J'ai répondu: "J'ai travaillé dans le corps médical et j'ai entendu de vraies histoires d'horreur là-dessus. Je ne veux tout simplement pas faire une chose pareille."»

Jane dit que pendant longtemps, elle ne put rien comprendre à Frenchy. Il la surprenait souvent et l'une des choses qui la surprirent le plus, ce fut de le voir s'effondrer, deux fois. «Un soir, il ramena quelques gars de l'atelier, dit-elle. Il les avait amenés au ranch pour désherber le terrain. Il faisait froid. Il était censé être là-haut à un certain moment pour les ramasser. On était en auto et il a dit: "Je ne veux pas que tu penses que je traite les gens comme des chiens." Puis, il s'est mis à pleurer. Il pleurait vraiment, à gros sanglots. Puis, une autre fois, un samedi matin, je nettoyais les fenêtres de la cuisine au Windex, et il est sorti s'occuper de l'extérieur. Il avait enlevé la moustiquaire et on parlait à travers la fenêtre, et il m'a dit: "J'aidais toujours Pat à faire les fenêtres." Puis il l'a répété. "Je veux pas que tu t'imagines que je traite les gens comme des chiens." Et il s'est mis à pleurer encore une fois. À sangloter. Comme si quelqu'un était mort, quelque chose comme ça. J'ai parlé de ça à Anne. Et Anne a dit: "Mon père, il pleure jamais."»

Jane pensa longtemps à ces fois où il avait pleuré, et ce qui la frappait le plus, c'était la pensée qu'il ne pleurait pas pour quelqu'un d'autre. Il pleurait pour lui-même. Il se sentait incompris. Il avait tellement pitié de lui-même qu'il s'était ému aux larmes.

Jane vit Frenchy sniffer de la coke à quelques reprises mais il le faisait discrètement. Ce qui la troubla encore plus, ce fut de découvrir que tout ce qui l'intéressait, c'était de faire de l'argent et de boire. «Il ne regardait pas beaucoup la télévision. Il écoutait de la musique de temps en temps — Willie Nelson. Il louait rarement des vidéos. Il n'allait jamais au cinéma. Il ne lisait ni livres, ni magazines, ni journaux. Il pouvait boire pas mal. Il m'a dit que Pat et lui, lorsqu'ils quittaient Temecula le soir, s'arrêtaient au magasin d'alcool. Il aimait le *rhum and coke*. Ils prenaient un «mickey» chacun. Au moment où il revenait à la maison [en 20 ou 25 minutes], c'était fini. Il calait ça, le temps de le dire.»

Et chaque soir, dès qu'il entrait, se rappelle Jane, il prenait sa liasse de billets de banques et il les comptait. «Il allait au bar, les sortait et les comptait. Il disait qu'il gardait des billets sur lui parce que parfois, il rencontrait des gars cassés qui avaient besoin d'argent et il achetait leur auto pour une chanson.»

Jane vit Frenchy enterrer des autos au bas de la côte de la maison, et commença à se demander pourquoi. Elle vit une Mercedes sans une seule éraflure stationnée en bas de la côte. Puis, elle disparut et elle se demanda s'il l'avait enterrée.

Puis Frenchy se mit à disparaître, parfois à découcher. «Il disait qu'il devait aller à San Diego, chercher une pièce. Il partait un samedi et restait là-bas jusqu'à dimanche.»

Un soir, ils allèrent dîner. Frenchy conduisait une voiture sport noire. «En sortant, on a vu une voiture de police qui venait vers nous. Frenchy a dit: "Attache ta ceinture." Le flic est arrivé derrière nous et Frenchy a collé la pédale au plancher. Frenchy a semé le flic, est sorti dans un chemin secondaire et a éteint les lumières. Le flic a continué tout droit. J'avais une peur bleue. J'ai dit: "Pourquoi?" Il a dit: "Bien, il nous cherchait." J'ai dit: "On ne faisait rien." Il a dit: "Oh! tu comprendras jamais." Il avait une peur bleue de la police.»

À l'atelier, Jane commença à remarquer que Frenchy arrondissait les coins. Elle vit des experts en sinistres arriver pour faire des estimations d'autos endommagées. «Ray laissait un billet de 100 $ sur le bureau. Il ne le tendait jamais au gars. Le gars arrivait et j'imagine qu'il augmentait l'estimation des dommages. Puis, il s'assoyait là, à l'autre bureau, et quand il partait, le billet de 100 $ avait disparu. Ray se contentait de le laisser là.»

Un autre homme qui travaillait avec Frenchy dit que, pour ce pot-de-vin de 100 $, l'expert en sinistres pouvait laisser Frenchy changer une facture de réparations de 700 $ en facture de 1 500 $.

Mais pour Jane, ce qui fit déborder le vase, ce fut un incident qui se produisit un soir au ranch. «Lui et ma fille étaient en train de regarder la télévision. Je suis restée plantée là, debout, et je me suis demandé ce qu'ils regardaient à la télévision pendant que le dîner cuisait. Il s'est tourné vers elle et a dit quelque chose en français. [La fille de Jane avait étudié le français.] Juste à voir l'expression sur son visage, je savais que c'était quelque chose qu'elle n'aimait pas. Il l'a dit une autre fois. Là-dessus, elle s'est levée, a quitté la pièce et est allée dans sa chambre. Le lendemain, en la conduisant à l'école, je lui ai demandé ce qu'il avait dit. Il lui avait demandé de coucher avec lui! Ça a vraiment été la fin. Bien entendu, plus tard, il a dit qu'elle mentait. Je lui ai dit ce que je pensais de lui. Mes enfants passent en premier.»

Jane dit à Frenchy qu'elle déménagerait dès qu'elle aurait trouvé un logement et un emploi. Entre-temps, ils feraient chambre à part. La fille de Jane, Janet, dit qu'un jour, peu après l'incident, «Frenchy est arrivé soûl. Je ne sais pas où était maman. Il est arrivé dans ma chambre. Il avait un calibre .38. Il m'a sortie du lit, m'a tordu le bras dans le dos. Il était fâché parce que maman l'avait affronté. Il a pointé le .38 dans mes côtes. Je me suis dit qu'il allait me casser le bras. Il a dit que j'étais menteuse. Il m'a dit de sortir. Je suis sortie de la maison et j'ai couru jusque chez le voisin. En robe de nuit. J'ai appelé mon frère, et il est venu me chercher.»

Mais alors, Frenchy avait déjà une autre femme dans sa vie. Quelques semaines auparavant, il avait placé une annonce dans le journal pour se trouver une secrétaire. L'une des femmes qui répondirent à l'annonce avait quarante ans, les cheveux noirs, la peau blanche comme la porcelaine et des lèvres peintes comme celles d'une geisha. Elle s'appelait Gloria Ann Seicher. Elle venait de Leduc, en Alberta, mais s'était mariée à Hawaï et avait déménagé à Temecula. Elle et son mari avaient une maison entourée d'orangers à l'extérieur de la ville. Son mari était ingénieur. Elle prit l'emploi et, quelques semaines plus tard, elle et Frenchy se fréquentaient. Ils tombèrent follement amoureux: elle quitta son mari, et moins de deux mois après le départ de Jane, ils habitaient ensemble au ranch.

Cet été-là, quand Denis arriva à Hemet avec Line et les filles après un long trajet depuis Hull, Frenchy était en Alberta avec Gloria, en visite dans sa famille. Denis obtint d'Anne la clé de la maison de Frenchy et se reposait là lorsque Frenchy et Gloria arrivèrent deux jours plus tard. Marc avait dit à Denis que Gloria était une salope, qu'elle écoutait ses appels téléphoniques, mais Denis et Line la trouvaient plutôt agréable. Un jour où Denis était là, il la conduisit en ville. Elle avait un rendez-vous chez le médecin. Elle lui dit qu'elle s'était fait grossir les seins à cause de Frenchy. Mais elle avait des problèmes avec les prothèses et en voulait à Frenchy pour cela. Denis ne pouvait pas croire qu'elle avait accepté.

Denis et Line avaient décidé de ne passer que deux semaines en Californie. Ils voulaient visiter le pays. Un soir, après quelques semaines où la tension montait, Denis dit à son père qu'ils partaient.

«Comment est-ce que vous vous en retournez?» demanda Frenchy.

«Je veux m'en retourner par le Texas, répondit Denis. Je veux revoir Big Thicket et Houston.»

Denis constata qu'il avait touché un nerf sensible. Frenchy devint nerveux et agressif, et tenta de l'en dissuader.

«Pourquoi tu veux faire ça? Il va faire chaud», dit-il à Denis.

Au cours des deux jours suivants, alors qu'ils se préparaient à partir, Frenchy continua de tenter de persuader Denis de prendre une autre route. Il commença à donner à Denis des outils pour son atelier et bientôt, son coffre arrière fut presque plein. Denis devint de plus en plus méfiant. Qu'est-ce qui dérangeait le «vieux»?

Finalement, ils partirent, traversèrent l'Arizona et le Nouveau-Mexique, et entrèrent au Texas. Denis se rappelait avoir fait le chemin inverse, vers la Californie, dans la dernière semaine de 1969. Lorsqu'ils arrivèrent à Houston, son esprit filait. Tous les souvenirs qui le hantaient avaient commencé là. Avec quelque difficulté, il trouva la maison sur Beech Street et la filma à partir de l'auto, avec une caméra vidéo. Là, entre le garage et la maison, il y avait la porte par laquelle son père était entré avec les deux valises. Denis se rappela être retourné encore et encore au coin, avec son vélo, pour y attendre le retour de Jeannine. Sur la banquette arrière, les filles de Denis se demandaient ce qui n'allait pas. Il semblait au bord des larmes. Line attendait patiemment. Elle avait vécu avec cette histoire depuis presque aussi longtemps que lui.

Ils continuèrent vers Big Thicket, par l'autoroute Liberty. Il découvrit le chalet. Il avait été abandonné. Il se rappelait l'avoir construit, il se revoyait étendu dans la tente, il se souvenait de la fois où Pat l'avait suivi, des lettres de son instructeur de football, de sa visite à la bibliothèque pour étudier des cartes. Sa peine, découvrit-il, était tout aussi aiguë à présent qu'à l'époque. Malgré toutes les années qui s'étaient écoulées, il était encore poursuivi par les mêmes démons. Il vivait depuis si longtemps avec l'incertitude qu'il ne pouvait croire que cela ne l'avait pas rendu fou. Tout ce qu'il voulait, c'était savoir ce qui s'était passé. Il était retourné à Hull et avait récupéré tout ce que son père avait abandonné: sa langue, sa culture, sa communauté. Il avait rebâti l'identité que son père avait compromise. Il s'était refait une vie. Il vivait un mariage heureux, avait des enfants, une maison, un chalet, une entreprise. Il était extrêmement enraciné, psychologiquement, dans ce monde. Il prenait grand plaisir à ce sentiment d'appartenance. Il avait un endroit dans le monde où il était connu et bien accueilli. Cependant, il était encore incapable de tirer fierté de ses réussites à cause d'une question sans réponse qui était suspendue au-dessus de lui comme une épée de Damoclès.

Dès son entrée au Texas, Denis avait évoqué la possibilité de parler à la police. «Je leur demanderai s'ils ont déjà trouvé un corps qu'ils ne pouvaient identifier, dit-il à Line. J'expliquerai ce qui est arrivé, raisonna-t-il, et je suis sûr que quelqu'un pourra nous aider.» Line l'encouragea. Mais le dernier jour, il n'eut pas le courage de le faire. Il était affligé par l'incertitude, inhibé par son éternelle timidité. Et si j'y allais et qu'ils me montraient une photo de Jeannine morte? se demanda-t-il. Qu'est-ce que je ferais? Je retournerais en Californie et j'irais le tuer, l'enfant de chienne, se dit-il. Est-ce que je devrais gâcher ma vie et tout ce que j'ai, juste pour me venger de lui? Denis tourna et retourna la question en lui-même jusqu'au moment où ils quittèrent la ville en direction du Québec, en suivant la route que, dix-sept ans plus tôt, il avait tracée du doigt sur une carte de la bibliothèque de l'école Hardin.

Jeannine (à droite) et son amie
Rollande Guénette au début des années 1950.

Le jour du mariage de Jeannine et de Ray, de gauche à droite: Donat Durand, Maria-Anna Durand, Ray Durand, Jeannine Boissonneault Durand, Laurette Boissonneault et Hermas Boissonneault. La petite fille à l'avant-plan est l'une des sœurs de Ray.

Denis, Martine et Anne en décembre 1967, quelques semaines seulement avant la disparition de leur mère.

Denis et Marc à Houston, en 1967.

La maison de location à Fort Lauderdale, en 1967.

La maison de Beech Street où la famille habitait au moment de la disparition de Jeannine. La photo date de 1992.

Ray Durand, Pat Holben et Robert Durand à San Diego, en 1970.

Pat et Ray lors d'une fête à Québec en 1971.

Denis et sa petite amie Line Lafond (maintenant sa femme) à Hull, Québec, en 1973.

Denis Durand et Laurette Boissonneault (mère de Jeannine) en 1972.

Ray et Denis à San Diego, en 1974, avec la jaguar qu'il lui avait promise, s'il déménageait de Hull jusqu'en Californie.

Martine, Pat, Marc, Anne, Denis et Ray à l'appartement d'Anne, à San Diego, en 1981.

Vue aérienne du ranch, prise en 1991 par Jean Nadeau, enquêteur au bureau du procureur du district du comté de Riverside. La zone encadrée est le site où Jean Nadeau a fait pratiquer une excavation au moyen d'un bulldozer de location. On y a déterré environ 35 véhicules.

Ray Durand au ranch, en 1986.

Ray et Gloria Durand le jour de leur mariage, en 1986.

Denis Durand à la tombe anonyme, près de l'autoroute Liberty, à Houston, où était enterré le cadavre immatriculé 68-500, jusqu'à ce qu'on l'identifie, en 1991, comme étant celui de Jeannine Durand.

De gauche à droite: le sergent Michel Béland, le lieutenant Robert Madeira des Texas Rangers, Denis Durand, le lieutenant Mike Talton de l'Unité des homicides du comté de Harris, le lieutenant François Cloutier de la police de Gatineau, à Hull, en 1991.

Denis Durand, sa fille Geneviève et Anne Hallberg, à Hull, en 1991. Derrière Anne se trouve Jean Nadeau.

François Roy

François Roy

Service funèbre de Jeannine. À l'extrême gauche, Réginald Boissonneault; le sergent Michel Béland; première rangée, de gauche à droite: Phil Hallberg, Anne Hallberg, Line Durand et Geneviève Durand, à Hull, en 1991.

Jean Nadeau, enquêteur au bureau du Procureur de district du comté de Riverside. (Photo prise à Hull.)

Anne et Phil Hallberg à San Jacinto, en 1992.

Le Droit

À la cour de Houston, Raymond «Frenchy» Durand et sa femme Gloria Durand en compagnie de l'avocat de celui-ci, Jack Zimmermann.

Le Droit

Ray et Gloria à la cour.

Chapitre dix-neuf

San Jacinto, Californie, 1986

Au cours de son bref mariage avec Frenchy, Jane découvrit un jour qu'Anne avait dit quelque chose de blessant concernant un homme de sa connaissance. Peu après, au téléphone, Jane s'en prit à Anne et lui demanda des explications sur la remarque qu'elle avait faite.

«Bien des gens s'imaginent que je ne suis pas une bonne personne, avait répondu Anne. Mais je vais de mieux en mieux.»

Jane fut frappée par l'optimisme et la franchise de cette remarque. Sept ans plus tard, elle se la rappela et songea à ce qu'Anne avait voulu dire. Elle n'aimait pas tellement Anne; pour elle, c'était la confidente et la protectrice de Frenchy. Après la fin du mariage, Jane se demanda ce qui faisait qu'ils étaient si proches l'un de l'autre. Anne, songea-t-elle, doit être consciente de la nature de son père. Il avait besoin de contrôler les gens. Contrôlait-il Anne également? Pourtant, la remarque d'Anne révélait une conscience de soi qui semblait faire contraste avec sa dévotion à son père.

Anne avait toujours été une bonne fille et Frenchy l'en avait récompensée. Contrairement aux autres enfants, elle ne l'avait jamais trahi. Il l'invitait souvent en excursion le week-end, organisait des réceptions avec elle et lui achetait des cadeaux. Elle savait qu'il vendait de la drogue, qu'il tripotait ses amies, qu'il était voleur et menteur. Frenchy était à l'aise avec elle parce qu'Anne l'avait toujours protégé par son silence et ses dénis. Elle avait jadis rompu le silence une fois en disant à Pat que Frenchy avait tripoté les seins de son amie. Mais elle ne le fit plus jamais. Il y eut d'autres incidents avec d'autres amies. Elle faisait semblant que rien ne s'était passé.

Frenchy se jouait d'Anne. Il pouvait aussi bien se jouer de Marc et de Martine, mais ils ne lui étaient pas aussi utiles — Martine parce qu'elle buvait trop et Marc parce qu'il était fou de colère et de haine. Mais Anne, elle, était digne de confiance. Frenchy misait sur sa loyauté à la famille et sur son besoin désespéré d'affection. Il ne l'avait d'abord utilisée que pour faire des courses.

«Il me donnait des ordres. Je ne vivais plus avec lui et il me donnait encore des ordres, se rappelle Anne. Il voulait que j'aille chercher des pièces ou de la peinture pour lui ou que j'aille l'aider à l'atelier. Ça s'arrêtait là. Il fallait le faire, c'est tout. Mais chaque fois qu'il me donnait de l'argent, je le remboursais toujours.»

Puis, lorsque Frenchy commença à songer à quitter Pat, il se tourna vers Anne pour obtenir conseils et réconfort. «Il pouvait me parler de n'importe quoi, dit Anne. Il vendait de la drogue à mes amis et il sortait avec moi et avec une de mes amies. Tout le monde l'aimait. Il adorait fêter. Je pense que je voulais seulement une sorte de famille, et il m'en donnait une. Il représentait tout ce que j'avais. Je n'étais pas proche de Denis. Je n'étais pas proche de Marc. Je voyais Martine de temps en temps. Donc, ma famille, c'était lui. Je voyais tous mes amis avec un père et une mère, et tout ce que j'avais, c'était un père.»

Frenchy n'avait jamais été capable d'établir des relations égalitaires. Il corrompait ou détruisait tous ceux qu'il rencontrait. Il n'avait pas détruit Anne; il y avait dans son caractère quelque chose d'indomptable et de défiant. Mais il l'avait attirée, avec les autres enfants, dans le demi-monde qu'il habitait moralement, en les exposant tout simplement à ses mensonges, à sa cruauté et à son égoïsme. Et puis, il y avait les fêtes. Anne était à l'avant-scène de la plupart d'entre elles; elle voyait son père complètement dément, rendu fou par l'alcool et la drogue, et elle entendait bien des femmes se plaindre des avances de son père. Au cours des fêtes, Anne ne restait pas dans son coin, à observer en silence: ces fêtes étaient toujours une forme d'éducation, et parfois d'initiation. Mais elle n'était jamais capable de s'abandonner complètement dans l'instant, de la même façon que son père, Marc ou Martine. Une boussole morale intérieure, que Marc et Martine ne semblaient pas avoir, la gardait tournée vers quelque chose de plus profond dans sa nature. Si, au cours de ces années, elle a flotté sur des mers orageuses, elle n'a jamais perdu le cap. Même au cours des fêtes les plus chaotiques, les plus explosives, elle était toujours ailleurs en esprit. Elle sentait encore qu'elle vivait la vie de quelqu'un d'autre. Ce qu'elle n'arrivait pas à se figurer, c'était qui vivait sa vie. Quand retrouverait-elle son lien avec Anne Durand, depuis longtemps enterrée sous l'identité de Anne Holben?

Anne avait un sentiment fragile de sa propre valeur, et ne se sentait ni très brillante, ni désirée, ni aimée. Après sa rupture avec Fred Angelo Jr, elle eut de nombreux amoureux, dont plusieurs abusaient d'elle. Mais elle ne se sentit jamais écrasée au point de ne pas quitter un homme lorsqu'il la maltraitait. Une partie de ses problèmes avec les hommes avait un rapport avec son père. Frenchy décelait rapidement leur vulnérabilité et, en peu de temps, ils revendaient du *pot* ou de la coke pour lui ou, s'ils n'étaient pas enclins au crime, travaillaient pour lui et se faisaient avoir. Frenchy faisait voir aux amoureux d'Anne qu'il leur fallait tenir compte de lui dans leur relation avec Anne. Pour certains d'entre eux, en particulier Fred Angelo, ce fut une situation décourageante.

Anne dut émettre les mêmes signaux. Ses amoureux virent assez rapidement qu'elle protégeait Frenchy. Elle en savait tellement sur son commerce de drogue et sur son avarice qu'elle devait passer pour sa complice. Anne ne voyait pas cela de cette façon. Elle respectait la loyauté. Et c'était une fille loyale. Donc, c'était une bonne personne. Du moins, elle était censée avoir l'impression d'en être une. Peut-on être bon et protéger quelqu'un qui ne l'est pas?

Dès 1986, Anne était devenue employée permanente de la Ville de San Jacinto. Ce n'était pas une grande bureaucratie, et ce ne l'est pas plus aujourd'hui. La ville avait une population d'environ 18 000 personnes et un service de police de 23 officiers. C'est une petite ville de maisons en faux adobe, et de rues propres dévalant les flancs des montagnes de San Jacinto. Vers le sud, San Jacinto se mêle à la ville voisine, Hemet, dont la population approche les 100 000 habitants.

Anne avait obtenu son premier emploi à la Ville en 1985. Les bureaux de l'hôtel de ville sont situés dans un magasin de la rue principale, longue de huit pâtés de maisons. Anne avait fréquenté un homme dont la sœur l'aida à obtenir un emploi temporaire au service de l'aqueduc. Son nouvel emploi la mit en contact quotidien avec tout un nouveau monde. Elle avait toujours travaillé pour des concessionnaires d'autos et des ateliers de carrosserie, et avait toujours fréquenté des bagarreurs. À présent, elle travaillait avec des secrétaires, des commis, des cadres et, pour la première fois de sa vie, des policiers. Elle avait déjà rencontré, par l'intermédiaire d'un ami, le chef de police, et elle commença à connaître les officiers qui travaillaient sous ses ordres. Le poste de police n'était qu'à quelques rues de son bureau et les flics travaillaient souvent sur des affaires municipales. Ce n'était pas tellement le contraste de classe qui la frappait, bien que ces gens soient pour la plupart de classe moyenne. C'était leur engagement envers la communauté. Ils jouaient dans des équipes de balle-molle, participaient aux campagnes de bienfaisance, siégeaient à des comités scolaires, amenaient leurs enfants au soccer et à des leçons de piano, rendaient visite à leurs grands-parents et faisaient toutes sortes d'autres choses qui ne visaient pas qu'à combler leur soif ou à engraisser leur portefeuille.

«Je n'avais jamais connu des gens pareils, se rappelle-t-elle. Ça me faisait du bien de connaître des citoyens honnêtes. Ça me faisait du bien d'être correcte. J'avais l'impression de provenir d'un milieu sale.»

Anne était alors à la fin de la vingtaine. Les gens la trouvaient jolie et elle accordait beaucoup d'attention à ses vêtements et à son maquillage. Elle avait tendance à croire que les gens l'aimaient pour son apparence. Comme elle se méfiait des hommes et de leurs motivations, elle trouva étrange, au départ, d'établir des relations amicales et professionnelles avec des gens qui l'aimaient pour sa perspicacité, son humour, son empressement et son intelligence. Elle piquait des crises d'anxiété en tentant d'apprendre à se servir d'un ordinateur, mais elle finissait par apprendre, et cela renforçait sa confiance en elle-même. Lorsque son patron apprit qu'elle songeait à postuler un emploi dans un hôpital de la région, il l'embaucha à temps plein au service de l'aqueduc. Un an plus tard, elle fut mutée aux comptes payables. L'emploi à temps plein et la mutation lui firent prendre conscience de la façon dont les autres la percevaient, et cela aussi renforça son image d'elle-même. Elle était fière de ses succès et du fait qu'elle avait gagné le respect et la confiance de ses employeurs et de ses collègues.

Mais sa vie intérieure était un désordre fébrile. Ses anxiétés prenaient la forme d'un comportement obsessionnel. Son appartement était immaculé, et elle était nerveuse au point d'en faire une névrose. Plus elle se sentait acceptée au travail, plus elle devenait anxieuse. Elle chevauchait deux mondes, et ces mondes étaient de surcroît opposés. Les week-ends, maintenant qu'elle n'avait pas d'amoureux, elle était avec son père, au ranch ou ailleurs. Et il était tout le contraire des gens qu'elle voyait au bureau. Il était égoïste, d'une manière quasipsychopathe, il vivait toujours à l'extérieur du cadre social des communautés où il habitait, il considérait que le travail de bienfaisance était réservé aux cruches et aux naïfs — elle se rappelle qu'il empochait l'argent qu'elle recueillait pour l'UNICEF à l'Halloween — et consacrait toutes ses énergies encore considérables à nourrir ses appétits et à épaissir le rouleau de billets qu'il avait en poche. Le fossé entre son monde et celui des nouveaux amis et collègues d'Anne était aussi large que le Grand Canyon.

Elle menait trois vies. Il y avait Anne, la fille de Frenchy; Anne, l'employée municipale empressée; et finalement, Anne seule, chez elle. Tout le monde connaissait une Anne différente. Elle se sentait fragmentée et avait l'impression de ne tenir à la vie que par un fil, que tout était sur le point de lui échapper. Lorsqu'elle était plus jeune, Denis et Marc l'appelaient Capitaine, à cause de sa tendance à affirmer son leadership à chaque occasion, même lorsqu'elle avait peu de chances de faire triompher son idée. C'était sa façon de réagir à une vie qui lui échappait tout à fait. C'était son mécanisme de survie. Tandis que d'autres auraient pu plonger dans une vie d'autodestruction ou de soumission complète, Anne avait toujours réagi en saisissant les moindres occasions de s'emparer du leadership. Dans chacune de ses vies séparées, il lui arrivait d'être féroce. Mais cette férocité n'était pas très profonde; ses anxiétés et son manque de confiance en elle-même alimentaient son désir de s'affirmer, mais elle ne pouvait le soutenir.

Frenchy, maintenant installé avec sa nouvelle femme, Gloria, devenait de plus en plus prospère grâce à son atelier de Temecula. La croissance rapide de Temecula attirait des vagues de nouveaux clients qui n'avaient pas vécu suffisamment longtemps dans la région pour entendre parler de

Frenchy. Ceux qui avaient déjà fait appel à ses services savaient que ses prix étaient élevés, que le client n'avait jamais raison et qu'il fallait dire adieu à tout ce qu'on laissait dans l'auto. Les fournisseurs avaient également appris à garder l'œil sur Frenchy. L'un de ses rackets consistait à arracher des mains des livreurs les deux copies des factures. Le garçon arrivait avec un stock de peinture et, d'une façon ou d'une autre, Frenchy gardait les seules copies des factures du livreur. Lorsque le fournisseur de peinture lui postait une note de rappel, il niait tout simplement avoir reçu la peinture.

Comme si le fait de diriger l'atelier ne suffisait pas à le tenir occupé, Frenchy continua à vendre de la drogue. Tous ses ex-employés, ses clients et ses enfants voyaient ou savaient qu'il en vendait. Et pourtant, la police locale ne vint jamais lui rendre visite. Mais sa réputation grandissait et à San Jacinto, à une demi-heure au nord, Anne avait une peur bleue que ses nouveaux amis apprennent que son père s'adonnait au trafic des narcotiques.

Frenchy eut un jour la visite de la police, mais cela n'avait rien à voir avec les narcotiques. C'était à cause de Marc, qui était arrivé au ranch un soir, fou de rage. Frenchy lui devait de l'argent et il voulait le ravoir. On ne sait pas au juste ce qui s'est passé ce soir-là. Marc affirma que Frenchy avait tiré sur lui et avait essayé de le tuer. Il porta plainte auprès de la police, mais Frenchy aussi, disant que Marc avait menacé de tuer Gloria. Résultat de l'incident: Marc fut tenu de rembourser les dommages causés à la grille.

De son propre aveu, Marc était maintenant devenu un informateur de la police. Il avait eu des problèmes reliés à l'alcool et avait été condamné à faire du travail communautaire. Durant cette période, il avait rencontré un certain nombre d'officiers des services de police de San Jacinto et avait commencé à leur refiler des renseignements sur les *dealers* de l'endroit. Il leur avait dit qu'il allait leur permettre de remonter la filière de Frenchy.

L'un de ses nouveaux amis les plus proches était Mike Sherbondy, détective à la police de San Jacinto. Marc dit qu'il travaillait avec Mike et ses collègues à tendre des filets aux *dealers*. Pendant un certain temps, Marc travailla comme videur dans un bar western et une salle de danse que Frenchy fréquentait. Il disait qu'il faisait régulièrement rapport à Sherbondy à propos des revendeurs qui faisaient des affaires dans le bar, et des gens qui leur étaient reliés. Marc affirme que ses informations entraînèrent une série d'arrestations, et que chacune amenait la police plus près de Frenchy. Mais au service de police de San Jacinto, certains disent que les informations de Marc étaient la plupart du temps de valeur douteuse, et qu'ils finirent par cesser de l'utiliser.

Néanmoins, les activités de Marc en ville rendaient Anne mal à l'aise. Un jour, elle était au travail lorsque Mike Sherbondy ou l'un de ses collègues entra pour lui donner des papiers à remplir, et repéra Anne. «Il est arrivé et a étalé tout ça devant les filles. Il s'est mis à dire que mon père avait tué ma mère, que je travaillais illégalement et que mon père vendait de la drogue.» Humiliée, Anne garda son calme et écarta tout cela d'un geste de la main.

«Mon Dieu, dit-elle, vous croyez tout ce que vous dit Marc.»

Pour Marc, l'incident fournit un exemple de plus de la façon dont Anne protégeait Frenchy. Pour Anne, c'était une autre flèche que Marc lui avait fichée au cœur. Ils ne se parlaient plus.

Anne dit qu'elle ne révéla jamais l'incident à Frenchy, mais Frenchy savait certainement, désormais, que Marc était un mouchard. (Marc insiste sur le fait qu'il était un informateur payé, et non un mouchard: ce dernier échange de l'information contre un allègement d'accusation ou de sentence.) Il faillit dénoncer Frenchy en vendant de l'information sur un employé de ce dernier, qui récolta une peine de prison pour trafic de drogue. Chaque rencontre augmentait la tension meurtrière entre Marc et Frenchy. Tous ceux qui les connaissaient avaient l'impression qu'ils étaient à la veille d'un duel.

Lorsque Anne fit la connaissance de Gloria, elle se dit que Frenchy avait fait une erreur en l'épousant. Anne croyait que c'était le genre de femme à épouser un homme pour son argent; Gloria savait dépenser. Ils allaient souvent passer les week-ends à Las Vegas, et pouvaient y laisser 5000 $ en une seule soirée de jeu. Ils firent plusieurs voyages en Alberta et finirent par acheter une maison au bord d'un lac, qu'ils avaient l'intention de transformer en *bed and breakfast*. Ils achetèrent deux propriétés près de Temecula, à des fins d'investissement. Gloria était toujours très maquillée et s'habillait chic.

En dépit de ses appréhensions, Anne en vint à se dire que Gloria aimait vraiment son père. Elle était étonnée de sa découverte. Elle alla souvent dîner avec eux, leur rendit visite au ranch et resta en contact avec eux. Peut-être espérait-elle que son père change, que Gloria l'attire vers une vie plus conventionnelle. Comme il avait un commerce légal qui était en pleine expansion, Anne avait des raisons de croire que Frenchy abandonnait ses vieilles activités.

L'un des endroits préférés d'Anne et de ses amis était un club country et western d'Hemet, appelé The Embers. Anne était là un soir avec ses amis lorsqu'elle aperçut un gars qui lui jetait des regards prolongés. C'était juste avant Noël 1986. Le gars, qui se tenait avec un autre groupe, avait des cheveux noirs ramenés vers l'arrière, une moustache, le teint foncé et une démarche détendue. Lorsqu'il souriait, son visage s'éclairait comme le ciel du désert. Son nom était Phil Hallberg. Pendant quelques mois, ils échangèrent des regards chaque fois qu'ils se voyaient aux Embers. Finalement, en février 1987, ils firent connaissance.

«Il m'avait vu avec des amis du travail et il croyait que l'un d'entre eux était mon amoureux. Il était très timide, se rappelle Anne. Il n'arrêtait pas de me zyeuter. Finalement, il m'a invitée à danser. Il ne me regardait même pas. Il fixait tout le temps le plancher. Il disait merci. Il était poli. Un soir, un ami commun, Darrel, a appris que je plaisais vraiment à Phil et que c'était réciproque, et il a organisé une rencontre. C'était aux alentours de la Saint-Valentin. On a dîné ensemble et on est allés danser sur "Looking for Love in All the Wrong Places". Et il m'a embrassée pour la première fois.»

Anne avait vingt-huit ans et Phil, trente-quatre. Soudeur et entrepreneur en construction, il était divorcé. Ses deux enfants habitaient alors avec leur mère. Il a grandi de l'autre côté de la vallée, dans une maison de ferme en adobe. Son père, Donald Hallberg, est fermier, et sa mère, Sally, est une petite femme chaleureuse avec des yeux brillants et aimables. Phil a un frère aîné, Bob, vétéran du Viêt-nam, et trois sœurs, Nancy, Becky et Anita. Ils sont proches, affectueux et profondément religieux, mais non sectaires. Bien qu'ils ne soient aucunement pauvres, ils vivaient sans électricité jusqu'au début des années soixante-dix. Au cours des réunions familiales, ils racontent inlassablement les fois où ils ont failli mettre le feu à la maison avec une lampe au kérosène, et leurs soirées passées à faire leurs devoirs à la lueur d'une lampe.

Tous les enfants Hallberg vivent encore dans la région et se rassemblent pour des repas familiaux à l'Action de Grâce, à Noël et lors d'autres congés. Ils se respectent et se soutiennent. Lorsqu'ils ont rencontré Anne, ils ont fait en sorte qu'elle ait le sentiment de faire partie de leur famille remarquablement unie.

Peu après le début des fréquentations d'Anne et de Phil, Anne l'appela pour l'inviter à bruncher avec son père et Gloria. «On s'est rencontrés au restaurant Acapulco, se rappelle Phil. Frenchy faisait vraiment du tape-à-l'œil. Il était couvert d'or. Deux ou trois chaînettes au cou. De l'or aux doigts. Une montre en or. Des bracelets en or. Il conduisait une Mercedes noire. Gloria avait l'air d'une femme de classe. Elle était vraiment bien habillée. Je me suis dit: "Qu'est-ce qui se passe?" On a pris un vrai bon brunch. Il a payé. Il était du genre à donner des gros pourboires. Plus les gens étaient nombreux, plus le bruit était fort, plus gros était son pourboire. Il avait un gros portefeuille décoré d'un sou. Il avait toujours une grosse galette. Je me suis dit qu'il était riche. Anne m'a dit qu'il possédait un atelier de carrosserie. Elle semblait proche de lui. Certaines semaines, elle s'entendait mieux avec Gloria. Elles se parlaient comme des sœurs. Gloria a un mois de plus que moi.»

Le week-end suivant, dit Phil, ils se rassemblèrent tous les quatre au ranch: «Pendant un bout de temps, on était ensemble presque tous les deux week-ends. La première fois, je me suis dit que c'était une vraie vie de famille. On a pris la scie mécanique et on a coupé du bois pour le foyer. On a allumé le barbecue et nettoyé la piscine. On a parlé. Il ne buvait pas beaucoup. On est allés faire des tours en camionnette. On n'allait voir personne, mais il a pointé du doigt les maisons de ses voisins.»

Au cours des dix-huit mois suivants, ils passèrent beaucoup de temps ensemble. Frenchy leur paya trois voyages à Las Vegas et trois autres à Palm Springs.

«La plupart du temps, à Las Vegas, il payait. J'essayais de payer, mais il fallait que je me batte. Ils montaient un mercredi, prenaient une chambre, et on arrivait le vendredi. En quatre jours, il dépensait peut-être entre 10 000 $ et 13 000 $. Gloria disait: "Je viens de perdre un autre 5000 $ dans les machines à sous." Elle dépensait 5000 $ en quelques jours. Frenchy avait un coffre-fort dans l'auto, dans le coffre arrière, avec un système d'alarme. Il était boulonné et soudé au coffre arrière. C'est là qu'il gardait ses liquidités et ses bijoux. Là-dedans, Gloria avait entre 50 000 $ et 60 000 $ de bijoux. Elle aimait les bijoux. Je ne pense pas qu'elle essayait d'avoir Frenchy, mais elle disait: "Oh! la belle bague. Mais je n'en veux pas." Et quand on la revoyait, elle l'avait. Il l'avait achetée.»

Phil a une nature douce et confiante. Il ne boit pas beaucoup et n'a jamais pris de drogues. Il dit qu'il a fumé une ou deux cigarettes quand il était jeune, mais sa rébellion n'allait pas plus loin. Impossible de trouver Californien plus normal. Il accepte le monde dans toute son étrangeté et vit selon ses propres normes. De façon inattendue, Phil en vint à beaucoup aimer Frenchy. Il le trouvait excessif mais très généreux. Frenchy et Gloria sniffaient encore de la coke, mais Anne leur dit clairement que, comme Phil et elle-même n'en prenaient pas, il leur fallait être discrets. Même si Phil soupçonnait Frenchy de chevaucher la mince frontière entre le légal et l'illégal, il ne vit jamais Frenchy préparer ouvertement des coups bas.

En revanche, il vit des choses qui l'étonnèrent. Un soir, se rappelle-t-il, il était au ranch lorsqu'un contact de Frenchy arriva. «Le gars était *high.* Il devait 20 000 $ à Frenchy mais en réalité, il lui a donné 28 000 $ comptant. Frenchy et moi, on l'a compté après son départ et il y avait 8000 $ de trop [par rapport à ce que Frenchy s'attendait à recevoir]. C'étaient des billets de 100 $, rassemblés en paquets avec de gros attache-feuilles.» Phil se dit que l'argent était de provenance illégale, mais que le paiement concernait une transaction commerciale légitime.

Par pure habitude, Frenchy se sentait apparemment obligé de mettre à l'épreuve la bonne nature de Phil. Il l'embaucha pour ériger un hangar à armature d'acier pour un atelier extérieur à sa maison de Temecula. En retour, il promit de peindre un véhicule pour Phil — ce qu'il fit, mais le travail de peinture était si bâclé que la couleur pâlit rapidement; cela ne valait pas les efforts que Phil avait prodigués pour monter l'armature d'acier. Anne était furieuse, mais Phil ne s'en faisait pas. Il se dit qu'un jour, il demanderait à Frenchy d'effectuer un travail de carrosserie ou de peinture, et que cela reviendrait au même.

Phil rencontra également Martine et Marc, et entendit parler de Denis. Anne déclara à Phil qu'elle avait été élevée par Pat et qu'elle ne savait pas ce qu'il était advenu de sa mère. Elle en resta là, et Phil se dit que s'il y avait autre chose, elle le lui dirait le moment venu.

Anne fut accueillie au sein de la famille Hallberg. Elle prenait part à leurs réunions familiales et n'en revenait pas de voir à quel point ils étaient gentils les uns envers les autres. Il n'y avait pas de querelles, l'un des enfants disait toujours le bénédicité avant le repas, et Phil semblait vraiment proche de son père et de sa mère. Anne développa une affection particulière à l'égard de la mère de Phil, Sally, qui prenait toujours la peine d'appeler lorsqu'elle savait qu'Anne était malade ou avait besoin d'aide. Anne avait passé toute sa vie à garder secrets ses sentiments. À présent, elle se trouvait immergée dans une famille dont les membres étaient ouverts et affectueux. Grâce à son travail et à ses relations avec la famille la plus saine qu'elle avait jamais connue, elle eut l'impression de renaître. Elle ne croyait pas mériter le bonheur que les Hallberg semblaient tenir pour acquis. Elle se sentait confuse. Ils l'avaient acceptée pour ce qu'elle était, sans faire d'enquête sur son passé.

Anne et Phil avaient commencé à se fréquenter en février et, à la fin de l'automne, ils décidèrent de se marier. Ils étaient amoureux et Anne ne pouvait se rappeler avoir senti une telle confiance de la part d'un homme. Phil l'appuyait: il ne se laissait pas démonter par son irritabilité, et il acceptait son père. Le mariage fut organisé pour janvier 1988.

Ce mariage était l'occasion pour Anne de renouer au moins quelques-uns des fils de sa vie. Elle invita Denis et Line à venir de Hull, s'inquiéta à la pensée que Frenchy et Gloria rencontrent les Hallberg, et invita ses plus proches amis de travail à la réception. Frenchy paya une partie de la facture, et Anne et lui décidèrent de ne pas inviter Marc.

Anne était folle de nervosité à l'arrivée du grand jour. Tous les Hallberg, Martine et Scott, Denis et Line, Frenchy et Gloria étaient là. Une cassette vidéo tournée lors de la réception montre une petite salle, un orchestre country-western, et des gens qui dansent et bavardent. Marc se présenta, ce soir-là, et Denis l'accueillit. D'un pas désinvolte, Marc alla trouver Frenchy et lui serra la main. Il voulut saluer Gloria, qui le bouda. Frenchy et Gloria partirent peu après. Anne fut soulagée que ce soit fini. Il n'y avait pas eu d'incidents odieux.

Phil et Anne passèrent dix jours de lune de miel à Hawaï. À leur retour, ils déménagèrent dans une petite maison que Phil possédait. À la fin de l'année, ils avaient acheté une maison dans un nouveau quartier de San Jacinto. Phil avait un atelier non loin de là, et les projets pour lesquels il soumissionnait étaient tous destinés à être exécutés dans la vallée.

Au cours des six premiers mois de leur mariage, ils revirent souvent Frenchy et Gloria.

À l'été, toutefois, l'intimité entre les deux couples avait disparu. Ils sortaient chacun de leur côté. Anne et Phil fréquentaient leurs propres amis, et Anne songeait à avoir des enfants. Elle voulait une famille qu'elle imaginait aussi heureuse et aussi aimante que les Hallberg. «Je me sentais en sécurité, du fait de savoir que mon mari n'allait pas me quitter. Je savais qu'il m'aimait beaucoup. Je me sentais aimée. Je connaissais sa famille et c'était important. Ce sont des gens tellement aimants. Je me suis dit: Pourquoi est-ce qu'on n'aurait pas une famille comme ça? Pourquoi est-ce qu'on ne peut pas tous s'entendre comme ça?»

Plus Anne voulait avoir des enfants, plus elle ressentait le besoin de démêler sa vie. Comme elle était devenue Anne Hallberg en se mariant, le fait de se débarrasser du nom de Holben ne posait plus de problème. Mais après toutes ces années, elle n'était toujours pas citoyenne américaine. Elle n'avait jamais obtenu sa citoyenneté et, dans les faits, travaillait illégalement.

«J'ai appelé mon père et je lui ai dit: "Écoute, je veux avoir un statut légal. C'est stupide. Tu m'as toujours dit que c'était correct pour moi de travailler ici. C'est pas vrai." Plusieurs années auparavant, il m'avait trouvé un numéro de Sécurité sociale. Mais je savais qu'il n'était pas légal. Je lui ai dit: "Je travaille pour le gouvernement. Il faut que je fasse quelque chose." Il a dit: "Eh bien! je vais te trouver un avocat." J'ai dit: "Sinon, je vais m'en trouver un." Je pense que c'est ce qui lui a fait peur. J'ai dit: "Je vais être obligée de leur dire ce qui est arrivé depuis le début." Je pense que c'est pour ça qu'il m'a trouvé un avocat. Sinon, il ne l'aurait jamais fait. Tex [Ritter, l'avocat que Frenchy avait embauché] m'a appelée chez moi et m'a dit: "Ton père m'a appelé pour avoir tes papiers. Ça va te coûter 1000 $." Et je me suis dit: "C'est super. Ça va me coûter quelque chose. Mon père m'amène ici illégalement et c'est moi qui paie!" J'étais tellement furieuse. Mais je voulais me débarrasser de cette histoire-là. J'ai pris rendez-vous au bureau de Tex.»

L'après-midi du rendez-vous, Anne et Phil arrivèrent de leur côté et rencontrèrent Frenchy et Gloria au bureau de Ritter. Ils prirent tous des sièges dans le bureau de l'avocat et Ritter sortit un certain nombre de formulaires officiels et demanda à Anne sa date de naissance, ses noms, etc. Puis, le stylo suspendu au-dessus du formulaire, il demanda: «Où est votre mère?»

Anne resta silencieuse un instant. Dans le passé, chaque fois qu'on lui avait posé cette question, elle avait répondu que Pat était sa mère. À présent, Pat ne faisait plus partie du décor. Anne n'avait jamais songé à dire à Ritter que Pat était sa mère. Elle n'avait plus aucune raison de mentir. Elle avait toujours tenu pour acquis qu'ils devaient appeler Pat «Maman» parce qu'elle était responsable d'eux et qu'autrement, elle se serait sentie blessée. Mais ce n'était plus le cas. Anne hésita parce qu'elle ne savait vraiment pas quoi dire. Elle n'avait aucune idée de ce qui était arrivé à sa mère. Ce que son père avait fini par lui faire croire, c'était que Jeannine était partie et ne l'aimait pas. Son silence se réverbéra dans la pièce. Puis, juste au moment où elle était sur le point de dire: «Je ne sais pas», Frenchy l'interrompit et lança une explication.

«On a divorcé.»

Ritter prit note. «Où?»

«Au Canada», répondit Frenchy.

La conversation se poursuivit, et l'instant passa. Mais Anne, tranquille, écoutait et réfléchissait. Divorcé au Canada? Quand? Où? C'était une nouvelle histoire. Cela renversait toutes les images mentales qu'Anne s'était créées de sa mère depuis l'enfance. Elle avait forgé ce sentiment que Jeannine était partie sans égard aux pleurs des enfants, et qu'elle ne les aimait pas. Cette impression de Jeannine avait hanté son imagination pendant longtemps. Mais elle n'était reliée à aucun des souvenirs véritables qu'elle avait de sa mère. Elle se rappelait être allée en auto, avec Jeannine, rendre visite à une tante religieuse qui l'avait laissée se servir de la craie sur un tableau noir; elle se rappelait s'être blottie sur les genoux de sa mère; elle se rappelait le piano le soir. À présent, tous ces souvenirs flottaient comme des bulles à la surface de sa conscience. Et elle se mit à retrouver en imagination, pour la première fois depuis des années, les traits de la mère qui avait silencieusement glissé hors de sa vie plus de vingt ans plus tôt.

Chez elle, de retour du bureau de Ritter, Anne demeura figée dans le temps.

«J'étais atterrée. En état de choc. Un million de choses me traversaient l'esprit. Ma mère a essayé de me tuer. Non, elle nous a quittés. Elle ne nous aimait pas. Pourquoi a-t-elle dit ça à grand-mère au téléphone, cette fois-là? Pour la première fois, j'ai pensé: Peut-être que Denis dit vrai.»

Ce soir-là, au lit, Anne commença à parler à Phil de ses sentiments et de ses soupçons. Pour la première fois, elle raconta à Phil les bribes de ce qu'elle savait sur la disparition de Jeannine.

Puis, elle dit: «Tu sais quoi? Peut-être qu'il l'a tuée.»

Phil était renversé. Il ne pouvait croire qu'Anne puisse même penser une telle chose à propos de Frenchy.

«Oh! Anne. Tu inventes des histoires. Où est-ce que tu prends ça?»

Devant l'incrédulité de Phil, Anne changea rapidement d'idée. Peut-être que Denis ment, se dit-elle. Mais pourquoi est-ce qu'il dirait des choses pareilles?

«Je savais que quelque chose allait mal. Mais je ne pouvais pas comprendre. Et j'ai dit à Phil: "Tu ne penses pas qu'il l'a tuée?" Et il a dit: "Non. Pas du tout. Pas du tout, Anne. Ton père est un bon gars."»

Un mois plus tard, Ritter convint de les rencontrer à Los Angeles, dans les bureaux du département de l'Immigration.

«Phil et moi y sommes allés, se rappelle Anne. On a revu mon dossier avec Ritter. On était dans un grand bureau, et on attendait de voir un officier de l'immigration pour avoir ma *green card*. Tex a déclaré: "Ton père dit que ton nom de Holben vient de ta grand-mère, de la mère de ton père, qui faisait partie d'une tribu indienne." J'ai dit: "Ouais, j'imagine." C'était complètement nouveau pour moi. Je trouvais ça drôle. Au bureau de l'Immigration, [un représentant] m'a demandé si j'avais déjà eu des problèmes, si on avait été déportés. J'ai dit non. Je ne savais pas qu'on l'avait été. Je leur ai dit que je m'appelais Anne Marie Durand. Mais que j'utilisais le nom de Holben. Ils ne m'ont pas demandé pourquoi.»

Anne obtint sa *green card*, et elle ne reparla plus de sa mère avec Phil. Elle savait que Phil l'acceptait telle qu'elle était malgré sa tendance à la fuite et son irritabilité, et elle ne voulait pas l'exaspérer en continuant de parler de cela. Toutes ces questions se trouvaient encore à l'horizon de sa conscience, mais elles n'avaient aucune urgence à ses yeux. C'est du moins ce qu'elle croyait.

Au travail, cependant, chaque fois que son esprit s'envolait, elle pensait à Jeannine et à son père. Il avait toujours été là, beau temps mauvais temps. Elle ne pouvait imaginer que son père, qui l'avait emmenée en vacances, avait fait rire ses amis, avait partagé des repas avec elle, avait regardé des films avec elle et l'avait amenée à la plage, était un tueur.

Lorsque Anne fut mutée aux comptes payables, elle rencontra une femme nommée Mary Anne Smith qui s'occupait de la liste de paie. Leurs bureaux étaient rapprochés mais au début, elles ne s'aimaient pas beaucoup. Mary Anne est une petite Philippine au teint olivâtre. Elle est jolie, volubile et chaleureuse. Lorsqu'elles surmontèrent leur antipathie mutuelle, les deux femmes devinrent inséparables. À mesure qu'elles se rapprochèrent, Mary Anne parla à Anne d'elle-même et de son mari, qui était mort depuis peu. Le mari de Mary Anne avait été adopté enfant et, à l'âge adulte, il s'était livré à une longue recherche en vue de retrouver sa mère. Il avait fini par la trouver et, chemin faisant, avait appris beaucoup de choses sur lui-même. Anne répondit aux confidences de Mary Anne en lui parlant de sa mère. Elle n'avait jamais raconté l'histoire de façon aussi détaillée.

Mary Anne se rappelle qu'Anne lui dit d'abord qu'«elle en voulait à sa mère de l'avoir abandonnée». Mais plus tard, leur amitié fit surgir d'autres souvenirs. «Elle m'a dit que sa mère lui avait donné une grosse poupée, que sa mère ressemblait à un ange, que sa mère était proche de Denis et qu'avant de quitter le Canada, sa mère avait dit à Denis: "On ne sait pas où on s'en va."»

Mary Anne était profondément émue par ce qu'elle considérait comme une grande tragédie au cœur de la vie d'Anne. Certains jours, se rappelle Mary Anne, Anne pensait qu'elle avait besoin d'oublier tout cela, de laisser tomber. Mais Mary Anne la relançait, revenant sans cesse sur ce qu'elle savait et tentant de rassembler tout cela d'une façon cohérente. Elle y pensa et se demanda ce qui pourrait pousser un homme à tuer sa femme. «J'ai demandé à Anne: "Est-ce que ton père boit? Est-ce qu'il a des problèmes financiers?"»

Pour Anne, c'était comme demander si Mick Jagger chante. Bien que les deux femmes n'aient eu aucune intention précise, ces conversations aidèrent Anne. En parlant à quelqu'un d'attentif, elle se sentait moins seule, moins encombrée, et moins responsable de la rupture familiale. Cela permit à Anne de réaliser qu'il y avait beaucoup de tristesse enfouie dans son subconscient. Mary Anne lui donna un seul conseil, qui revint souvent à l'esprit d'Anne: d'une façon ou d'une autre, il lui fallait honorer sa mère et les souvenirs qu'elle lui avait laissés.

Lorsque Anne songeait à sa mère, sa pensée revenait souvent à Pat, qui avait joué un rôle de mère dans sa vie. Elle ressentait encore une profonde amertume à l'égard de Pat mais cela ne l'empêchait pas de la rencontrer, car elle habitait non loin. «Elle faisait vraiment pitié, dit-elle. Je lui apportais des fleurs à la Fête des Mères. Je l'appelais de temps en temps.»

Le mariage de Pat avec Bert dura deux ans. Il affirme qu'il lui a demandé de partir parce qu'elle buvait. Elle déménagea, ils divorcèrent à l'amiable et, en 1989, Pat vivait dans une petite ville à une demi-heure au nord de San Jacinto. Elle avait rencontré un autre homme, avait emménagé dans sa maison mobile et s'était trouvé un emploi de cuisinière dans un bar décrépit. Elle semblait heureuse et dévouée envers son nouveau mari. Leur maison mobile était bien remplie, mais propre et bien tenue. Leur vie semblait fondée sur le respect mutuel. Ceux qui la virent après son déménagement disent qu'elle semblait avoir enfin trouvé un peu de paix dans sa vie.

Après sa visite au bureau de Tex Ritter, Anne se souvint d'un appel qu'elle avait reçu de Pat après que Frenchy l'eut mise à la porte. Pat n'avait pas encore rencontré Bert et elle pleurait. Anne était heureuse que son père ait fini par quitter Pat car, à l'époque, elle la considérait comme une vieille ivrogne méchante. Lorsque ses larmes avaient cessé suffisamment pour qu'elle puisse parler, Pat avait dit à Anne: «Tu sais, je pourrais donner des gros problèmes à ton père.»

«De quoi tu parles?» avait demandé Anne.

«Tu le sais», avait répondu Pat avant de se taire à nouveau. Anne avait raccroché sans vraiment s'arrêter à la conversation. Mais après l'incident au bureau de Ritter, elle s'en souvint et songea à appeler Pat pour lui demander ce qu'elle savait. Elle continua cependant de remettre son projet à plus tard.

Au mariage d'Anne, en janvier 1988, Gloria avait demandé à Denis et à Line ce qu'ils avaient prévu pour Noël cette année-là. Comme ils n'avaient aucun plan, Gloria leur proposa de se joindre à Frenchy et à elle en Floride. Elle leur offrit de les amener à Disneyworld, de payer quelques jours au parc aux filles de Denis, Mélanie et Geneviève. Cet été-là, alors qu'Anne étudiait ses souvenirs, Gloria appela Denis et réitéra son offre. À l'automne, ils s'étaient tous entendus sur le lieu et l'endroit.

Ils se rencontrèrent dans le sud de la Floride et les vacances furent un échec. Gloria était nerveuse et ne cessait de parler de continuer jusqu'aux

Keys. Ray buvait et se conduisait, comme d'habitude, de manière offensante. Denis se rappelle être resté assis sur une chaise à écouter le vieux raconter sans arrêt des anecdotes sur son passé. À mesure que Frenchy parlait, Denis se disait en lui-même: «Ça c'est un mensonge, ça c'est un mensonge, ça c'est un mensonge, ça c'est peut-être vrai, ça c'est un mensonge, ça c'est pas tout à fait vrai...» Il était étonné de voir la constance avec laquelle Frenchy s'inventait de nouveaux rôles, transformait de vieux incidents. Le vieux est encore plus menteur que je ne croyais, se dit Denis.

Durant les vacances, Frenchy et Gloria se dirent à quel point ils étaient mécontents de la maison du ranch. Elle était trop loin de Temecula, disaient-ils. Ils avaient ajouté un second étage et ils se plaignaient d'avoir à monter les escaliers. Frenchy regrettait d'avoir dépensé autant d'argent pour cette maison.

Les deux couples finirent par se séparer à Fort Lauderdale. Frenchy avait accepté d'emmener Gloria jusqu'aux Keys et Denis et Line se dirent: «Bon débarras.»

Ray et Gloria revinrent au ranch vers 18 h, le 7 janvier 1989. C'était une soirée claire, froide et étoilée, sans vent. Selon Frenchy, ils décidèrent d'attendre au lendemain matin pour vider l'autocaravane. Ils entrèrent et tentèrent d'allumer la fournaise — sans succès, dit-il, et il opta plutôt pour un feu de foyer. Ils regardèrent un peu la télévision, puis montèrent se coucher. À 21 h 15, ils furent réveillés par l'odeur et le bruit du feu. Frenchy dit qu'il descendit, vit la maison en feu et retourna à la chambre. Il saisit Gloria et ils s'échappèrent par la véranda de la chambre du haut, et coururent en trébuchant vers la maison de leurs plus proches voisins, un jeune couple qui avait acheté l'ancienne maison de B. B. À l'arrivée du premier des neuf camions de pompiers, les flammes dévoraient l'endroit. La maison, qu'il avait commencé à construire en 1975, brûla de fond en comble. Les voisins qu'il avait trompés, menacés et poursuivis, et auxquels il avait menti, regardaient le spectacle, dans le noir qui s'étalait autour de la lueur des flammes. Sur ce bûcher spectaculaire, la vie de Frenchy au ranch avait atteint son apogée.

Chapitre vingt

San Jacinto, Californie, 1989

La compagnie d'assurances de Frenchy, Allstate, lui versa un total de 286 000 $ pour les pertes reliées à l'incendie. L'agent d'Allstate, David Noble, qui assurait les véhicules et la propriété de Frenchy depuis 1983, se rappelle que Frenchy «était un gars avec lequel il était facile de s'entendre. Il ne posait jamais de problème.» La compagnie régla la réclamation rapidement, sans contester la version des faits de Frenchy.

Même si Allstate n'eut aucun soupçon sur l'incendie, ce n'était pas le cas de tout le monde. Martine et Scott en entendirent parler et allèrent jeter un coup d'œil. En examinant les décombres, ils trouvèrent le sommier de ce qui avait jadis été le lit de Martine. Ce qu'ils ne trouvèrent pas les frappa tout autant. Frenchy, dit Scott, avait peut-être pour 20 000 $ d'équipement de musculation et d'exercice. «Il aurait fallu un incendie pas mal chaud pour faire fondre ces poids, dit Martine. Alors, pourquoi est-ce que les ressorts de mon vieux lit se trouvaient là mais pas les poids?»

Des voisins et des membres de la famille disent aussi que Frenchy gardait de longs boyaux d'arrosage à portée de la main dans la cour en cas d'incendie. Pourtant, dans le rapport préparé par un représentant du ministère californien des Forêts, qui entretient le poste d'incendie le plus proche du ranch, le mari de la voisine qui appela pour signaler l'incendie rapporta qu'il «essaya d'aider à contrôler le feu avec un boyau de jardin à partir de la citerne de Frenchy, mais le boyau était 10 pieds trop court. Le feu se trouvait dans la grande pièce familiale lorsqu'il l'a vu et il affirmait qu'il était suffisamment petit pour être éteint avec le boyau du jardin si ce dernier avait été plus long.»

Un autre voisin se rappelle que Gloria, contrariée, disait que Frenchy était l'objet d'une enquête du département du Revenu et qu'ils avaient apporté tous leurs dossiers au ranch et qu'à présent ils avaient brûlé. Quand Jane entendit parler de l'incendie, elle se rappela que Frenchy lui avait dit un jour que si jamais il décidait de se débarrasser de l'endroit, il se contenterait de l'incendier. Denis et Anne disent qu'après l'incendie ils virent Frenchy avec des objets qui, croyaient-ils, auraient dû disparaître dans les flammes.

Cet incendie inaugura une année mouvementée pour Frenchy. Comme tant de fois auparavant, ses activités devenaient dangereuses pour lui.

En juillet, Frenchy commença à chercher un acheteur pour l'atelier de carrosserie. Il plaça des annonces dans un certain nombre de journaux. Carl et Glenna Bowers, de Yuma, en Arizona, lui téléphonèrent. Ils se rencontrèrent à Temecula et Frenchy leur montra ses livres. Il déclara que l'entreprise faisait un chiffre d'affaires d'un million de dollars par année et que son profit annuel net était de 250 000 $, plus environ 150 000 $ par année en publicité gratuite et en échanges de biens et de services avec des commerçants locaux. Les Bowers achetèrent l'entreprise pour 295 000 $, et, en octobre, avaient versé à Frenchy un total de 178 832 $. À ce moment-là, ils avaient des pertes d'exploitation de 27 000 $ en août et de 29 000 $ en septembre, avaient appris que la peinture et les pièces d'auto dont Frenchy se disait propriétaire étaient en consignation, s'étaient fait dire par le propriétaire du local qu'ils auraient à négocier un nouveau bail mais qu'ils ne pouvaient le faire, car Frenchy leur avait conseillé de lui payer un loyer et de le laisser garder le bail. Ils avaient découvert en plus que les propriétaires de plusieurs des véhicules qui se trouvaient en réparation avaient versé à Frenchy des dépôts qu'il avait gardés. Ils enregistrèrent une poursuite, alléguant que Frenchy avait repris possession de l'entreprise en octobre, les avait mis à la porte et avait gardé leurs 178 832 $. Dans leur poursuite, ils exigeaient un remboursement plus dommages et intérêts.

Cependant, au moment où les Bowers enregistrèrent leur poursuite, Frenchy avait revendu l'entreprise. Cette fois-ci, l'acheteur était Sharad Mogul, de Murrieta, non loin de là, et le prix sur lequel ils s'étaient entendus était plus modeste: 180 000 $. Dès Noël, cependant, Mogul découvrit que les Bowers poursuivaient Frenchy, et voulut se retirer de l'entente. Peu après, Frenchy reprit à nouveau possession de la propriété. Mogul enregistra une poursuite exigeant le retour de la propriété que Frenchy lui avait saisie, plus les frais juridiques, les coûts de la poursuite et des «dommages exemplaires et punitifs».

Vers l'époque où Frenchy avait commencé à chercher un acheteur pour son entreprise, Anne rendit visite à son médecin pour un test Pap de routine. Les résultats étaient embarrassants. Il fallait effectuer de nouveaux tests. «J'en ai parlé à Phil et je lui ai dit: "J'espère que je n'ai pas le cancer." Et il a dit: "C'est bien toi. Tu penses toujours qu'il y a quelque chose de travers dans toi." De toute façon, j'ai appelé Gloria à l'atelier. J'ai dit: "Mon Dieu, j'ai un mauvais test Pap. J'espère que je n'ai pas le cancer."»

Alors qu'Anne était encore au bout du fil, Gloria se tourna vers Frenchy et lui rapporta la nouvelle à propos du test et des craintes d'Anne.

Frenchy répondit assez fort pour qu'Anne l'entende: «C'est ce qui est arrivé à sa mère.»

Une fois de plus, Frenchy avait bouleversé Anne. «J'ai raccroché — Phil était dans le salon et j'étais dans la chambre — et je suis restée là, pensive. Le cancer. Ma mère était morte du cancer? Comment pouvait-elle être morte du cancer? Comment pouvait-il savoir s'il avait divorcé d'elle? À présent, je ne pouvais plus me débarrasser des questions. J'y pensais beaucoup, plus que jamais. Je me suis mise à revoir ce que je savais. J'ai commencé à penser à mon enfance avec Pat. J'avais essayé de la mettre de côté parce que j'étais désolée pour elle. Mais les souvenirs remontaient à la surface: elle me battait. Elle était méprisante. Ma mère était partie un jour et j'avais dû appeler Pat «maman». Des choses comme ça. Je me sentais blessée, trahie. J'ai parlé à Phil de l'appel. Il a dit: "Tu as peut-être mal entendu." Et j'ai dit encore une fois: "Crois-tu qu'il l'a tuée?" Il a dit que non.»

Du point de vue émotionnel, ce fut un dur été et un dur automne. Anne était prête à avoir un enfant, à câliner un nouveau-né dans cette maison, la première où elle pouvait se considérer chez elle. Elle l'avait décorée à son goût. Elle était remplie de couleurs douces, de fioritures et de dentelles, et avait affiché sur la porte du frigo et sur les murs des poèmes qui parlaient de maisons heureuses et de cœurs heureux. La maison était d'une propreté impeccable et tout était méthodiquement en place, la vaisselle toujours propre. C'était l'oasis d'harmonie et d'ordre qu'Anne avait toujours cherchée.

Anne et Phil essayaient d'avoir un enfant, mais le médecin d'Anne avait mené une batterie de tests et, après avoir étudié les résultats, lui avait dit que même si elle arrivait à concevoir, la grossesse serait très risquée. Cela la secoua et elle se mit à douter qu'elle aurait un jour un enfant. Elle en fut malade d'inquiétude. Dans son esprit, il semblait qu'un abîme la séparait de la famille à laquelle elle se croyait destinée. D'une façon ou d'une autre, elle devait traverser cet abîme. C'était en partie, croyait-elle, parce qu'elle devait se détendre et laisser son corps se préparer aux rigueurs de la grossesse et de l'enfantement. Mais il y avait davantage. Elle avait créé un environnement harmonieux dans sa maison. À présent, elle avait besoin d'harmonie émotionnelle. Elle avait besoin d'avoir confiance en sa capacité d'être une bonne mère. Par-dessus tout, elle pensait sans cesse à la remarque de Mary Anne: Honore la mémoire de ta mère. Plus elle y pensait, plus elle en reparlait avec Mary Anne, plus elle se disait que quelque part en elle, sa mère lui parlait. Le désir d'avoir un enfant avait réveillé des sentiments maternels, et ces sentiments rappelaient des souvenirs des caresses de Jeannine, sa voix douce et tranquille, sa musique et son sourire. Après une absence de plus de deux décennies, Jeannine était revenue dans la vie d'Anne.

Marc habitait encore près de chez Anne et elle avait entendu dire que quelque chose clochait dans sa vie. Le scandale éclata plus tard cette année-là. Le travail d'informateur de Marc cessa brutalement lorsque son contact, Mike Sherbondy, fut accusé de corruption. Sherbondy, qui avait servi de témoin au second mariage de Marc, fut condamné et incarcéré. Les enquêteurs avaient relié Sherbondy au vol d'une collection d'armes de grande valeur. Après l'arrestation de son copain, Marc déclara: «J'étais devenu comme mon vieux. J'étais sans pitié. Je faisais de mauvaises transactions. Je trompais tout le monde. J'ai touché le fond.» Il s'était fait beaucoup d'ennemis et devait se méfier. Après avoir sombré, Marc, avec l'aide de sa nouvelle femme, Carole, se remit lentement en piste. Comme c'était un peintre habile, il obtint un emploi régulier. Carole dit à Anne et à Denis que Marc avait trouvé sa voie. Cela souleva le scepticisme de ceux qui le connaissaient et qui avaient été exposés à ses tricheries.

Entre-temps, Martine, qui venait d'avoir vingt et un ans, demeurait avec Scott à San Marcos, à 40 minutes au sud, près de la côte. Elle était devenue alcoolique, avait subi deux accidents quasi mortels et son mariage faisait naufrage. Scott, qui la voit encore et qui l'aime bien, dit qu'il en avait assez de ses infidélités, de ses fugues qui duraient parfois trois jours, et de son alcoolisme. Anne aidait Martine lorsqu'elle le pouvait, lui prêtait de l'argent et lui acheta même un camion. Mais Martine semblait perdue, dépourvue de ressources ou de la volonté de poursuivre même le rêve le plus modeste. Elle travaillait à l'occasion, dans des ateliers de carrosserie, et elle était compétente. Mais aucun de ses emplois ne durait, et ses proches — Scott, sa famille, Anne — se demandaient comment l'aider — et, même, si un jour ce serait possible —, elle qui semblait si peu encline à s'aider elle-même.

Peu après Noël 1990, Anne prit une décision qui devait changer sa vie. Après avoir ruminé pendant des mois le sort de sa mère et les mensonges de son père, elle décida de rassembler son courage et de plonger dans le passé. Elle voulait encore un bébé et elle sentait la présence de sa mère de façon plus aiguë que jamais.

«Un soir, se rappelle-t-elle, je suis revenue du travail, j'ai préparé le repas, j'étais assise là et j'ai dit: "Je vais appeler Denis." Je voulais seulement lui demander de me raconter toutes les histoires qu'il connaissait à propos de maman. J'ai composé. "Allô." J'ai dit: "Denis. Tu sais quoi? Il y a quelque chose de bizarre. Je pense qu'il est temps qu'on découvre ce qui est arrivé à maman." Je ne lui ai pas parlé de Tex Ritter ni du test Pap. J'ai juste dit: "Il est temps."

«Je me rappelle qu'il m'a dit: "Il est pas mal temps, Anne." Il ne pouvait pas le croire.»

À 5000 km de là, à l'autre bout du continent, Denis sentit une onde de soulagement.

«Pourquoi?» Il voulait savoir. «Pourquoi maintenant, Anne, après tout ce temps-là?»

Mais Anne ne pouvait exprimer ce qui l'avait émue. «C'est le temps, Denis, c'est tout.» En disant cela, Anne revécut un moment où, en 1981, elle était assise dans la cuisine de Denis, et il la suppliait de le croire en pleurant. «Je me rappelle: je ne pouvais plus le voir. Je me rappelle être montée dans l'avion en pensant: "Le maudit épais d'enfant de chienne. Il cherche seulement à créer des problèmes dans la famille. Il dit que papa a tué maman."»

Pour Denis, l'appel d'Anne semblait mettre fin à une longue période de solitude. Il était heureux qu'Anne soit enfin de son côté, mais il n'était pas convaincu que ce changement allait les mener à découvrir le sort de Jeannine. Frenchy, se disait-il, ne nous dira jamais la vérité.

Anne lui suggéra d'abord d'appeler Frenchy et de lui poser tout simplement la question. «Je lui ai dit que, puisque je n'avais jamais tenté quoi que ce soit, on allait bien voir ce qu'il ferait», se rappelle Anne.

Mais Denis lui dit que cela ne marcherait jamais. «Frenchy va te mentir, Anne, c'est tout.»

Ils en discutèrent au téléphone et Denis eut une idée. «Écoute, Anne, disons-lui qu'il y a une enquête en cours à Hull, lancée par quelqu'un du côté des Boissonneault. Que les flics sont venus me voir à l'atelier et qu'il doit m'appeler le plus tôt possible.»

Anne voulut tenter le coup. Elle raccrocha, appela le ranch, puis l'atelier, et apprit que son père était en vacances quelque part. Elle se dit qu'il versait encore une pension alimentaire à Pat et qu'elle savait peut-être où le rejoindre. Elle appela Pat et lui dit qu'elle cherchait son père. Elle lui dit qu'un enquêteur avait commencé à fouiller la disparition de Jeannine, avait parlé à Denis et que Denis voulait que Frenchy l'appelle. Puis, elle demanda à Pat de lui dire ce qu'elle savait.

«J'ai dit: "Si tu ne me le dis pas, je vais donner ton adresse à l'enquêteur et tu vas devoir le lui dire. Mais si tu me le dis, je ne lui donnerai ni ton adresse ni ton numéro de téléphone." Elle a dit: "Bon, mais je ne veux pas être impliquée là-dedans." J'ai dit: "Dis-moi ce qui s'est passé et je ne t'impliquerai pas." Elle est restée silencieuse pendant un moment, puis elle a dit: "Eh! bien, c'est une histoire de famille. Il faut que tu en parles à ton père." J'ai dit: "O.K." J'étais embêtée. J'étais tellement écœurée que je voulais aller lui tordre le cou. Je savais qu'elle le savait. Je lui ai dit: "Pat, je sais que tu le sais." Elle a dit: "C'est une histoire de famille." Je savais qu'elle mentait. Si elle n'avait pas su, elle aurait dit: "Je ne sais pas. Je n'ai aucune idée." Elle a plutôt dit: "C'est une histoire de famille." J'ai dit: "D'accord." Et j'ai raccroché.»

Mais Anne n'avait pas fini avec Pat. Elle réfléchit un moment et la rappela.

«J'ai dit: "Je vais devoir leur dire où tu es." Elle a dit: "Mêle-moi pas à ça. Je vais appeler ton père." J'ai dit: "O.K." J'étais furieuse, mais je ne pouvais rien faire. J'étais frustrée. Phil était assis sur le divan et écoutait. Il a dit: "Pourquoi est-ce que tu fais ça?" J'ai dit: "Je sais qu'elle sait quelque chose." Il a dit: "Peut-être pas."»

Le lendemain, Denis reçut un appel à son atelier. C'était son père, fâché.

«Qu'est-ce qui se passe?»

«Il y a des enquêteurs ici qui posent des questions sur Jeannine. J'ai appelé Anne. Elle est bouleversée, elle pleure», lui dit Denis.

Ray l'interrompit. «Dis-leur que s'ils veulent des maudites réponses, ils peuvent m'appeler à l'atelier. T'as mon maudit numéro.» Et il raccrocha dans un grand coup.

Denis appela immédiatement Anne et lui parla de l'appel de Frenchy, qui, disait-il, avait duré moins d'une minute.

«Je lui ai dit que tu étais bouleversée. Il va t'appeler, Anne.»

Bien entendu, Frenchy appela Anne ce soir-là. Une fois de plus, il était agressif.

«Qu'est-ce qui se passe?»

«J'ai dit: "Bien, ils recherchent maman." J'avais peur de le lui dire parce que c'était la première fois que je l'affrontais depuis tant d'années. J'ai dit: "Papa, qu'est-ce qui s'est passé? Est-ce qu'elle est seulement partie?"»

Attrapant au vol cette explication que lui lançait la seule fille qui le considérait encore comme son père et qui, à la fois, l'aimait, avait pitié de lui et le craignait, Frenchy la lui renvoya.

«Oui. Elle est partie, c'est tout.»

«Qu'est-ce que je vais faire quand ils vont me poser des questions?»

«Je suis pas difficile à trouver. Je suis à l'atelier. Dis-leur de venir me voir.»

Lorsqu'ils raccrochèrent, Anne s'en voulait. «Je me suis dit: "Pourquoi est-ce que je ne lui demande pas tout simplement s'il l'a tuée au lieu de lui demander si elle est partie?" Je me suis dit: "Encore un mensonge!" Je me suis dit qu'il me donnerait une explication quelconque, comme: "Anne, elle est partie un soir. Elle ne vous aimait pas." Ou: "Un soir, on s'est disputés." N'importe quoi. N'importe quoi.»

Anne appela Denis après sa conversation avec Frenchy.

«Anne, on ne trouvera jamais», lui dit Denis, désespéré.

«Denis, je ne veux pas mourir sans savoir.»

«On ne saura jamais. Il ne va jamais nous dire la vérité.»

Après cette tentative, Frenchy rompit tout contact avec Anne et Denis. Pour la première fois de sa vie, Anne n'avait aucune idée de l'endroit où se trouvait son père.

«Je n'ai plus jamais revu mon père après cet appel. J'ai essayé à l'atelier. Une semaine plus tard. J'ai appelé Gil [le gérant de l'atelier de Frenchy]. Il a dit qu'il demanderait à Frenchy de me rejoindre. Il ne l'a jamais fait. J'ai appelé au ranch. Le téléphone avait été débranché. Je me suis dit qu'il se passait quelque chose de louche. Je me suis dit qu'il s'était sauvé. Je me suis dit que je l'avais fait fuir [que je lui avais tellement fait peur qu'il s'était enfui].»

En fait, Frenchy était encore dans la région, même s'il était rarement à l'atelier. Il était accablé de problèmes juridiques et fiscaux, et il essayait encore de se débarrasser de son entreprise.

Au début du printemps, Martine finit par se séparer de Scott et Anne appela Denis pour le supplier de l'aider. Denis téléphona à Martine, lui acheta un billet d'avion pour Hull et lui dit qu'elle pourrait rester avec lui et travailler à son atelier. Mais elle devait commencer à se sortir du trou. L'entente, c'était que tant qu'elle ne boirait pas, elle était bienvenue. Avec le soutien de Denis, de Line et de leurs filles, Martine fit un effort pour se reprendre en main. Elle travailla dans le bonheur pendant quelques mois et l'avenir semblait prometteur. Cet été-là, Anne et Phil se rendirent à Hull et ils passèrent tous quelque temps ensemble au chalet. Denis et Phil allèrent à la pêche et devinrent amis. Denis avait rencontré la plupart des anciens amoureux d'Anne et se dit que Phil était de loin le meilleur de la bande. Un jour, Denis amena Phil faire le tour de Hull et lui montra où Jeannine était née et avait été élevée, où ils avaient vécu. Denis parla de sa disparition et, pour la première fois, Phil commença à avoir une image claire des grandes lignes de leur vie. Cependant, il ne pouvait toujours pas imaginer que Frenchy pouvait être un tueur.

Au chalet, Anne et Denis discutèrent de leurs prochains gestes. Denis pensa qu'il pouvait aller voir de nouveau la police provinciale du Québec, mais il ne croyait pas avoir quoi que ce soit de neuf à leur dire. Et il se dit qu'ils lui diraient tout simplement que c'était hors de leur territoire. Anne proposa d'écrire à l'émission de télévision «Unsolved Mysteries». Comme Denis n'était pas contre l'idée, Anne décida de leur envoyer une lettre en revenant chez elle. Autrement, ils étaient perplexes. Et pour compliquer les choses, ils n'avaient aucune idée de l'endroit où se trouvait Frenchy.

Lorsque Anne revint de vacances, elle avait une meilleure opinion de son grand frère. À présent, ils s'aimaient beaucoup. Comme bien des frères et sœurs, ils avaient atteint un âge où les querelles de l'enfance paraissent bien insignifiantes à côté de la permanence des liens du sang.

Moins d'une semaine après le départ d'Anne, Denis découvrit que son père s'était rendu à Hull alors qu'il se trouvait avec Anne au chalet. De deux des frères de Frenchy, il apprit que son père et Gloria étaient passés au chalet dans leur autocaravane, avaient rendu visite à plusieurs de ses frères, puis étaient partis sans même appeler Denis et ses deux sœurs qui passaient leurs vacances à moins de 30 kilomètres de là.

C'est intéressant, se dit Denis. Il a peur.

Dès l'automne, Martine avait rechuté plusieurs fois et Denis l'avertit qu'il la mettrait à la porte si cela lui arrivait à nouveau. Lorsque cela arriva, il lui fit prendre l'avion de retour vers la Californie. Elle avait besoin d'aide, mais il ne savait absolument pas comment il pouvait l'aider.

Lorsque Anne retourna à San Jacinto, elle écrivit à «Unsolved Mysteries», puis décida, sur le coup, qu'elle n'allait pas seulement attendre une réponse. Un jour, au travail, elle alla voir le lieutenant Dennis Warner de la police de San Jacinto, qu'elle avait rencontré six ans auparavant. Grand et costaud, Warner avait été au service de la police de San Diego avant de passer à celui de San Jacinto. Lorsqu'elle lui raconta l'histoire, il se dit qu'elle avait bien raison d'être inquiète et qu'il fallait que l'enquête se poursuive. «Ce n'était pas une folle, dit-il. On aurait dit que la famille [Boissonneault] n'avait pas fait de suivi. Et puis, dire que Jeannine était enfermée, ça n'avait pas de sens. Je pensais vraiment qu'il lui était arrivé quelque chose. Les autres versions sonnaient faux. Pourquoi n'avait-elle pas établi de contact? Je suis sûr qu'elle aurait pu essayer, au fil des ans.»

Comme Anne dit à Warner qu'ils avaient vécu à Bellaire, une petite municipalité de la région de Houston, Warner appela la police de Bellaire et parla à un lieutenant en charge des enquêtes.

«En gros, dit Warner, je lui ai demandé s'il avait de l'information sur une certaine Jeannine Durand. Il m'a rappelé. Il s'est contenté de vérifier les dossiers à partir du nom et de la date de naissance que je lui avais donnés. Il a également vérifié les dossiers du gaz et de l'électricité. Il n'y avait aucun dossier au nom de Jeannine Durand. Il m'a rappelé le lendemain. Quand il a dit qu'il n'avait rien, qu'il ne pouvait rien trouver, je me suis dit qu'elle avait peut-être déménagé ailleurs.»

Warner dit à Anne qu'il n'avait rien trouvé. Il avait fait un effort, mais cela ressemblait davantage à un geste qu'à une enquête. Et le lieutenant de Bellaire n'avait probablement rien fait d'autre que de s'asseoir à son écran d'ordinateur, entrer le nom et la date de naissance de Jeannine et regarder s'il découvrait quoi que ce soit: billet de stationnement, plainte pour bruit, ou accusation de vol simple. Comme il ne trouva rien, il vérifia si elle avait déjà eu un compte auprès des fournisseurs de gaz et d'électricité. Il ne lui fallut probablement pas plus d'une demi-heure, et tout ce que cela confirmait, c'était qu'une femme nommée Jeannine Durand, née le 29 octobre 1933, ne s'était jamais trouvée en contact avec la police du Texas et n'avait jamais payé de facture de gaz à Houston. C'était peu, mais cela permit au lieutenant de Bellaire et à Warner de dire qu'ils avaient fait un effort.

Anne était reconnaissante envers Warner parce qu'au moins, il avait fait quelques appels. À présent, elle était de retour à la case départ, attendant l'infime possibilité que «Unsolved Mysteries» réponde à la question qui ne la quittait pas.

Cet automne-là, tandis qu'Anne pensait à sa mère, se préoccupait de devenir enceinte et s'énervait à propos de Martine, un autre problème fit surface qui éclipsa, pendant un certain temps, toutes les autres préoccupations. Un jour, au bureau, Mary Anne lui avait apporté une facture qui lui semblait bizarre. En vérifiant, elle en trouva d'autres. Les transactions étaient reliées à son patron. Au départ, elle et Mary Anne furent étonnées. Elles en discutèrent et, lorsqu'elles eurent exploré toutes les possibilités et affronté ce qu'elles croyaient être la vérité, que les transactions semblaient être illégales et frauduleuses, elles eurent peur. À qui le dire? Cela dépendait de la personne impliquée. Étaient-ils plusieurs? Comment savoir? Elles ne voulaient pas d'affrontement, mais elles ne pouvaient se contenter d'écarter de leur esprit ce qu'elles savaient. Anne suggéra de parler au chef de police, Joe Kozma. Elle avait l'intention de lui montrer la facture «en lui demandant de ne rien dire».

À bien y penser, il ne fallait pas s'attendre à ce que le chef puisse garder le secret. Kozma, qui a, depuis, quitté la ville, les rencontra, regarda la facture, les entendit, et leur dit qu'il n'avait pas le choix et qu'il devait refiler la question au procureur du district, Grover Trask.

Le quartier général du procureur du district de Riverside est situé dans la ville de Riverside, à 25 minutes au nord-ouest de San Jacinto. L'information de Kozma fut relayée à travers tous les canaux habituels et au début de décembre, un enquêteur fut assigné à l'affaire.

Les enquêteurs du procureur du district ont tous les pouvoirs et l'autorité des détectives de la police. Ils prennent généralement des affaires en charge lorsqu'une arrestation a été faite. Leur travail consiste à compléter l'enquête, à aider les procureurs adjoints dans la préparation des dossiers et à lancer des enquêtes dans des cas d'illégalité impliquant les services de police du comté. À l'époque, le bureau du procureur du district de Riverside avait également une unité de poursuites qui consacrait une partie de ses activités à des enquêtes pour corruption politique. L'un des enquêteurs de l'unité était un homme de quarante-huit ans, musclé, avec une broussaille de cheveux poivre et sel et une moustache à la Fu Manchu, nommé Jean Nadeau. Le dossier de San Jacinto atterrit un matin sur son bureau, dans son petit cubicule. Il parcourut le document. À première vue, l'affaire concernait un haut fonctionnaire municipal soupçonné de détournement de fonds.

Jean Nadeau a passé vingt-trois ans au sein de divers services de police du sud de la Californie. Il a commencé sa carrière en tant que patrouilleur pour la ville d'Orange, a été muté aux narcotiques, est devenu détective puis s'est fait embaucher au bureau du procureur du district d'Orange. Puis, il est passé à l'escouade des narcotiques, à la fraude, aux fugitifs puis à nouveau aux narcotiques. Au milieu des années quatre-vingt, cherchant du travail dans une ville plus petite, il fit une demande d'emploi au bureau du procureur du district de Riverside et fut embauché. Lorsque l'affaire de San Jacinto lui fut soumise, il était là depuis trois ans.

Au moment où Nadeau commença à travailler sur ce dossier, le fonctionnaire impliqué avait quitté son poste à la municipalité. Nadeau prit contact avec le nouveau patron d'Anne pour lui demander la permission de l'interviewer. On lui donna le feu vert et, le 19 décembre, il sauta dans sa voiture. Vingt-cinq minutes plus tard, il entrait dans San Jacinto. Nadeau, qui aime les blazers bleus, les pantalons gris et les cravates rayées, et porte à la hanche un 9 mm dissimulé sous sa veste, trouva Anne à son bureau dans le petit espace de travail qu'elle partageait avec Mary Anne.

«Le bureau dans lequel elle se trouvait était très petit et il n'y avait aucune séparation, se rappelle Nadeau. J'ai dit: "Est-ce que vous aimeriez vous asseoir dans mon auto? Ou bien nous pourrions rouler jusqu'au parc." Je voulais enregistrer l'entrevue. Elle ne voulait pas. Elle ne me faisait pas confiance. Je m'en suis aperçu tout de suite. J'ai dit: "O.K. Comme vous voudrez." Elle s'est arrangée pour obtenir le bureau de son patron.»

Mais Nadeau apprécia Anne dès le début. «Elle était très honnête. Elle avait vu quelque chose qu'elle n'aimait pas et elle l'avait signalé au chef de police. Elle était également très timide. Je ne crois pas qu'elle faisait confiance aux hommes.»

Ils parlèrent et il prit note de ce dont il avait besoin pour retracer une filière de documents. Anne était en charge des fichiers et elle savait ce qui était accessible et ce qui ne l'était pas. Ainsi, dès cette première rencontre, il devint clair pour eux qu'ils seraient souvent en contact pendant les mois suivants. Lorsque la réunion se termina et que Nadeau se prépara à partir, il sortit une carte d'affaires et la tendit à Anne avec une réplique qu'il avait souvent utilisée.

«Ne riez pas. Mon prénom s'épelle peut-être comme celui d'une femme, mais je ne suis pas une femme. C'est un nom canadien-français.»

Anne le fixa un instant. «Oh! Je suis canadienne-française, moi aussi», finit-elle par répondre.

Ils échangèrent leurs histoires. Nadeau lui dit qu'il était né et avait grandi sur une ferme du sud du Manitoba. Anne répondit qu'elle venait du Québec et que Hallberg était le nom de son mari. Après le départ de Nadeau, Anne sentit qu'un lien s'était établi. Elle aimait ce policier engageant qui savait écouter, avec qui on pouvait blaguer, qui avait un rire tonitruant et partageait son origine. Elle ne rencontrait pas beaucoup de Canadiens français, encore moins des gens qui s'étaient complètement intégrés à la vie de l'endroit. Nadeau avait dit qu'il parlait encore le français; on pouvait savoir en l'entendant dire qu'il n'était pas natif de la Californie.

Nadeau sentit la même chose. Il était séduit par le calme d'Anne et son humour pince-sans-rire. Il était content qu'elle se rende utile à ce point. Il avait besoin de sa confiance et avait l'impression de l'avoir gagnée durant cette rencontre. «Je l'appréciais parce qu'elle avait de la classe, une morale.»

Au cours du mois suivant, Nadeau fut souvent au bureau de San Jacinto ou au téléphone avec Anne. Au départ, elle ne lui parla pas beaucoup d'elle-même. «Elle était très secrète. Je savais qu'elle était mariée. Un jour, au milieu d'une conversation, je lui ai demandé son nom de jeune fille. Elle a dit: "Eh! bien, je m'appelle Holben mais c'est censé être Durand." Et je me suis dit: "Bon, un second mariage." Durand, c'était français. Mais pas Holben. C'est venu peu à peu. Elle m'a dit qu'elle était née au Québec et qu'elle y avait vécu jusqu'à l'âge de six ans. Je lui ai demandé si sa mère et son père parlaient français. Elle a dit que oui, mais qu'elle n'avait pas vu sa mère depuis longtemps. Depuis vingt ans. Je n'ai pas vraiment fait attention. Je me suis dit: "Sûrement un divorce, ou quelque chose comme ça."»

Sa rencontre avec Anne avait de toute évidence touché une corde sensible chez Nadeau. Il avait parcouru un long chemin depuis son départ du Canada en 1964. Né et élevé sur une ferme laitière à La Broquerie, dans le sud-est du Manitoba, Nadeau était le 10e d'une famille de 14 enfants. Il décrocha de l'école secondaire en 10e année, conduisit un camion de gravier, travailla dans la construction, puis dans un laboratoire qui testait l'or provenant de mines du Nord. Le jour de ses dix-huit ans, il se rendit au bureau de recrutement de la GRC à Winnipeg et échoua rapidement à l'examen d'entrée. «J'étais vraiment désavantagé, se rappelle-t-il. Je n'avais aucun diplôme d'études secondaires. Je parlais mal l'anglais et je ne parlais pas très bien le français car j'étais allé à l'école en anglais. J'avais l'impression d'être un raté.» Au début de la vingtaine, il devint apprenti dessinateur industriel à Winnipeg. Il détestait cet emploi et avait toujours voulu être policier.

Au début de 1964, il quitta son emploi pour voyager aux États-Unis pendant quelques années. Il demanda et reçut ses papiers d'immigration, dériva vers la côte ouest et fila vers le sud. Il arriva en Californie à l'automne de 1964. Il avait vingt-cinq ans. Il devait s'enregistrer pour le service militaire parce qu'il avait immigré. Les États-Unis sombraient de plus en plus dans le bourbier du Viêt-nam et Nadeau fut presque immédiatement recruté. Il vivait aux États-Unis depuis environ deux mois.

Il passa deux ans dans l'armée, la plupart du temps comme instructeur d'ingénierie de combat au Texas et au Missouri. Lorsqu'il en sortit, il retourna en Californie, termina son cours secondaire, compléta un baccalauréat en justice criminelle et trouva un emploi au service de la police de la ville d'Orange. Il se maria, eut un fils et au moment où il rencontra Anne, il avait divorcé de sa première femme, s'était remarié et avait des jumeaux de sept ans. Il avait mené une longue et distinguée carrière de policier, et, d'année en année, entretenait de moins en moins de contacts avec l'immense famille et le pays qu'il avait laissés derrière lui. Il parlait encore le français, mais avec de plus en plus de difficulté. Comme tous les immigrants, il avait laissé une partie de son cœur dans le pays de sa naissance et en parlait avec nostalgie. C'était un policier de carrière et il pouvait séparer ses sentiments de son travail, mais sa rencontre avec Anne toucha de toute évidence quelque chose en lui. Elle aussi était une Canadienne française transplantée. Contrairement à lui, toutefois, elle n'avait pas choisi de quitter le berceau de la culture française en Amérique du Nord. Ses parents avaient pris la décision pour elle. D'une certaine façon, Anne était comme le fils aîné de Nadeau, à présent au début de la vingtaine. Pour lui comme pour Anne, le Canada était un pays étranger.

Frenchy et Gloria disparurent de la Californie quelque temps après la fin de 1991. L'atelier était maintenant entre les mains de Gil. L'histoire qui circulait à Temecula, c'était que Frenchy avait fait à Gil une offre qu'il ne pouvait refuser. Sur la colline du *pot*, le ranch affichait FOR SALE. La maison était vide.

Un soir, à la fin de janvier, Anne reçut chez elle un appel de Frenchy. «Il ne voulait pas me dire où il était, ni me donner son numéro de téléphone. Il m'a même dit qu'il savait qu'il n'avait pas été un bon père. Il a déclaré que Gloria et lui s'étaient séparés parce qu'elle ne voulait pas qu'il nous parle, à nous les enfants.»

Plus Anne travaillait avec Nadeau, plus elle appréciait le fonctionnement de son esprit. Il l'impressionnait. Un jour, en parlant à Mary Anne, elle se demanda tout haut si elle devait lui parler de sa mère et demander s'il pouvait l'aider. Mary Anne était enthousiaste.

Ce soir-là, elle appela Denis, lui dit qu'elle avait rencontré un détective. Un Canadien français. «Vas-y, lui dit Denis. Vois s'il peut être utile.»

Ce ne fut pas avant mars qu'elle prit son courage à deux mains. Nadeau se rappelle qu'elle l'appela au bureau et lui demanda: «Vous, les officiers de police, vous avez les moyens de retrouver les gens, non?»

«Bien sûr, on fait ça constamment.»

«Est-ce que ce serait difficile de retrouver une personne disparue depuis vingt-trois ans?»

Nadeau se mit à rire. «Ça dépend. Qui est disparu?»

«Ma mère», répondit Anne.

Elle lui dit qu'il y avait des tas de choses dont elle ne se souvenait pas, mais qu'elle demanderait à son frère Denis de tout écrire ça.

Elle téléphona à Denis et lui dit d'écrire tout ce dont il se souvenait. Elle ferait de même et, les deux, ils pourraient rassembler un portrait raisonnablement fidèle de la vie de Jeannine avant et après sa disparition. Mais Denis remettait toujours la tâche à plus tard. Finalement, un week-end d'avril, il se trouvait seul au chalet, et il se mit à écrire trois pages de noms, de dates, d'endroits. Il posta son compte rendu à Anne, qui corrigea un peu son style, et transcrivit le texte en y ajoutant son propre compte rendu.

«Elle m'a invité à manger la prochaine fois que je viendrais en ville, se rappelle Nadeau. Elle avait quelque chose de personnel à me demander. J'ai dit: "Ça va, mercredi prochain." Je me suis dit qu'elle avait quelque chose d'autre à propos d'une autre personne de l'administration municipale. Je ne pensais pas à sa mère.

«Nous sommes allés dans un restaurant mexicain. Puis, elle m'a surpris en me donnant environ six pages dactylographiées. Elle m'a dit que les trois premières avaient été écrites par son frère Denis, qui habite à Hull. Et les trois autres étaient écrites par elle. Puis, il y avait de l'information qui, selon elle, avait été envoyée à «Unsolved Mysteries» dans l'espoir de retrouver sa mère. C'est alors que je me suis aperçu qu'elle parlait de sa mère.»

Lorsque Anne lui eut donné les documents, elle demeura saisie par l'anxiété. «Il les a parcourus. Il n'a pas vraiment lu les papiers. Il m'énervait. Je me suis dit: "Bon, est-ce qu'il va faire quelque chose?" Il a dit: "Bien, je verrai ce que je peux faire." Et je me disais: "Est-ce que tu vas faire quelque chose ou non?"»

Mais Nadeau était intéressé et impressionné par la précision de la mémoire de Denis. Il lui posa quelques questions.

«J'ai commencé à lire les documents pendant qu'elle me parlait. C'était long. Je voulais bien essayer, mais je ne pensais pas pouvoir faire quoi que ce soit. Je ne pensais vraiment pas. En fait, j'ai dit à Anne: "Si ta mère est partie et s'est enfuie, ce n'est pas illégal. On ne va trouver aucun document là-dessus. Mais s'il est arrivé quelque chose de mal, si quelqu'un l'a tuée, il faut que je trouve un cadavre."

«Je lui ai demandé ce qu'elle en pensait. Elle a dit qu'elle ne voulait pas croire que son père avait tué sa mère, mais qu'elle devait en accepter la possibilité. L'une des choses qui me sont venues à l'esprit, c'est: "Qu'est-ce qui te blesserait le plus — savoir que ta mère t'a abandonnée parce qu'elle ne t'aimait pas, ou bien savoir qu'on l'a tuée?" Je pense qu'avant tout, elle voulait savoir où se trouvait sa mère. Et que si elle était morte, elle était capable de l'accepter. Mais elle aurait beaucoup de difficulté à accepter qu'elle ne l'avait pas aimée et qu'elle avait seulement fui.»

Après le lunch, Nadeau reconduisit Anne et retourna à son bureau, réfléchissant à l'histoire tout au long de la route de Riverside. «Au bureau, je me suis assis, j'ai relu tout ça [et] j'ai plus ou moins brassé toute cette histoire avec un autre enquêteur. Ma première impression, c'était que si la femme était morte et enterrée et qu'on ne l'avait jamais retrouvée, il n'y avait rien à faire.»

Puisqu'on n'avait aucune trace de Jeannine Boissonneault Durand, Nadeau avait le sentiment qu'il devait commencer par chercher un cadavre. Nadeau parla à son supérieur et lui exposa ce qu'il savait. «Je lui ai dit que c'était intéressant et que je n'étais pas certain des chances qu'on avait de trouver quelque chose. J'ai reconnu également que ce ne serait pas mon affaire à moi, que s'il y avait un meurtre, c'était probablement arrivé à Houston. J'ai dit que j'avais pas mal d'appels téléphoniques à faire et que je voulais m'en occuper pendant mes heures de service. Il a accepté, en me disant de ne pas oublier que j'étais en charge de beaucoup d'autres affaires.»

Lorsqu'il eut le feu vert, il retourna à son cubicule et se mit au travail. «J'ai pris une carte du Texas. Et j'ai situé les emplacements qu'Anne et Denis avaient mentionnés. Bellaire. Big Thicket. Et par recoupements, j'ai vérifié les villes et les comtés dans lesquels ils se trouvaient et j'ai vérifié s'il y avait des services de police ou un shérif de comté. J'ai noté les endroits où j'allais appeler. [Tout d'abord], j'ai appelé le service de police de Bellaire. Une dame m'a répondu. Je lui ai expliqué très brièvement ce qui m'intéressait et ce que je voulais. Elle m'a recommandé d'appeler les Texas Rangers. Elle m'a donné un numéro de téléphone et m'a dirigé vers le capitaine Robert Prince. Elle a dit: "Il est dans la région de Houston depuis un bon bout de temps." J'ai appelé Prince. Je lui ai dit ce que j'avais. J'ai été très surpris qu'un capitaine s'intéresse autant à une affaire qui remontait à vingt-trois ans. Mais il a pris l'information en note et m'a dit qu'il me rappellerait. Il m'a rappelé le lendemain et m'a dit: "En surface, je n'ai rien. Mais appelez le médecin légiste et parlez à un dénommé Cecil Wingo." J'ai appelé Wingo et je lui ai dit ce que je cherchais.»

Cecil Wingo regarde la ville violente et chaotique de Houston à partir d'un bureau d'angle dans un édifice neuf de six étages, en brique rouge et en verre, appelé le Joseph-A.-Jachimczyk-Forensic Centre du comté de Harris. À l'approche de l'édifice, la première chose qui frappe les visiteurs, c'est l'inscription latine qui surplombe les portes de l'entrée principale: *Hic locus est ubi mortui docent et uvant vivantes memento mor* (Voici l'endroit où les morts enseignent aux vivants et les aident).

Dans le bureau du médecin légiste, Wingo, qui a des cheveux blancs, les avant-bras musclés d'un draveur, des yeux tristes et une façon de parler douce et volontaire, est en charge d'une unité d'enquête de 12 personnes. Il est au début de la soixantaine, possède un doctorat en administration publique et est à la fois psychologue et ancien officier de police. Il est érudit, réfléchi et sensible aux souffrances des vivants.

La loi du Texas exige que le bureau du médecin légiste détermine la cause et les circonstances de tout décès survenu moins de 24 heures après l'admission à un hôpital, ou à tout moment après l'admission, si un traumatisme est en cause, de même que tous les décès survenus en quelque endroit du comté et qui résultent de traumatismes — accidents, suicides et homicides. Les enquêteurs de Wingo sont généralement les premiers à se trouver sur la scène lorsqu'on rapporte un accident. Ils enregistrent l'endroit, l'heure et la cause du décès, et ils tentent d'établir l'identité du défunt. Si la cause de la mort n'est pas vraiment apparente, on prévoit une autopsie.

Au cours d'une année normale, l'unité d'enquête traite presque 10 000 cas, ce qui veut dire qu'on examine 10 000 cadavres et qu'on établit le lieu et le moment du décès, la façon dont il est arrivé et l'identité exacte du défunt. Cette dernière question n'est pas toujours résolue. Des 10 000 cadavres qu'ils voient au cours d'une année, on en dénombre 300 sans identité. Et de ces 300, selon Wingo, au cours des récentes années, une vingtaine ne sont jamais identifiés, en dépit des meilleurs efforts de ses enquêteurs. Nombre de cadavres, dit-il, sont tout simplement dans un état de décomposition trop avancé pour fournir quelque indice que ce soit. Et en 1979, dit-il, le nombre de cadavres non identifiés a beaucoup augmenté, fait qu'il attribue à l'escalade des guerres en Amérique centrale. La proximité du Mexique et du golfe fait en sorte qu'un bon nombre d'immigrés clandestins entrent chaque année à Houston. Lorsqu'ils meurent, ils n'ont parfois aucune famille pour les réclamer, ou leurs familles évitent de les identifier par peur d'être découvertes par les autorités de l'immigration et déportées.

Plusieurs années avant que Nadeau l'appelle, Wingo avait demandé à l'une de ses enquêteuses, Pat Banks, de constituer un index rapide de tous les cadavres retrouvés dans le comté de Harris qui n'avaient jamais été identifiés. Pat Banks, une femme aux longues jambes et aux longs cheveux bruns, établit un formulaire dans lequel on pouvait entrer les données pertinentes à chaque cas. Pour chaque corps non identifié, le formulaire indique l'année, le mois et la date de la découverte du corps, son numéro d'autopsie, ainsi que la race, le sexe et l'âge du défunt. Les formulaires étaient insérés dans un cahier à anneaux noir, et séparés par des cartons à onglets sur laquelle était indiquée l'année. L'ouvrage de référence de Pat Banks remonte à 1959.

Nadeau dit à Wingo que Jeannine avait disparu quelque temps après le 1er janvier 1968. Denis se rappelait qu'elle était encore là à son anniversaire, le 30 décembre. Nadeau dit également à Wingo que Jeannine avait trente-six ans à l'époque, qu'elle était de race blanche, et qu'elle avait eu quatre enfants.

Après avoir parlé à Nadeau, Wingo transmit à Pat Banks les renseignements qu'on lui avait donnés. Elle ouvrit le cahier, prit l'onglet correspondant à l'année 1968 et découvrit qu'on avait retrouvé six corps, cette année-là, sans pouvoir les identifier. Quatre étaient des fœtus, un autre était une femme adulte dont le corps avait été découvert en septembre, et le sixième était une femme de race blanche de trente-cinq à quarante ans dont le corps avait été découvert le 11 février 1968. Pat nota le numéro d'autopsie — 68-500 — et alla dans un bureau adjacent, vers un ensemble de classeurs beiges dans lesquels on garde les rapports d'autopsie des cadavres non identifiés. Elle trouva le 68-500 et le prit. C'était une enveloppe jaune de la taille d'un bloc grand format, contenant le rapport d'autopsie, des photos de la morgue, des notes de l'enquêteur et des documents afférents. Selon toute vraisemblance, on ne l'avait pas ouverte depuis 1968. Elle apporta le dossier et le cahier noir à Wingo. Sur un coin de l'enveloppe du dossier, Wingo lut que la femme était de race blanche, avait entre trente-cinq et quarante ans, avait des cheveux bruns, et avait été tuée d'un coup à la tête.

Au moment où il eut finit d'examiner le dossier et le cahier noir, Wingo était convaincu qu'ils tenaient quelque chose. «C'est le seul cadavre jamais identifié que nous avons retrouvé en février 1968.» Il reconnut également les noms de deux des officiers de police qui s'étaient trouvés sur les lieux le soir où on avait retrouvé le corps. Robert Madeira était du comté de Fort Bend et avait été le premier policier à voir le corps. Wingo savait qu'il était passé, depuis, aux Texas Rangers, et travaillait maintenant à Houston. Le second nom fut celui de Johnny Klevenhagen, le détective qui avait reconduit Gilbert Pavliska au poste de police et l'avait interrogé. Klevenhagen était maintenant shérif du comté de Harris.

Dès que Wingo eut complété son examen du dossier, il appela Nadeau à Riverside. «Je lui ai parlé de l'affaire; je lui ai dit que la femme avait été assassinée. Je lui ai dit que nous avions besoin de plus d'information mais que jusqu'ici, tout correspondait au signalement.»

Nadeau se sentit électrisé par l'appel. «Cecil me lisait le dossier au téléphone. Il a dit: "Voilà ce que j'ai. 11 février 1968. Nous avons retrouvé une femme de race blanche, enveloppée dans un couvre-lit et jetée dans un dépotoir, tout près de Houston, juste à côté de Bellaire. Et la femme était blanche, dans la trentaine. Comme elle était là depuis un certain temps, le corps n'était pas en parfaite condition. Stade de décomposition avancé." Et puis il m'a dit que la femme portait une jupe fabriquée au Canada. Il n'y en avait qu'au Canada.»

Troisième partie

L'ENQUÊTE, 1991-1993

Écris cette vision,
inscris-la sur des tablettes afin qu'on puisse aisément la lire,
car c'est une vision pour un temps convenu;
elle n'échouera pas mais s'accomplira à temps.
Si elle tarde, attends
car elle viendra et ne sera pas retardée.

HABAKKUK 2, 605-600 AV. J.-C.,
Ancien Testament

Chapitre vingt et un

Riverside, Californie, 1991

Jean Nadeau ne s'attendait certainement pas que ce soit si facile. Il avait suffi d'une demi-douzaine d'appels téléphoniques à travers le pays, pour que quelqu'un du bureau du médecin légiste du comté de Harris réussisse à trouver, dans un vaste amoncellement de papiers, les dossiers d'autopsie d'un cadavre qui ressemblait à la mère d'Anne. Depuis vingt-trois ans, ce dossier avait accumulé de la poussière dans un tiroir. Il contenait des notes et des photos de chaque pièce d'information qu'il avait été possible de glaner du corps gonflé, décoloré que Gilbert Pavliska avait découvert au crépuscule, le 11 février 1968. Tout ce qu'il lui manquait, c'était un nom. Pendant toutes ces années, le dossier avait été conservé au bureau du médecin légiste. On pouvait même retracer le numéro du lot où le corps avait été enterré.

Au moment où Wingo eut fini de lui lire le contenu du dossier, Nadeau était convaincu que le corps était celui de Jeannine Boissonneault Durand. Nadeau s'était informé de la possibilité d'utiliser le travail dentaire pour procéder à une identification certaine. Wingo avait dit que ce n'était pas possible; la dame en question avait deux dentiers complets, en haut et en bas, sans marques. Elle avait également une petite cicatrice sous le nombril, des cheveux bruns, mesurait 1 m 67 et pesait environ 65 kg. Le rapport d'autopsie indiquait que les yeux «semblaient bruns». Wingo rapporta également qu'il y avait des photos de la morgue et qu'il faudrait qu'un membre de la famille les regarde. Nadeau répondit qu'il vérifierait auprès d'Anne et de son frère, Denis, et qu'il leur demanderait une description plus précise de Jeannine.

Nadeau dit qu'il était tellement fébrile, le matin où il parla à Wingo, qu'il avait une telle certitude intuitive que c'était le corps de Jeannine, qu'il ne put se retenir. Il appela Anne immédiatement. Elle était à son bureau.

«Je pouvais à peine parler. Je lui ai dit: "Anne, es-tu bien assise?" Elle a dit: "Non, je suis pressée. Mais qu'est-ce que tu as trouvé?" J'ai dit: "Es-tu certaine de ne pas pouvoir t'asseoir?" Elle a dit: "Bon, vas-y." J'ai dit: "Anne, je crois avoir trouvé ta mère." Elle a fait une crise d'hystérie. Le téléphone est resté silencieux pendant quelques secondes. Puis elle s'est mise à hurler. Et je savais qu'elle était dans un grand bureau avec des tas de gens. J'ai dit: "Je ne suis pas encore certain à 100 p. 100. Mais ça semble beau." Elle s'est mise à pleurer. Je lui ai dit qu'elle était morte, qu'elle avait été assassinée, et qu'il y aurait probablement une enquête pour meurtre. Je ne lui ai pas dit comment c'était arrivé.»

Nadeau dit à Anne de demander à Denis de le rappeler, puis voulut conclure la conversation. Anne n'était pas en état de parler et il a tout de suite regretté d'avoir choisi de lui annoncer la nouvelle au téléphone. «J'étais tellement enthousiaste que je ne pouvais pas attendre. Si je le lui avais dit en personne, cela aurait peut-être été un peu plus facile qu'au téléphone. J'imagine que je pouvais pas attendre. Je me disais que c'était tellement loin qu'il ne m'est pas venu à l'idée que cela lui ferait autant de mal.»

Mais Anne avait mal, elle était étourdie de peur et de panique. Pour elle, ce n'était pas une enquête historique abstraite. Cela avait un lien direct avec sa vie actuelle. Car si sa mère avait été assassinée, tant d'années auparavant, cela voulait dire que le premier suspect était son propre père. Une fois de plus, elle eut l'impression qu'elle allait être responsable du départ forcé de l'un de ses parents.

«J'ai dit à Jean que je ne pouvais pas parler, se rappelle-t-elle. J'ai couru aux toilettes. Mary Anne était proche de moi. C'est la seule qui m'a entendue pleurer. Je me suis enfermée. J'ai entendu frapper. "Anne, laisse-moi entrer." J'ai dit non. Elle a dit: "C'est ta mère, n'est-ce pas?" J'ai dit oui. Je l'ai laissée entrer et elle m'a juste prise dans ses bras. Elle a dit: "Ça va aller." Je ne pouvais pas vraiment parler. Je tremblais.»

Mary Anne dit qu'elle avait «prié pour qu'ils trouvent sa mère vivante. Mais quand je l'ai vue pleurer, je savais qu'elle était morte. Je suis allée aux toilettes et j'ai pleuré avec elle.»

Anne se ressaisit suffisamment pour dire à son patron qu'elle devait quitter le bureau pour la journée, qu'il était arrivé quelque chose de terrible. Elle se rendit chez elle en auto, s'assit et regarda le téléphone, prit lentement le récepteur et composa le numéro de Denis à son atelier de Chelsea. Tout en composant, elle pensait à l'insistance de son frère, depuis l'âge de douze ans. Elle se rappelait qu'il l'avait abandonnée à quinze ans, qu'il avait refait sa vie en l'organisant autour du trou qu'il y avait au centre de son être, qu'il était arrivé à être un si bon gars malgré tout cela, peut-être même à cause de tout cela. Tout cela, c'était trop. En entendant la voix de Denis à l'autre bout de la ligne, elle pleurait encore.

«Ils ont trouvé maman, Denis. Elle a été assassinée.»

Debout dans son petit atelier, au milieu de ses employés qui réparaient une auto, accompagnés par le bourdonnement du compresseur, Denis sentit son monde s'effondrer sous ses pieds. Cependant, il parut étrangement calme au téléphone. Anne était tellement affolée qu'il réagit en tentant d'atténuer ses sentiments.

«Anne, c'est fini. Pleure pas. On le sait, maintenant.»

«Il était tellement calme, se rappelle Anne, que ça m'a fait paniquer. Comment pouvait-il être aussi calme? Je me suis dit: "Pourquoi est-ce qu'il ne pleure pas?"»

Denis était, comme il le dira plus tard, «consterné. Je ne pouvais pas travailler. Je ne pouvais pas penser. Je voulais sauter dans mon auto et rouler sans arrêt jusqu'à Houston.»

Le doigt agité d'un tel tremblement qu'il pouvait à peine composer le numéro, Denis appela Nadeau. Il ne lui avait jamais parlé auparavant, et ne savait pas à quoi s'attendre. Nadeau le salua chaleureusement et lui dit qu'il avait besoin d'une description plus détaillée de sa mère pour aider le bureau du médecin légiste de Houston à procéder à une identification certaine du corps. Il lui demanda si Jeannine portait des dentiers.

«Oui», répondit Denis, pensant aux soirs où il avait demandé à sa mère de lui apporter un verre d'eau afin qu'il puisse la faire rire quand il savait qu'elle avait enlevé ses dents.

«En haut ou en bas?» demanda Nadeau.

«Les deux.»

Nadeau lui demanda si elle avait une cicatrice sous le nombril. Sans en être certain, Denis savait que sa mère avait subi, en Floride, après la naissance de Martine, une opération qui visait à l'empêcher d'avoir d'autres enfants. Il donna également son poids et sa taille approximatifs, et ses deux estimations étaient proches de la description du cadavre. Il dit qu'elle avait des cheveux blond-brun et des yeux bleus. À part ce dernier détail, se dit Nadeau, tout le reste correspondait.

Après avoir parlé à Denis, Nadeau transmit la nouvelle information à Wingo, qui lui dit qu'on avait prévenu l'escouade des homicides du bureau du shérif du comté de Harris.

Nadeau ne dormit pas beaucoup cette nuit-là; il était inquiet à propos d'Anne. Il l'appela au matin pour prendre de ses nouvelles et pour s'excuser de la manière dont il lui avait annoncé la nouvelle. Il lui dit qu'il en parlerait à quelqu'un de l'escouade des homicides et qu'il resterait en contact avec elle.

Après avoir téléphoné à Denis, Anne avait appelé Phil au travail. Ce soir-là, ils parlèrent. Encore une fois, Anne demanda à Phil, qui avait déjà fait partie d'un jury, s'il croyait que Frenchy avait tué Jeannine. Phil songeait à toutes les histoires qu'il avait entendues à propos de la méchanceté extrême de Pat, et ne pouvait pas s'imaginer quelle sorte de preuve on pourrait rassembler pour accuser Frenchy.

À Chelsea, ce soir-là, Denis annonça la nouvelle à Line et aux enfants, puis appela son cousin, le sergent Michel Béland, qui était maintenant en poste à la GRC à Ottawa, en charge de la patrouille du trafic dans la région de la capitale nationale. Michel offrit son aide à Denis et ils se mirent d'accord pour appeler Réginald, le seul membre survivant de la famille, mais Michel leur proposa d'attendre que l'identité du corps ait été confirmée. Denis dit à Michel qu'il avait transmis son nom à Nadeau et qu'il pourrait peut-être fournir de l'information nécessaire à l'enquête.

Pendant tout ce temps, une pensée tournait sans cesse dans l'esprit de Denis: c'est l'enfant de chienne qui l'a tuée. Il s'aperçut qu'il ne pouvait ni rester en place, ni se relaxer, ni se concentrer sur ce qu'il faisait. Il marchait de long en large et emplissait la maison de son énergie nerveuse.

Le lendemain, Denis appela Wingo à Houston. Wingo lui demanda de lui écrire une lettre exposant les raisons pour lesquelles il croyait que le corps qu'ils avaient trouvé était celui de Jeannine, et de la faire signer par les quatre enfants. Ce soir-là, Denis se rendit chez Béland et ensemble, ils préparèrent la lettre que Wingo avait demandée. Ils soulignèrent que Jeannine avait des dentiers complets, était au milieu de la trentaine, et avait environ la même taille que le corps trouvé au dépotoir. À présent, Denis savait qu'elle avait subi une ligature de trompes qui lui avait laissé une cicatrice sous le nombril. Ils soulignèrent que le corps avait été trouvé à 30 minutes de l'endroit où ils avaient vécu, et que la jupe trouvée sur la morte venait du Canada.

Peu après, Béland appela Wingo pour lui dire qu'il était le cousin de Jeannine et qu'il voulait bien aider à l'identifier au besoin. Wingo avait songé à demander à un officier de police professionnel de regarder les photos de la morgue, et dit à Béland qu'il lui enverrait quatre photos. Il lui demanda d'examiner les photos et, s'il pouvait conclure sans aucun doute que les photos étaient celles de sa cousine, de lui envoyer une déclaration à cet effet. Béland accepta et se demanda si les photos étaient vraiment horribles. Comme Wingo lui avait dit que le corps était resté au dépotoir une dizaine de jours avant d'être découvert, il présumait qu'il serait fortement décomposé.

À Houston, le 18 avril, le détective Mike Talton était assis à son bureau, mettant la dernière main à diverses affaires. C'était un jeudi matin. Il devait être promu au grade de lieutenant. Mince, en santé, âgé de trente-quatre ans, Talton avait passé huit ans dans la marine avant de se joindre au bureau du shérif. C'était sa douzième année au bureau, il avait passé les sept dernières à travailler aux homicides et il était à la veille d'obtenir une promotion. Il ne s'attendait pas à se faire confier une nouvelle affaire. Ce matin-là, son supérieur l'avait pointé du doigt en lui disant: "Tu as l'air d'avoir du temps devant toi." Il avait laissé tomber sur le bureau de Talton le dossier d'une affaire datant de 1968.

Une heure plus tard, Talton reçut un appel de Jean Nadeau, de Riverside. «Je voulais travailler avec lui, se rappelle Nadeau. Je voulais qu'ils sachent que je désirais les aider, mais je ne voulais pas interférer et gâcher leur enquête.»

Après qu'ils eurent bavardé ensemble, Nadeau dit qu'il resterait en contact. Il déclara qu'il avait trouvé où vivait Pat et qu'il menait une enquête discrète sur la vie de Frenchy.

Plus tard ce matin-là, Talton arriva dans la salle des effets personnels et demanda au sergent en service les preuves de l'enquête entreprise en 1968. Mais le bureau du shérif avait déménagé plusieurs fois depuis 1968 et tout ce qui était relié à l'affaire, dit-on à Talton, avait été déplacé ou jeté. Cela voulait dire que l'anneau, les dentiers, les empreintes, les vêtements, la corde, le couvre-lit et la serviette avaient disparu. Talton vérifia ensuite auprès du laboratoire photo et reçut une autre nouvelle: le bureau n'avait aucune photo de scènes de crimes qui remontaient au-delà de 1975.

Talton affirme que pour lui, la perte des preuves n'était pas cruciale. Toutefois, c'était un désavantage.

Peu après, Talton reçut un autre appel, cette fois du lieutenant Robert Madeira, des Texas Rangers. Relié au bureau de Houston, Madeira est ce qu'on appelle un «Concrete Ranger». La plupart des quelque 90 Texas Rangers travaillent en région rurale et fournissent des services policiers à des petites villes. Madeira est l'un des rares à s'occuper du crime dans les grandes villes. En tant que force policière, les Rangers sont présents depuis les années 1800. Ils font maintenant partie du grand département texan de la Sécurité publique, auquel Madeira s'était joint en 1968, deux mois après que lui et son collègue Buster Dennis du bureau du shérif du comté de Fort Bend avaient demandé à Gilbert Pavliska de leur montrer où ils avaient découvert les «deux pieds bleus» qui dépassaient d'un couvre-lit enroulé dans le réservoir Barker.

Madeira est un homme mince et droit, à la fin de la quarantaine. Ses yeux brillent, son sourire est spontané et il a un bon sens de l'humour. Il porte un gros anneau de Ranger décoré d'une étoile, des vêtements de style western, des bottes western et un chapeau de cow-boy, et il est tout à fait dévoué à la mystique et à la légende des Rangers. Les Rangers sont la police officielle de l'État du Texas et, à ce titre, ils ont la responsabilité de mener des enquêtes qui nécessitent des déplacements en dehors de l'État. Cecil Wingo avait rejoint le supérieur de Madeira et lui avait dit que Madeira était sur place le soir où le corps avait été découvert, et que l'enquête était rouverte. Le lendemain, on demanda à Madeira d'appeler l'escouade des homicides du comté de Harris et de travailler avec elle sur l'affaire.

Madeira et Talton discutèrent de l'affaire au téléphone. Il était entendu que l'affaire appartenait au comté de Harris mais qu'ils travailleraient ensemble. Talton se rappelle que Madeira lui raconta qu'il était sur la scène le soir de la découverte du corps, qu'il faisait froid et venteux et qu'il n'avait jamais oublié le spectacle du cadavre enveloppé.

Le mardi suivant, Talton rencontra Wingo et lui demanda le rapport d'autopsie, les photos de la morgue et la déclaration de Michel Béland. Il eut une discussion avec Madeira et ils commencèrent leur enquête à

Houston. Ils se rendirent chez Sam Montgomery Oldsmobile, sans résultat: personne, là-bas, ne se souvenait de Ray Holben. Après vérification auprès du service de la police de Bellaire, ils apprirent qu'aucun rapport de disparition n'avait été enregistré concernant Jeannine Boissonneault Durand. Raymond Durand était leur premier suspect. Talton dira plus tard: «Si les policiers, à l'époque, avaient identifié le corps, ils auraient cerné [Ray] comme un rat.»

Tandis que Talton et Madeira remontaient le passé de Ray à Houston, Jean Nadeau faisait ses propres découvertes dans le comté de Riverside. C'était bizarre: à chaque tournant, il retrouvait d'autres enquêtes dont il s'était occupé. En visitant le ranch, il se rappela être venu dans la région pour faire une descente dans un laboratoire de *meth*. Puis, quand Nadeau rencontra Marc, il apprit que Mike Sherbondy avait été témoin à son mariage. Nadeau s'était occupé de l'affaire Sherbondy et avait contribué à mettre le policier malhonnête derrière les barreaux pour sept cas de délit.

Au ranch, Nadeau vit une enseigne FOR SALE et prit en note le nom de l'agent immobilier. Le lendemain, il arriva chez l'agent, à Temecula, et lui demanda de rejoindre le propriétaire. L'agent lui dit qu'il appellerait Frenchy, et il invita Nadeau à laisser sa carte. Quelques jours plus tard, en début d'avant-midi, Nadeau se trouvait dans son bureau lorsque la réceptionniste lui signala un appel.

«J'ai répondu, se rappelle Nadeau, et une voix disait: "C'est Frenchy Durand. J'ai entendu dire que tu voulais me parler." J'ai failli tomber de ma chaise. Je lui ai dit que sa propriété m'intéressait, et je lui ai demandé s'il y avait une adresse à laquelle je pourrais lui écrire. Il a dit qu'il voyageait, qu'il serait en Californie quelques semaines plus tard et qu'il m'appellerait en arrivant.»

Le son de la voix de son interlocuteur resta gravé dans la mémoire de Nadeau. Frenchy, dit-il plus tard, parlait d'une voix un peu traînante. Il avait encore un accent français et il marmonnait tellement que ses paroles se déroulaient comme une phrase sans ponctuation. À présent, Nadeau avait acquis un intérêt professionnel pour le caractère tordu de Frenchy. Marc, en particulier, lui avait raconté quelques anecdotes assez effroyables sur Ray Holben, alias Ray Durand. Il parla à Nadeau de trafic de drogue, et dit que lorsqu'il travaillait pour son père, celui-ci retenait parfois sa paie pour l'obliger à faire des livraisons de drogue. Marc parla des prétextes que Frenchy servait à ses clients et des ennemis qu'il s'était faits au fil des ans. Nadeau ne croyait pas tout ce que Marc lui disait. Toutefois, il obtint de Marc une image plus claire de la vie privée de Frenchy. Et même si Marc n'avait aucune preuve directe du sort que Frenchy avait peut-être fait subir à Jeannine, il était certainement convaincu que son père avait tué sa mère.

Comme Nadeau ne voulait pas outrepasser les limites de sa juridiction en interférant avec le travail des policiers du comté de Harris, il prit soin de n'appeler aucun proche de Frenchy ou de Pat. Il découvrit que

Pat avait épousé Bert Matheis, qu'elle avait habité avec lui pendant quelques années et qu'elle avait déménagé. Il crut plus prudent d'approcher Matheis, car ce mariage s'était terminé sur une fausse note et Pat n'habitait plus à San Jacinto. «J'ai dit à Talton que j'avais trouvé son ex [celui de Pat] et qu'ils n'habitaient plus ensemble. Et qu'ils ne semblaient pas très proches. Autrement dit, il ne pouvait pas nous dénoncer à elle. Et Talton me conseilla d'y aller et de lui parler.»

Le matin du 24 avril, Nadeau rencontra Bert Matheis qui était en train d'effectuer des travaux de réparation dans une maison de location qu'il possède à Hemet. Matheis est un petit homme énergique, dans la cinquantaine, avec des cheveux grisonnants, une mâchoire carrée et un air impatient. Sa cour est remplie d'outils et de projets de menuiserie à moitié complétés, et sa maison est poussiéreuse: c'est nettement une maison de célibataire. Nadeau n'eut aucune peine à faire parler Matheis. C'était une enquête sur Durand, dit-il à Matheis. Nadeau posa quelques questions et laissa continuer Matheis.

Matheis lui dit que Pat avait une peur bleue de Frenchy, qu'il l'avait rencontrée chez un concessionnaire Ford à Ottawa, qu'il était «tellement croche qu'il volait des voleurs». Pat lui avait dit, affirma plus tard Matheis en entrevue, que Ray la battait. Matheis disait de Pat qu'elle lisait beaucoup, même si elle n'avait aucune culture, et que cette femme qui avait du cœur avait un jour rescapé une paire de chatons. Mais que, lorsqu'elle buvait, «elle pouvait être la salope la plus méchante, la plus pourrie du monde».

Matheis dit qu'au cours de la première année qu'il vécut avec Pat, le récit de ses années avec Ray filtra lentement. Environ un an après leur mariage, Pat buvait et se sentait triste et mélancolique, et elle se mit à parler: «Elle disait qu'ils [Ray et elle] n'étaient pas mariés», dit Matheis à Nadeau. «Elle disait: "Je suis une incapable. J'ai cinquante ans. Je n'ai jamais été mariée. Je ne suis rien." J'ai dit: "Ce n'est pas vrai. Qu'est-ce que ça me fait que tu aies été mariée ou non? Il est disparu de ta vie. Ça ne fait aucune différence pour moi. Je t'aime comme tu es."

«Puis, elle a dit: "Il a tué sa première femme." Elle a ajouté: "Il s'en est tiré." C'était à Houston. Pat disait qu'elle avait emménagé et pris soin des enfants. Martine n'avait que six mois.

«J'ai dit: "Qu'est-ce que tu veux dire?" Elle a dit qu'il l'avait tout simplement sortie et avait déchargé son corps dans un dépotoir du comté. Elle n'a jamais dit s'il l'avait tuée puis avait emmené son corps là-bas, ou s'il l'avait tuée là-bas. J'ai demandé: "Pourquoi est-ce que tu ne l'as pas quitté?" Elle a dit qu'elle n'avait nulle part où aller, qu'elle n'avait jamais eu d'emploi, qu'elle était encore une étrangère. Et qu'elle se disait qu'il faut choisir le moindre de deux maux... Elle avait un endroit où vivre, de la nourriture, de la boisson, des autos, des voyages.»

Le récit de Matheis fit bondir le pouls de Nadeau. Voilà la clef du mystère! se dit-il. «Seulement deux personnes en Californie savaient que le corps de Jeannine avait été retrouvé dans un dépotoir de Houston — Anne et moi. Personne ne savait si Pat avait quelque rapport que ce soit avec cela. Mais cette histoire concordait avec ce que nous savions. J'ai immédiatement appelé au Texas et là-bas ils étaient très enthousiastes.»

En entrevue, quelques mois plus tard, Matheis affirma qu'il était davantage scandalisé du fait que Pat ait continué à vivre avec Frenchy après le meurtre, que du fait qu'il ait tué Jeannine. Il affirma avoir suffisamment vécu pour comprendre de quelle façon le conflit conjugal peut tourner à la violence. Et, ajouta-t-il, puisque Frenchy s'en était tiré pendant vingt-trois ans, Matheis n'avait aucune raison de croire qu'il pouvait même être poursuivi pour cela. Matheis avait gardé sous silence ce que Pat lui avait confié, jusqu'à ce qu'un officier de police le lui demande.

Ensuite, Nadeau rapporta à Anne les révélations de Bert Matheis et elle, en retour, les transmit à Denis. Ils étaient tous deux abasourdis et furieux. Si Bert disait vrai, et il n'y avait aucune raison de croire le contraire, cela voulait dire que Pat savait, pendant tout ce temps, que leur père avait tué Jeannine. Elle savait depuis 1968 qu'elle vivait, buvait et dormait avec un meurtrier. Quels liens l'avaient enchaînée à Frenchy? Comment avait-elle pu le regarder dans les yeux, partager un lit avec lui? se demandaient-ils. Dès lors, il ne faisait plus aucun doute pour Denis que son père était un tueur. Mais Anne voulait encore donner à Frenchy le bénéfice du doute. Elle croyait qu'il y avait peut-être eu une querelle qui avait mal tourné.

Après en avoir discuté avec Line, Denis s'envola pour la Californie en emportant la lettre qu'il avait rédigée avec Michel. Anne et lui feraient signer Marc et Martine, et il l'enverrait à Houston. C'était tout ce qu'il avait comme plan. Il se disait qu'il allait enfin pouvoir rencontrer Nadeau, passer quelques jours avec Anne, puis revenir. Il n'avait encore aucune idée de l'endroit où vivait Frenchy ni de ce qu'il faisait. Mais il se disait qu'un jour, bientôt, Frenchy allait avoir la surprise de sa vie.

Denis atterrit à Ontario, une petite ville située à une heure de Los Angeles, et Anne alla le chercher à l'aéroport. En revenant ensemble à San Jacinto, ils avaient le sentiment d'être des conjurés. Ils s'étaient parlé au téléphone presque tous les jours depuis la découverte du corps de Jeannine, et leurs factures de téléphone respectives atteignaient les milliers de dollars. Leur amitié prenait de la profondeur, et lorsqu'ils se penchaient tous deux sur leurs souvenirs pour en tirer des bouts d'information qui pourraient servir à Nadeau et aux enquêteurs du Texas, ils découvraient tous deux, pour la première fois, ce qu'ils avaient vécu séparément. Ils ne s'étaient jamais avoué avec une telle franchise les sentiments qu'ils avaient éprouvés, la douleur qu'ils portaient et les blessures qu'ils avaient gardées de leurs expériences. Lorsqu'ils parlaient de Pat, ils partageaient des sentiments identiques et, souvent, des souvenirs identiques. Ils la méprisaient tous deux pour ce qu'elle leur avait fait lorsqu'ils étaient enfants. Tout ce qu'ils pouvaient se rappeler d'elle, c'était son ivrognerie, son haleine d'alcool, sa violence et sa façon d'essayer de les dresser l'un contre l'autre. Elle avait été si méprisante que sa malveillance demeurait encore vivante après tant d'années. Lorsque Anne et Denis discutèrent de ce que Bert avait dit à Nadeau, tous deux en tirèrent la même conclusion: Pat avait eu connaissance du meurtre.

Si Anne et Denis s'attachaient presque exclusivement à discuter du comportement de Pat, c'était en partie parce qu'ils n'avaient pas encore décidé ce qu'ils allaient faire à propos de leur père. Denis le détestait plus que jamais. Mais Anne était encore ambivalente. Elle avait adoré son père toute sa vie, l'avait défendu et protégé, et à présent, elle le plaignait, et Denis ne pouvait arriver à comprendre cela. Anne ne voulait pas devoir se lever pour l'affronter devant un tribunal. Elle l'imaginait assis devant elle, gris et l'air lugubre à cause de sa trahison. Elle savait que ce n'était pas bien de sa part d'avoir tué Jeannine, s'il l'avait fait. Mais il était encore son père. Comment pourrait-elle vouloir l'envoyer en prison à son âge? Et pourquoi Denis n'éprouvait-il pas les mêmes inquiétudes? se demandait-elle sans cesse.

Le lendemain de l'arrivée de Denis, ils tentèrent de trouver Marc. Il n'était pas chez lui mais, en le cherchant, ils aboutirent à un marché aux puces. Denis rencontra un peintre spécialisé en reproduction de photos. Denis avait une petite photo de sa mère, et il décida sur-le-champ d'en faire faire un grand portrait à l'huile. Il s'arrangea avec le peintre — ça n'allait pas être une œuvre d'art exceptionnelle, mais il espérait qu'elle ait au moins une certaine ressemblance avec Jeannine — et lui demanda s'il pourrait aller la chercher la semaine suivante.

Plus tard ce jour-là, ils découvrirent Marc assis dans son salon, et lui racontèrent tout ce qui s'était passé. En apprenant la découverte de ce qui était, comme tout le monde le savait à présent, le cadavre de Jeannine, Marc explosa.

«Elle a été assassinée», lui dit Denis.

«Frenchy», dit Marc sans le moindre doute dans le ton de sa voix.

Marc signa la déclaration de Denis et, peu après, ils le laissèrent seul avec sa douleur et sa colère. Ce soir-là, ils retournèrent dîner chez Marc et se rappelèrent des souvenirs de Frenchy et de leur mère. Ce fut une soirée sinistre.

Martine était plus difficile à retracer. Personne ne semblait savoir où elle demeurait ni où elle travaillait. Ils finirent par laisser tomber et, plutôt que de poster la déclaration à Wingo, Denis décida de se rendre à Houston pour la lui livrer en mains propres. Il espérait également pouvoir trouver la tombe et faire expédier les restes de Jeannine au Canada pour qu'ils y soient ré-inhumés.

Le lendemain était un dimanche, et Denis prit un vol qui l'amènerait à Houston vers la tombée du jour. Il apporta un roman policier pour lire pendant le vol. Mais il ne put se concentrer sur le récit et finit par abandonner. Il passa presque tout le vol, pensif, à revoir mentalement toute sa vie. Au moment de l'atterrissage, il fut pris de doutes. Peut-être n'aurait-il pas dû venir. Comment allait-il supporter tout cela? Comment serait-il capable de soutenir les pensées qui lui revenaient à la mémoire? Il aurait aimé que Line soit là, mais il était tout de même content d'être venu seul. Il pouvait faire son deuil dans la solitude.

Le lendemain matin, Denis courut vers le bureau du médecin légiste, demanda Cecil Wingo à la réception, et en quelques minutes, il se trouva assis devant Wingo dans son bureau.

«Maintenant que je vous ai vu, lui dit Wingo, il ne fait aucun doute dans mon esprit que ces photos sont celles de votre mère.»

Plus tard, en entrevue, Wingo affirma qu'il avait «tellement étudié l'affaire, à la recherche de points d'identification, que lorsque Denis est venu à mon bureau, je savais exactement que c'était lui. Il y avait une grande similitude.»

Denis était renversé. Ressemblait-il tellement à sa mère? se demanda-t-il.

Désignant une enveloppe sur son bureau, Wingo demanda: «Après vingt-trois ans, croyez-vous pouvoir regarder ces photos?»

Denis répondit non sans hésiter. Il ne croyait pas pouvoir dormir s'il regardait des photos de sa mère assassinée. «J'aime mieux ne pas les voir. Mais je pourrais regarder des photos des vêtements.»

Les photos des vêtements étaient frappantes. Un soutien-gorge noir, une culotte blanche, un chemisier rayé bleu et vert, une jupe verte. Il ne reconnaissait rien, mais se rappelait que sa mère ne portait jamais de pantalon. Il se rappelait avoir trottiné à côté d'elle lorsqu'elle ramena le sac à bagages pliable à Ottawa pour le voyage à Fort Lauderdale. «C'est pour ne pas que mes robes et mes jupes se froissent», avait-elle expliqué. Si on m'avait montré la photo d'un pantalon, je me serais interrogé, se dit Denis.

Une autre photo montrait le couvre-lit et la corde. Dès qu'il la vit, Denis dit: «C'est de la chenille. Nous avions des couvre-lits semblables à la maison. Des couvre-lits en chenille.» Il ne pouvait se rappeler s'il y avait chez eux un couvre-lit exactement semblable à celui-ci, mais il connaissait le tissu, il en connaissait le nom.

Après avoir examiné les photos des vêtements, il commença à se demander avec regret si sa visite avait servi à quelque chose et si toute l'affaire n'allait pas être abandonnée, faute de preuve. Il demanda à Wingo si une enquête était en cours. Wingo l'assura qu'il y en avait une, sous la direction de Mike Talton, un détective des homicides au bureau du shérif du comté de Harris. Il tenta d'appeler Talton pour lui faire savoir que Denis était en ville, mais ne put le joindre.

Lorsque Wingo raccrocha, Denis lui dit: «Tout ce qui m'inquiète, c'est que si je vois mon père, je ne sais pas ce qui va se passer.»

Wingo le regarda, les yeux tristes. «Ne vous inquiétez pas. Dieu prendra soin des choses», dit-il à Denis.

Wingo dit qu'il essaierait à nouveau de joindre Talton un peu plus tard. Entre-temps, il offrit à Denis un fauteuil devant un bureau d'enquêteur. Il donna à Denis le numéro d'une femme nommée Sue qui, dit-il, était en charge des registres du cimetière du comté de Harris. Denis l'appela et lui expliqua ce qu'il cherchait. Sue lui dit qu'elle trouverait l'information. «Rappelez-moi cet après-midi», lui dit-elle.

Après l'appel, Denis resta assis là à examiner une grande carte murale du comté et à écouter un enquêteur répondre au téléphone, qui n'arrêtait jamais de sonner.

Après le lunch, Denis se rendit au bureau du shérif et demanda Mike Talton à la première personne qu'il rencontra.

«Talton?» cria le réceptionniste, et il reçut un «Ouais» derrière une cloison. Il fit signe à Denis d'aller le trouver.

Denis trouva le détective au téléphone dans un petit cubicule. Talton lança à Denis un regard dur et direct. Denis mit sur son bureau une copie de la lettre que lui, Anne et Marc avaient signée. Elle se trouvait dans une enveloppe de la GRC que Michel lui avait donnée le soir où ils l'avaient rédigée. Talton remarqua le logo de la GRC, raccrocha et continua de regarder Denis.

«Mon nom est Denis Durand», dit Denis.

Talton se leva. «Avant de commencer, dit-il à Denis, j'aimerais vous offrir mes condoléances.» Il lui tendit la main et Denis la serra, à la fois reconnaissant et ému de la remarque pleine de délicatesse de Talton.

Denis demanda ce qu'avait donné l'enquête jusque-là.

«Ça peut avoir l'air stupide, dit Talton, mais j'attends d'avoir l'argent nécessaire pour aller en Californie. Il me faut une approbation. Mais laissez-moi vous dire quelque chose. Les gens qui s'occupaient de l'enquête en 1968 sont devenus des patrons ici. Ils veulent savoir ce qui s'est passé. On va donc aller en Californie.»

Talton alla trouver une secrétaire et lui demanda de prendre la déposition de Denis.

Lorsqu'ils eurent fini, Denis appela Sue, la femme du bureau des enregistrements du cimetière. Elle lui dit que sa mère était enterrée à la section C, rangée I, tombe 5. Elle lui donna l'adresse du cimetière et lui dit que les portes fermaient à 16 h. Il était 15 h 15 et il dit qu'il n'était pas certain de pouvoir s'y rendre à temps. Sue lui affirma qu'elle parlerait à Kenny, le gardien, qui laisserait un bâton planté dans le sol pour qu'il puisse trouver la bonne tombe.

Après sa conversation avec Talton, Denis était tellement content, en sortant par la porte avant du bureau du shérif, qu'il prit une photo de l'endroit.

«Je sautais et je criais, tellement j'étais heureux. Je me disais que je montrerais cette photo à des gens et qu'ils finiraient par me croire, par croire ce que je disais depuis si longtemps.»

Il fila vers le cimetière et stationna à l'extérieur des portes. Il parcourut une longue allée bordée de buissons, de lilas et d'arbres, et de pelouses bien entretenues. Cela semblait paisible et étrangement soulageant, mais quelque chose le dérangeait. Il regarda à sa gauche en marchant et vit à quel point il était proche de l'autoroute, une autoroute qu'il avait parcourue bien des fois. C'était la Liberty Freeway qui filait vers Big Thicket. C'était la route que son père avait empruntée pour aller à son travail et en revenir, tous les jours, pendant plus d'un an. C'était la route sur laquelle ils avaient transporté des matériaux de construction pour la cabane qu'ils avaient construite, lui et son père, dans le bois.

Le cimetière même n'était rien d'autre que des pelouses onduleuses sans pierres tombales visibles. Chaque petit champ était bordé de pins. Il s'approcha d'un hangar, et un Noir d'âge moyen en émergea et demanda: «Vous êtes le Canadien?»

Denis hocha la tête en lui retournant son sourire.

Vous cherchez votre maman, hein?

Denis fit encore signe de la tête, le cœur serré.

— Qu'est-ce qui s'est passé? demanda Kenny.

— Mon père l'a assassinée.

— Il se pensait filou après tant d'années, hein?

Je ne vous le fais pas dire, pensa Denis.

Kenny l'amena à la section C et désigna le bâton qui était planté dans le sol. Denis s'y dirigea. Il vit une longue et étroite bande de ciment qui longeait ce qu'il croyait être les couvercles des tombes. À intervalles réguliers, une minuscule plaque de métal de cinq centimètres était incrustée dans le ciment. La plupart d'entre elles étaient vides, mais sur la tombe dans laquelle on avait planté le bâton, quelqu'un avait griffonné les initiales GB. Ils se sont trompés, pensa-t-il. Ça devrait être JB. Il se leva, puis s'agenouilla au pied de la tombe de sa mère, ses verres fumés cachant ses larmes.

«Je t'ai enfin trouvée, murmura-t-il à la mémoire de sa mère. Je ne vais pas te laisser ici, promit-il, et les larmes roulaient à présent sur ses joues. Je vais te ramener au Canada.»

Levant les yeux, il fixa à nouveau le ruban d'asphalte et les autos qui filaient. Il se demandait ce que son père était en train de faire. Je voudrais bien qu'il me voie maintenant, songea Denis, ici même. Il se rappela le garçon de douze ans qui se trouvait sur la banquette arrière de la grosse Oldsmobile, entouré de marteaux, de scies et de nourriture pour le weekend, sa petite sœur timide, son petit frère aux cheveux coupés en brosse, et sa petite sœur aux boucles blondes. Il se rappela qu'il voulait seulement les protéger. Il se rappela la peur qui lui nouait l'estomac et les bouteilles de whisky qui se trouvaient toujours sur le siège avant, entre Pat et son père. Il se rappela avoir demandé des nouvelles de sa mère, qui tout ce temps était étendue ici même dans cette tombe, et qu'on lui avait répondu qu'elle ne l'aimait pas et qu'il devrait se la fermer. La vague de douleur qui le balaya était si intense qu'il se demanda s'il pourrait se relever et retourner jusqu'à l'auto. Il voulait que quelqu'un soit là avec lui, mais il voulait aussi être seul avec cette douleur, ces sentiments qu'il avait portés toute sa vie. Il voulait rester assis là et souffrir en silence, laisser sortir de lui toute la peine. Et il voulait que tout le monde sache qu'il n'avait jamais, jamais laissé tomber, qu'il avait subi tous les supplices émotionnels et physiques que son père et Pat lui avaient fait subir, qu'il avait survécu à tout cela et que cela ne l'avait pas détruit. Et qu'à la fin, il n'avait pas seulement survécu, mais avait triomphé en découvrant la seule vérité importante. Il avait découvert ce qui était arrivé à sa mère. Au diable mon père, pensa-t-il. Peu importent ses explications. Elle est morte, il l'a tuée, je le sais, et bientôt tout le monde le saura.

Il baissa à nouveau les yeux vers la tombe. Je suis la première personne à venir ici qui la connaisse, se dit-il. Il regarda le bâton, le retira et y écrivit: JEANNINE BOISSONNEAULT. BORN OCTOBER 29, 1933. DIED FEBRUARY, 1968.

Kenny s'avança.

— Votre mère se repose, maintenant. Elle est en paix ici.

— Mais ce n'est pas sa place, ici.

Denis quitta le cimetière et roula sans but pendant quelque temps. Puis, il découvrit qu'il se dirigeait vers Bellaire. Ses sentiments étaient si enchevêtrés qu'il n'arrivait pas à savoir ce qu'il ressentait. Il retraça Beech Street et trouva la maison dans laquelle ils habitaient lors de la disparition de Jeannine. Il resta assis dans l'auto, fixant la petite maison, le gros chêne dans la cour avant. Plus loin, il voyait le château d'eau de Bellaire, et l'école élémentaire Maud-W.-Gordon où il avait appris à parler l'anglais. Il se rappela que son père lui avait dit qu'il irait à une école française, et il se souvint du choc qu'il avait eu en découvrant que personne ne parlait français à l'école élémentaire Maud-W.-Gordon.

Il se rappela les scouts dans lesquels il s'était enrôlé, et les bicyclettes neuves que Pat leur avait tous achetées, et l'affection qu'il lui portait à l'époque. Tante Pat.

Il roula à nouveau, en direction de Holly Street, mais il ne put trouver la maison qu'il cherchait, ni celle de Jack.

Il finit par être si fatigué qu'il s'arrêta devant un motel, prit une chambre et s'y enferma. Il appela Anne en Californie, Line au Québec, leur raconta sa journée, sa découverte de la tombe de Jeannine. Comme il ne pouvait plus parler, il raccrocha et resta assis en silence. Cette nuit-là, il fut incapable de dormir. Il fit les cent pas, essaya de regarder la télé et se sentit dévoré par ses souvenirs. Il sommeilla et fit un cauchemar dans lequel son père apparaissait, souriant. Il se réveilla, jura et souhaita de pouvoir mettre la main sur Frenchy et de l'obliger à se rendre au cimetière avec lui.

Le lendemain matin, il appela un salon funéraire et expliqua qu'il voulait faire exhumer les restes de sa mère et les faire expédier au Canada. On lui dit de se rendre sur place, et il passa la matinée à apprendre à quel point ce serait compliqué. On avait besoin d'un certificat de décès amendé, de la permission de déterrer les restes et de toutes sortes d'autres papiers. Mais les préposés, bienveillants, lui dirent qu'ils s'occuperaient de tous les détails. Il signa des papiers et leur laissa de l'argent, puis trouva un fleuriste. Il commanda un immense arrangement floral avec toutes sortes de fleurs et dit qu'il reviendrait le chercher après le lunch. Il prit un repas en vitesse, retourna aussitôt chercher les fleurs, et se dirigea vers le cimetière.

Kenny le salua et le suivit vers la tombe. Il y déposa l'arrangement et prit quelques photos. Puis Kenny le persuada de lui donner la caméra afin de prendre une photo de lui avec les fleurs et la tombe. Denis résista puis céda, et fut heureux de l'avoir fait. Plus tard, tout le monde voulut en avoir une copie.

Denis quitta le cimetière et arriva à l'aéroport quelques minutes seulement avant son vol. Il laissa son auto et courut vers la porte de départ. Jusqu'en Californie, il fut d'humeur morose. Il rencontra Anne et Phil à l'aéroport et leur raconta ce qui lui était arrivé à Houston.

Le lendemain matin, Anne lui annonça qu'ils allaient luncher avec Jean Nadeau. Ils décidèrent de lui acheter un cadeau. Ils lui offrirent une montre-bracelet au dos de laquelle ils firent graver «À CHAQUE MINUTE, NOUS VOUS REMERCIONS». Ils roulèrent jusqu'à Riverside, stationnèrent devant le bureau du procureur du district, d'où Nadeau sortait justement. Anne l'appela et il s'approcha. Lorsqu'il vit Denis, il se mit à lui parler en français. Ils ne s'étaient jamais rencontrés.

«Vous n'avez pas idée de ce que vous avez fait pour nous, lui dit Denis. Je ne pourrai jamais vous rendre la pareille.»

Ils l'invitèrent à manger et lui donnèrent la montre. Nadeau avait les larmes aux yeux en déballant le cadeau. L'affaire l'avait ému de façon inattendue. À présent, il se sentait engagé dans leurs vies. Plus tard, il dit qu'il avait accepté de les aider par amitié pour Anne, une amitié qu'avait provoquée «l'intégrité dont elle avait fait montre en refusant de rester silencieuse sur les agissements de son patron». Pour faire la part des choses, il déclara aussi que l'affaire était un défi intéressant. Plus il en apprenait sur Frenchy, plus il développait un profond mépris pour ce qu'il avait fait à ses enfants. Et après que le corps eut été identifié, il voyait ce que ses efforts avaient signifié pour les deux enfants qui se rappelaient leur mère.

Après le repas, Nadeau leur demanda s'ils voulaient voir où habitait Pat. Ils se rendirent jusqu'à la petite ville où elle vivait depuis sa rupture avec Bert Matheis. En auto, ils parcoururent le parc de maisons mobiles, et Nadeau désigna celle de Pat. À l'instant même, la porte s'ouvrit et Martine en sortit. Ils se penchèrent afin de ne pas être vus. On ne lui avait pas encore parlé du cadavre. Ils n'avaient pas pu la joindre, et aucun d'entre eux n'avait songé à vérifier auprès de Pat. Cela valait mieux, se dirent-ils. Nadeau ne voulait pas éveiller les soupçons de Pat avant qu'ils n'aillent la cueillir. Denis et Anne furent tous deux très mal à l'aise du fait que Martine ne savait pas encore qu'on avait découvert le cadavre, et ils en parlèrent tout le long du trajet de retour, jusqu'au bureau de Nadeau. Il les amena jusqu'à son cubicule, s'assit, et le téléphone sonna. C'était Talton. Il avait reçu une approbation pour le voyage, et prévoyait se rendre en Californie la semaine suivante avec Madeira. Il demanda à Nadeau de préparer une séance de polygraphie pour Pat avec une caméra vidéo, afin de pouvoir enregistrer sa déclaration.

Plus tard cette semaine-là, Denis retourna à Chelsea. Dès lors, Anne et lui se téléphonèrent tous les jours, parfois toutes les heures. Ils ne pouvaient cesser de s'appeler.

Talton et Madeira atterrirent le mardi 14 mai. Ils passèrent la journée à faire connaissance avec Nadeau et à récapituler les détails de l'affaire. Nadeau leur dit ce qu'il savait de Frenchy, de son commerce de drogues et de ses relations avec ses enfants. En vérifiant les dossiers des permis de conduire, il avait découvert que Frenchy avait abandonné son permis californien en Caroline du Sud, présumément pour acquérir un permis là-bas. Il emmena Madeira et Talton jusqu'au ranch et leur parla des gens qu'il avait interrogés. Ils avaient hâte de parler à Pat, mais ils voulaient s'assurer que tout était en place avant qu'ils n'aillent la cueillir.

Le lendemain matin, ils allèrent tous les trois interroger Bert Matheis, qui leur répéta son récit: un soir, Pat, ivre et mélancolique, lui avait dit que Frenchy avait tué sa première femme et avait laissé son corps dans un dépotoir. Après quoi, ils allèrent manger, puis se rendirent au parc de maisons mobiles du comté de San Bernardino où Pat avait habité avec son dernier mari. «Nous marchions sur des œufs, dit Nadeau, parce que nous ne savions absolument pas à quoi nous attendre. J'avais préparé le nécessaire au bureau — une caméra vidéo — et nous sommes partis.»

Une fois arrivés, dit Talton, ils frappèrent à la porte et ne trouvèrent personne. «On est allés prendre un café, on est revenus, on a stationné, et dix minutes plus tard, [Pat et son mari] sont arrivés.»

Ils les ont laissés entrer dans la maison, puis les trois détectives se sont approchés et ont frappé à la porte. Quand Pat a répondu, Nadeau a montré son insigne et lui a dit qu'il travaillait pour le procureur du district de Riverside, et que les deux hommes qui l'accompagnaient faisaient partie «de la police du Texas. Je lui ai dit que je voulais lui parler».

Talton raconta qu'il dit à Pat «qu'on était là pour lui parler de la disparition de Jeannine Durand. Ses premiers mots ont été: "Je ne sais rien de plus que les enfants."

«On ne lui a pas donné le choix. On a dit: "Nous aimerions que vous veniez avec nous. «Elle ne nous a même pas demandé si elle était obligée. Elle s'est contentée de dire: "Laissez-moi prendre ma bourse."»

Pat déclara à son mari que trois détectives voulaient lui parler et, se rappelle Nadeau, «il nous a suivis en auto».

Pat s'est assise sur la banquette arrière de l'auto de Nadeau. «Son visage était très passif, dit Nadeau. On ne savait pas sur quel pied danser. Elle nous a demandé une ou deux fois de quoi il s'agissait. Et on lui a dit qu'on préférait attendre d'arriver au bureau.

«Notre bureau est au deuxième étage. Son mari est resté en bas, dans le lobby. On l'a emmenée au deuxième. Sans menottes. On lui a fait comprendre qu'elle n'était pas obligée de venir avec nous, qu'elle pouvait refuser de nous parler, et ainsi de suite.»

Ils lui dirent de s'asseoir dans un fauteuil dans une salle privée, pointèrent la caméra vidéo vers elle et commencèrent à poser des questions. Talton se rappelle qu'elle avait l'air faible: «Je regardais une femme de presque soixante ans — et je ne pouvais absolument pas voir à quoi elle ressemblait dans la trentaine. J'ai travaillé sur pas mal de meurtres. Pour l'un d'eux, en particulier, j'ai retracé un motard hors-la-loi au milieu de la cinquantaine. Il était tellement usé et brisé qu'il pouvait à peine monter l'escalier. Mais trente ans plus tôt, il vous aurait tué aussi facilement qu'il vous aurait regardé. Un vrai diable en cuir. En ce qui concerne Pat, les récits des enfants nous avaient permis de nous faire une idée d'elle et de Ray. Mais en personne, elle paraissait vieille, usée, brisée.»

Ils s'assirent autour d'elle, dit Nadeau, et Talton et Madeira commencèrent l'interrogatoire. «Nous avons commencé par lui demander de nous parler de Ray. Frenchy. Elle connaissait Ray? Ouais. Elle avait vécu avec lui? Ouais. Est-ce que Ray lui avait déjà parlé d'avoir tué sa femme? Non. Pendant longtemps, très longtemps, peut-être une heure, une heure et demie, elle n'a rien dit. J'étais pas mal sûr qu'on n'allait rien tirer d'elle. Et qu'elle nous désarçonnerait. C'est surtout [Talton et Madeira] qui ont parlé. Moi, je me contentais de la regarder. Elle cessait de les regarder et me regardait en disant: «Où est-ce que je vous ai déjà vu?» Je ne l'avais jamais rencontrée de ma vie. Et ensuite, elle disait: «Je pense que j'ai joué au Mississippi avec vous.» Je ne sais pas si c'était prémédité. Mais ça a marché. Ça nous a désarçonnés.»

C'était frustrant, se souvient Talton: «On avançait, on reculait. Il était clair qu'elle ne nous dirait rien. Finalement, je lui ai dit: "O.K., on va te faire faire une déclaration et tu vas passer un test au polygraphe.» Juste au moment où on allait se lever, j'ai dit: «Attends, Pat, tu vas juste nous faire perdre notre temps. Tu vas échouer le test du polygraphe. Ce que tu nous as dit, c'est un mensonge. Tu sais ça. Pourquoi est-ce que tu ne fonces pas, tu prends une bonne respiration et tu nous le dis?»

À ce moment, Nadeau, qui est né et a été élevé dans la religion catholique, est intervenu. «J'ai dit: "Pat, est-ce que tu sais ce que c'est, une confession? Est-ce que ça ne serait pas bien de confesser quelque chose pour avoir ensuite l'âme tranquille? Ensuite, Talton a lancé: "Frank [le mari de Pat] a l'air d'un bon gars. Est-ce que tu ne penses pas que Frank a le droit de te voir nous dire la vérité? Et d'avoir l'âme tranquille?" Et on a travaillé dans cette direction-là. Et finalement, elle a dit: "O.K., je vais vous le dire." Et c'est comme ça qu'elle a commencé à tout nous raconter.»

Même après ce changement d'attitude, dit Nadeau, «elle a eu beaucoup de difficulté à s'y mettre. Bien sûr, on a dû l'inciter, lui poser des questions. On lui a demandé de remonter au commencement, à son premier contact avec lui. Elle a dit qu'ils avaient travaillé ensemble. Qu'ils avaient commencé à se fréquenter. Elle ne savait pas qu'il était marié. Un jour, il a déclaré qu'il voulait aller aux États-Unis et il lui a demandé si elle voulait y aller avec lui, et elle a dit oui. Ils sont partis, comme ça, pour la Floride. Après un certain temps, il a fini par lui dire qu'il était marié. Comme elle était tombée amoureuse de lui et se trouvait dans de beaux draps parce qu'elle n'avait ni éducation, ni emploi, ni argent, et qu'elle était coincée à des milliers de kilomètres de chez elle, elle est restée avec lui. Il a fait venir sa famille puis il les a renvoyés au Canada. Puis ils sont allés au Texas tous ensemble et elle s'est rapprochée de la famille.

«Le soir en question, il lui a demandé si elle voulait rester avec les enfants. Les enfants la connaissaient bien. Ils l'appelaient «tante Pat». Et il lui a demandé si elle voulait garder les enfants, car Jeannine devait retourner au Canada pour prendre soin de sa mère qui était gravement malade. Elle a accepté. Ce soir-là, Jeannine était bien habillée, avait fait ses valises, et parlait avec Ray. Pas de cris, pas de hurlements. Elle ne savait pas ce qu'ils disaient parce qu'ils parlaient en français et qu'elle ne comprend pas le français. Ils sont partis. Elle a dit qu'elle supposait qu'il l'emmenait à l'aéroport. Ce soir-là, Ray n'est pas revenu.

«Le lendemain matin, les enfants se sont levés et elle leur a dit que leur mère était partie, et plus tard ce jour-là, elle les a emmenés à son appartement, parce qu'à son immeuble, il y avait une piscine. Ils sont allés nager puis ils sont retournés chez lui. Il est finalement arrivé plus tard dans l'après-midi. Elle a dit que tout était plutôt normal. Elle supposait que Jeannine était retournée au Canada. Et quelques jours plus tard, ils ont emménagé dans une autre maison pas loin de là. Et c'est là, un soir, une dizaine de jours après le départ de Jeannine, alors qu'ils regardaient les nouvelles à la télé, qu'ils ont vu la police qui demandait de l'aide afin d'identifier cette dame dont le corps avait été retrouvé. Jeté dans un dépotoir. Et il aurait dit à Pat: "Ils ont trouvé Jeannine." Et elle a dit: "Je pensais que tu m'avais dit qu'elle était au Canada." Il a dit: "Elle est en plein là, dans le dépotoir où je suis allé la mettre." Puis il a dit quelque chose comme: "Si tu parles, il va t'arriver la même chose." Et elle a dit que c'est la première fois qu'elle avait entendu dire qu'il l'avait tuée.»

Dans la bande vidéo de sa déclaration, Pat semble calme et ouverte. Elle dit qu'elle a demandé à Ray pourquoi il avait tué Jeannine et qu'il lui a répondu: "Elle avait le cancer. Elle allait mourir de toute façon."

C'était un moment électrisant, se rappelle Nadeau, le fait de regarder cette femme âgée, effrayée, raconter pour la première fois de sa vie un secret à propos d'un meurtre. Il se demandait qui elle était et ce qui avait formé son caractère. Nadeau remarqua qu'elle avait bien pris garde de ne pas s'incriminer elle-même. Peut-être bien qu'elle avait peur et qu'elle n'était pas très extravertie, mais elle était encore assez rusée pour faire en sorte de ne pas être piégée par ses propres aveux.

Après avoir entendu la première version, les trois enquêteurs la firent repasser l'histoire et elle développa et clarifia certains aspects. Elle dit que c'était à la fin de janvier 1968 que Ray l'avait fait venir et qu'il avait appelé à partir d'un téléphone public. Elle raconta qu'à la maison, Jeannine lui avait dit dans un anglais maladroit qu'elle retournait au Canada pour prendre soin de sa mère malade. Pat révéla qu'après le meurtre de Jeannine, ils étaient demeurés à Houston une partie de l'année et ensuite ils avaient dû partir parce que Ray avait fait des chèques sans provision et que la police le cherchait. Elle raconta que Ray courait toujours les femmes et qu'elle le traitait de «courailleur». Elle affirma qu'elle l'avait menacé sept fois de parler du meurtre aux enfants, et que chaque fois, Ray disait: «Vas-y, si t'as plus le goût de vivre.»

Chapitre vingt-deux

Brockville, Ontario, 1950

Lorsque Denis et Anne étaient enfants, Pat était pour eux l'incarnation du mal. Tout ce qu'ils savaient d'elle, c'était ce qu'ils avaient vécu auprès d'elle. Ils ne la jugeaient qu'à partir de cela. Elle était la norme qui leur servait à mesurer les autres. Pat était la méchanceté à l'état pur. Personne d'autre — à l'unique exception, dans l'esprit de Denis, de Ray luimême — ne pouvait atteindre un tel degré de malveillance.

Mais ils la connaissaient d'un point de vue d'enfants, et leur opinion de cette femme, qui fut leur belle-mère pendant tant d'années, était dure et sans compromis. Comme n'importe quel parent, elle avait un degré élevé de contrôle sur leur vie et ils la jugeaient à la façon dont elle exerçait ce pouvoir. Leur opinion d'elle n'était pas tempérée par la compréhension de ses origines, de ce qu'elle avait enduré enfant, ou de la position dans laquelle Ray l'avait placée. Elle ne s'expliqua jamais, ne parla jamais de son passé et sembla toujours garder des secrets sur elle-même. Durant l'interrogatoire mené par Nadeau, Talton et Madeira, Pat révéla l'un des plus grands secrets de sa vie. Mais il y en avait d'autres. Les trois enquêteurs voulaient en savoir plus long sur ses expériences de jeunesse et sur ce qui l'avait poussée à rester avec Frenchy. Cependant, aux fins de l'enquête, ils avaient obtenu ce dont ils avaient besoin. Sa déclaration reliait Frenchy au meurtre, et ils la trouvaient crédible.

«Quand tout ça s'est terminé, se rappelle Nadeau, on s'est regardés et on s'est dit que ça tenait debout. À nous trois, on avait de soixante à soixante-dix ans d'expérience, et on avait tous l'impression que ça tenait debout.»

Ils se demandèrent si elle tiendrait le coup au cours d'un interrogatoire mené par la défense, mais avaient l'impression qu'elle avait dit la vérité. En fait, sa version avait du sens, à la lumière de ce qu'eux et les enfants savaient de Ray. Pourquoi avait-elle été aussi réticente à parler de ce qui s'était passé? Qu'est-ce qui l'avait attirée vers Ray? Qu'est-ce qui l'avait gardée avec lui pendant les dix-huit années qui avaient suivi le meurtre de Jeannine? Pourquoi avait-elle été si dure envers les enfants? Quelle terreur ou quelle blessure était enfouie dans son cœur?

Pat n'avait jamais été capable de parler aux enfants, qu'elle avait si souvent prétendu être les siens, de sa propre enfance. Elle refusa toutes les demandes d'entrevue. Mais des entretiens avec des membres de sa famille et avec les gens qui l'avaient connue, de même qu'une patiente recherche dans les dossiers judiciaires et les vieux journaux, révélèrent les grands traits de sa vie. Rien de son passé n'excuse aucunement les traitements qu'elle a infligés aux quatre enfants dont elle devint responsable, de façon si soudaine, en février 1968. Mais son passé explique en quelque sorte sa façon d'agir.

Patricia Dorothy Holben naquit en octobre 1933 — le même mois et la même année que Jeannine Boissonneault — dans la petite ville minière de Hayley Station, à environ une heure d'Ottawa, dans la vallée de l'Outaouais. Elle avait un frère d'un an plus âgé, et trois sœurs plus jeunes. Son père était un immigrant britannique, et sa mère, une fille de l'endroit qui avait reçu une formation d'infirmière au Civic Hospital d'Ottawa. Lorsque la Deuxième Guerre éclata, son père s'enrôla et partit à l'étranger. À l'époque, la famille vivait à Kemptville, une petite ville au sud d'Ottawa, et leur vie se désorganisa rapidement.

Le frère de Pat, Harold, dit qu'après «le départ de Papa, maman buvait du vin à la caisse et faisait pas mal d'autres choses qu'elle n'aurait pas dû faire. J'allais à Beckett's Landing et je travaillais comme *caddy*. Un soir, tard, je rentrais à la maison en auto-stop, j'ai levé mon pouce, une auto s'est arrêté et c'était le travailleur social de Brockville. Deux semaines plus tard, nous étions tous sous les soins de la Children's Aid Society.»

La Children's Aid Society (la Société d'aide aux enfants) de Brockville, près du fleuve Saint-Laurent, directement au sud d'Ottawa, fut fondée en 1894 par des églises locales et des membres de «familles bien connues» de l'endroit, affirme Stephen Heder dans une courte monographie qu'il a écrite sur l'histoire de la société. La société fournissait un foyer aux enfants de familles brisées de même qu'à ceux qui avaient des parents abusifs. Elle plaçait les enfants chez des parents adoptifs, dont beaucoup étaient des couples d'agriculteurs de la région. Le foyer, se rappelle Harold, était «une grande maison blanche en haut d'une colline», probablement un vaste manoir victorien appelé Fairknowe, qui avait été construit en 1860 et qui servit d'orphelinat jusqu'aux années 1930. Le directeur de la Children's Aid Society, à l'époque de l'arrivée des enfants Holben, était Claude Winters, un notable de l'endroit qui siégeait au conseil de la société depuis 1917.

Harold se rappelle que ses quatre sœurs furent placées dans des foyers d'adoption tôt après leur arrivée à l'orphelinat. Il fut séparé d'elles et envoyé dans une ferme. Pat et deux de ses jeunes sœurs passèrent quatre ans avec un couple âgé. Le bébé de la famille, Lily Mae, fut placée avec une autre famille. Pat avait environ huit ou neuf ans à l'époque, et avec ses deux sœurs elle demeura dans la même famille jusque vers l'âge de douze ans.

Laura, la sœur de Pat, avait deux ou trois ans lorsqu'ils arrivèrent à la ferme, et se rappelle que leur père adoptif «était gentil, mais la vieille était une vieille chipie, une vraie profiteuse. Elle nous fouettait. Elle nous amenait derrière la maison, nous déshabillait et nous frappait. Une fois, elle a utilisé une courroie de rasoir pour battre Pat. Elle nous pinçait les oreilles tellement fort qu'on en avait la peau en sang.»

Pendant quatre ans, elles endurèrent cet abus jusqu'à ce que quelqu'un de la Children's Aid Society découvre comment on les traitait et renvoie les filles à l'orphelinat. Pat était presque adolescente à l'époque. À l'orphelinat, Laura se rappelle que la matrone «était une vraie chipie. Si on ne mangeait pas son déjeuner, on le prenait pour dîner, et si on ne mangeait pas à ce moment-là, on le prenait pour souper.»

En peu de temps, les deux sœurs de Pat furent placées auprès de nouvelles familles adoptives. Entre-temps, le bébé, Lily Mae, fut déplacée plusieurs fois, mais Harold demeura à la même ferme. «On a tous abouti dans des familles, sauf Pat», dit Laura.

Harold dit que son père est venu le voir un jour après la guerre, et lui a plus tard envoyé une bicyclette neuve, une Ranger CCM. Mais il ne fit jamais l'effort de réunir sa famille. Il finit par dériver vers Victoria, en Colombie-Britannique, se remaria et fonda une autre famille.

Laura dit qu'elle fut enfin placée dans une famille affectueuse où elle passa son adolescence. Harold s'enfuit à quatorze ans. Plusieurs années plus tard, il mentit à propos de son âge et s'enrôla dans l'armée canadienne. Quand la guerre de Corée éclata, il partit de Tacoma, dans le Washington, avec l'un des premiers contingents de soldats canadiens jetés dans le conflit.

À cette époque, Pat travaillait comme serveuse et habitait encore à l'orphelinat de la Children's Aid Society à Brockville. Laura n'est jamais allée à l'école secondaire et, selon ses souvenirs, Pat ne s'est pas rendue là elle non plus. Son frère et ses sœurs disent que c'est Pat qui écopa du sort le plus dur. Lorsqu'on interroge Laura sur le caractère de Pat, elle dit qu'elle était solitaire, qu'elle ne se confiait jamais à personne et, peut-être le fait le plus important, ne se défendait jamais, ne défendait jamais son point de vue. «Pat n'avait jamais de courage. Elle n'était pas du genre à parler de quoi que ce soit. Elle gardait tout en elle au lieu de s'exprimer», dit un membre de sa famille.

Harold était en Corée depuis quelques mois lorsqu'il fut blessé et évacué vers un hôpital de Séoul. De là, il fut envoyé à un autre hôpital avec des soldats américains et le gouvernement canadien perdit sa trace. «Il a fallu un an avant que mes dossiers et ma paie me rejoignent» à l'hôpital de soldats américains, dit-il. Entre-temps, au Canada, il était considéré comme disparu au combat. Apparemment, Pat considéra cela comme un avis de décès.

Elle avait dix-sept ans et travaillait comme servante dans une grande maison d'appartements appartenant à Claude Winters, le directeur de la Children's Aid Society, un homme assez âgé. À 10 h 44, le 18 avril 1951, un incendie éclata dans l'un des logements. Lorsque les pompiers arrivèrent, rapporta le journal local, ils découvrirent que l'appartement avait été «mis à sac. Un tas de vêtements, apparemment sortis d'une commode, fut découvert en feu sur le plancher d'une chambre.» Un matelas avait été incendié dans une autre chambre. Selon un article paru à la une du journal *The Recorder and Times* de cet après-midi-là, le chef de police fut appelé pour enquêter sur «les circonstances étranges entourant l'incendie». En quelques heures, Young put annoncer à la presse qu'il avait arrêté Patricia Holben, dix-sept ans, en rapport avec l'incendie, et l'avait accusée d'avoir mis le feu. Il déclara que la fille était détenue à la prison du comté.

Le lendemain, Pat apparut en cour sans avocat et on lui ordonna de rester en prison jusqu'à son procès, le 23 avril. Le jour de son procès, rapporta *The Recorder and Times,* elle fut emmenée, «habillée dans un costume de gabardine brune», dans une salle de tribunal remplie à capacité. Une fois de plus, elle comparut sans avocat.

Elle fut accusée d'avoir provoqué quatre incendies criminels, et plaida immédiatement coupable. L'une des accusations portait sur le feu dans la propriété de Winters et les trois autres concernaient des incendies qu'elle avait apparemment provoqués dans le hangar à bois de la maison de M. et Mme Colin Brundige, où elle travaillait comme servante. Les trois incendies n'avaient causé que des dommages mineurs, déclara Mme Brundige, et avaient tous été provoqués le même jour.

Selon la police, alors qu'elle était en prison, Pat fit une déclaration dans laquelle elle admettait avoir délibérément provoqué les incendies. «Elle dit avoir vu Mme Ross [la concierge de l'appartement incendié] quitter l'appartement, et elle affirme avoir décidé d'entrer pour mettre le feu aux meubles», rapportait le journal.

«Après son forfait, la jeune fille est descendue et s'est préparée à cirer les planchers. Elle a dit qu'elle avait pris une clé de l'appartement de Mme Ross d'un tiroir de bureau contenant des clés de tous les appartements de l'immeuble. Plus tard, lorsque d'autres femmes de la maison eurent signalé l'incendie, la clé avait été replacée dans le tiroir. «Dans sa déclaration, Mlle Holben a dit qu'elle avait mis le feu afin de pouvoir changer d'emploi. Elle ne voulait plus travailler pour M. Winters et s'était dit que c'était une bonne façon de s'en tirer», rapportait le journal.

Appelé à la barre des témoins, Winters déclara qu'il n'avait jamais empêché Pat de chercher un autre emploi. Au contraire, dit-il, il l'y avait encouragée.

Le juge au procès apprit également que Pat avait reçu la visite, en prison, de sa mère, Dorothy Mae Holben, qui déclara qu'elle avait appris peu de choses de sa fille. Le journal rapporta que Pat refusait d'élaborer sur son histoire et qu'elle aurait déclaré en plusieurs occasions qu'elle n'avait rien à dire. «Je suis coupable. J'ai mis le feu. Je n'ai rien à dire.» C'est tout ce qu'elle voulut déclarer à la cour.

Deux semaines plus tard, Pat fut condamnée à passer deux ans au Kingston Prison for Women, la seule prison fédérale du Canada pour les femmes. Lorsqu'elle apparut pour recevoir sa sentence, elle avait, pour la première fois, un avocat à ses côtés. Il demanda qu'elle soit libérée avec sentence suspendue. Mais le magistrat Gordon Jermy déclara qu'il ne pouvait envisager une sentence suspendue.

«Il est impossible d'avoir une idée de la raison pour laquelle elle a mis le feu à ces édifices et, dans son état actuel, elle représente une menace», dit-il avant de prononcer la sentence. Il ajouta, dans une remarque qui semblait contredire ses propos, que «cette fille croit qu'elle fait partie des démunis de la société, et pour changer sa condition, elle a décidé d'attirer l'attention en mettant le feu aux édifices. Elle est à même d'apprécier les conséquences de ses actes.»

Ainsi, dès l'âge de dix-sept ans, Pat fut envoyée à Kingston, sur le fleuve Saint-Laurent, à mi-chemin entre Montréal et Toronto, pour purger une peine dans une prison fédérale avec des criminelles endurcies de tous les coins du pays.

Le Kingston Prison for Women est un complexe de pierre construit en 1928. Entouré de hauts murs de béton, il se trouve à l'ombre d'une célèbre forteresse gothique, le Kingston Penitentiary, qui loge certains des prisonniers les plus dangereux du Canada. Le *P for W*, comme on appelle le pénitencier pour femmes, détenait environ 120 femmes l'année où Pat fut amenée. Avec une autre femme pas beaucoup plus âgée qu'elle, elle fut la seule prisonnière admise pour incendie criminel cette année-là. L'autre femme, qui avait déjà été incarcérée pour incendie criminel, avait reçu une sentence de cinq ans. Elles purgèrent leur peine en compagnie de meurtrières, de voleuses, de bagarreuses et d'un groupe de femmes Doukhobor qui se trouvaient là pour nudité sur la place publique. (Dissidents russes de l'Église orthodoxe, plusieurs Doukhobors immigrèrent au Canada et un certain nombre d'entre eux finirent par s'établir en Colombie-Britannique. C'étaient des pacifistes et, dans les années quarante et cinquante, certains d'entre eux en vinrent à protester par la nudité contre les politiques scolaires du gouvernement provincial.)

Au moment où Harold revint au Canada, Pat était sortie de prison et habitait dans la région de Brockville. Lorsqu'il vit Pat, elle lui dit qu'elle avait mis le feu parce qu'«elle était fâchée que j'aie été tué en Corée. Elle a blâmé la Children's Aid Society du fait que je me sois enfui.»

Pat déménagea à Ottawa et trouva un emploi au café voisin de Campbell Motors où Ray travaillait. Elle fréquenta un certain nombre d'hommes. Harold se rappelle un Polonais qu'elle aida à devenir immigrant légal, et un mécanicien de motocyclettes qu'il connaissait.

En 1965, Pat Holben apparut pour la première fois dans le bottin de la ville d'Ottawa. Son occupation désignée est celle de serveuse au Ellis Tea Room, et l'adresse donnée est l'appartement 23, au 333 Metcalf. L'appartement 24 est occupé par Albert Dudley, désigné comme technicien au ministère de la Défense nationale. L'année suivante, en 1966, ils sont tous deux inscrits à l'appartement 22, et Pat se nomme Mme Pat Dudley. Elle travaille comme réceptionniste chez Campbell Motors. C'est là qu'elle rencontre un peintre séducteur nommé Ray, qui a toujours un rouleau de billets dans sa poche, conduit une Buick neuve, haut de gamme, et lui parle d'aller faire la belle vie en Floride.

À l'époque, c'était une femme bien en chair, dans la trentaine, qui se teignait souvent les cheveux. Elle racontait des blagues grivoises et riait souvent et fort. Les hommes recherchaient sa compagnie. Elle paraissait indépendante et satisfaite. En fait, elle avait enduré quantité d'abus et n'avait connu aucun répit au cours de sa dure vie. Pourquoi Pat n'eut-elle pas le courage de quitter Ray après Houston? Quelqu'un qui a connu Pat pendant des années et qui désire garder l'anonymat répond ainsi: «La vie de Pat n'a été faite de rien d'autre que de douleur et d'abus, alors pourquoi se serait-elle attendue à ce que les choses s'améliorent si elle s'en allait?»

Chapitre vingt-trois

Houston, Texas, 1992
Première partie: la cause

Le lendemain de leur séance avec Pat, Talton, Madeira et Nadeau interrogèrent Marc puis retracèrent Martine, qui n'habitait plus avec Pat. Personne ne lui avait encore annoncé la découverte du corps de sa mère. Ce fut à eux de le faire. Encore une fois, elle fut la dernière à savoir et la moins capable de le supporter. Elle buvait encore beaucoup et déménageait constamment. Denis et Anne lui parlèrent par la suite et, naturellement, elle était furieuse de ne pas avoir été prévenue.

Ni Marc ni Martine ne purent faire avancer l'enquête. Ils étaient trop jeunes lorsque leur mère avait disparu pour se rappeler quoi que ce soit d'elle ou des circonstances entourant sa disparition. Ils confirmèrent toutefois le fait que leur père leur avait donné plusieurs versions de la disparition de Jeannine. Et ils décrivirent de façon plus détaillée le caractère de leur père et l'étendue de ses activités criminelles.

Les deux enquêteurs du Texas retournèrent à Houston le 17 mai. Nadeau leur dit que Frenchy avait abandonné son permis de conduire californien en Caroline du Sud. Ils appelèrent des collègues là-bas et une vérification par ordinateur révéla que Frenchy avait obtenu un permis de conduire de l'État le 14 mars 1991 et que Gloria avait obtenu le sien le 15 janvier. L'adresse de résidence donnée sur leurs permis indiquait Myrtle Beach, une station côtière entourée de dizaines de terrains de golf. Plusieurs des touristes qui convergent chaque hiver vers Myrtle Beach sont Canadiens. À présent, Talton et Madeira savaient où se trouvait Frenchy. Puisqu'ils prenaient pour acquis qu'il ne savait encore rien de l'enquête, ils croyaient pouvoir le trouver sans problème si le procureur du district du comté de Harris acceptait leur preuve et voulait enregistrer des accusations.

Pour vérifier la version de Pat, les deux enquêteurs se rendirent à des stations de télévision locales pour chercher une copie du bulletin de nouvelles qu'elle disait avoir vu, avec Frenchy, le soir où il lui avoua qu'il avait tué Jeannine. Mais aucune des stations ne gardait d'archives datant d'aussi loin.

Talton rédigea un rapport sur leur voyage en Californie et, avec Madeira, décida qu'il était temps de parler de la cause à quelqu'un du bureau du procureur du district. Il aboutit dans le bureau de Ted Wilson, adjoint du procureur du district et chef de la division des crimes organisés au bureau des crimes spéciaux.

Grand, mince, grisonnant et portant des lunettes, Wilson est dans la quarantaine avancée. Il a l'air d'un homme équilibré qui ne se prend pas au sérieux. Il aime les belles chemises, les cravates de soie, les mocassins et les complets de serge. Il est né à Ann Arbor mais a déménagé au Texas à l'âge de sept ans. En février 1968, lorsque Jeannine fut assassinée, Wilson était dans les forces armées à Fort Knox, dans le Kentucky, s'entraînant aux manœuvres d'un tank. Il fut nommé lieutenant et a servi au Viêt-nam. Après le Viêt-nam, il alla tout droit à l'école de droit, travailla comme commis juridique tout en suivant ses cours, et entra au bureau du procureur du district en recevant son diplôme. Quand Madeira l'appela, il y était depuis dix-huit ans. Il dirigeait une unité qui ciblait des criminels majeurs et récidivistes, et visait à les retirer de la circulation.

Wilson dit qu'il parla à Talton et à Madeira, examina ce qu'ils avaient et s'intéressa à la cause. Cela ressemblait à un défi. Cela allait être le plus vieux meurtre à être jugé en procès dans le comté de Harris. Wilson accepta que Talton et Madeira fassent un voyage au Canada, et il suggéra un certain nombre de questions auxquelles ils devraient répondre pendant leur séjour.

Les deux enquêteurs avaient maintenu des contacts fréquents avec Denis et le sergent Michel Béland. À la requête de Madeira, Denis rassembla et envoya aux enquêteurs des photos de la famille à Houston. Denis et Michel Béland tentèrent également de retracer, sans succès, le dentiste qui avait fabriqué les dentiers de Jeannine. Ils appelèrent Réginald, le frère reclus de Jeannine, pour lui demander s'il avait, dans l'une des nombreuses boîtes empilées dans son petit appartement, une mèche des cheveux de Jeannine. Apparemment, Madeira et Talton se dirent que si on arrivait à comparer, au moyen de tests génétiques, un échantillon de cheveux avec les restes du cadavre 68-500, cela leur permettrait de prouver de façon concluante que le cadavre était celui de Jeannine Boissonneault. Mais Réginald dit qu'il n'avait pas gardé de mèche des cheveux de sa sœur. Lorsqu'il parla à Réginald, Denis lui dit tout simplement que la police du Texas enquêtait enfin sur la disparition de Jeannine. Avant d'annoncer la nouvelle à Réginald, ils avaient attendu que Madeira appelle Denis et Michel Béland pour leur dire que ses collègues et lui avaient l'intention de visiter Ottawa.

Un soir, peu avant l'arrivée de Madeira et de Talton, Denis et Michel se rendirent chez Réginald, s'assirent avec lui et lui dirent qu'on avait retrouvé le corps de Jeannine et qu'elle avait été assassinée. Lorsqu'il eut pleinement compris que Jeannine était morte et qu'il eut absorbé le choc, il demanda: «Et où est Raymond Durand?»

Après la mort de ses parents, Réginald avait déménagé seul dans un appartement. Sa vie n'avait pas changé au fil des ans. Comme il était maintenant obligé de faire lui-même ses courses, il sortait un peu plus souvent, mais la seule personne qu'il voyait régulièrement, c'était sa tante Berthe, la sœur de sa mère, qui avait quitté son ordre religieux et habitait maintenant à quelques rues de l'appartement de Réginald. Réginald avait pris du poids et perdait ses cheveux. Il était encore passionné de base-ball, écoutait sa collection de disques classiques et ne semblait pas trop s'ennuyer. Denis et Michel l'avertirent que deux enquêteurs du Texas viendraient à Hull et qu'ils voudraient peut-être lui parler. Il était nerveux et insista pour qu'ils viennent à son appartement. Il supposa qu'il leur parlerait et ne les reverrait plus jamais. Il ne lui vint jamais à l'esprit qu'on lui allait lui demander de se rendre à Houston afin de témoigner à un procès pour meurtre. Après tout, il n'avait jamais quitté son quartier de toute sa vie adulte: il n'avait pas traversé la rivière des Outaouais depuis son enfance, et il n'avait voyagé qu'une fois, en train, au nord de Hull, pour voir des chutes. Il habitait un monde minuscule mais familier, et s'efforçait par tous les moyens de réduire au minimum ses contacts avec les autres. Il ne pouvait s'imaginer que quelqu'un d'autre pouvait lui imposer ses vues et l'obliger à sortir complètement de son petit univers.

En préparant leur voyage, Talton et Madeira supposaient qu'ils n'avaient qu'à prendre l'avion pour Ottawa, à mener leurs entrevues et à retourner à Houston le lendemain. Michel Béland leur déclara qu'ils entraient en pays étranger et qu'ils devraient par conséquent suivre la procédure établie. Ils prirent donc contact avec Interpol, l'organisation de police internationale, qui leur présenta le lieutenant François Cloutier, de la police de Gatineau. On lui donna la charge d'interprète et d'assistant dans la cueillette des preuves. Michel reçut également de ses supérieurs la permission de les aider. Ainsi, le lundi 3 juin, lorsque Talton et Madeira atterrirent à l'aéroport Uplands d'Ottawa, Cloutier et Béland étaient là pour les rencontrer.

Ce soir-là, Talton et Madeira interrogèrent Robert et Claudette Durand, l'oncle et la tante de Raymond, et recueillirent leurs déclarations séparément. Robert raconta qu'il avait pris l'avion pour Fort Lauderdale pour le baptême de Martine, et que Raymond partageait son temps entre l'appartement de Pat et la maison qu'il avait louée pour Jeannine et les enfants. Il raconta que Ray avait soudainement interrompu leur visite en leur disant qu'il devait partir et les avait mis dans un avion pour Ottawa.

Il raconta que, quelques années plus tard, Ray les convainquit de déménager à San Diego, qu'il leur soutira leur argent et qu'il s'enfuit avec leur auto et ses cartes de crédit. Il déclara que Ray lui avait affirmé que Jeannine était dans un asile psychiatrique. Et il décrivit la conversation qu'il avait eue avec Ray à propos de cadavres. Il dit que Ray, qui savait qu'il avait travaillé comme embaumeur, lui avait demandé combien de temps il fallait pour qu'un cadavre se décompose, et comment on pouvait identifier un corps. Lorsqu'on lui demanda s'il voulait témoigner en cour, Robert accepta, mais avec réticence. Il était sur le point de subir une importante opération de chirurgie cardiaque et n'était pas enclin à se soumettre à la tension d'un contre-interrogatoire. Cependant, tout le monde l'assura qu'il ne passerait pas beaucoup de temps à la barre des témoins.

Le lendemain matin, les quatre policiers travaillèrent ensemble afin de dénicher d'autres informations que Wilson leur avait demandées. Les Texans demandèrent à Cloutier de fouiller les dossiers de la police de Gatineau pour déterminer si Raymond Durand avait déjà signalé la disparition de Jeannine. Il ne l'avait pas fait. Puis, Cloutier leur présenta le lieutenant Roch Ménard de la police de Hull, et il mena une recherche semblable dans les dossiers de la police de Hull. Encore une fois, on ne trouva aucun signe que Ray avait rapporté la disparition de Jeannine.

Les deux policiers du Texas firent également une grande tournée de la région. Michel leur montra où Jeannine et Ray étaient nés et avaient grandi, et d'autres endroits où la famille avait vécu.

Le soir de l'arrivée de Madeira et de Talton, Denis appela Réginald et lui dit que les enquêteurs voulaient lui parler le lendemain. Réginald répondit qu'il ne pouvait pas les rencontrer parce qu'il avait un rendez-vous à un bureau du gouvernement pour le renouvellement des papiers relatifs aux subsides qu'il reçoit pour son appartement. Denis dit qu'il le conduirait au bureau et qu'il lui resterait suffisamment de temps pour l'entrevue à 13 h. Réginald refusa de rencontrer les enquêteurs au poste de police de Hull. Alors, après en avoir discuté avec Talton et Madeira, ils prirent un arrangement pour interviewer Réginald chez lui.

Avant d'arriver chez Réginald le lendemain matin, Denis se rappela quelque chose que sa grand-tante Berthe lui avait dit récemment. Elle avait affirmé qu'en mourant, Hermas, le père de Jeannine et de Réginald, avait laissé de l'argent pour Jeannine dans son testament. L'argent provenait d'une police d'assurance-vie dont il avait partagé le montant entre sa femme, Réginald et Jeannine. Il était décédé en espérant que Jeannine était vivante et en pensant qu'elle aurait besoin de l'argent un jour. Alors, en montant dans l'auto, Denis demanda à Réginald s'il était au courant de l'argent. «Bien sûr», dit Réginald, sortant son portefeuille usé et gonflé, retenu par une bande élastique, et en extrayant un carnet de banque. Ce carnet était celui d'un compte au nom de Jeannine, dont le solde s'élevait à 5000 $. Réginald dit à Denis qu'au fil des ans, comme il ne savait pas quoi faire de l'argent, il avait ignoré les appels de la banque sollicitant ses instructions. Avec l'aide de Réginald, Denis, son frère et ses sœurs finirent par avoir accès à l'argent, et Denis proposa qu'ils l'utilisent pour faire expédier les restes de Jeannine à Hull pour y être inhumés.

Lorsque Denis se présenta au bureau du gouvernement, Réginald se tourna vers lui et dit: «Ça va prendre entre cinq et huit minutes.» Denis le regarda d'un air narquois mais, bien entendu, exactement cinq minutes plus tard, Réginald était sorti, ses affaires réglées. Il avait déduit le temps nécessaire à partir des rendez-vous des années précédentes. Une fois de plus, Denis fut frappé par le caractère excentrique de son oncle.

Cet après-midi-là, pendant que Cloutier traduisait, Madeira et Talton interrogèrent Réginald dans son appartement encombré, à propos de la période de la disparition de Jeannine. Ils découvrirent qu'il avait un esprit vif et qu'il pouvait souvent comprendre leurs questions avant qu'elles aient été traduites. Il comprenait assez bien l'anglais, sans toutefois le parler.

Réginald parla aux enquêteurs des six fois où Jeannine avait téléphoné à sa famille en 1967, entre Noël et le Jour de l'An. Il dit qu'ils n'avaient plus jamais entendu parler d'elle par la suite. Sa mère n'était pas malade en janvier ou en février 1968. Il raconta qu'entre février 1968 et la fin de 1970, Raymond Durand les avait appelés à quelques mois d'intervalle pour dire qu'ils allaient tous bien, affirmant que Jeannine ne pouvait venir au téléphone parce qu'elle était sortie. La famille était méfiante et inquiète, mais n'avait aucun moyen de rejoindre Jeannine. Puis, dit-il, un jour, au début de 1971, Raymond était venu chez eux en auto. Hermas, surpris, l'avait invité à entrer. À l'intérieur, Raymond leur avait dit que Jeannine et les enfants se trouvaient à Vancouver, et il leur avait donné un numéro de téléphone et une adresse pour la rejoindre. Il les avait assurés qu'ils allaient tous bien et, après cette courte visite, il était parti. Réginald raconta que lorsque sa mère était revenue et avait appris ce qui s'était passé, elle était furieuse. Elle croyait que Raymond avait attendu qu'elle sorte de la maison pour entrer, car il ne voulait pas se soumettre à ses questions. Néanmoins, dit Réginald, sa mère appela au numéro de Vancouver et découvrit qu'il n'y avait plus d'abonné. Alors, dit-il, elle écrivit à Jeannine à l'adresse de Vancouver. Elle écrivit neuf lettres, dit-il, qui revinrent toutes sans avoir été ouvertes.

Ce soir-là, les quatre policiers et Denis dînèrent ensemble. Talton confia à Denis qu'ils avaient obtenu de Réginald ce dont ils avaient besoin. On présumait que Réginald témoignerait au procès. Mais Denis et Michel Béland n'en étaient pas si certains. Ils savaient que ce voyage exigerait un effort surhumain de Réginald. Ils savaient qu'il était obstiné et qu'il faudrait beaucoup de persuasion pour le convaincre que son témoignage était essentiel. Ils se dirent que leur seul atout était la colère de Réginald à propos de ce qui était arrivé à Jeannine. Une colère bleue.

Lorsque Talton et Madeira retournèrent à Houston, ils rencontrèrent Wilson, et les trois hommes récapitulèrent la cause. Wilson dit que lorsqu'il connut l'existence de Réginald, qu'ils appelaient tous Reggy, il considéra son témoignage comme essentiel. Mais, dit-il, «je ne connaissais pas Reggy». Wilson dit que les preuves que Madeira et Talton avaient rassemblées l'avaient convaincu que «nous avions suffisamment de preuves de mise en accusation» à présenter à un grand jury. Ils décidèrent que Madeira et Talton se rendraient à Myrtle Beach et que, en même temps, Wilson présenterait la cause au jury et lui demanderait une mise en accusation scellée. Le sceau servirait à faire en sorte que la presse ne serait pas mise au courant de l'histoire avant qu'on ne procède à l'arrestation.

Le 27 juin, Wilson présenta la cause au grand jury, obtint la mise en accusation pour meurtre avec préméditation, et la télécopia aussitôt à Talton et à Madeira. Accompagnés par un officier local ainsi que par un officier de la police d'État de la Caroline du Sud, les deux Texans s'entassèrent dans une auto-patrouille et traversèrent la ville jusque chez Frenchy's Foreign and Domestic Auto Repair, la dernière entreprise de Ray.

«On s'est amenés, se rappelle Talton, et Robert et moi portions des complets noirs de style western, avec des cravates noires et des chapeaux blancs. On les avait gardés juste pour ça, pour l'effet. Il [Frenchy] portait des shorts et un polo bleu, et réparait une vieille Mercedes. On s'est dit que son seul alibi possible était qu'ils s'étaient disputés, qu'elle avait fait ses bagages et qu'il l'avait déposée à l'aéroport. Je voulais voir ce qu'il dirait. J'ai utilisé son nom de jeune fille [celui de Jeannine], j'ai dit qu'on faisait enquête sur sa disparition, et qu'on voulait lui parler. Il a dit: "Ouais. O.K." Je lui ai lu ses droits. On s'est assis. Il a dit: "On était mariés, on avait des enfants." Il était comme un doberman qui, même quand il est couché, vautré, a 20 000 choses qui lui passent par la tête. Il était calme à l'extérieur, mais on pouvait sentir qu'il travaillait des méninges. Il a dit: "Un jour, elle est partie, c'est tout. La dernière fois que j'ai eu de ses nouvelles, elle vivait au Canada avec sa mère."

«On a été désarçonnés quand il n'a pas réagi à l'histoire des valises. Puis, on lui a montré les photos de la morgue. Il a dit: "Qu'est-ce que c'est?" On a dit: "C'est Jeannine. Trouvée dans un champ." Il a dit: "Qu'est-ce que ça a à voir avec moi?" À ce moment-là, on l'a arrêté, on l'a menotté et on l'a emmené au poste de police de Myrtle Beach.

«Au poste, j'ai dit à Ray: "Regarde, tu arrives en cour et la seule chose qui intéresse le procureur, c'est d'avoir une condamnation, et la seule chose qui intéresse la défense, c'est d'éviter une condamnation. Personne ne veut rien savoir de la vérité. Ce que tu prétends, c'est qu'elle est seulement partie. Nous, on peut prouver le contraire. Voudrais-tu recommencer et nous dire ce qui s'est passé?" Il nous a regardés droit dans les yeux et a dit: "Je veux parler à mon avocat." C'est tout.

«Gloria est arrivée. J'étais mal à l'aise pour elle. Elle était complètement défaite. Elle voulait croire que tout ça était la faute de ses sales enfants pourris.»

Plus tard, lors d'une conférence de presse à Houston, le shérif du comté de Harris, Johnny Klevenhagen, dit aux reporters que lors de son arrestation, Durand dit aussi: «C'est une cause qui a vingt-trois ans. Si vous pensez que vous pouvez la maintenir, allez-y. Vous ne réussirez jamais à me condamner.»

Frenchy passa la nuit en prison à Myrtle Beach et le lendemain matin, il prit un vol commercial pour Houston avec Madeira assis à côté de lui et Talton derrière.

«Ray n'a pas dit un mot dans l'avion. J'ai même laissé Robert s'asseoir à côté de lui en croyant qu'il lui dirait peut-être quelque chose à lui, qui est plus près de son âge. Il n'a pas dit un traître mot.»

Talton avait laissé l'auto à l'aéroport de Houston et ils la prirent pour se diriger vers la prison du comté, en bordure du centre-ville. Lorsqu'ils approchèrent de la prison, ils virent que des journalistes s'étaient rassemblés autour de l'entrée. De toute évidence, le shérif Klevenhagen avait mis les médias au courant de l'affaire et de l'arrestation de Frenchy. Wilson dit que les deux enquêteurs lui téléphonèrent de leur auto à propos de la foule de journalistes. Il leur proposa de le rencontrer à la cour du comté de Harris, rue San Jacinto. Wilson appela un juge, prit rendez-vous pour une audience et fit entrer Frenchy à la cour avant que la presse ne soit au courant.

«Frenchy arrive en cour, se rappelle Wilson. Il est menotté et il a l'air de trouver tout ça stupide. Il n'a pas l'air très préoccupé. Le juge m'avait demandé avant l'audience ce qu'était l'échelle de peine, à l'époque [en 1968], pour meurtre avec préméditation. J'ai dit: "De deux ans à la vie ou la mort." Frenchy arrive, le juge lui dit que la peine peut varier entre la vie et la mort, et la mâchoire lui tombe.»

(Bien que la pénalité en vigueur au Texas, en 1968, pour meurtre avec préméditation allât jusqu'à une sentence de mort, une décision de la Cour suprême américaine, adoptée dans les années soixante-dix, a renversé les clauses de la loi relatives à la pénalité. Autrement dit, Frenchy n'aurait pas pu écoper de la peine de mort.)

Après l'audition de l'accusation, Frenchy fut incarcéré.

Ce soir-là, les bulletins de nouvelles télévisés parlèrent de Frenchy, et Klevenhagen fut interviewé partout. Il louangea les enquêteurs et dit que l'arrestation montrait «qu'on ne ferme pas une affaire de meurtre». On vit des images de Frenchy menotté et amené à la prison du comté. Il avait un air sinistre.

À San Jacinto, l'arrestation de Frenchy ne fit qu'augmenter l'anxiété d'Anne à propos du procès. Elle était désolée pour son père, et se demandait comment il avait passé sa première nuit en prison. Elle se faisait du mauvais sang et se demandait constamment comment elle arriverait à témoigner.

À Hull, dès que Madeira lui téléphona pour l'avertir de l'arrestation de Frenchy, Denis appela les huit frères et les deux sœurs de Frenchy. Il leur dit qu'il avait besoin de les rencontrer le lendemain, qu'il avait une nouvelle importante à leur annoncer. On fit des arrangements pour que la famille se réunisse chez Gerry, un frère de Frenchy, qui avait abandonné son ancien nom d'Albert. La plupart d'entre eux se présentèrent. Denis arriva, portant une grande boîte de carton plate sous le bras. Ils se réunirent dans une pièce, puis Denis se leva et tira lentement de la boîte la peinture à l'huile de sa mère qu'il avait fait réaliser.

«Je veux vous parler d'elle, dit-il. De Jeannine. De ma mère. Vous savez tous que je l'ai cherchée pendant la plus grande partie de ma vie. Elle a été retrouvée. Elle a été assassinée. En 1968. Et hier, votre frère, mon père, a été arrêté en Caroline du Sud pour son meurtre.»

Ce n'était pas ce qu'ils s'attendaient à entendre, et ils étaient nettement secoués. Beaucoup d'entre eux n'avaient pas vu Ray depuis des années. Le rassemblement ne dura pas longtemps; tout le monde, y compris Denis, partit peu après.

Frenchy passa la nuit dans la prison bondée, et dormit sur le plancher. Il se promenait nu-pieds, car il n'y avait pas assez de sandales de caoutchouc pour tous les prisonniers. Il souffrait, dira-t-il plus tard, et cherchait désespérément à sortir. Sur la feuille d'accusation remplie lorsqu'il fut incarcéré, Frenchy déclara qu'il avait 54 ans, pesait 82 kg et mesurait 1 m 70. Il déclara qu'il gagnait un revenu de 500 $ par semaine et qu'il était gérant adjoint chez Frenchy's. Il affirma que son superviseur était sa femme, Gloria. Il déclara qu'il avait complété sa sixième année et qu'il n'avait aucun problème d'alcool ni de drogue. Il dit qu'il avait 104 $ à sa disposition, un compte de chèques et un compte d'épargne, tous deux à zéro, et que son auto était une Honda 1984. Il semblait proche de la faillite mais en quelques jours, il avait engagé l'un des avocats criminalistes les plus réputés de Houston, Jack Zimmermann. Et peu après, il fut libéré après avoir fourni une caution de 35 000 $.

Lorsque Nadeau fut mis au courant de la libération de Frenchy, il fut atterré. Il croyait que celui-ci présentait un «risque de fuite» et qu'on courait le risque de ne pas le voir se présenter à son procès, dont la date avait été fixée au printemps de 1992. Alors il commença à examiner de plus près le passé de Frenchy en Californie. S'il pouvait rassembler des preuves de crimes que Frenchy avait commis en Californie, il pourrait le faire arrêter et extrader en Californie où il serait susceptible d'être gardé en prison. Il décida de se concentrer sur les autos que, selon plusieurs personnes, Frenchy avait enterrées derrière son atelier. Martine lui montra où elle l'avait vu enterrer une Cadillac «comme un sou neuf». Il consulta des experts en vol d'autos, obtint un mandat de perquisition, loua un bulldozer et se rendit au ranch, un matin, pour creuser les sites d'ensevelissement de Frenchy. Il y avait avec lui plusieurs experts en vols d'autos de la police d'État, et des représentants de compagnies d'assurances.

Une bande vidéo tournée sur le lieu des fouilles montre que celles-ci durèrent toute la journée. En tout, ils mirent au jour les restes aplatis et sales d'environ 35 autos, y compris une Cadillac Eldorado et une Mercedes, de même que plusieurs barils débordant de déchets chimiques. Selon Nadeau, ces barils renfermaient des déchets de l'atelier de carrosserie.

Nadeau fit vérifier les numéros de plaque de la Mercedes retrouvée, et découvrit que le propriétaire au nom duquel elle avait été enregistrée était une dame âgée qui habitait dans le sud de la Californie. Il lui parla et elle dit qu'elle l'avait vendue à son ancien coiffeur, un immigrant iranien qui avait développé une accoutumance à la drogue, avait perdu son entreprise et était apparemment mort d'une surdose. Comment Frenchy était entré en possession de l'auto et pourquoi il l'avait enterrée, cela demeurait un mystère. Des vérifications d'autres véhicules et pièces trouvés lors de la fouille ne leur apprirent rien de neuf. Le vol de la Cadillac, par exemple, n'avait jamais été signalé. Pourquoi l'avait-il enterrée? Nadeau se dit que c'était une façon d'extorquer des fonds aux compagnies d'assurances, mais il devint bientôt apparent qu'il ne serait pas facile de mettre au jour ce système. Cela allait prendre pas mal de temps et plus de ressources que celles dont il disposait. Les enquêteurs de la compagnie d'assurances de l'auto étaient intéressés, mais ils affirmèrent que le coût de l'enquête serait disproportionné. Nadeau finit par laisser tomber. Les Texans semblaient confiants qu'ils allaient pouvoir faire condamner Frenchy et qu'il se présenterait à son procès. S'il avait l'intention de fuir, se demandaient-ils, pourquoi Frenchy aurait-il pris la peine d'embaucher un avocat de premier ordre, qui avait fait déterrer de l'information par un enquêteur privé en vue de constituer sa défense?

Après sa libération sous caution, Frenchy retourna auprès de Gloria à Myrtle Beach. Peu importe ce qu'il lui avait dit de son passé, elle l'appuyait. Selon deux des frères de Frenchy, les accusations de meurtre le plongèrent dans une profonde dépression. L'histoire qu'ils racontent — et l'un d'eux lui rendit visite à Myrtle Beach —, c'est que peu après son retour, Frenchy s'enferma dans son atelier, obtura les fenêtres au moyen de papier, et refusa de sortir. Selon un témoignage, il piqua une crise de rage, démolit de l'équipement et lança des outils dans l'atelier. D'après un autre compte rendu, Frenchy se contentait de marcher dans la zone sombre de son atelier en blocs de ciment. Apparemment, ce fut Gloria qui trouva le moyen de le faire sortir. Elle dénicha un prédicateur chrétien qui rendit visite à Frenchy avec elle. Au bout de plusieurs jours, ils sortirent tous les trois. Plus tard, Gloria déclara qu'elle et Frenchy avaient trouvé Dieu, qu'ils étaient «nés à nouveau».

Fort de sa nouvelle foi, Frenchy s'affaira à aider ses avocats — Jack Zimmermann et son associé Jim Lavine — à préparer sa défense. Il commença par se rendre en Californie avec Gene Boyd, l'enquêteur privé que Zimmermann avait embauché. Parmi les gens auxquels il voulait parler, il y avait en tout premier lieu la fille cadette de Frenchy, Martine. Frenchy allait voir deux de ses enfants témoigner contre lui. Il serait utile d'en avoir un pour sa défense.

Martine dit que son père entra en contact avec elle en août et lui demanda de le rencontrer à son vieil atelier, Frenchy's. Plusieurs mois avant son arrestation, il l'avait appelée de Myrtle Beach: «Scott et moi étions assis devant la télé, dans notre maison mobile, et il a appelé pour dire qu'il avait déménagé en Caroline du Sud, et qu'il avait l'intention de revenir et de me donner le ranch. Il m'a demandé de le rencontrer pendant le week-end, samedi, pour prendre la clé et le reste. Alors, on est allés et, inutile de le dire, il n'était pas là. J'étais mauditement écœurée. Parce qu'il m'avait expliqué que j'étais la seule qui aimait l'endroit. J'avais vécu là plus longtemps que les autres, et je l'appréciais. Il avait fait construire un [nouvel] atelier — le grand — avec une grue et un compresseur. Je pouvais démarrer ma propre entreprise, mon propre atelier de carrosserie. Je trouvais ça super.»

Lorsque Frenchy rappela en août et dit qu'il se trouvait en Californie, Martine savait qu'il avait été accusé et qu'il était en liberté sous caution. Elle le rencontra à l'ancien atelier. «En entrant, papa a dit: "J'ai rien fait"», se rappelle-t-elle.

Ils ont bavardé un peu. Encore, il lui a dit qu'il allait lui donner le ranch. Il fit des arrangements pour la rencontrer le lendemain, et, dit-elle, «il m'a expliqué que j'aurais à payer la taxe de propriété et tout ça».

Alors Frenchy laissa Martine seule avec l'enquêteur privé Gene Boyd. Ils parlèrent pendant une heure, dit-elle, et à la fin, Boyd lui demanda si elle croyait que Frenchy avait tué Jeannine.

«J'ai dit: "Ouais." Alors l'entrevue s'est terminée là-dessus.»

Le lendemain, Martine se présenta au rendez-vous qu'elle avait fixé avec son père et découvrit qu'il avait quitté la ville. «Je me suis dit: "T'es complètement imbécile."»

Après avoir appris le sort de sa mère, Martine, comme les autres enfants, fut longtemps hantée par des visions du meurtre. «Je vois une lutte effroyable, raconte-t-elle, parlant de ses tentatives de reconstituer les événements en imagination. Je vois un bâton de base-ball. Je vois l'accotement d'une route dans les environs d'un dépotoir et lui qui conduit son auto, qui sort, qui la fait sortir, qui l'oblige à se rendre au site du dépotoir et qui la bat. Jusqu'à ce qu'elle meure.»

Mais pourquoi? Ce qui intriguait et continue d'intriguer Talton, Madeira, Wilson, Nadeau, Denis et Anne, c'est pourquoi il devait tuer Jeannine. Pourquoi ne pas tout simplement la renvoyer au Canada? Lorsqu'on lui pose la question, Martine a une réponse déjà prête, une réponse qui repose sur un élément du caractère de Frenchy qu'elle connaît si bien: «Papa a toujours besoin de tout avoir. Il aurait pu avoir une aventure avec Pat. Mais il voulait avoir à la fois les enfants et Pat. Il voulait tout.»

Appelons ça l'avidité de Frenchy. Si l'intuition de Martine est correcte, Frenchy a tué Jeannine pour une seule raison: parce que c'était la solution la plus commode. Pas de problèmes de divorce, pas d'histoires avec son retour au Canada, pas d'inquiétude que Jeannine révèle où il était à ses ennemis ou à des gens à qui il devait de l'argent là-bas.

Martine dit aussi: «C'est un homme vraiment mauvais, et il fera tout ce qu'il peut pour s'en tirer. Il l'a déjà fait. Il est non seulement mauvais et comploteur, mais il est intelligent.»

Frenchy et Boyd, cette fois en compagnie de Zimmermann, se rendirent également au Canada. Ils parlèrent à ses frères et sœurs, tentèrent d'obtenir une copie du permis de conduire de Jeannine, interrogèrent Robert Durand et tentèrent également de parler à Denis. Zimmermann et Boyd se présentèrent chez Denis, nièrent que Frenchy les avait accompagnés au Canada, et demandèrent s'il voulait leur parler. Denis refusa, disant qu'il serait disponible pour un interrogatoire en cour. Au moment où Zimmermann partait, Denis lui donna un conseil: «Assurez-vous qu'il vous paie à l'avance pour vos services.»

Quelques jours plus tard, un parent éloigné appela Denis, à bout de souffle, en lui disant qu'il avait vu Raymond dans le Byward Market à Ottawa. Denis saisit une caméra vidéo, sauta dans son auto et fila vers le marché, dans le centre-ville d'Ottawa. Il parcourut les rues et, en quelques minutes, il repéra son père. Il stationna, sortit la caméra et captura sur bande vidéo son père, un homme accusé de meurtre libéré sous caution, se promenant dans les rues. Frenchy vit Denis et se dirigea vers l'auto.

«C'est pour quoi, ça?» demanda-t-il à Denis.

«On se voit en cour», répondit Denis avant de démarrer.

Si Denis était d'humeur particulièrement sanguinaire, ce jour-là, il y avait de quoi. Il avait enfin réussi à faire exhumer, incinérer et expédier les restes de sa mère au Canada. Il avait placé une notice nécrologique dans le journal local et avait arrangé des funérailles convenables, qui s'étaient déroulées une semaine avant la visite de Zimmermann.

Anne et Phil se rendirent aux funérailles avec Jean Nadeau. Denis et ses beaux-parents étaient là, de même que Réginald, ainsi que Michel Béland et sa famille. Plusieurs des frères et sœurs de Ray se présentèrent, de même que quelques vieux amis d'école de Jeannine. Après le service à l'église, les participants se rassemblèrent au cimetière Notre-Dame de Hull. Denis avait fait enterrer les restes de Jeannine à côté de ceux de ses parents.

Phil, le mari d'Anne, se rappelle que la journée était brumeuse et grise. Lorsque le prêtre récita une dernière prière au-dessus de la tombe, Anne se rappelle que le ciel s'ouvrit soudainement. Elle ressentit un grand tourment à se trouver là, près de la fosse. Elle avait souvent pensé à ce qui s'était passé, et en avait conclu que sa mère l'avait inspirée pendant tout ce temps. «Ça peut avoir l'air bizarre, mais je sentais que ma mère me poussait à découvrir des choses. Parce que je n'avais jamais voulu savoir. Je ne voulais pas être celle qui découvrirait. Quand Denis me racontait des choses, je ne voulais rien entendre. C'est pour ça que je ne voulais rien faire.»

Pendant qu'Anne se débattait avec ses sentiments, un ami d'enfance de Jeannine s'avança et déposa une rose jaune sur l'urne dans laquelle les cendres de Jeannine avaient été déposées. Anne vit alors apparaître l'astre du jour et, debout au soleil avec Phil, elle se sentit bénie.

Deux jours plus tard, elle apprit qu'elle était enceinte, et qu'elle l'était déjà au cimetière. Après tous les problèmes médicaux qu'elle avait eus, après avoir douté qu'elle serait un jour capable d'avoir un bébé, il lui semblait que sa mère était intervenue une fois de plus dans sa vie. À présent, elle se sentait confiante de mener ce bébé à terme. Elle sentait que la mémoire de sa mère avait été honorée et qu'elle pouvait à présent mener sa propre vie, avoir sa propre famille, devenir elle-même mère.

Chapitre vingt-quatre

Houston, Texas, 1992
Deuxième partie: les témoins

En réalité, pour Michel Béland et pour Denis, le procès commença à Hull. Ils avaient endossé la responsabilité d'emmener Réginald Boissonneault à Houston et de l'amener à témoigner. C'était une tâche tout aussi difficile et délicate qu'ils se l'étaient imaginé. Lorsque Wilson leur indiqua comment il présenterait la cause au jury, il devint clair pour lui, comme pour Denis et Michel, que le témoignage de Réginald serait essentiel. C'était le seul membre encore vivant de la famille de Jeannine, la seule personne qui pouvait donner des preuves des tentatives effrontées et hypocrites de Raymond Durand de déstabiliser la famille de Jeannine en prétendant qu'ils vivaient encore ensemble. Mais comment emmener Réginald de Hull à Houston, puis à la barre? On avait affaire à un homme pour qui une course à l'épicerie du coin constituait un voyage épique et qui, de toute sa vie, n'avait jamais parlé dans une pièce remplie de gens. Réginald est si maladroit en société que les gens le prennent parfois pour un arriéré. En fait, il est tout le contraire.

Lorsque Denis et Michel annoncèrent à Réginald que sa présence était requise à Houston, il fut incrédule. «Non, non, répondit-il, s'ils ont besoin de moi, ils peuvent venir ici.» Il avait souvent vu cela à la télévision. Alors qu'un témoin était mourant, la cour se réunissait autour de son lit et y prenait son témoignage. Ils devraient faire la même chose dans son cas, dit-il à Michel et à Denis. Il était trop malade pour partir. Michel expliqua patiemment à Réginald que cela n'arrivait que dans des circonstances exceptionnelles, que les officiers de la cour et le jury n'allaient pas prendre l'avion pour Ottawa, traverser la rivière en autobus et se rassembler chez lui, Réginald, pour qu'il puisse répondre à quelques questions. Il était obligé d'y aller. Il n'y avait pas d'autre choix. Réginald avait le plus grand respect pour Michel, dont il avait gardé le souvenir d'un petit garçon qui lui rendait visite dans sa chambre pour parler base-ball. Réginald savait qu'à présent il était sergent de la GRC et avait fait partie de la police pendant toute sa vie. Michel savait de quoi il parlait. S'il disait que la cour ne pouvait venir à Hull, il devait croire Michel. Mais Réginald n'était pas disposé à baisser les bras.

La seconde ligne de défense de Réginald fut de ne pas pouvoir prendre l'avion. Denis et Michel lui dirent: «Bon, on va t'emmener en auto.» Encore une fois, Réginald résista. Il ne pouvait monter dans une auto et rester assis là-dedans pendant deux ou trois jours. Il n'en était absolument pas question. Pas d'auto.

Alors, quelqu'un suggéra le train. «On va tous prendre le train ensemble», dirent-ils à Réginald, qui, à présent, avait commencé à apprécier le sérieux de ces hommes, qu'aucune voie d'évitement ni aucune équivoque ne semblaient vouloir faire abandonner. Alors il céda et accepta d'entreprendre un voyage de trois jours en train vers Houston. Mais ils étaient perplexes. Réginald avait-il dit oui pour se débarrasser d'eux? Allait-il changer d'idée à la dernière minute? Et, qui plus est, qu'allait-il se passer à leur arrivée là-bas? Serait-il vraiment capable de monter à la barre des témoins et de ne pas s'étouffer avec ses propres mots?

Au cours des mois qui précédèrent le procès, Denis et Michel vécurent sur la corde raide. Ils rendirent régulièrement visite à Réginald pour voir comment il allait. Ils se téléphonèrent l'un l'autre pour bavarder et se rassurer sur leur capacité de mener l'opération à terme. Ils en vinrent à mieux se connaître et à connaître Réginald. Ils réveillèrent les liens familiaux et modifièrent leur perception de cet homme à présent âgé qui s'était enfermé loin du monde.

Au départ, le procès était prévu pour le printemps. À mesure que la date approchait, Michel dit à Denis qu'ils devraient montrer à Réginald les photos de morgue de Jeannine avant leur départ. Il allait devoir les regarder en cour de toute façon, et il valait mieux pour tout le monde que Réginald les voie maintenant. Personne ne voulait avoir de surprise en cour.

Un soir, au début du printemps, ils arrivèrent ensemble chez Réginald, s'assirent avec lui, et Michel produisit les macabres photos du visage de Jeannine prises à la morgue. Il montra également quelques clichés pris par un enquêteur du médecin légiste à l'endroit où le corps avait été découvert. Lorsque Michel les avait reçues par la poste, il les avait regardées et avait compris, sans l'ombre d'un doute, que c'étaient des photos de sa cousine. Ce n'étaient pas de jolies photos. La personne qui figurait sur ces photos couleurs n'était pas seulement morte mais ravagée. Une joue avait été partiellement dévorée par les animaux. La peau était grise et gonflée, la blessure au sommet du crâne était d'une taille répugnante. Dans l'une des images, une partie du cuir chevelu avait été arrachée.

Michel ne savait pas à quoi s'attendre en les montrant à Réginald. Mais Réginald se contenta de les regarder attentivement et dit: «Oui, c'est bien Jeannine.» Il ne montra pas beaucoup d'émotion, mais il n'avait jamais montré d'émotion à propos de quoi que ce soit. Ils savaient cependant qu'il était encore profondément en colère à propos du meurtre de Jeannine. Il leur disait souvent qu'il fallait punir Raymond Durand — il appelait toujours son ex-beau-frère par son nom complet — pour ce qu'il avait fait.

Denis aussi voyait les photos pour la première fois et il fut surpris de pouvoir les regarder sans s'évanouir. Ce n'était pas ainsi qu'il voulait se souvenir de sa mère et il aurait voulu ne jamais avoir à les regarder. Mais la curiosité, et le fait qu'on les lui montrerait en cour, le poussèrent à changer d'idée. Comme il s'y attendait, les photos lui donnèrent un choc et le hantèrent. Elles firent monter sa colère d'un cran, et rendirent sa rage un peu plus visible.

À l'approche du printemps, la grossesse d'Anne devint plus visible. Son état de santé était sous étroite surveillance. Son bébé allait naître très près de la date du procès. Elle appela Wilson pour le prévenir. En même temps, Robert Durand fut admis à l'hôpital pour l'opération cardiaque prévue depuis longtemps. Découvrant qu'un témoin était sur le point d'accoucher et qu'un autre s'apprêtait à subir une opération à cœur ouvert, Wilson sentit qu'il n'avait d'autre choix que de demander un délai. Il demanda à la cour une nouvelle date pour le procès, qui fut reporté au 17 août 1992.

Wilson voulait que tous ses témoins soient à Houston plusieurs jours avant le procès, afin de pouvoir les rencontrer, leur parler de ce à quoi ils devaient s'attendre, et revoir leur témoignage. Michel, Denis et Réginald acceptèrent de partir le 10 août. Ils prirent l'autobus d'Ottawa à Montréal et, de là, prirent le train, en direction sud jusqu'à Philadelphie, en direction est jusqu'à Chicago, puis vers le sud jusqu'à Houston. Au total, le voyage s'étendrait sur quatre jours.

Le matin de leur départ, Denis, vêtu de jeans, d'une chemise sport et de lunettes noires, entassa sa valise, un sac de cuir et un coffret pour ses bottes de cow-boy dans le coffre de mon auto. Je lui avais offert de les emmener, lui et Réginald, jusqu'au terminus d'autobus.

Par hasard, j'étais à Houston lorsque Frenchy avait reçu son accusation. Je l'avais vu aux nouvelles du soir et je m'étais demandé quelles preuves on pouvait bien présenter pour faire condamner un homme pour un meurtre datant de vingt-trois ans. Puis, dans le journal du matin, j'appris que Frenchy était natif de Hull, la ville voisine d'Ottawa où j'habite. Je fis donc un certain nombre d'appels téléphoniques, parlai au chroniqueur judiciaire John Makeig, du *Houston Chronicle,* et décidai de couvrir le sujet pour un magazine. À mon retour à Ottawa, je pris contact avec Michel Béland qui, en retour, me mena à Denis.

Jusque-là, Denis avait évité les reporters et, lorsque nous nous sommes rencontrés, il refusa de parler des détails de la cause jusqu'après le procès. Mais quand je lui dis que je voulais commencer par retracer l'histoire de son père, il me révéla que ce dernier avait eu une entreprise à Pointe-Gatineau et qu'il avait une grande famille à Hull. Tout au long de l'hiver 1991-1992, je fouillai les archives et les dossiers judiciaires, interviewai d'anciens policiers et un juge, retrouvai de vieux copains de Ray et rassemblai le récit de sa jeunesse. Ma recherche intrigua Denis, qui ne savait pas grand-chose des premières activités commerciales de Ray, et nous commençâmes à nous rencontrer régulièrement pour discuter de ce que j'avais appris. Il finit par me faire confiance et m'offrit des bouts d'information qui m'aidèrent à remplir quelques trous. À la veille du procès, j'avais fait huit mois de recherches et j'en savais assez sur Raymond Durand pour tirer mes propres conclusions sur sa culpabilité. Denis avait accepté de me parler de ses preuves après le procès, et je songeais à écrire un livre.

Après que Denis eut chargé ses bagages dans l'auto, nous nous rendîmes chez Réginald. Il était en train de jeter un sac de déchets dans le conteneur du terrain de stationnement en face de son appartement. Il essayait de paraître calme, et il était tout habillé pour le voyage. Il avait une paire de chaussures de tennis neuves, un pantalon de polyester bleu marine et une chemise de polyester de couleur crème. Son pantalon était retenu par des bretelles dont les attaches usées étaient retenues par une ficelle. Pour être certain que cela tiendrait, il portait une ceinture de cuir. Il portait un chapeau bleu, en toile. Il lui manque plusieurs dents à l'avant, et il pèse autour de 90 kilos. Il déposa dans le coffre arrière un mince sac à complet en nylon, un sac à bandoulière en cuir et un sac de plastique contenant une paire de chaussures de rechange. Il portait au poignet une montre et deux élastiques. Nous étions intrigués, mais ni Denis ni moi n'osâmes lui demander à quoi ces élastiques pouvaient servir.

Nous traversâmes la rivière, ce que Réginald n'avait pas fait depuis quarante ans, et quelques minutes plus tard, nous arrivâmes au stationnement du terminus d'autobus. Il était clair, à la façon dont Réginald regardait autour de lui, qu'il n'y était jamais venu.

Michel Béland, lui aussi en jeans, tennis et chemise sport, arriva 15 minutes plus tard. Il était tellement certain que Réginald allait se défiler, qu'il avait dit à ses collègues qu'il serait de retour dans l'après-midi.

J'achetai à Réginald un journal en français et il en fut extrêmement reconnaissant. Je lui suggérai d'assister à une partie des Astros à Houston. Ses yeux s'allumèrent, mais il ne dit rien.

Je leur dis au revoir dans l'autobus à midi. Au cours des quatre journées du voyage, Réginald rouspéta et protesta. Plus tard, il dit que c'était un «voyage de tristesse», et que, trop préoccupé par le procès, il ne pouvait penser qu'aux circonstances du meurtre de sa sœur.

À Houston, ils prirent une chambre dans un petit motel près de l'aéroport. Ils y furent bientôt rejoints par Robert Durand, qui avait pris l'avion avec le lieutenant François Cloutier de la police de Gatineau et le lieutenant Roch Ménard de la police de Hull. Anne, son vigoureux bébé, Justin, sa belle-sœur Nancy et Jean Nadeau arrivèrent de Californie. Ils dînèrent tous ensemble, à l'exception de Réginald, et ils se relaxèrent autour de la piscine. Réginald passa presque tout son temps dans sa chambre. Anne lui montra son nouveau bébé et réussit même à lui faire prendre son petit-neveu dans ses bras.

Ils rencontrèrent tous Ted Wilson et son patron, Bill Taylor, qui devait aider Wilson à poursuivre la cause. Taylor, un homme petit, dans la cinquantaine, intense et d'une agressivité intimidante, avait lui aussi servi dans l'armée mais avait échappé à l'expérience du Viêt-nam lorsque l'ex-président Richard Nixon avait décidé de réduire régulièrement la taille des effectifs américains engagés dans la guerre. Taylor est natif du Texas. Il passa un an dans la pratique privée après avoir fini son cours de droit avant de se joindre au bureau du procureur du district. Il dirige à présent l'unité des crimes spéciaux et supervise le travail de 25 avocats et de 15 enquêteurs. Tandis que Wilson semblait laconique et détendu, Taylor paraissait nerveux et tranchant aux yeux des témoins. Ils détenaient tous deux des postes très importants dans l'immense bureau du procureur du district, qui a plus de 100 procureurs adjoints à son service.

Le dimanche 16 août, tout le monde était en ville, avait été bien préparé et avait visité le bureau du procureur général sur Fannin Street, dans le centre-ville de Houston. Le procès devait débuter le lendemain, mais Wilson leur dit que le premier jour servirait probablement à la sélection des jurés. Il les avertit de ne pas se parler de leur témoignage entre eux après avoir témoigné et d'être prêts à faire face à l'avocat de Frenchy, qui était habile.

Il y a 22 cours de district d'État dans le comté de Harris qui traitent les crimes graves. Le jour où le procès de Frenchy commença, une demi-douzaine d'autres procès pour meurtre étaient en cours. Quelques semaines auparavant, le même jour deux sentences de mort avaient été données. En 1968, il y avait eu 305 homicides commis dans le comté de Harris; en 1991, le taux annuel d'homicides était de 700 à 800 par année.

Le bureau du procureur du district est un endroit incroyablement occupé. En 1968, le bureau enregistra 252 affaires de meurtre. En 1991, la charge avait augmenté en même temps que le taux de meurtres, et le bureau du procureur de district émit des poursuites dans 378 affaires de meurtre et 60 affaires de meurtre capital. La loi du Texas établit maintenant une distinction entre le meurtre, qui comprend le meurtre avec préméditation, et le meurtre capital, qui est un meurtre commis en même temps qu'un autre crime grave. Si vous tuez un gars au cours d'un vol dans une station-service, c'est un meurtre capital, passible de mort. Si vous projetez de tuer votre femme et que vous le faites, ce n'est qu'un meurtre, punissable au maximum par une sentence à vie. Mais si vous tuez votre femme afin de récolter le montant de ses assurances, et que l'État peut le prouver, vous serez accusé d'un meurtre capital et passible de la peine de mort.

Raymond «Frenchy» Durand subit son procès à la cour de district 248, à la salle de tribunal du cinquième étage de l'édifice des cours criminelles du comté de Harris, rue San Jacinto, dans le centre-ville de Houston. C'est un édifice de pierre, de sept étages, construit au même angle que le bureau du procureur du district, à une rue de l'une des prisons du comté et à la limite d'un district où les robineux dorment dans les entrées, où des pâtés de maisons complets ont des planches à la place des vitres et où des sans-abris sont assis sur des terrains infestés de mauvaises herbes. À l'entrée principale de la cour, un homme blond, âgé d'une quarantaine d'années et souriant constamment, ouvre la porte pour tous les visiteurs. Il est là depuis plusieurs années, et s'occupe des portes sept jours par semaine. Il n'est pas payé pour le faire et se trouve au centre de beaucoup de spéculations et de curiosité. À l'intérieur, tous ceux qui entrent au palais de justice sont obligés, par une équipe de gardiens de sécurité, de vider leurs poches et de passer par un détecteur de métal. Toute la journée, des bandes allant jusqu'à dix accusés, enchaînés et portant des sandales de plastique et des combinaisons de prisonniers, sont accompagnés dans la rue à partir d'une prison voisine. On les amène au palais de justice et on les loge dans des cellules temporaires à l'arrière des salles de tribunal de chaque étage. Un jour, pendant le procès Durand, un homme qui venait d'être condamné à cinquante ans de prison réussit on ne sait comment à se libérer des chaînes qui l'attachaient à un groupe d'autres prisonniers, sauta dans une cage d'escalier et s'évada.

Au cinquième étage, à la droite des ascenseurs aux portes vertes, sur un mur recouvert de marbre, on a gravé, en lettres d'argent poli, «FREEDOM, TOLERANCE AND JUSTICE UNDER LAW» (Liberté, tolérance et justice selon la loi). À gauche se trouve la salle de tribunal présidée par le juge Woody Densen, un homme au visage rond avec une voix grave, des sourcils noirs épais et un large front. Densen fut désigné comme juge au procès de Durand. Son tribunal contient cinq rangées de bancs, chacune pouvant accommoder 10 personnes, 12 chaises sur une plate-forme élevée d'une marche au-dessus du plancher de la cour, un écran d'ordinateur et un téléphone pour un employé du tribunal, un bureau de commis à côté du banc du juge, et quelques tables pour les procureurs et les avocats de la défense. Chaque matin, avant le commencement du procès Durand, Densen passait une demi-heure à régler d'autres causes devant son tribunal.

Frenchy arriva à son procès portant un complet gris anthracite, une cravate de soie, une chemise blanche et des chaussures de cuir verni noir. Ses cheveux gris-blanc étaient soigneusement coiffés, sa barbe était taillée et il était très bronzé. On aurait pu le trouver séduisant sans sa mâchoire tombante et une fâcheuse tendance à garder la bouche ouverte. Il semblait incapable de respirer par le nez, ravagé par la cocaïne. Il semblait tendu mais se contrôlait. Il était accompagné par Gloria, qui avait l'air chic dans un tailleur ocre et une blouse de soie aux motifs Paisley. Ses cheveux étaient noir jais, ses yeux d'un bleu foncé. Frenchy était précédé de ses deux avocats, Jack Zimmermann et Jim Lavine, tous deux dans des complets foncés et des bottes de cow-boy. Zimmermann portait son éternel Stetson blanc.

Zimmermann est un ancien officier des Marines américain, décoré, qui a servi à deux reprises au Viêt-nam et demeure colonel dans la réserve des Marines. Il a grandi à San Antonio, fut diplômé de l'Académie navale américaine en 1964 et a passé quatorze ans en service actif avec les Marines. Il a suivi son cours de droit grâce au *G.I. Bill* et a plus tard travaillé comme avocat pour les Marines. Il fut nommé juge militaire en 1978.

Plusieurs années plus tard, à Houston, il s'est joint à la firme juridique de Racehorse Haynes, un légendaire avocat criminaliste local. Au moment où Zimmermann fut engagé par Durand, il avait quitté cette firme et fondé la sienne avec Lavine.

Zimmermann a des cheveux coupés courts, de grandes oreilles, une petite bouche pincée, une voix aiguë et flegmatique, et porte de grosses lunettes carrées. Il semble chargé d'une énergie nerveuse qui le pousse à tordre son anneau de l'Académie navale ou à pincer sa lèvre inférieure.

Son associé Jim Lavine est né en Ohio. Il a travaillé comme procureur d'État adjoint en Illinois de 1975 à 1980, puis en tant que procureur de district adjoint du comté de Harris de 1980 à 1985. Zimmermann et lui se sont rencontrés alors qu'ils travaillaient pour des parties opposées sur une cause et ils pratiquent ensemble depuis 1985. Lavine est plus calme que Zimmermann et son regard est souvent empreint d'un scepticisme désabusé. Il donne l'impression d'être un penseur. Il est de taille moyenne. Ses cheveux sont noirs et gonflés, et il a un sourire de gagneur.

Lorsque Zimmermann arriva, il était de toute évidence content de voir que la presse avait un intérêt pour la cause. Lorsqu'un photographe embauché par *Le Droit*, journal francophone d'Ottawa-Hull, lui demanda de poser pour une photo, Zimmermann acquiesça comme un habitué. Se plaçant près de Lavine, il demanda s'il devait marcher ou parler pendant que le photographe prenait ses clichés. Il était clair qu'il comprenait que les journaux préfèrent l'action, par opposition à des prises de vues immobiles et à des sourires figés. Zimmermann accepta également de faire sortir Frenchy et Gloria de la salle du tribunal et d'organiser une photo d'eux sortant ensemble de l'ascenseur. Frenchy ne semblait pas content, mais fit semblant de marcher de l'ascenseur vers la salle du tribunal pendant que le photographe marchait devant lui, au ronronnement du moteur de son appareil.

Densen fit commencer le procès à 13 h 30 cet après-midi-là. Gloria prit place sur un banc de la première rangée avec des membres du personnel de Zimmermann, Frenchy s'assit entre ses deux avocats devant le banc du jury, et Wilson et Taylor s'assirent devant eux, face au juge. Wilson paraissait calme. Il portait un blazer bleu marine, une chemise Oxford bleue, une cravate de soie bourgogne, un pantalon de coton ocre pressé et des mocassins. Taylor paraissait plus formel. Il portait des mocassins et un complet bleu foncé qu'il ne déboutonnait jamais.

Zimmermann passa immédiatement à l'attaque. Il entreprit de nier l'introduction de l'identification photographique du corps, prétendant que Wingo n'avait envoyé qu'un jeu de photos à Michel Béland et lui avait demandé de dire si c'était ou non Jeannine. Il prétendit qu'en n'envoyant pas à Béland un groupe de photos de différents corps en décomposition pour lui demander de choisir lequel, le cas échéant, était Jeannine, Wingo avait porté préjudice à l'identification. Densen repoussa cette argumentation. Zimmermann demanda alors au tribunal d'instruire les procureurs d'avertir leurs témoins de ne pas s'engager dans «les éclats théâtraux, la spéculation, la conjecture, la fabrication et l'injection de témoignages inadmissibles et faux». Zimmermann dit que la cause était hautement émotionnelle et chaudement contestée, et il pria le juge d'interdire des «éclats émotionnels» et toute référence aux «supposées funérailles de Jeannine Durand». Densen eut l'air légèrement amusé et dit à Zimmermann qu'il ne pouvait empêcher quelqu'un de montrer ses émotions.

La référence aux «supposées funérailles de Jeannine Durand» suggérait les grandes lignes de la défense de Zimmermann. Elle donnait l'impression qu'il allait contester l'identification du corps. Les procureurs et les témoins s'étaient demandé comment Zimmermann avait l'intention d'expliquer toutes les histoires de Frenchy et les divers bouts de preuves circonstancielles. Ils ne pouvaient imaginer que Zimmermann ferait monter Frenchy à la barre. Cela l'exposerait à un interrogatoire sur son passé. Alors, se demandèrent-ils, comment le procureur de la défense allait-il établir une réponse à l'accusation? L'entrée en matière de Zimmermann donnait un indice. Il allait nier que le corps 68-500 était celui de Jeannine Durand.

Puis Zimmermann, qui parlait rapidement mais doucement et ne cessait de bondir de son siège jusqu'au banc du juge en déposant ses formulaires, introduisit sa motion la plus forte. Il demanda au juge de statuer si un concubinage existait entre Frenchy et Pat Holben. Selon la théorie de l'État, prétendait Zimmermann, «environ deux semaines avant le 11 février 1968, Jeannine Durand mourut aux mains du prévenu. Leur mariage prit alors fin.» Immédiatement après, Frenchy et Pat commencèrent à vivre ensemble et continuèrent de le faire jusqu'en 1985. Si Densen était d'accord et statuait qu'ils étaient légalement comme mari et femme, alors, raisonnait Zimmermann, Pat Holben ne devrait pas être admise à témoigner au procès de Frenchy. Il cita une loi texane de 1968 qui spécifiait que les «conjoints et ex-conjoints n'avaient pas le droit de témoigner, au-delà de toute objection, sur toute communication effectuée pendant la durée du mariage».

Pour le commun des mortels, cela semblait être un argument tordu. En gros, ce que disait Zimmermann, c'est que si, comme le prétendait l'État, Frenchy avait tué sa femme pour que Pat puisse emménager avec lui, Pat n'avait pas le droit de témoigner, car elle était alors devenue sa femme. Lorsqu'on lui posa la question plus tard, Lavine précisa qu'ils répondaient à la théorie de la poursuite et qu'ils travaillaient dans le domaine du principe juridique abstrait. Mais encore, cela dépassait l'imagination. Et si Frenchy avait essayé d'utiliser cette manœuvre juridique pour démentir l'hypothèse du meurtre? Il aurait gagné par ce moyen tordu et cela aurait certainement démontré à tous les intéressés que Zimmermann est en vérité un avocat futé qui vaut bien les frais apparemment élevés qu'il demande. Mais cela faisait penser à une phrase de Martha Gellhorn dans un essai sur le fonctionnement des tribunaux de St. Louis: «Personne ne parle de justice, c'est une condition qu'on n'obtient pas ici.»

Densen demeura impassible durant toute la présentation de Zimmermann, concluant qu'il statuerait sur les motions au moment approprié au cours du procès.

À 14 h, 50 jurés potentiels, y compris une grand-mère accompagnée par sa petite-fille de treize ans, qui poireautaient dans le couloir depuis des heures, furent guidés dans la salle du tribunal. Ils étaient assis dans l'ordre qui leur avait été assigné auparavant. La première personne à droite de la première rangée était le numéro un, et la dernière personne du côté gauche de la dernière rangée était le numéro 50. Les numéros correspondaient à une liste incluant le nom, l'adresse, le numéro de téléphone, l'occupation et le statut matrimonial du juré potentiel. Ainsi, il était possible, au moyen de la liste, d'accoler un nom et une occupation à chaque visage.

Densen demanda à Frenchy de se lever et de faire face à la foule. Il leur dit que le prévenu, Raymond Durand, avait été accusé de meurtre, la mise en accusation ayant été déposée par un grand jury. Il expliqua que l'État avait le fardeau de la preuve. Tandis qu'il parlait, Frenchy continuait de regarder Gloria et semblait incapable de se concentrer sur les visages des jurés.

Lorsque Densen eut complété son introduction, les deux parties se mirent à l'œuvre afin de déterminer lesquels parmi les candidats jurés pourraient être hostiles à leurs arguments et lesquels pourraient être réceptifs. La poursuite et la défense avaient le droit d'identifier dix personnes qu'elles ne voulaient pas voir figurer parmi le jury. Le jury serait composé des 12 premières personnes de la liste qui n'avaient été rejetées ni d'un côté ni de l'autre. Les quatre avocats avaient entre les mains une copie de la liste. De chaque côté, on travaillait en équipe. Wilson commença à interroger les candidats et, tandis qu'il leur posait des questions conçues pour étudier leurs convictions profondes, Taylor se posta sur le côté, notant les réactions et griffonnant des remarques à côté des noms.

Quelqu'un s'oppose-t-il à une sentence d'incarcération à vie? demanda Wilson. Une main se leva, Taylor la repéra et en prit note.

Ce crime, poursuivit Wilson, s'est passé il y a vingt-quatre ans. «Vous allez constater quelques ressemblances dans ce que les gens disent, mais tout le monde ne va pas se rappeler de la même chose.» Il demanda si quelqu'un avait déjà été victime d'un crime et il demanda à chaque personne de répondre. Les réponses, étonnantes, reflétaient la vie dans une grande ville américaine. Le numéro 1 dit qu'on avait pénétré par effraction dans son auto, le numéro 2 que sa femme avait été abordée dans la rue, 4 et 5 qu'ils s'étaient fait cambrioler, 6 que le demi-frère de son ex avait été assassiné, 10, 11, 12 et 14 affirmèrent qu'on leur avait volé quelque chose, 18 que sa fille s'était fait attaquer, 24 qu'un membre de sa famille s'était fait violer et qu'ils s'étaient fait voler leur auto, 26 que son père s'était fait tuer, 27 et 29 qu'ils s'étaient fait voler des biens, 32 qu'un de ses frères s'était fait voler par des hommes armés, 34 qu'il s'était fait voler quatre autos. De ceux qui restaient, plusieurs rapportèrent des vols. En tout, il y avait là une liste impressionnante de crimes auxquels avaient été exposés ces 50 citoyens choisis au hasard. Si Wilson et Taylor cherchaient des gens qui avaient une sombre vision du crime, presque tout le monde, dans cette foule, semblait susceptible de partager cette attitude.

Lavine avait soigneusement noté, lui aussi, les réponses aux questions de Wilson, et lorsque Zimmermann se leva pour poser ses propres questions, Lavine s'en alla sur le côté, juste à l'extérieur du champ de vision de la plupart des jurés, pour mieux observer leurs réponses. Une fois de plus, Zimmermann révéla une grande habileté tactique. Il dit au groupe qu'il était un colonel du corps des Marines dans les réserves, et demanda si quelqu'un lui en voulait pour cela. Comme personne ne disait rien, il demanda à Frenchy — et il appelait constamment son client Frenchy, tandis que Wilson l'avait appelé Raymond Durand — de se lever, et demanda aux jurés si quoi que ce soit, dans son apparence, les empêchait de considérer sa cause avec l'esprit ouvert. Une fois de plus, il n'y eut aucune réponse.

Puis, il passa à d'autres questions, plus précises. Quelqu'un a-t-il étudié le droit? Quelqu'un a-t-il de la parenté dans la police? Une femme dit que son mari était policier et plusieurs autres dirent qu'ils avaient des parents dans divers services de police. Quelqu'un a-t-il déjà participé à un jury? Encore là, quelques personnes levèrent la main.

Puis, il passa aux familles. Zimmermann déclara que souvent des familles sont déchirées par des luttes relatives au divorce et à la garde d'enfants. Quelqu'un connaît-il des familles déchirées par ces choses? Quelqu'un connaît-il une personne qui s'est sentie rejetée par son père? Qui déteste un parent?

Quelqu'un a-t-il quelque chose à redire au fait que Frenchy n'est pas américain? demanda soudainement Zimmermann. Quelqu'un a-t-il de la parenté au Canada?

Puis, soudainement, il revint aux familles. Quelqu'un connaît-il une femme qui vient de quitter son mari? Pouvez-vous envisager une situation où une femme abandonnerait ses enfants à leur père? Une femme protesta. Tout le monde comprend ce terme? Combien d'entre vous ont vu *Fatal Attraction*? (C'est un film populaire de Hollywood sorti il y a quelques années, à propos d'une maîtresse jalouse qui tente de détruire le mariage de son amant.) Des mains se levèrent. Ou *Presumed Innocent*? (Un autre film populaire, d'après un *thriller* de Scott Turow, basé sur une histoire de meurtre et de femme vengeresse.) Plusieurs l'avaient vu aussi.

Alors Zimmermann passa à un domaine qui, par la suite, s'avéra être son coup le plus efficace. Il révélait également pourquoi il avait choisi d'appeler son client Frenchy.

— Bon, lança-t-il, nous disions que si une personne arrive avec une présomption d'innocence, le fardeau de la preuve appartient à l'État. Pouvez-vous voir pourquoi le système dit qu'une personne a le droit de rester silencieuse? Parce que le fardeau de la preuve appartient à l'État.

M. Wilson vous a donné des raisons. Il vous a dit qu'habituellement, ou plusieurs fois, ce sont les avocats qui — rappelez-vous, à cause du statut de la preuve — [recommandent] que le client ne vienne pas à la barre. Le juge vous a donné d'autres raisons.

Permettez-moi de vous poser une question: est-ce que par hasard vous vous demandez pourquoi une personne ne témoignerait pas à son propre procès criminel? Est-ce qu'une raison vous vient à l'esprit?

— L'anxiété, dit l'un des jurés. Lavine nota son numéro.

— M. Lang dit l'anxiété, réfléchit Zimmermann. Quelqu'un pourrait avoir cette bonne raison pour choisir de ne pas témoigner s'il n'a pas à le faire; non?

— O.K., madame, dit Zimmermann, se tournant vers un autre juré. Pouvez-vous penser à une autre raison pour laquelle une personne pourrait choisir de ne pas témoigner lors d'un procès criminel? Le juge a donné un exemple. Elle a peut-être un problème de parole ou elle souffre peut-être de bégaiement, et elle craint peut-être que quelqu'un la croie coupable parce qu'elle ne peut parler aussi rapidement que, disons, les avocats qui l'interrogent. Pouvez-vous imaginer cela?

Un autre juré: «Oui, je peux imaginer cela.»

Se tournant vers un autre juré, Zimmermann demanda à nouveau:

— Pouvez-vous envisager cela?

— Oui.

— Et cela, même s'il sait qu'il y a des gens qui disent vouloir entendre votre version, il pourrait choisir de ne pas le faire, parce qu'il a peur que ce bégaiement soit interprété, comme l'a dit le juge, comme de la culpabilité. Voyez-vous?

— Oui.

— Pouvez-vous penser à une autre raison, madame?

— Je suppose, dit soudainement un juré, qu'il peut y avoir quelque chose d'autre dans le passé sur quoi l'autre partie aurait une chance de l'attaquer.

— Comme lorsque quelqu'un a un dossier criminel? demanda Zimmermann.

— Oui.

— Nous n'avons pas affaire à cette situation, dit rapidement Zimmermann, mais pouvez-vous en imaginer une autre?

— C'est la seule qui me vient à l'esprit maintenant — quelque chose d'autre dans le passé, qui n'a aucune relation mais qu'on pourrait faire remonter.

— Et un problème de langue? demanda Zimmermann, arrivant finalement à l'argument qu'il voulait faire comprendre aux jurés. Quelqu'un qui ne parlerait pas l'anglais aussi bien que M. Taylor ou M. Wilson et qui serait blanc comme neige, mais qui serait inquiet de ne pouvoir comprendre chaque mot de chaque question. Avez-vous déjà parlé à quelqu'un qui ne comprenait pas tout à fait l'anglais ou qui avait un accent tellement fort que vous ne le compreniez pas?

— Oui, annonça un autre candidat. Encore là, Lavine nota rapidement son numéro.

— Est-ce que vous pourriez déterminer si cette personne devrait ou non se présenter à la barre? demanda Zimmermann.

— Bien entendu, dit une voix dans le groupe. J'ai eu des professeurs d'université que je ne pouvais pas comprendre, parfois.

La remarque souleva des rires éparpillés.

«Plusieurs d'entre vous ont dit que quelque chose qui est arrivé il y a vingt-quatre ans peut être difficile à se rappeler. Sachant que lorsque vous monterez à la barre, vous pourriez être interrogé en détail sur des choses qui sont arrivées il y a vingt-quatre ans, et vous pourriez ne pas tout vous rappeler, si vous vous inquiétez de la possibilité que l'on prenne cela pour de la culpabilité, pensez-vous que ce peut être un facteur?»

À présent, Zimmermann avait atteint son but. Son client était un Canadien francophone, et le crime était survenu plusieurs années auparavant. La loi dit que le refus d'un prévenu de monter à la barre ne peut être retenu contre lui. Le gros bon sens dit: pourquoi pas? Ce que faisait Zimmermann — et efficacement — c'était d'implanter dans l'esprit de tous les jurés potentiels des raisons bonnes et crédibles pour son client de ne pas témoigner. Chaque fois qu'il mentionnerait le nom de son client

— Frenchy —, cela leur rappellerait qu'il n'était pas anglophone de naissance. Cela allait être le second élément de la stratégie de défense de Zimmermann. Il allait écarter toutes les preuves circonstancielles, jeter le doute sur des souvenirs vieux de vingt-quatre ans que les témoins de la poursuite allaient ramener, et affirmer que Jeannine était tout simplement partie. Et il n'était absolument pas question pour lui de laisser Raymond Durand monter à la barre et se faire demander d'expliquer toutes les versions de la disparition de Jeannine.

Il avait fait un travail magistral. À présent, Densen demanda si quelqu'un ressentait le besoin de partir. Un homme âgé s'approcha du banc et dit au juge qu'il aurait du mal à condamner un homme sur la base de souvenirs datant de vingt-quatre ans. Densen lui parla et il reprit son fauteuil. Un gaillard costaud admit qu'il avait un parent qui purgeait une peine à vie et qu'il ne pouvait envisager une telle sentence.

Les jurés furent alors accompagnés hors de la salle du tribunal, les deux équipes d'avocats discutèrent de ce qu'ils avaient appris, puis les deux parties soumirent leurs listes des gens qu'ils voulaient faire exclure. Parmi les candidats qui furent admis au jury, il y avait la femme de l'officier de police, une jeune étudiante à l'université, un postier, trois secrétaires, un géologue, un comptable, un expert en informatique, une ex-religieuse et quelques ménagères. On ne savait pas si l'une ou l'autre partie avait obtenu ce qu'elle voulait. Les deux parties semblaient satisfaites. Zimmermann avait planté le décor de sa défense. Wilson voulait vraisemblablement un juré de victimes.

Il y eut cependant une surprise pour Zimmermann, qui avait si soigneusement établi sa stratégie. Raymond Durand allait subir un procès pour le meurtre de sa femme devant un jury composé de neuf femmes et de seulement trois hommes.

Chapitre vingt-cinq

Houston, Texas, 1992
Troisième partie: le procès

«Tôt ou tard, nous devrons tous répondre de nos actes», dit Ted Wilson aux jurés au lendemain matin de son exposé.

«Le crime qui nous réunit ici aujourd'hui est un meurtre.»

Ses remarques, livrées avec le rythme et les accents d'un comédien, plongèrent la cour dans un silence attentif. Au cours de la demi-heure suivante, Wilson élabora son argumentation. On avait dit aux jurés, lors de la mise en accusation, que Raymond Durand était accusé de meurtre avec préméditation. On leur affirme, dans le langage particulier aux tribunaux, et peut-être de façon plus précise, dans le langage des tribunaux texans, que la préméditation signifie «l'accomplissement intentionnel d'un acte malveillant», et «un état d'esprit qui montre un cœur indifférent au devoir social et fatalement enclin à des actes malveillants». Ce que Wilson allait essayer de prouver, c'était que Durand avait tué Jeannine, et non pas dans un accès de rage mais délibérément. Wilson expliqua que toutes les preuves matérielles avaient été perdues, mais qu'il y avait suffisamment de preuves circonstancielles pour démontrer que Durand était coupable de l'accusation. Il révéla l'essentiel de chaque témoignage et affirma aux jurés que la preuve les amènerait à conclure que Raymond Durand avait tué sa femme.

Lorsque Wilson eut terminé son exposé, Densen prononça un ajournement de dix minutes et les jurés se retirèrent dans la salle du jury.

Lorsque le jury revint s'asseoir, Zimmermann se leva, s'avança devant le groupe et, sans avertissement, leur montra une photo qu'il avait dissimulée dans la paume de sa main. La tenant à présent devant leur visage, il marcha d'un pas rapide le long du banc du jury et commença à parler, clairement et rapidement.

«La poursuite a identifié le corps en se basant sur cette photo», dit-il. C'était la photo de morgue du cadavre 68-500 et l'horreur qu'elle dégageait se reflétait dans les visages des jurés à mesure qu'ils y jetaient un coup d'œil. «Notre preuve montrera que ceci n'est pas Jeannine Durand.» Ce fut tout ce que Zimmermann parvint à déclarer avant que Wilson ne s'aperçoive de ce qui s'était passé et ne bondisse sur ses pieds pour poser une objection. La photo n'avait pas encore été déposée comme preuve, dit Wilson au juge, insistant pour que Zimmermann la remette sur la table. Zimmermann s'arrêta, se tourna et, tout en continuant de tenir la photo devant le jury, défia l'objection. Au moment où il fut clair qu'il avait mis Densen en colère, tout le jury y avait jeté un coup d'œil et Zimmermann remit la photo sur son bureau.

«L'identification, poursuivit Zimmermann, a été faite par deux personnes qui n'avaient pas vu Jeannine depuis un quart de siècle. L'une d'elles avait douze ans la dernière fois qu'elle l'avait vue.» Sur la photo, dit-il, les traits ne sont pas reconnaissables. Le corps est en décomposition.

«Alors, pourquoi cette poursuite? demanda Zimmermann. Vous entendrez dire que Frenchy avait une aventure amoureuse avec Jeannine et Pat en même temps et que cet arrangement existait au Canada, en Floride et au Texas. Jeannine avait déjà quitté son mari, une fois au Canada, une fois en Floride et une fois au Texas. Après son départ en 1968, Pat, qui était avec Ray en Floride et au Texas, emménagea avec Ray. Ils vécurent comme mari et femme pendant dix-huit ans. Vous allez entendre dire qu'en 1985-1986, Frenchy a quitté Pat, l'a rejetée.» Quelques années plus tard, Frenchy épousa Gloria. Les témoignages, dit Zimmermann, racontent l'histoire d'une famille déchirée.

«Vous allez entendre dire que les enfants détestaient leur père. Que l'oncle de Frenchy détestait ce dernier. Des histoires racontées par un enfant à un autre, des histoires dites et redites tant de fois qu'elles sont devenues réalité. Vous allez également, dit-il, entendre le témoignage d'une femme bafouée et qui cherche vengeance. Nous ne savons pas où se trouve Jeannine. Nous ne savons pas si elle est vivante ou morte.»

Au moment où Zimmermann reprit son siège, il avait réussi à établir dans l'esprit de tous ceux qui l'avaient écouté, et qui avaient observé sa performance sérieuse et apparemment sincère, un autre point de vue plausible aux événements que Wilson avait évoqués. À présent, deux lignes de narration avaient été établies, deux interprétations complètement différentes de la soudaine disparition de Jeannine et du comportement subséquent de Ray. Personne n'avait jamais présumé que la poursuite serait une sinécure. Il était clair, à présent, que Wilson et Taylor devraient affronter de sérieux obstacles.

La parade des témoins de la poursuite commença. Le shérif Johnny Klevenhagen, un homme costaud, souriant, au visage gras et aux cheveux blancs ramenés vers l'arrière, décrivit la scène la nuit où le corps fut découvert, identifia plusieurs photos du site qui avaient été prises par un enquêteur du médecin légiste, et dit que les vêtements, le couvre-lit, la corde, l'anneau et des dentiers avaient été remis à son service par le médecin légiste après l'autopsie. Il dit que ses officiers avaient mené une recherche exhaustive pour trouver ces objets après la réouverture de l'enquête en 1991, et qu'ils ne purent en trouver aucun. Il expliqua que depuis 1968, il y avait eu cinq zones différentes d'entreposage de la propriété saisie, et que le département lui-même avait déménagé depuis. «Au moment du dernier déménagement, plusieurs millions de pièces de propriété se trouvaient dans ces chambres.»

Klevenhagen fut contre-interrogé par Lavine, qui commença par s'informer de la condition du corps. Klevenhagen dit qu'il n'était pas «terriblement décomposé». Lavine lut le rapport d'autopsie: «État extrême de décomposition. Glissement de tissus corporels.» «Vous n'avez pas regardé le corps?»

«Je ne l'ai pas déplacé.»

Une fois de plus, Lavine lut le rapport: «Il manquait des portions du côté gauche du visage et de la région de la mâchoire.»

«Je n'ai pas vu le corps de face.»

Finalement, Lavine demanda si la femme portait un pardessus ou un manteau.

«Je n'ai trouvé aucun manteau.»

Après un ajournement pour le lunch, Cecil Wingo fut assermenté. Wingo expliqua que, entre autres choses, il est responsable des dossiers du médecin légiste. Il raconta qu'après l'appel de Nadeau, il avait requis l'autopsie du cadavre 68-500. Il dit qu'il avait fait une identification par présomption fondée sur de l'information que Nadeau lui avait donnée sur la couleur des cheveux de Jeannine, la hauteur, le poids, les dentiers et la cicatrice sous le nombril. Après que Béland eut identifié les photos, dit Wingo, son bureau avait conclu que le 68-500 était vraiment le corps de Jeannine Durand.

Zimmermann mena le contre-interrogatoire.

— Dans votre carrière, avez-vous déjà fait une fausse identification?

— Je ne peux me rappeler une fausse identification.

— Des parents ont-ils déjà fait une identification qui était fausse?

— J'ai vu cela deux fois au cours de ma carrière.

— Il arrive que même des parents ne puissent identifier leurs enfants?

— Oui.

— A-t-on effectué une comparaison dentaire dans ce cas-ci?

— On ne pouvait rien comparer.

— Où étaient les dents?

— L'autopsie n'a montré aucune dent.

— Où étaient gardés les dentiers?

— Je ne sais même pas si le corps en portait.

— A-t-on pris des empreintes?

— Oui, mais je ne sais pas où elles sont. Il n'y avait aucune empreinte dans le dossier.

Après le départ de Wingo, le lieutenant Robert Madeira fut appelé. Il s'avança dans la salle du tribunal en bottes et complet western. À la barre, il décrivit brièvement comment il était arrivé à l'enquête, le fait qu'il avait été le premier policier arrivé sur place le soir de la découverte du corps en 1968, et les interrogatoires qu'il avait menés avec Talton. Il dit que lors de l'arrestation de Frenchy, il avait trouvé sur lui une carte de sécurité sociale au nom de Raymond D. Holben.

On appela le témoin suivant, Michel Béland, et Zimmermann s'objecta, prétendant que le fait que Béland n'avait reçu qu'un jeu de photos l'invitait à tout simplement endosser une conclusion que le bureau du médecin légiste avait déjà tirée sans égard à l'identité du cadavre 68-500. Le jury fut renvoyé, Béland interrogé et contre-interrogé, et Densen luimême lui posa plusieurs questions. À la fin, Densen établit que le jury devait entendre Béland.

Le lendemain matin, Béland, portant veston et cravate, entra à nouveau dans la salle du tribunal et fut assermenté. John Makeig, reporter judiciaire au *Houston Chronicle,* avait décrit Béland, dans le journal du matin, comme «un *Mountie* à la mâchoire en lanterne». Béland fut étonné par l'expression jusqu'à ce que le reporter du *Droit,* Denis Gratton, lui explique que cela voulait dire qu'il avait une mâchoire semblable à celle de l'ex-premier ministre canadien Brian Mulroney.

Béland avait vraiment l'air d'un *mountie* légendaire. Grand, les cheveux noirs ondulés, il était calme et impassible à la barre. Il répondit précisément ce qu'il savait. S'il n'en était pas certain, il le disait. Il paraissait terriblement correct et honnête, avait l'air d'un homme d'une grande morale. C'était exactement pourquoi Wilson voulait le faire témoigner. Wilson savait que les jurés auraient vraisemblablement été exposés aux mythes propagés par Hollywood sur la Gendarmerie royale du Canada. Ils attrapaient toujours leur homme, ils étaient incorruptibles, imprégnés du sentiment britannique et bourgeois de ce qui constitue la loyauté et le comportement de gentilhomme. Béland correspondait à ce profil. Si Wilson avait pu, il aurait fait comparaître Béland dans la salle du tribunal dans sa tunique écarlate. Mais il était suffisamment content que Béland ne soit pas décevant physiquement. Wilson savait parfaitement bien que les photos de la morgue montraient un visage tellement ravagé que plusieurs des jurés se demandaient comment quelqu'un avait pu l'identifier. Pour conclure son argument selon lequel ce corps 68-500 était celui de Jeannine Durand, il avait besoin d'un témoin dont la crédibilité serait inattaquable, quelqu'un qui connaissait Jeannine, qui n'était pas relié à la cause de façon si intime qu'il puisse être accusé de permettre à ses émotions de dicter son témoignage, et qui pourrait faire autorité à la barre.

Wilson commença par faire réciter à Béland ses lettres de noblesse. Il dit qu'il était dans les *Mounties* depuis vingt-neuf ans, qu'il avait travaillé dans l'escouade des narcotiques, qu'il avait enseigné au Collège de la police canadienne et qu'il était maintenant en charge de l'unité du trafic à Ottawa et dans les environs. Lorsqu'on lui demanda comment il avait connu Jeannine, Béland répondit qu'ils étaient cousins, que leurs mères étaient sœurs, que comme Jeannine il était né et avait été élevé dans la région d'Ottawa-Hull, et qu'il l'avait vue chez elle et chez ses grands-parents. Il dit que, comme elle avait neuf ou dix ans de plus que lui, il se souvenait surtout de Jeannine comme d'une adulte.

Béland raconte que son père était laitier et que sa route comprenait la maison de Jeannine et de Ray, rue Michaud, à Pointe-Gatineau. Il rapporte qu'après avoir joint les rangs de la GRC, il retournait souvent chez lui les week-ends et aidait parfois son père à effectuer ses livraisons. Il dit qu'il avait vu Jeannine pour la dernière fois le 7 août 1965, date de son propre mariage.

Béland raconta que Denis l'avait appelé, qu'il avait parlé à Wingo et lui avait offert son aide. «Je leur ai dit: Si vous avez des photos, envoyez-les-moi, je pourrai peut-être les identifier.»

À cet instant, Wilson montra la photo de morgue que Zimmermann avait montrée au jury, la déposa dans le dossier de la cour à titre de pièce n° 1 de la poursuite, et la montra à Béland.

— C'est ma cousine, Jeannine Durand, répondit Béland sans hésiter.

— En êtes-vous certain?

— Oui, j'en suis certain, dit Béland, ajoutant qu'il avait vu Jeannine pour la dernière fois un peu plus de deux ans avant que les photos de la morgue aient été prises.

Lorsqu'on lui demanda s'il avait compris l'implication de son identification de la photo, il dit qu'il avait réalisé à l'époque que cela était susceptible de vouloir dire qu'on lui demanderait de témoigner et que, pour cette raison, «il fallait que je sois certain. Je n'avais aucun doute.»

Jusque-là, Frenchy était demeuré impassible, entre ses avocats, leur griffonnant parfois des notes, jetant parfois des regards vers Gloria. Elle était calme, dévouée, apparemment certaine de l'innocence de son mari. La plupart des jurés étaient restés attentifs. L'ex-religieuse penchait la tête de temps à autre et fermait les yeux, donnant l'impression de sommeiller. La jeune étudiante, elle aussi, semblait avoir de la difficulté à empêcher son attention de vagabonder. Elle promenait constamment son regard sur les bancs presque vides.

Au moment où Wilson eut fini d'interroger Béland, il avait réussi à faire remarquer aux jurés que le témoin était un policier de carrière respecté, un professionnel qui non seulement connaissait bien la victime mais qui, présumément, possédait l'habileté essentielle à tous les officiers de police: des pouvoirs d'observation entraînés et aigus, ainsi que la capacité de décrire et de rapporter en termes précis et détaillés.

Pour mettre en cause le témoignage de Béland, la défense souleva des doutes sur sa connaissance de Jeannine, et lui demanda s'il avait les capacités nécessaires pour établir une identification correcte. Tout d'abord, Lavine demanda à Béland de répéter quand il avait vu Jeannine pour la dernière fois.

«À mon mariage en 1965», répondit-il. Et, non, avoua-t-il plus tard, il n'avait pas eu beaucoup d'occasions de lui parler ce jour-là. Il était occupé, reconnut-il. Après tout, c'était son mariage.

Portait-elle des lunettes? demanda Lavine, mine de rien.

«Je ne me rappelle pas si Jeannine portait des lunettes.»

Portait-elle des lunettes habituellement?

«Je ne me rappelle pas si elle portait des lunettes.»

Lavine avait rapidement marqué deux points. Il poursuivit.

— Êtes-vous déjà allé chez les Boissonneault?

— Oui.

— Vous ont-ils rendu visite?

— Très peu.

Encore une fois, une question fusa sans qu'on l'attende: «Savez-vous si Réginald a déjà travaillé?»

Mais avant que Béland n'eût une chance de répondre, la poursuite s'objecta et la question fut rejetée. La question semblait si déplacée dans le plan d'interrogation de Lavine qu'elle ne pouvait servir qu'à atteindre un objectif encore dissimulé. Le fait même d'avoir posé la question signifiait que Lavine connaissait la réponse. Réginald n'avait jamais travaillé. Pourquoi voulait-il que le jury soit au courant? D'accord, la question avait été rejetée. Néanmoins, Lavine avait réussi à signaler au jury que la question de savoir si Réginald avait déjà travaillé était pertinente, et que la poursuite ne voulait pas que Béland réponde.

À présent, Lavine entama une série de questions sur lesquelles Béland avait un net désavantage. Décrire précisément le visage de quelqu'un est une tâche étonnamment difficile. Cela exige un vocabulaire précis. C'est une chose que de dire qu'une personne a un nez saillant. C'en est une autre de dire qu'une personne a un profil aquilin ou un gros pif à la Jimmy Durante. Les dernières expressions sont beaucoup plus évocatrices, mais combien de fois utilise-t-on de telles expressions? De plus, bien des gens ont un nez sans traits distinctifs, d'une apparence qu'on peut qualifier d'ordinaire. Et, finalement, pour ajouter aux désavantages de Béland, sa langue maternelle était le français. Il était couramment bilingue mais il ne fait aucun doute que si on lui avait posé la même question en français, il aurait été capable de faire appel à un vocabulaire beaucoup plus riche pour donner ses réponses.

Pour commencer, Lavine demanda à Béland de décrire Jeannine.

— Jeannine était bien en chair, avait des cheveux brun pâle. Elle pesait environ 130 livres (60 kg).

— Quelle était la couleur de ses yeux?

— Je ne connais pas la couleur de ses yeux.

— Quelle était sa taille?

— Environ 5 pieds 6 pouces (1 m 65).

Lorsqu'on lui demanda des détails supplémentaires, Béland répondit: «Je ne peux la décrire davantage.»

— Vous rappelez-vous si elle avait une tache de naissance sur son front?

— Personnellement, je ne me rappelle pas en avoir vu une.

— Pouvez-vous donner à ce jury toute autre description de son visage?

— Non, mais juste à regarder à la photo, je sais que c'est son visage.

Lavine produisit deux photos, les fit identifier à titre de pièces de la défense et les montra à Béland. Béland reconnut Jeannine dans les deux photos et Lavine lui souligna que ses cheveux semblaient trop foncés pour qu'on puisse dire qu'ils étaient blonds, et qu'elle portait des lunettes.

Puis, Lavine interrogea Béland sur ses lettres de noblesse professionnelles. Béland reconnut qu'il n'avait jamais pris de cours d'identification d'empreintes digitales.

— Vous n'avez aucune formation officielle en identification, alors?

— Non, monsieur.

— Est-ce le seul corps décomposé qu'on vous a demandé d'identifier?

— Oui.

— Au cours de votre formation, avez-vous appris ou mis en pratique des techniques d'entrevues?

Béland dit que oui. Lavine demanda: «Lorsque vous interrogez, vous ne suggérez pas de réponses?»

— Non, monsieur.

— Ou vous ne suggérez pas, même accidentellement, une réponse?

— Non, monsieur.

Lavine rappela la façon dont Béland était venu en contact avec Wingo et demanda: «Cecil Wingo ne vous a pas envoyé un certain nombre de photos de corps partiellement décomposés en vous demandant de reconnaître celui de Jeannine?

— Non.

— Savez-vous si Jeannine avait des seins petits ou gros?

— Non, monsieur. Je me rappelle seulement qu'elle était bien en chair, un peu grande pour une femme, et je me rappelle son visage.

— Est-il juste de dire que si vous aviez regardé cette photo, sans que ce soit dans le contexte de la recherche de Jeannine Durand, vous n'auriez pas été capable de l'identifier?

— Non. Si on me l'avait montrée, j'aurais dit: "Je connais cette personne." Laissez-moi y penser.

Pressé à nouveau d'admettre qu'il n'aurait pu identifier la photo si cela n'avait été dans le contexte de l'enquête, Béland dit que non. Il dit qu'il lui aurait fallu plus de temps mais qu'en définitive il aurait été capable de dire que c'était Jeannine.

Lavine lui demanda comment il avait présenté la photo à Réginald.

— J'ai montré la photo à Réginald. Je lui ai dit que c'était Jeannine.

— Vous ne la lui avez pas montrée en lui demandant si c'était sa sœur?

— Non.

Et Denis, demanda Lavine, «Vous avez identifié la photo et ensuite vous lui avez dit que vous l'aviez identifiée comme étant celle de Jeannine?»

— Oui.

Quand Lavine eut fini, Wilson se leva pour poser plusieurs autres questions. Il demanda à Béland pourquoi il n'avait jamais lancé d'enquête sur la disparition de Jeannine.

Les parents de Jeannine étaient des introvertis, dit-il, qui ne se confiaient à personne. Béland dit que si sa tante le lui avait demandé, il aurait fait quelques demandes. Mais elle ne l'avait pas fait, et il respectait sa vie privée. Il dit qu'il croyait aussi, après 1972, que la police du Québec poursuivait l'enquête après que Denis se fut adressé à elle.

Wilson lui montra les photos que la défense avait présentées, et Béland déclara qu'il ne les avait jamais vues mais qu'il était capable de reconnaître Jeannine.

Après que Béland eut complété son témoignage, Densen prononça un ajournement de dix minutes. Béland sortit dans le corridor et, à un moment donné, il se tenait debout près de Frenchy qui dit, en français, assez fort pour qu'il l'entende et pour qu'il sache que la remarque lui était destinée: «C'est un salaud.»

Le Dr Robin Bucklin, un pathologiste aux cheveux blancs et au dos voûté, avec une barbe à la Van Dyke, avait été médecin légiste adjoint pour le comté de Harris en 1968, et avait effectué l'autopsie sur le cadavre 68-500. Il avait quitté le comté de Harris à la fin de 1968, étudié le droit, établi le bureau du médecin légiste à Galveston et travaillait maintenant comme consultant indépendant sur des questions de médecine légale. Wilson l'avait appelé pour qu'il donne des preuves relatives à l'autopsie qu'il avait effectuée. À la barre, Bucklin déclara qu'au cours de sa carrière, il avait effectué environ 25 000 autopsies et qu'en 1968, alors qu'il travaillait au bureau du médecin légiste du comté de Harris, il effectuait en moyenne de 50 à 75 autopsies par mois. Wilson lui montra une copie de son rapport sur le cadavre 68-500. Bucklin dit qu'il n'avait aucun souvenir de cette «autopsie en dehors du dossier».

Le témoignage de Bucklin souleva les questions les plus contestées du procès. Lorsque les deux parties prononcèrent leurs plaidoiries, l'État, qui avait commencé par insister sur la vaste expérience de Bucklin, affirma qu'il avait fait une erreur. La défense, de son côté, se mit à mettre en valeur son professionnalisme et sa précision. C'était un étrange renversement, l'État contestant son propre témoin et la défense soutenant un témoin qu'on supposait d'abord hostile.

Lorsqu'on l'interrogea sur son rapport d'autopsie, Bucklin en lut l'essentiel à la cour. Le corps mesurait, de la couronne aux talons, 1 m 67, pesait 65 kg, n'avait pas de dents mais des dentiers complets, portait un anneau nuptial et avait une cicatrice de 7,5 cm à l'abdomen. Il dit que six côtes avaient été fracturées à l'avant et à l'arrière. Il parla de la fracture du crâne à gauche, de l'os frontal qui rayonnait jusqu'à la base du crâne.

«Cette blessure a été provoquée par une force plutôt intense», dit-il en refusant de spéculer sur le type d'arme qui avait été utilisé. Il dit que la force du coup était comparable à celle d'une personne qui heurte un pare-brise lors d'un accident d'auto. Cependant, il insista sur le fait qu'aucune preuve n'indiquait que c'était un accident d'auto.

Lorsqu'on lui demanda si la blessure à la tête avait été produite par plusieurs coups, il répondit: «Un coup aurait suffi. La fracture était continue.»

Il affirma que les blessures aux côtes et à la tête s'étaient produites dans le même intervalle général et qu'il croyait que la mort avait été provoquée par la blessure à la tête.

Bucklin était le témoin pour lequel Zimmermann s'était le mieux préparé. Zimmermann l'avait rencontré avant le procès, avait déterré des articles savants que Bucklin avait écrits, avait examiné le rapport d'autopsie et avait envoyé son enquêteur privé à travers le pays en quête de matériel qu'il allait utiliser en contre-interrogatoire. Pour que Zimmermann arrive à démontrer que le 68-500 n'était pas Jeannine Durand, le contre-interrogatoire de Bucklin était le moment auquel il devait marquer son point le plus éloquent.

Zimmermann invita Bucklin à accepter le fait qu'en commençant l'autopsie, il aurait pris la précaution de chercher des marques d'identification. Bucklin dit que oui et ajouta qu'il avait écrit des articles savants sur la question de l'identification des cadavres en autopsie. Zimmermann brandit une copie d'un article que Bucklin avait écrit et le cita: «Il faut identifier la couleur des yeux, des cheveux... les empreintes digitales constituent la meilleure preuve d'identité.»

Bucklin dit qu'il avait remarqué la couleur des cheveux et des yeux, mais ajouta que, parfois, la décomposition peut affecter la couleur des yeux. Le poids, aussi, peut changer, dit-il.

Lorsqu'on lui demanda de commenter le poids enregistré, 65 kg, Bucklin dit qu'«il est plus vraisemblable qu'elle ait pesé plus de 65 kg plutôt que moins».

Lorsqu'on l'interrogea à propos de la couleur des yeux dans le rapport d'autopsie, Bucklin dit à Zimmermann: «Ce que j'ai dit, précisément, c'est que les yeux paraissaient bruns.»

Puis, Zimmermann passa à la cicatrice au-dessous du nombril et demanda si c'était «une cicatrice chirurgicale ou une cicatrice provenant d'une blessure»?

Burklin dit qu'il ne pouvait en être absolument certain. «Une lacération et une coupure [chirurgicale] sont identiques mais pas une blessure de type traumatique.» Il dit que c'était peut-être une cicatrice chirurgicale, peut-être une lacération.

Ils parlèrent de l'état de décomposition du corps, et Zimmermann demanda à Bucklin s'il croyait qu'il serait difficile de reconnaître la femme à cause de l'état du corps.

«Cela dépend à quel point on connaît l'individu [décédé]... Si une personne connaissait cet individu dans la vie et connaissait l'apparence de ses traits — le nez, la forme du visage —, cette personne a peut-être de meilleures chances de l'identifier que quelqu'un comme moi.»

Insatisfait de la réponse, Zimmermann fit réciter à Bucklin, tandis qu'il tenait la photo de la morgue devant le jury, une description de l'état du visage.

«Il y a des signes d'activité animale près de la lèvre inférieure... Les paupières sont closes... Il y a une formation de gaz de tissu dans le visage et une partie de la poitrine... Il manque une portion de la joue gauche, les yeux sont enflés, les lèvres enflées, la peau a glissé, des cheveux ont été ramenés au cours de l'autopsie, le nez aplati, décoloration du visage.»

À présent, plusieurs membres du jury avaient de toute évidence envie de vomir. Zimmermann était arrivé à ses fins.

Lorsqu'on l'interrogea à propos des organes, Bucklin répondit qu'il avait retiré les organes internes pour les examiner. Il dit avoir découvert qu'un rein était anormal et, fait hautement controversé, Bucklin affirma que les ovaires et les trompes de Fallope étaient dans un état normal.

Zimmermann se tourna et montra un grand tableau en couleurs qu'il avait fait préparer par un artiste. Il montrait toutes les parties essentielles du système reproducteur féminin: les ovaires, l'utérus et, bien en évidence, les trompes de Fallope.

Puis, il produisit une autre surprise: les dossiers médicaux de Jeannine Durand lors de son dernier séjour connu dans un hôpital. Obtenus d'un hôpital de Fort Lauderdale, c'étaient les dossiers de son hospitalisation du 16 au 20 juin 1967, pour la naissance de son dernier enfant, Martine. Ces dossiers indiquaient que Jeannine avait trente-trois ans, mesurait 1 m 57, pesait 85 kg avant l'accouchement, portait des verres de contact et des dentiers complets, ne parlait pas bien l'anglais et «a eu une ligature bilatérale des trompes, sans complications» le lendemain de l'accouchement.

En lisant le rapport, Zimmermann montra, sur son tableau, que le chirurgien de Jeannine avait enlevé 1,8 cm d'une trompe et 2,7 cm de l'autre. Les quatre extrémités des trompes avaient ensuite été attachées avec du catgut, qui se serait dissous en quelques semaines.

— Revenons à votre rapport d'autopsie, demanda Zimmermann à Bucklin. Vous écrivez que les trompes de Fallope sont présentes et normales. S'il y avait eu une [coupure], l'auriez-vous vue?

— Je me serais attendu à la voir. Si rien n'avait changé de position.

— Vous cherchiez des anormalités et des changements. Auriez-vous remarqué des trompes ligaturées?

— Tout ce que je peux dire, c'est qu'elles me semblaient normales.

— Vous avez dû les prendre et les retirer. Vous les avez trouvées "présentes et normales".

— C'est vrai... Le processus normal [du corps] aurait été de tenter de les réparer. Si c'était le cas, on n'aurait peut-être pas noté la ligature.

Bucklin expliqua qu'en plus des tendances réparatrices du corps, le chirurgien «n'aurait pas laissé un vide de 2,4 cm». Il aurait tiré la coupure et en aurait attaché les extrémités ensemble, dit Bucklin.

Pas complètement satisfait des commentaires de Bucklin, Zimmermann décida néanmoins d'abandonner pendant qu'il détenait une avance. Il avait fait dire à Bucklin que les tubes semblaient normaux et qu'il se serait attendu à voir des preuves de la ligature. À présent, il passa à d'autres différences entre le dossier de l'hôpital et l'autopsie. Le dossier d'hôpital montrait une femme de 10 cm plus courte que 68-500, une femme de 18 kg plus lourde. De plus, d'autres témoignages disaient que Jeannine avait des yeux bleus et des cheveux blonds, et l'autopsie parlait d'une femme dont les yeux «semblaient bruns» et dont les cheveux étaient brun foncé. Il demanda à Bucklin de commenter ce fait, de répudier l'identification, mais Bucklin était prudent et réservé.

«Je n'ai pas procédé à l'identification.»

Finalement, Zimmermann montra un lourd et savant ouvrage de référence, *Medicolegal Investigation of Death; Guidelines for the Application of Pathology to Crime Investigation*, et lut:

> Parmi les méthodes d'identification les moins fiables, mentionnons la reconnaissance personnelle par des parents ou amis, et l'examen comparatif de vêtements et d'effets personnels. La reconnaissance personnelle est fondée sur le rappel d'une expérience ainsi que sur une rapide analyse comparative des caractéristiques physiques. L'examen de restes non identifiés par de possibles parents ou amis est souvent une expérience très difficile du point de vue émotif, et il n'est pas rare de ne pas arriver à une identification dans ces circonstances; il est également possible de faire une identification erronée.

Ce que Zimmermann ne citait pas, c'était une note au bas de la même page qui révélait qu'à Detroit, le bureau du médecin légiste avait commencé à inviter des parents à voir le corps par télévision noir et blanc en circuit fermé. Ce moyen, disait-on, diminuait l'impact émotionnel du moment et, de façon intéressante, «augmentait considérablement la précision» de l'identification.

Lorsque Zimmermann eut terminé son exposé de l'identification des cadavres, Wilson se leva pour réparer certains dommages que l'avocat de la défense avait infligés à sa cause. En examinant le dossier hospitalier, il demanda à Bucklin de commenter le fait que le poids de Jeannine enregistré avant la naissance était de 186 livres (84 kg), et 181 livres (82 kg) immédiatement après avoir donné naissance à un bébé de 6 livres et 11 onces (3 kg).

«J'ai eu des doutes la première fois que je l'ai vu», répondit Bucklin.

Wilson fit remarquer que le cadavre et la personne qui avait été hospitalisée en Floride portaient tous deux des dentiers complets. Il fit également remarquer la présence de verres de contact en Floride, et Bucklin dit qu'il n'avait pas trouvé de verres sur le cadavre. Mais, dit-il, un coup sur la tête peut faire tomber les verres.

Et la cicatrice, demanda Wilson, «est-ce que ce serait le genre de cicatrice qu'on trouverait normalement chez quelqu'un qui a subi une ligature de trompes?»

— Oui.

— Est-ce que quelque chose, dans votre rapport, indique que la cicatrice provient d'une autre source?

— Non.

— Après une ligature de trompes, demanda Wilson, est-ce que le chirurgien essaie de relier les trompes?

— Il fermerait l'écart, répondit Bucklin, afin qu'aucun autre viscère ne puisse s'y coincer.

— Et le processus de guérison?

— La guérison est la réaction naturelle du corps à la blessure, répondit Bucklin, et quand on retire des tissus, une cicatrice fibreuse apparaît.

— Ce genre de processus rend-il plus facile ou plus difficile pour le pathologiste de constater la preuve d'une ligature?

— Je dirais qu'il a tendance à oblitérer le processus avec le temps. Tout ce que je sais, c'est qu'elles semblaient normales.

Wilson se tourna à nouveau vers le dossier de l'hôpital et, avec la confirmation de Bucklin, souligna que Jeannine et le cadavre avaient tous deux subi une ablation des amygdales et des adénoïdes.

Finalement, il amena Bucklin à reconnaître qu'il n'y avait aucune différence majeure entre la description donnée par le dossier de l'hôpital et le cadavre.

Zimmermann bondit immédiatement pour reprendre le contre-interrogatoire.

— Est-ce que beaucoup de gens se font enlever les amygdales?

— C'est courant.

— Et l'une des grandes différences [entre le dossier médical et le cadavre] est la taille, 5 pieds 3 pouces. C'est 4 pouces de moins que le corps autopsié?

— Oui.

Jeannine n'a pas «perdu quatre pouces de hauteur par suite de son accouchement», dit-il, la voix dégoulinante de sarcasme.

Le lendemain matin, le premier témoin de Wilson fut Jean Nadeau. Il semblait tout à fait à l'aise en entrant dans la salle du tribunal. Portant un complet gris, une chemise bleue et une cravate à motifs Paisley rouges et gris, il décrivit sa première rencontre avec Anne dans le cours d'une enquête sur la corruption politique, et ce qui l'avait amené à appeler Wingo. En contre-interrogatoire, Lavine lui dit que Wingo avait identifié Jeannine à partir d'informations que lui, Nadeau, avait fournies.

«Je crois que ce que je leur ai donné a été utile.»

Après Nadeau, Wilson interrogea, l'un après l'autre, le lieutenant François Cloutier et le lieutenant Roch Ménard, qui confirmèrent tout simplement que Ray ne leur avait rapporté de disparition en 1968.

Cet après-midi-là, Anne était censée comparaître. Alors qu'elle attendait d'être appelée dans le corridor, elle se mit à trembler de peur. Son bébé, qu'elle nourrissait encore au sein, était resté au motel avec sa belle-sœur. Elle craignait de devoir rester à la barre au-delà de l'heure de la tétée. Mais, par-dessus tout, elle avait peur de s'asseoir à quelques mètres de son père et de parler de leur vie. Au moment où elle semblait sur le point de perdre son calme, Nadeau la prit par les épaules et dit: «Anne, tu as accouché. Tu peux tout faire.»

Cette remarque sembla lui redonner courage. À 15 h 35, on la fit entrer. Elle portait une robe d'été fleurie, était légèrement maquillée, ses longs cheveux bruns étaient attachés à l'arrière et elle portait un mouchoir à la main. Elle semblait nerveuse et bouleversée, et plusieurs membres du jury semblaient ressentir de la sympathie pour elle. Elle passa devant la table de la défense sans regarder son père. Pour la première fois depuis le début du procès, Frenchy eut l'air mal à l'aise.

Taylor mena l'interrogatoire. Il voulait que les jurés s'identifient à elle, partageant un peu de sa souffrance.

Taylor fit repasser à Anne les débuts de sa vie — la maison de la rue Michaud, le déménagement en Floride, le fait que «Tante Pat» vive avec eux en Floride, le retour chez la grand-mère, puis Bellaire, et à nouveau «Tante Pat». D'une voix douce et hésitante, elle dit que la dernière fois qu'elle se rappelait avoir vu sa mère, c'était dans cette maison de Bellaire. Elle dit se rappeler l'orgue que sa mère avait reçu à Noël et, soudainement, peu après Noël, sa disparition.

Elle raconta qu'on lui avait dit que sa mère était au Canada et prenait soin de sa grand-mère. Puis, la famille avait déménagé dans une autre maison et pendant qu'ils habitaient là, son père avait crié à Denis, un jour, dans l'auto: «Ta mère ne reviendra pas, c'est tout.»

À l'incitation de Taylor, Anne parla du déménagement à Big Thicket, puis à San Diego et à Victoria. Un jour, à Victoria, elle entendit son père parler au téléphone à Madame Boissonneault.

— Il a dit que Jeannine et nous les enfants, nous étions tout près de chez elle et qu'on s'en allait la voir.

— Et ça vous a surprise?

— Oui, parce que Pat était là. J'avais probablement dix ou onze ans... On nous avait dit de ne pas parler de notre mère. Pat était notre mère, un point c'est tout.

Anne parla du déménagement à Ottawa, puis du retour à San Diego, et raconta qu'elle avait demandé à son père pourquoi Denis ne venait pas. «Il a dit que [Denis] causait des problèmes et qu'il ne nous aimait pas.»

Elle raconta qu'elle avait dû déménager à l'âge de dix-sept ans, puis de la visite au bureau de Tex Ritter, et de la conversation téléphonique dans laquelle elle aurait entendu son père dire que Jeannine était morte du cancer. «Je n'avais jamais entendu ça. Je n'avais même jamais entendu dire que ma mère était morte... Il m'a dit un jour qu'elle m'avait poussée devant une auto. Il a dit qu'elle était dans une institution psychiatrique, puis qu'elle était en prison.»

À présent, Anne s'était calmée. Taylor lui avait fait repasser tous les éléments dont il avait besoin. Ce qui restait, c'était un dernier geste spectaculaire destiné à tirer le plus d'émotion possible de son apparition. Taylor se dirigea vers la barre des témoins et montra à Anne une photo de la famille Boissonneault. Anne identifia chacun des membres. Il la déposa, retourna à la table de la poursuite, saisit une autre photo. La tension monta lorsqu'il traversa la salle et déposa une seconde photo devant Anne.

«Qui est-ce?»

Anne regarda par terre et éclata en sanglots qui déchirèrent le cœur de toutes les personnes présentes. Au moment où elle réussit à prononcer les mots: «C'est ma mère», plusieurs jurés pleuraient et, étonnamment, Gloria aussi. Frenchy, lui, restait assis là, regardant ailleurs.

«Votre témoin», dit Taylor à Zimmermann au moment où Anne tentait d'essuyer ses yeux et de retrouver son calme.

Zimmermann eut le bon sens de demander un ajournement de dix minutes. Il avait besoin de contre-interroger Anne, mais il savait qu'elle avait la sympathie du jury et que ce dernier ne serait pas de son côté s'il la matraquait.

Il commença par faire dire à Anne quel genre de mère avait été Pat.

— Est-ce que Pat traitait les enfants de façon différente?

— Oui. Martine n'a jamais su que Pat n'était pas sa mère. Avec nous, les enfants, elle était très méchante. Elle ne nous traitait pas de la même manière que Martine... Elle était seulement méprisante.

— Martine était vraiment le bébé de Pat?

— Oui.

Anne raconta que Pat lui avait cassé le nez et que ce fut Pat qui lui dit que Jeannine ne reviendrait pas.

«Les souvenirs passent, n'est-ce pas?» demanda Zimmermann à Anne. Il lui demanda si elle était vraiment certaine que c'était son père qui avait dit que Jeannine l'avait poussée devant une auto.

— Oui.

— N'est-il pas vrai que la raison pour laquelle Denis demeurait à Hull, c'était que Pat ne voulait plus le voir?

Anne n'était pas d'accord, mais elle dit que Denis et Pat ne s'entendaient pas.

Lorsqu'on l'interrogea à propos de l'appel téléphonique qu'elle avait surpris à Victoria, Anne insista pour dire qu'elle s'en souvenait exactement et elle ajouta que la raison pour laquelle elle s'en souvenait, c'était que «ça m'a effrayée. J'avais peur parce que Pat était là et que ma mère n'y était pas. J'avais peur parce qu'on n'était pas censés parler de ma mère.»

Ensuite, Zimmermann tenta de suggérer qu'Anne avait été amenée à soupçonner son père.

— Cette idée vient vraiment de Denis?

— C'était la sienne jusqu'en 1991.

— Pendant de nombreuses années?

— Oui.

Anne admit que Denis s'était souvent battu avec Frenchy et qu'après le retour de la famille à Ottawa, Denis soupçonnait son père d'avoir tué Jeannine. «Denis disait sans arrêt que mon père l'avait tuée. Chaque fois qu'il me parlait, il disait ça et je devenais furieuse contre lui.»

Zimmermann montra à Anne une déclaration qu'elle avait faite dans laquelle elle disait soupçonner Pat. Il lui demanda de s'expliquer.

— Je me suis dit que Pat savait peut-être bien ce qui s'était passé.

— Vous pensez que Pat Holben a tué votre mère?

— Je ne sais pas.

— Vous ne savez pas?

— Je n'étais pas là.

— Vous n'avez vraiment pas de souvenir clair d'avoir vu partir votre mère?

— Non... Je me rappelle à quoi elle ressemblait, ses cheveux, sa coiffure habituelle.

— Dans votre déclaration, vous dites que vous croyez que Pat avait tout planifié?

— Je croyais que Pat savait ce qui s'était passé.

Zimmermann interrogea Anne sur sa relation avec son père, lui montra une photo en couleurs d'elle et de son père riant ensemble, et affirma qu'ils avaient été proches.

— Eh bien! comme il était souvent soûl, je ne peux pas dire que j'avais une relation avec lui.

— Est-ce qu'il n'a pas tenté de vous aider à obtenir une *green card*?

— Il a trouvé l'avocat. Je l'ai payé.

— Mais votre père a tenté de vous aider. Il vous a mis en contact avec un avocat de l'Immigration?

— Oui.

À présent, Zimmermann insistait, harcelant Anne à tel point qu'il risquait de s'aliéner les jurés. Il lui fit répéter son récit de la conversation dans le bureau de Tex Ritter, et de la conversation téléphonique à propos du test Pap. Dans les deux cas, il tenta de lui faire admettre qu'elle avait mal retenu ou mal interprété les remarques qui avaient été faites. Mais elle s'accrochait à son récit et, voyant qu'elle n'en démordait pas, il lâcha prise. Avant de s'asseoir, toutefois, il tenta de retourner la situation aux dépens de Taylor.

— Je ne vais pas vous montrer la pièce à conviction nº 1 (la photo de la morgue). Mais n'est-il pas vrai qu'on vous a dit qu'on vous montrerait cette photo? Est-ce qu'on vous a déjà montré cette photo?

— Oui.

— Qui l'a fait?

— Ces deux hommes, répondit Anne, désignant Taylor et Wilson.

Taylor se leva à son tour.

— Est-ce que votre mère vous aimait?

— Oui.

— Est-ce qu'elle vous maltraitait?

— Non.

— Est-ce qu'elle prenait soin de vous?

— Oui.

— Qui vous a dit d'appeler Pat maman?

— Mon père.

Peu après avoir témoigné, Anne me parla de l'expérience. Elle se demandait comment s'était senti son père, pendant qu'il l'écoutait.

«Je voulais juste découvrir la vérité, dit-elle, découvrir ce qui était arrivé et pourquoi. J'ai regardé mon père qui était assis là, en train de couler — et j'ai seulement voulu l'aider. Pour qu'il sache qu'on l'aime encore. C'est mon père. J'ai de mauvais souvenirs et de bons souvenirs. C'est tellement difficile... Il s'en va en prison et je vais devoir vivre avec ça pour le reste de ma vie. Que je l'ai mis là parce que je suis celle qui a lancé la recherche pour retrouver ma mère. Il fallait que je sache s'il nous avait seulement raconté ces histoires pour nous protéger, que ma mère nous a vraiment quittés, qu'elle ne nous aimait peut-être pas et qu'il ne voulait pas nous dire ça.»

Elle s'arrêta un instant, reprit son souffle, se perdit dans les brumes de son passé. «Ce que je crois, honnêtement, c'est que mon père l'a tuée. Ils se sont disputés et il l'a frappée. Elle est tombée et s'est cogné la tête. Et il s'est dit: Mon Dieu, je suis dans un autre pays. Si je me rends, je vais avoir des problèmes.

«Je sais qu'il l'a fait, mais je me blâme. Je me blâme sans arrêt. Je ne veux pas voir papa aller en prison. Je veux que ça soit autre chose.»

Comme ses frères et sa sœur, Anne avait sa propre idée sur la mort de Jeannine. Les quatre enfants avaient senti un puissant besoin de visualiser la façon dont le meurtre s'était produit. Mais les récits qu'ils s'imaginaient se conformaient davantage à leurs propres besoins psychologiques qu'aux faits connus. Dans le cas d'Anne, elle avait besoin de croire que c'était une dispute qui avait mal tourné. Le fait que Jeannine était morte d'un seul coup meurtrier, d'un coup qui lui avait fracturé tout le crâne, n'avait pas réussi à la persuader que Jeannine n'était pas morte des suites d'un coup à la tête en tombant au cours d'une dispute. Le récit de Denis, selon lequel Ray était revenu avec les valises, et l'histoire de Pat à l'effet que Ray et Jeannine étaient partis ensemble pour qu'elle puisse attraper un vol vers le Canada, n'étaient pas des choses qu'Anne pouvait intégrer dans son image mentale des événements. Elle ne pouvait pas — même avec les meilleures raisons — se permettre de croire que son père était un meurtrier sans pitié qui avait délibérément mis fin aux jours de Jeannine.

Le vendredi matin, cinquième jour du procès, Wilson appela à la barre Robert Durand, un homme mince, fragile et ridé, portant une épaisse moustache, des cheveux foncés et ramenés vers l'arrière, et des lunettes. Il n'avait pas tout à fait récupéré de son opération et il semblait nerveux. Robert parle un peu anglais, mais il n'avait pas l'impression d'avoir une maîtrise suffisante de la langue pour témoigner en anglais. Il avait demandé un traducteur et la cour avait engagé les services d'un Vietnamien d'âge moyen nommé Giam T. Pham, qui avait présumément appris la langue dans son pays natal. Plusieurs personnes tentèrent de faire valoir à Wilson que Pham n'allait peut-être pas connaître le français québécois, mais comme personne ne prenait suffisamment la chose au sérieux pour faire passer à Pham un test sur sa connaissance du français québécois, il fut assermenté avec Robert.

Par l'intermédiaire du traducteur, Wilson fit raconter à Robert l'histoire de son voyage à Fort Lauderdale alors que sa femme et lui devaient servir de marraine et de parrain à Martine. Robert déclara qu'il était clair à ses yeux que Pat était alors la maîtresse de Ray. Il décrivit le déménagement de sa famille à San Diego, et comment Ray lui avait trouvé un emploi chez Guy Hill Cadillac.

Robert avait apparemment insisté pour ne pas être interrogé sur la façon dont Ray l'avait escroqué à San Diego — il avait dit qu'il était venu parler de la cause de Ray et non de la façon dont son neveu l'avait dupé. Wilson croyait probablement que Zimmermann devrait user de prudence lui aussi. Zimmermann ne voudrait pas que Robert dépeigne son client comme un voleur, mais il voudrait miner la crédibilité de Robert en l'amenant à admettre qu'il nourrissait de la haine à l'égard de Raymond.

Robert dit à Wilson et aux jurés qu'il avait travaillé pour un salon funéraire dans les années quarante et cinquante, et qu'un jour, à San Diego, il se trouvait dans sa Cadillac avec Ray lorsque son neveu lui avait demandé combien de temps il fallait à un corps pour se décomposer.

«J'ai dit: "Tout dépend qui."»

Puis, dit-il, Ray lui avait demandé comment on pouvait identifier un cadavre.

«Je lui ai dit: "Par des marques sur le corps, par les dents, par des cicatrices, des tatouages." Ray lui avait demandé combien de temps on conservait un cadavre. «J'ai dit "On peut les garder longtemps, tout dépend des conditions du sol."»

À ce moment-là, Denis Gratton, le reporter du *Droit,* et moi-même avions commencé à grogner d'incrédulité. Non seulement la traduction était mauvaise, mais elle était dangereusement inadéquate. Pham avait traduit «cicatrices» par «squelettes». Robert comprenait souvent la question mieux que Pham ne pouvait la traduire et, en plusieurs occasions, Robert avait fourni à Pham le mot anglais approprié pour le témoignage que le traducteur tentait de rendre en anglais. Ou bien Wilson ne nous avait pas entendus, ou bien il se trouvait trop proche de la fin pour pouvoir interrompre. Il conclut par deux questions:

— Ray vous a-t-il déjà confié ce qui était arrivé [à Jeannine]?

— Avant que je parte pour San Diego. Au téléphone, Ray a dit que Jeannine s'était jetée devant une auto avec le bébé dans ses bras. Il a dit qu'elle était devenue hystérique et malade, et qu'elle avait besoin de soins psychiatriques dans un hôpital.

Finalement, Wilson présenta la photo de la morgue à Robert et lui demanda s'il reconnaissait la personne qui y figurait.

— Oui. C'est Jeannine Boissonneault.

Le témoignage de Robert semblait être une contribution assez modeste à la théorie de la poursuite. Il aurait été facile de suggérer que cette conversation sur la décomposition des cadavres aurait pu se dérouler parce que Ray avait vu une émission là-dessus à la télévision ou que ç'aurait été une discussion que Ray avait eue avec Robert sur son ancien emploi au salon funéraire. Néanmoins, Zimmermann se jeta de tout son poids dans son contre-interrogatoire de Robert. Il était agressif et implacable. Et il commença en demandant pourquoi Robert refusait de témoigner en anglais puisqu'il lui avait déjà parlé en anglais au Canada. Zimmermann suggéra que Robert avait quelque chose à cacher. Robert, mal servi par son traducteur incompétent, dit que son anglais n'était pas suffisant et qu'il voulait être précis.

Quelques minutes après avoir commencé son contre-interrogatoire, Zimmermann se sentait frustré lui aussi à cause de la traduction. Comme il avait entendu les grognements provenant de deux reporters canadiens, on demanda un ajournement. Zimmermann et Wilson vinrent nous voir et nous demandèrent, à Gratton et à moi, si Pham était «même dans le coup». Nous secouâmes la tête et ils se retirèrent avec le juge. Densen écouta, puis il se tourna vers Gratton et moi, et dit que l'un d'entre nous serait assermenté pour traduire. Ni l'un ni l'autre, nous ne voulions nous charger de la tâche. Je convainquis Gratton d'y aller en promettant de prendre des notes. Gratton, qui se demandait comment il allait expliquer cela à son rédacteur en chef en envoyant son article ce soir-là, fut amené à l'avant de la salle du tribunal et assermenté, et on lui promit un cachet pour son travail. Lorsque Zimmermann reprit son contre-interrogatoire, la traduction de Gratton s'avéra suffisamment fidèle pour que le procureur de la défense attaque la crédibilité de Robert avec une énergie renouvelée.

Zimmermann tenta d'amener Robert à dire que Jeannine avait déjà quitté Ray, qu'elle était au courant de la relation de Ray avec Pat, que Pat était tellement proche de la famille et Jeannine tellement distante de ses enfants que c'était Pat qui tenait Martine au baptême.

Robert affirma que Jeannine n'était pas au courant de la relation entre Ray et Pat, qu'il n'avait jamais entendu dire que Jeannine avait quitté Ray et que, dans la culture catholique québécoise, la mère ne tient jamais le bébé au baptême.

Ensuite, Zimmermann amena Robert à parler de la période San Diego. Il l'interrogea sur la dispute qu'il avait eue avec Ray à San Diego.

— On n'a pas eu le temps de se disputer parce qu'il est parti.

— Mais vous avez eu un désaccord sérieux? demanda Zimmermann.

— On n'a pas eu de désaccord.

— Et vous n'avez plus jamais parlé à Frenchy?

— Je n'en ai jamais eu l'occasion. Il ne m'a jamais appelé.

— Vous ne l'avez ni vu ni appelé pendant vingt-trois ans?

— Oui.

— Vous avez encore de la rancune?

— Si j'avais eu à faire quelque chose pour me venger, j'avais vingt-trois ans pour le faire.

— Est-ce que cette occasion [de revanche] est maintenant arrivée?

— Je ne considère pas ça comme une chance. Si vous pensez que c'est de la vengeance, ce n'est pas le cas.

— Vous avez vendu tout ce que vous possédiez en 1970 et vous avez déménagé à San Diego avec toute votre famille pour travailler avec Frenchy. C'était un rêve de vivre et de travailler là et, un mois et demi plus tard, votre rêve s'était écroulé?

— Absolument.

— Et vous blâmez Frenchy?

— Je me blâme moi-même d'être allé là. Je me suis fait mal à moi-même et j'en prends la responsabilité.

— Selon vous, vous étiez étranger dans un nouveau pays et il vous a laissé en plan?

— Je m'en suis tiré.

— Vous ne voulez pas voir de belles choses arriver à Frenchy, n'est-ce pas?

— Ce n'est pas à moi de le dire.

— Cette conversation à propos du cadavre ne s'est jamais déroulée?

— Oui, nous avons eu cette conversation et nous avons dit autre chose aussi.

À présent, le jury avait probablement hâte d'entendre le récit de ce qui était arrivé à Robert à San Diego. Zimmermann avait habilement réussi à limiter le témoignage de Robert au fait qu'il était fâché avec Ray, qu'il avait l'impression que Ray lui avait joué un sale tour. Mais l'histoire complète ne fit jamais surface. Tout ce que surent les jurés, c'est que Robert n'avait jamais reparlé à Frenchy. Par conséquent, son témoignage pouvait-il être accepté comme étant sans parti pris et véridique? C'est ce que Zimmermann voulait qu'ils se demandent, et c'est sans aucun doute ce qu'ils se demandaient.

Lorsque Robert fut remercié, Densen ajourna le procès pour le week-end. Comme on n'avait pas séquestré les jurés, ils retournèrent chez eux. Robert, le lieutenant Cloutier et le lieutenant Ménard reprirent l'avion pour Ottawa. Anne, sa belle-sœur Nancy, son bébé Justin et Nadeau reprirent l'avion pour la Californie. Anne dit qu'elle était heureuse de retourner chez elle, mais qu'elle ne serait vraiment tranquille qu'après la fin du procès.

Dès lors, au motel, il n'y avait plus que Michel Béland, Réginald et Denis. Ce week-end-là, Denis visita sa vieille école et découvrit que l'enquêteur privé de Zimmermann s'était rendu là avant lui pour aller chercher ses résultats scolaires.

Pat Holben avait été installée dans un autre motel et avait passé la première semaine du procès seule. Comme Wilson et ses collègues craignaient qu'elle se mette à boire, ils dépêchèrent un membre du personnel pour la tenir à l'œil. Denis et Anne l'avaient vue une fois déjà, au passage, en sortant du bureau de Wilson. Ils ne lui avaient pas parlé; maintenant qu'ils savaient que Pat avait toujours su ce qui était arrivé à Jeannine, ils la détestaient encore plus que jamais.

Le lundi, à 14 h 55, Pat entra dans la salle du tribunal. C'était une femme flétrie et brouillonne, qui paraissait beaucoup plus vieille que son âge. Elle n'avait pas soixante ans, mais elle avait l'air d'une grand-mère confuse. Elle était courte et boulotte, mais sa robe d'été aux motifs rouges et bleus donnait l'impression qu'elle soignait sa mise. Ses chaussures rouges étaient assorties à sa robe et elle portait une bourse de cuir blanc qu'elle déposa sur le bureau du procureur en passant. Son rouge à lèvres donnait un peu de couleur à son visage ridé et terreux. Elle clignait des yeux derrière ses lunettes et, durant l'interrogatoire, semblait se concentrer avec une vive attention. Plusieurs observateurs crurent qu'elle était dure d'oreille et qu'elle devait se concentrer sur ce qu'on disait. D'autres conclurent rapidement qu'elle n'était tout simplement pas très brillante.

Ce matin-là, Zimmermann avait présenté une fois de plus son argument voulant qu'il ne fallait pas laisser Pat témoigner parce qu'elle avait été la concubine de Frenchy et que durant cete relation, ils avaient entretenu une communication privilégiée. Comme Lavine le dit plus tard, il ne faut pas laisser la poursuite jouer sur les deux tableaux. Ou bien Jeannine était morte et Ray et Pat étaient mari et femme, ou bien elle était vivante et ils n'étaient pas mari et femme. Pat avait été appelée pour témoigner au voir-dire (devant le juge Densen seul). À la fin, Densen s'accordait avec la poursuite pour dire qu'elle pouvait témoigner. Zimmermann avait défendu cette question passionnément et sa défaite le mit en colère. Il était clair que si Frenchy était condamné, on fonderait probablement un appel sur cette question.

Ce fut Wilson qui interrogea Pat. Durant les débats, on avait pu découvrir sa personnalité. Tandis que Zimmermann était brillant mais souvent agaçant et de mauvaise foi, Lavine timide et absorbé par sa propre habileté et Taylor irritable, Wilson était désinvolte et chaleureux. La personnalité de Wilson était un atout devant les jurys. À la différence des trois autres avocats, Wilson évitait les complets bleu marine et la combativité inlassable qui semblait accompagner cet uniforme.

Patiemment guidée par Wilson, Pat rappela sa rencontre avec Ray chez Campbell Motors à Ottawa, dit qu'elle ne savait pas qu'il était marié jusqu'à ce qu'ils s'établissent à Fort Lauderdale, et que lorsque Ray amena Jeannine et les enfants en Floride, il l'avait présentée comme la femme de son patron. Elle raconta l'histoire de la décision de Ray de renvoyer Jeannine et les enfants au Canada «parce qu'ils ne pouvaient pas parler français». Elle raconta ensuite qu'elle s'était rendue avec lui au Texas et s'était établie dans un appartement de Bellaire. Elle rapporta qu'il avait trouvé un emploi dans un atelier de carrosserie et qu'elle l'avait aidé à sabler et à repeindre des autos. Lorsqu'on lui demanda comment elle se sentait lorsque Ray lui disait qu'il allait faire venir Jeannine et les enfants au Texas, elle dit: «Eh bien! la famille passe en premier. Qu'est-ce qu'on peut dire ou faire?»

Lorsqu'on lui demanda pourquoi elle n'avait pas tout simplement fait ses valises et quitté l'endroit, elle répondit qu'elle «n'avait pas d'argent. Je travaillais pour M. Durand.»

Pat dit qu'à nouveau, à Houston, Ray la présenta comme la femme de son patron, et qu'elle se rappelait avoir acheté à Jeannine un orgue pour Noël. Elle déclara que, peu après Noël, Ray l'avait appelée et lui avait demandé d'aller la voir. Lorsqu'elle était arrivée, Jeannine, dont les propos étaient traduits par Ray, «m'a demandé si je voulais m'occuper des enfants» et a dit que «sa mère était malade et qu'elle s'en allait prendre soin d'elle». «C'était l'après-midi, tard», se rappela Pat. Ils avaient tous dîné ensemble, puis on avait mis les enfants au lit, puis Ray et Jeannine avaient quitté la maison, apparemment en direction de l'aéroport. Jeannine, dit-elle, portait une valise.

Le lendemain matin, Ray n'était pas revenu. Pat raconta qu'elle avait préparé le petit déjeuner, nourri le bébé puis passé la journée à son appartement avec les enfants. Ray, dit-elle, était arrivé à l'appartement cet après-midi-là.

À partir de ce moment-là, dit Pat, elle avait vécu avec la famille. Ils avaient déménagé immédiatement dans un appartement plus grand puis, quelques semaines plus tard, dans une autre maison. Quelques semaines plus tard, ils regardaient la télévision, un soir, et les informations commencèrent.

— Où étaient les enfants? demanda Wilson.

— Ils étaient au lit.

— Pouvez-vous dire aux membres du jury ce qui a attiré votre attention dans ce bulletin de nouvelles?

— Ils ont dit qu'un corps avait été retrouvé et ils montraient des vêtements, au cas où quelqu'un pourrait les identifier.

— Est-ce qu'ils ont parlé du sexe de la victime?

— Féminin.

— Vous rappelez-vous s'ils ont nommé un endroit?

— Oui. Ils ont dit qu'ils avaient trouvé un cadavre au dépotoir.

— Est-ce que Raymond Durand vous a dit quelque chose?

— Il a dit: "Ils l'ont trouvée." J'ai dit: "Trouvé qui?" Il a dit: "Jeannine." Et j'ai dit: "Je pensais qu'elle était au Canada." Il a dit: "Elle est là", et il a ajouté que si je parlais de ça à qui que ce soit, je m'y retrouverais moi aussi.

— Avez-vous demandé à Raymond pourquoi il avait fait cela?

— Il a dit qu'elle allait mourir de toute façon, qu'elle avait le cancer.

— Étiez-vous bouleversée?

— Bien sûr.

Lorsqu'on lui demanda pourquoi elle n'était pas partie, Pat dit tout simplement, d'une voix sans expression: «Je m'occupais des enfants.»

Ce témoignage, c'était l'essentiel de ce que voulait Wilson. À partir de là, il la guida rapidement à travers la suite. Elle décrivit leur voyage à travers le continent de Houston à Big Thicket, San Diego, Victoria, Ottawa, puis à nouveau San Diego. Elle raconta qu'ils avaient laissé Denis à Ottawa. Elle rapporta que lorsqu'ils étaient à San Diego, Ray et elle avaient acheté le ranch du comté de Riverside et qu'ils s'étaient finalement séparés en 1986.

La question finale que posa Wilson portait sur la taille de Jeannine.

— Est-ce qu'elle était plus grande que vous?

— Oui.

— Est-ce qu'elle était aussi grande que Raymond Durand?

— Je crois que oui.

Zimmermann se leva, se présenta à Pat et la mit sur la défensive dès la première question. Il lui demanda si elle pouvait avoir des enfants en 1968 et elle répondit que non.

Il l'invita à admettre qu'elle avait rencontré Jeannine au Canada et qu'elle avait donné à Jeannine tous ses vêtements d'hiver lorsque Ray et elle étaient partis pour la Floride. Pat nia avoir connu Jeannine au Canada et dit quelle avait donné ses vêtements d'hiver à Ray pour qu'il les vende ou les donne à ses sœurs.

Zimmermann posait ses questions rapidement et d'un ton agressif. Au début, Pat fut capable de soutenir le rythme.

— Eh bien! connaissiez-vous [Jeannine] en Floride?

— Oui.

— Vous étiez tout le temps chez elle, non?

— Non, pas toujours, non.

— Eh bien! au moins une fois par jour, non?

— Non, Monsieur.

— Est-ce que vous ne gardiez pas toujours ses enfants, Mme Holben?

— Pas toujours, non.

— Après la naissance de ce bébé, n'étiez-vous pas là tous les jours?

— Non, je n'étais pas là tous les jours.

— Qui tenait Martine à son baptême?

— C'est moi.

— Vous considériez Martine comme votre enfant, n'est-ce pas, madame?

— Non, monsieur. Je savais qu'elle n'était pas mon enfant.

Le feu rapide de questions continuait.

— Martine croyait que vous étiez sa mère, n'est-ce pas?

— Oui.

— Et vous l'encouragiez à croire cela?

— Oui.

— Pendant seize ans après sa naissance, n'est-ce pas?

— C'est vrai.

— Et vous disiez à tout le monde que c'était votre enfant, votre fille?

— C'est vrai.

— Et vous la considériez comme votre fille, n'est-ce pas?

— Bien entendu.

— Vous n'aviez pas le même sentiment à l'égard de Denis, n'est-ce pas?

— Non.

— Et vous n'aviez pas le même sentiment à l'égard d'Anne?

— Non.

— Et vous n'aviez pas le même sentiment à l'égard de Marc?

— Non.

— Vous ne les traitiez pas comme Martine, n'est-ce pas?

— Elle était bébé quand je l'ai eue.

Zimmermann était inlassable. Il avait maintenant ouvert le livre de sa vie, exposé certaines réalités pas glorieuses du tout à propos de ses sentiments pour les enfants qu'elle avait contribué à élever. Mais Pat avait encore des réserves de force, une force qu'elle semblait tirer d'un féroce instinct de survie. Zimmermann avait peut-être ouvert des portes sur son passé, mais elle avait déjà subi de durs revers dans sa vie. S'il y avait une chose qu'elle pouvait prendre, c'était la punition. On ne pouvait savoir si Zimmermann comprenait qu'il ne pourrait jamais la soumettre ou la déstabiliser par la honte en la blessant dans ses sentiments. Sa seule faiblesse réelle était son intelligence limitée, un problème probablement provoqué par toute une vie d'alcoolisme.

Elle résista à son interrogatoire agressif, refusant d'admettre qu'elle était celle qui ne voulait pas de Denis dans la maison, niant avoir jamais dit à Anne que Jeannine l'avait poussée devant une auto, et répudiant l'affirmation selon laquelle Jeannine avait eu l'intention de laisser les enfants en Floride. Mais plus il continuait, plus ses questions devenaient complexes, plus elle devenait confuse.

— J'ai remarqué que pour certaines des questions que M. Wilson vous a posées, vous avez dit, à la fin de la réponse, que vous n'étiez pas sûre, environ une douzaine de fois. Vous rappelez-vous cela?

— C'est vrai.

— Parce que cela fait longtemps, n'est-ce pas?

— C'est vrai.

— Et c'est difficile de se rappeler ces choses, n'est-ce pas?

— C'est vrai.

— N'importe qui aurait beaucoup de difficulté à se rappeler quelque chose qui s'est passé, disons, il y a dix ou quinze ans?

— C'est vrai.

— Et quand vous reculez au-delà de ce chiffre — vingt-trois, vingt-quatre ou vingt-cinq ans — il est encore plus difficile de se rappeler ce qui est arrivé, n'est-ce pas?

— C'est vrai.

L'ayant fait reconnaître la faillibilité de la mémoire, Zimmermann lui fit reprendre la partie la plus cruciale de son témoignage. Il fit admettre à Pat que Jeannine parlait un anglais bâtard et qu'elles avaient été capables de communiquer. Puis, il avança que Frenchy avait pris l'avion de Houston à Ottawa pour aller chercher Jeannine et les enfants. Pat commença par nier, mais lorsqu'il l'affirma une deuxième fois, elle dit: «Il l'a peut-être fait. Je ne me rappelle pas.» Il tenta de lui faire avouer qu'elle les avait accueillis à l'aéroport, mais elle résista fermement et nia avec insistance. Il essaya alors une autre piste, suggérant qu'elle avait accompagné Jeannine à l'aéroport pour aller chercher son billet et que Jeannine lui avait dit, une semaine avant que Ray ne l'appelle pour lui demander de venir, qu'elle avait réservé une place sur un vol de retour à Ottawa. Mais une fois de plus, Pat nia les deux affirmations. Puis, soudainement, il l'interrogea sur l'époque de sa séparation avec Ray, et affirma que c'était Frenchy qui l'avait laissée, et non l'inverse.

— C'est vrai.

— Vous l'aimiez encore, n'est-ce pas?

— Oui.

— Vous l'aimez encore, maintenant?

— Non.

Zimmermann demanda à Pat si elle était déjà allée voir la police avant que Nadeau, Talton et Madeira se présentent à sa porte. Elle dit que non, et il lui demanda ensuite pourquoi elle leur avait parlé après avoir caché la vérité sur la mort de Jeannine pendant plus de vingt ans.

— Parce qu'ils me l'ont demandé. C'est pour cela que j'ai répondu à leurs questions.

— Parce qu'ils vous l'ont demandé?

— Oui.

Il lui fit avouer qu'elle n'était pas allée voir la police après avoir vu le corps au bulletin de nouvelles en 1968 et qu'elle n'avait jamais parlé à la GRC. Le contre-interrogatoire continua pendant le reste de l'après-midi, jusqu'à ce que Densen remarque l'heure et mette fin aux débats pour la journée.

Pat devait être épuisée et confuse, mais le lendemain matin, elle revint à la barre et Zimmermann était prêt à la marteler à nouveau. Il lui rappela la déclaration qu'elle avait faite à Madeira, à l'effet qu'elle et Jeannine étaient devenues de bonnes amies à Houston. Si c'était le cas, dit-il, «vous étiez capable de communiquer avec elle même si elle parlait un anglais bâtard, est-ce vrai?»

— Oui.

Donc, affirma-t-il, lorsque Ray appela et qu'elle se rendit à la maison, c'était Jeannine qui «vous parlait dans un anglais bâtard et qui vous demanda de prendre soin des enfants». Pat confirma cela et il lui sauta immédiatement dessus, lui demandant quand elle s'était soudainement rappelé que Frenchy avait servi d'interprète. Elle dit qu'elle était confuse, il reformula la question et, une fois de plus, elle confirma que Jeannine lui avait parlé elle-même.

— Est-ce que vous venez seulement de vous dire que ce serait plus clair si vous disiez que Frenchy interprétait, ou alors, pourquoi avez-vous témoigné ainsi hier?

— Parce que quand je ne comprenais pas, il me disait ce qu'elle essayait de me dire.

Mais Zimmermann faisait référence à la déclaration qu'elle avait faite à la police et souligna qu'elle ne faisait aucunement référence au fait que Frenchy servait d'interprète. Croyant l'avoir coincée, il demanda: «Maintenant, après qu'elle [Jeannine] vous a demandé ça [de prendre soin des enfants], a-t-elle, en votre présence, appelé à la maison pour dire: "Je reviens sur tel vol, viens me chercher à l'aéroport"? L'avez-vous entendue dire ça au téléphone?»

— Ils n'avaient pas de téléphone à la maison, je ne crois pas.

— Je croyais que vous aviez indiqué que Frenchy vous avait appelé auparavant?

— D'un téléphone public.

— D'un téléphone public? Comment saviez-vous que c'était un téléphone public?

— Eh bien! ç'aurait pu être chez un voisin. Je ne suis pas certaine.

Zimmermann fut décontenancé. Il avait fait maintes tentatives pour amener Pat à reconnaître que Jeannine était malheureuse à Houston, qu'elle avait déjà quitté Frenchy auparavant, qu'elle savait que son mari couchait avec elle, qu'elle avait fait ses propres préparatifs de voyage — qu'elle avait effectué une réservation de vol, acheté un billet ou téléphoné à la maison pour donner son heure d'arrivée. Il désirait de toute évidence avancer que Jeannine avait tout simplement décidé de quitter Frenchy et que si quelque chose lui était arrivé après son départ, il ne pouvait en être tenu responsable. Mais le seul élément sur lequel il obtint l'accord de Pat, c'était que Jeannine lui avait dit, lorsqu'elle était arrivée à la maison après que Frenchy l'eut appelée, que sa mère était malade et voulait qu'elle vienne prendre soin d'elle.

Il passa au retour de Frenchy, le lendemain. Non, confirmait-elle, elle ne l'avait pas vu revenir avec une valise.

— Il avait son allure habituelle?

— Oui.

— Pas de vêtements déchirés?

— Non.

— Pas de taches de sang sur ses chaussures, n'est-ce pas?

— Non.

— Ou sur son pantalon ou sa chemise?

— Non.

— Avez-vous vu des taches de sang dans son auto?

— Non.

— Et il n'y avait pas de sang sur le pare-chocs de son auto ni rien de tel, n'est-ce pas?

— Non.

Il lui fit répéter qu'elle avait immédiatement déménagé dans un appartement avec Frenchy et les enfants, puis, plusieurs semaines plus tard, dans une autre maison.

— Maintenant, veuillez m'aider, demanda-t-il à Pat, en disant au jury pourquoi vous avez déménagé dans une autre maison au lieu de tout simplement emménager dans la maison de Jeannine?

— Non, je ne peux pas vous dire pourquoi.

— Qu'est-ce que vous croyiez à l'époque?

— Je n'avais aucun contrôle là-dessus.

— Bon, mais voyez-vous, est-ce que vous ne vous disiez pas à l'époque, est-ce que vous n'avez pas dit au procureur que vous pensiez que Jeannine était tout simplement partie temporairement pour prendre soin de sa mère?

— Oui.

— Alors, pourquoi aviez-vous besoin d'emménager dans un appartement plus grand, sur une base apparemment permanente, si elle n'allait être partie que temporairement?

— Je n'en ai aucune idée.

Alors, poursuivit-il, ils déménagèrent tous et les enfants virent Frenchy et Pat dormir ensemble et tout cela commença le jour après que Frenchy fut revenu de l'aéroport.

— N'avez-vous pas pensé qu'il serait excessivement étrange [pour Jeannine] de revenir à l'appartement de deux chambres pour trouver les enfants installés avec vous deux? Est-ce que ça vous est passé par l'esprit?

— Non.

— Eh bien! comment alliez-vous l'expliquer à Jeannine, pourquoi vous dormiez avec son mari et pourquoi vous viviez avec ses enfants chez vous au lieu de les garder à la maison? Qu'est-ce que votre explication allait être?

— Je n'y ai pas pensé.

— Je veux dire: elle vous a demandé de les garder, de prendre soin d'eux pendant son absence, n'est-ce pas?

— C'est vrai.

— Ou est-ce qu'elle vous les a donnés?

— Non, elle ne me les a pas donnés.

— Est-ce qu'elle a dit: "Ce sont tes enfants. Je ne reviens pas"?

— Non.

Zimmermann avait pris un air d'incrédulité railleuse et il se déchaîna sur Pat.

— Vous saviez qu'elle ne reviendrait pas parce qu'elle vous avait dit qu'elle en avait assez de cette liaison entre Frenchy et vous, et qu'elle ne pouvait plus le supporter, et qu'elle partait. Elle vous a dit ça quand elle est partie pour l'aéroport, non?

— Non, elle ne m'a pas dit ça, répliqua Pat.

À présent, Zimmermann avait soulevé des doutes troublants sur le récit de Pat, sur sa version des événements entourant le départ de Jeannine. Rien de tout cela ne semblait raisonnable, surtout pour des gens qui ne savaient rien de plus sur Frenchy que ce qu'on avait présenté au procès. Et les doutes ne portaient pas sur Frenchy. On pouvait comprendre pourquoi il aurait voulu déménager. Supposons que Jeannine s'était querellée avec lui et était partie. Peut-être aurait-il déménagé parce qu'il ne voulait pas qu'elle revienne et qu'elle s'empare des enfants. Mais Pat? Pourquoi serait-elle partie si elle croyait que Jeannine serait de retour dans quelques semaines?

Zimmermann avait fait un travail très habile. Mais il n'avait pas encore fini. Il voulait en savoir plus long sur le bulletin de nouvelles. Il fit repasser à Pat son propre témoignage, lui fit admettre qu'elle n'avait pas quitté Frenchy en Floride, lorsqu'il lui avait révélé l'existence de sa femme et de ses enfants, parce qu'elle n'avait pas d'argent. Et elle déclara qu'elle n'était pas partie après le bulletin de nouvelles parce que, encore une fois, elle n'avait pas d'argent et qu'en plus elle devait prendre soin des enfants. Il lui fit admettre que c'était il y a longtemps et qu'elle ne se rappelait pas exactement ce qui s'était dit et qu'elle ne se souvenait pas clairement si Frenchy l'avait menacée. Ayant réussi à la rendre confuse, il frappa.

— Parce que cette conversation ne s'est jamais vraiment passée, n'est-ce pas, Pat? La conversation lors du prétendu bulletin de nouvelles, ça n'est jamais vraiment arrivé, non?

À son propre étonnement, elle répondit: «Ça aurait pu arriver.»

— Ça aurait pu?

— Oui.

— Mais ce n'est pas arrivé de façon certaine, n'est-ce pas?

— Je ne suis pas absolument certaine.

À présent, on pouvait presque entendre des grognements à la table de la poursuite.

— Vous ne pouvez pas dire sous serment à ce jury que Frenchy Durand a fait ces commentaires dont vous avez témoigné au jury hier? Vous ne pouvez pas dire ça avec certitude sous serment, n'est-ce pas?

— Non.

— Selon vous, c'est peut-être ce qui s'est passé, n'est-ce pas?

— C'est ça.

— Et vous étiez en Californie quand vous avez fait cette affirmation. Ces officiers de police se sont présentés à votre porte; et bien sûr, c'était un peu effrayant, n'est-ce pas?

— Oui.

Pat semblait avoir perdu de sa vitalité. Wilson et Taylor semblaient en état de choc. Leur cause semblait se défaire. Leur témoin principal n'était plus sûr de rien.

Zimmermann ne lâchait pas prise. Il rappela à Pat qu'elle n'avait pas quitté Frenchy à Victoria, lorsqu'elle était chez son père, et qu'ensuite elle ne l'avait pas quitté à Ottawa. «Vous ne pouvez pas dire que vous n'aviez pas d'argent à cette époque parce que vous étiez de retour dans la ville où vous aviez un emploi payant, n'est-ce pas?»

— Oui.

Et elle n'était pas partie, dit Zimmermann, parce qu'elle n'était pas certaine que Frenchy avait fait quoi que ce soit de mal?

— Je ne sais pas s'il l'a fait ou non.

À présent, il s'apprêtait à livrer le coup de grâce: «Parce que vous ne savez pas si cette conversation a vraiment eu lieu. Vous n'êtes pas certaine, vous n'en êtes pas absolument sûre?»

— C'est vrai.

— Parce que vous n'êtes pas le genre de personne qui serait allée au lit ce soir-là après le bulletin de nouvelles avec quelqu'un qui, pensiez-vous, avait tué sa femme, n'est-ce pas?

— Non, répondit-elle d'une petite voix étouffée.

Un grand effort attendait Wilson lorsqu'il se leva pour tenter de récupérer ce qu'il pouvait du témoignage de Pat. Fatiguée, elle restait bouche bée, écoutant avec beaucoup d'attention et demandant souvent à Wilson de répéter ses questions. Il voulait surtout l'amener à reconfirmer sa version de la conversation qui avait suivi le bulletin de nouvelles. Il commença lentement, patiemment, parlant clairement et posant des questions simples. Mais la première réaction de Pat ne fut pas prometteuse.

— Qu'est-ce que vous vous rappelez qu'il a dit quand on a présenté le bulletin de nouvelles?

— Pas tellement de choses parce qu'on avait bu.

Si cet aveu inattendu l'abattait, Wilson n'en montra aucun signe. Il continua, mais fut interrompu à plusieurs reprises par les objections de Zimmermann. Zimmermann se levait et s'assoyait comme s'il avait des ressorts à la place des jambes. Il avait marqué des points et n'était pas homme à laisser la victoire lui glisser des mains. C'était pénible à voir. Pat était à présent tellement embrouillée que Wilson devait constamment répéter ses questions, et chaque fois, Zimmermann prétendait qu'il dirigeait son témoin. Mais questions et réponses finirent par s'enchaîner.

— Vous rappelez-vous le bulletin de nouvelles?

— Oui.

— Quand le bulletin de nouvelles est arrivé, je veux que vous disiez au jury ce que, d'après vos souvenirs, le prévenu vous a dit en premier? Qu'est-ce qu'il a dit en premier quand le bulletin de nouvelles est arrivé?

— Il a dit: “Ils l'ont trouvée.”

— O.K. Est-ce que vous lui avez dit quelque chose alors?

— J'ai dit: “Qui?”

— Et qu'est-ce qu'il a dit?

— Jeannine.

— Et qu'est-ce que vous avez dit?

— J'ai dit: “Je pensais qu'elle était au Canada.”

— Qu'est-ce qu'il a dit?

— Non, elle n'est pas là.

— Est-ce que vous avez dit quelque chose alors ou est-ce qu'il a dit autre chose?

Zimmermann sauta à nouveau avec une objection, puis deux. Cela parut une éternité avant que l'on donne à Pat l'occasion de répondre. On aurait dit que le sort de Frenchy était dans la balance et que son avenir serait déterminé par ce que Pat allait dire ensuite.

— Qu'est-ce qui s'est dit devant la télévision, à part de ce que vous venez de déclarer vous rappeler au jury, Pat?

— Si tu dis un mot de ça, tu vas finir à la même place qu'elle.

— À présent, je veux que vous regardiez le jury. Ma question est: madame, est-ce que cette conversation dont vous venez de témoigner encore devant ce jury, est-ce que cette conversation a pris place à ce moment-là?

— Oui.

Wilson avait l'air d'un homme qui venait de sauver un enfant de la noyade. Il voulait à présent que le jury comprenne ce qu'il venait de faire. Il savait, dit-il à Pat, qu'après tout ce temps, il ne s'attendait pas qu'elle puisse se rappeler les paroles exactes que Frenchy avait utilisées. Mais, dit-il, «si vous ne vous rappelez pas les paroles exactes, est-ce que vous vous rappelez, d'une façon générale, ce qu'a dit le prévenu?»

— Pas les paroles exactes.

— Je comprends cela et le jury comprend cela, mais en général, est-ce que c'est de cela que vous avez parlé?

— Oui.

— En êtes-vous sûre?

— Oui.

À présent, c'était au tour de Zimmermann de tenter de conserver ses acquis. Il se dirigea vers Pat pour la soumettre à un bref contre-interrogatoire.

— À cause du passage du temps, vous ne vous rappelez pas vraiment avec certitude ce qui s'est dit, n'est-ce pas?

— C'est vrai.

— Vous avez également dit au jury que vous n'étiez même pas sûre que cette conversation s'était déroulée ainsi. Est-ce vrai?

— Pas mot pour mot, non.

— Peu importe ce qui s'est passé après ce bulletin de nouvelles, vous avez passé cette nuit-là avec Frenchy, n'est-ce pas?

— Oui.

Lorsque Pat quitta finalement la barre des témoins cet après-midi-là, toutes les possibilités étaient ouvertes sur ce que les jurés allaient conclure de son témoignage. Ils auraient tout simplement pu décider que rien de tout cela n'était fiable, qu'elle s'était contredite tellement de fois qu'on ne pouvait lui faire confiance sur aucun point. Et en fait, de grandes portions de son récit n'avaient aucun sens. Pourquoi n'était-elle pas partie? Pourquoi avaient-ils déménagé le lendemain? Avait-elle vraiment dormi avec un meurtrier pendant tant d'années?

Wilson espérait que le jury reconnaisse la confusion de Pat à la barre. Quant à Zimmermann, son espoir était que le jury commence à soupçonner que Pat n'avait rien dit de vrai et que si quelqu'un avait un motif pour tuer Jeannine, c'était Pat elle-même. Il avait laissé une piste d'indices dans tout son contre-interrogatoire: Pat ne pouvait avoir d'enfants; elle considérait Martine comme son propre enfant; elle aimait Ray, mais elle avait été obligée de le partager et finalement, au moment de la disparition de Jeannine, Pat avait emménagé et était devenue la mère des quatre enfants. C'était un scénario juste assez plausible pour créer le doute raisonnable dont Frenchy avait besoin pour être acquitté.

Chapitre vingt-six

Houston, Texas, 1992
Quatrième partie: la défense

Toute la matinée, Réginald resta assis sur un banc du corridor de la salle de tribunal, intimidé par l'activité incessante qui régnait. Denis était à côté de lui, écouteurs aux oreilles, une musique country battant sur son baladeur, et un magazine ouvert sur ses genoux. Denis était nerveux. Il ne pouvait se concentrer et se sentait perdu dans la mer de ses propres inquiétudes. Mais il avait passé suffisamment de temps avec son oncle, à présent, pour savoir que le fait de tenir compagnie à Réginald ne voulait pas dire qu'il devait constamment soutenir la conversation.

Denis supposa que Zimmermann essaierait de lui faire porter le poids de toute l'affaire, prétendant que l'accusation contre Frenchy était son œuvre et qu'après une vie d'efforts, il avait entraîné tout le monde avec lui. Il se disait que le procureur de la défense allait le harceler à propos de sa haine contre Frenchy.

Ce qui rendait Denis encore plus tendu, c'était le fait que le frère de Ray, Gerry, et la femme de ce dernier, Louise, étaient assis un peu plus loin dans le corridor. Ils étaient là depuis le début du procès; on ne les laissait pas entrer dans la salle du tribunal parce qu'on s'attendait à les voir témoigner. Denis n'aimait pas particulièrement l'oncle Gerry et il n'était pas enclin à aller s'asseoir pour jaser avec lui alors qu'il doutait que Gerry allait monter à la barre pour aider Ray à sauver sa peau. Il se disait que si Gerry faisait cela, il lui dirait d'aller se faire foutre.

Ce matin-là, Michel Béland avait accompagné Réginald et Denis au centre-ville, mais avait décidé de demeurer dans le bureau de Wilson. Il s'inquiétait du fait que Zimmermann penserait qu'il essayait d'influencer Réginald s'il passait la journée dans le corridor avec lui. Béland était anxieux à propos de la façon dont Réginald se débrouillerait avec tout cela.

Il n'avait pas à s'inquiéter. Réginald, vêtu d'un pantalon *baggy* de couleur ocre, d'un veston sport brun chocolat à double boutonnage, d'une chemise blanche et d'une étroite cravate de cuir, s'efforça toute la matinée d'avoir l'air détendu, comme s'il faisait ce genre de choses tous les jours. Il avait peigné le peu de cheveux qu'il lui restait sur la tête, avait brossé ses dents noircies et marchait d'un air important. Ses gestes étaient exagérés, étudiés. Mais il tenait le coup.

Finalement, à 14 h, il fut appelé dans la salle du tribunal et assermenté. Il se laissa tomber sur la chaise et croisa ses bras sur son gros ventre. L'une des choses que plusieurs jurés dirent plus tard avoir immédiatement remarqué, ce fut son front haut, qui a exactement la même forme que celui de la femme sur la photo de la morgue.

On demanda à Gratton de traduire pour Réginald et il se plaça à côté du témoin. Il devait procéder rapidement, car Réginald avait tendance à répondre avant que Gratton ne puisse traduire les questions. Gratton était encore en train de lui traduire la question lorsque Réginald lui donnait la réponse en français. Plusieurs fois, Réginald se fit dire de ralentir et d'attendre la fin de la question. Dès le début de son témoignage, il parut évident que cet homme n'était pas un imbécile. Pendant les jours qui avaient précédé son témoignage, Zimmermann et Lavine avaient laissé entendre aux reporters que la comparution de Réginald allait être une surprise pour tout le monde. Il semblait que Ray leur ait donné l'impression que Réginald était un imbécile.

Menant l'interrogatoire de Réginald, Taylor lui fit résumer les grandes lignes de sa vie: il était né à Hull, sa mère était morte en 1983, son père était mort à l'automne de 1979, et sa seule sœur, Jeannine, s'était mariée en 1954. Il rappela le déménagement de Jeannine en Floride, son retour, les mois d'été qu'elle et les enfants avaient passés avec eux, et son départ en taxi pour l'aéroport de Montréal. Il rapporta qu'autour de Noël 1967, Jeannine avait appelé chez elle six fois et que le dernier appel datait du 1er janvier. Il déclara qu'ils ne l'avaient plus jamais vue, et n'avaient plus jamais eu de contact avec elle.

Réginald parla de la visite de Ray en 1970, au cours de laquelle ce dernier avait dit que Jeannine et les enfants étaient à Vancouver. Réginald déclara que Ray leur avait donné une adresse et plusieurs numéros de téléphone, et que sa mère avait composé les numéros en retournant à la maison.

— C'étaient des faux numéros, dit Réginald sans expression.

Réginald dit que sa mère avait écrit neuf lettres à l'adresse de Vancouver et qu'elles étaient toutes revenues sans avoir été ouvertes.

Puis Taylor demanda à Réginald quelle était la taille de Jeannine.

— Cinq pieds sept, répondit-il.

— Et votre mère?

— Cinq pieds sept et trois quarts.

— Vous rappelez-vous que votre sœur ait déjà comparé sa taille avec celle de votre mère?

— Oui, ma mère était un peu plus grande.

Lorsqu'on lui demanda la couleur des cheveux et des yeux de Jeannine, Réginald dit qu'elle avait les yeux bleus et les cheveux brun pâle mais qu'elle les avait teints à un certain moment.

Taylor tendit à Réginald la photo de la morgue et plusieurs jurés retinrent leur souffle tandis qu'il la regardait un instant.

— C'est ma sœur, Jeannine, affirma-t-il sans une trace d'émotion.

Alors que Lavine commençait son contre-interrogatoire, la question que Zimmermann avait posée à Béland plus tôt au cours du procès lui vint à l'esprit. Il lui avait demandé si Réginald avait déjà travaillé. Cette question, de même que les coups d'œil entendus et les roulements d'yeux que Zimmermann et Lavine avaient envoyés aux reporters chaque fois que le nom de Réginald avait fait surface, suggéraient que la stratégie de la défense, pour ce témoin, allait être de le décrire ou bien comme un attardé, ou bien comme un fou dangereux que la famille avait gardé caché au grenier. Mais lorsque, au moment de l'interrogatoire de la poursuite, Réginald parut être tout sauf un imbécile, il semble que l'on choisit plutôt l'option du fou. Bien entendu, c'était dans le but de démontrer cela que les subtiles questions de Lavine s'appliquaient.

Lavine commença par suggérer à Réginald qu'il n'aimait pas Raymond Durand.

— Eh bien! oui, à cause des faux numéros, tout ça, répondit Réginald par l'entremise de Gratton.

Lavine amena Réginald à admettre que Jeannine était susceptible de savoir, au Canada, que Ray fréquentait d'autres femmes. Puis Lavine se mit à élaborer le piège. Il suggéra que la maison était pleine à craquer à l'époque où Jeannine et les enfants y habitaient, et Réginald dit que oui. Il lui demanda comment il avait identifié la photo et si Michel Béland lui avait dit, avant de la lui montrer, que c'était une photo de sa sœur. Réginald répéta avec insistance que Béland lui avait seulement demandé s'il reconnaissait la personne qui figurait sur la photo. Puis, Lavine se concentra sur Réginald lui-même.

— Qu'est-ce que vous faites dans la vie?

— J'ai de petits intérêts, mais ça ne vous regarde pas, répondit de façon défensive Réginald qui, de toute évidence, se trouvait pris par surprise.

Poussé une fois de plus sur le même sujet par Lavine, Réginald devint agité. «Je ne pense pas que ça ait un rapport quelconque avec l'affaire... J'ai toujours été malade. C'est très dur pour moi de venir ici. Je ne suis pas en très bonne santé. Je suis malade la nuit, je vomis, je peux à peine dormir.»

Lorsqu'on lui demanda s'il prenait des médicaments, Réginald répondit que oui. Lorsqu'on lui demanda lesquels, il dit: «De l'aspirine.»

— Il y a quelque chose dans votre passé dont vous ne voulez pas parler, suggéra Lavine.

— Je n'ai jamais rien fait de mal, protesta Réginald. Je ne sais pas ce qu'il essaye de dire.

C'était tout ce dont Lavine avait besoin, et il lâcha prise. Il conclut en posant à Réginald plusieurs questions sur la couleur des yeux et des cheveux de Jeannine, et annonça qu'il avait complété son contre-interrogatoire. Réginald semblait grandement soulagé en descendant, et oublia d'adopter sa démarche autoritaire en sortant de la salle du tribunal.

Après un court répit, Denis fut appelé et, plus de vingt ans après avoir dit pour la première fois que son père mentait à propos du sort de Jeannine, il entra dans une salle de tribunal pour donner sa version sous serment. Il avait attendu une telle occasion pendant la plus grande partie de sa vie. Après la ré-inhumation de sa mère, il avait dit que le seul fait de savoir où elle se trouvait à présent, et de connaître son sort, confirmait son sentiment d'identité et lui permettait de reconquérir son enfance avec elle. Le fait de la retrouver avait jeté un pont au-dessus des années sombres, des années qu'il avait vécues dans ce que Tennyson appelait «la confusion pire que la mort», jusqu'à son enfance au cours de laquelle la présence et l'amour de sa mère l'avaient toujours soutenu dans les moments de tristesse, de peine ou de honte. Il avait affirmé que ce qui lui importait, c'était de savoir ce que sa mère était devenue, et non ce que le Texas allait faire de Frenchy. Il affirmait avec insistance qu'il possédait déjà ce qu'il avait toujours voulu: la sécurité de savoir que sa mère ne les avait pas rejetés, lui, ses sœurs et son frère, de savoir qu'elle ne les avait pas bêtement abandonnés, qu'en vérité, comme il se le rappelait, elle les avait aimés de façon intense, protectrice et inconditionnelle.

Cependant, lorsque Denis entra dans la salle du tribunal, vêtu d'un complet bleu foncé, sa mince chevelure blonde ramenée vers l'arrière, ses yeux le trahirent. Une fois assermenté et assis, il lança à Frenchy un regard de haine pure, et ses yeux bleus étaient durs et ternes. Ses yeux révélaient ce qu'il avait nié. En fait, il méprisait Frenchy pour ce qu'il avait fait, selon lui, à Jeannine. Le regard qu'il jeta à son père — et ce fut un regard qui n'échappa ni aux jurés, ni aux avocats, ni à qui que ce soit dans la salle — disait: «Tu vas brûler en enfer.» Il semblait prêt à bondir de son siège, à enserrer de ses mains le cou gras et ridé de son père, et à l'étouffer à mort. Ceux qui le regardaient se demandèrent si sa haine allait nuire à son témoignage, et amener les jurés à mettre sa crédibilité en question. En fait, l'habile interrogatoire de Taylor permit à Denis de déverser ses sentiments dans son témoignage, et ce qui en sortit fut une puissante et accablante démonstration du traitement brutal que Ray avait l'habitude de servir à sa femme et à ses enfants.

Denis parla au jury de sa petite enfance, de sa vie rue Michaud, de la faillite de son père en 1966 et de leur déménagement rue Bernier. Il dit qu'il avait commencé à livrer les journaux et à donner ses revenus à sa mère parce que son père était parti en Floride et les avait laissés sans argent. Il décrivit le déménagement en Floride et sa rencontre avec Pat, que son père leur présenta comme la femme de son patron.

Il raconta que son père les avait renvoyés à Hull parce qu'il n'y avait pas d'école française pour eux. Il dit qu'ils avaient vécu avec les Boissonneault jusqu'au soir de fin d'été où ils avaient pris un taxi pour l'aéroport de Dorval à Montréal.

«Les billets d'avion nous attendaient. Pour Houston. Mon père nous a rencontrés à l'aéroport de Houston. Il nous a emmenés dans une maison de la rue Beech. Je ne parlais pas beaucoup l'anglais.»

Denis dit qu'il se rappelait qu'au retour de l'aéroport, son père avait dit à sa mère: «Jeannine, tu ne le croiras pas. Je m'en allais en Louisiane pour trouver une école française et qui je rencontre? Pat avec son mari.» Selon Denis, Ray avait dit à Jeannine qu'il avait décidé de les suivre jusqu'à Houston et de travailler dans leur atelier de carrosserie.

Il raconta au tribunal que Pat fit un clin d'œil à son père pendant que sa mère préparait le dîner de Noël cette année-là, et raconta que lorsqu'il roulait en vélo près de l'appartement de Pat, il voyait l'auto de son père dans l'entrée. Et il se rappela que, en Floride, alors que sa mère était à l'hôpital pour accoucher de Martine, et que Pat gardait les enfants, son père était censé dormir sur le divan. «Je me levais pour aller aux toilettes et papa n'était pas sur le divan. Je ne l'ai jamais dit à maman.»

Il décrivit sa mère comme «une personne gentille, tranquille et timide. Elle nous aimait beaucoup. Elle était grosse. Je savais que ma mère était grande, mais je ne me rappelle pas quelle taille elle mesurait. Elle avait des dentiers, en haut et en bas.»

Il dit qu'un matin, lorsqu'il se leva, Pat, à la table de la cuisine, lui dit que sa mère était retournée à Hull pour s'occuper de sa grand-mère malade. Il dit qu'il ne l'avait plus jamais revue. Le dernier souvenir d'elle auquel il pouvait attribuer une date, c'était lors de son anniversaire, le 30 décembre 1967. «Ma mère avait préparé un gâteau. L'anniversaire de papa tombe le même jour. Papa n'était pas venu. Maman était furieuse.»

Il dit qu'il se trouvait à la maison le lendemain du supposé départ de sa mère pour le Canada. Il dit que son père était entré et qu'il s'était toujours rappelé que Ray portait alors deux valises, dont l'une était le sac pliable qu'il avait vu Jeannine acheter à Ottawa pour transporter ses robes sans qu'elles se froissent. Jeannine serait de retour dans deux semaines, lui avait dit son père, qui le lui avait répété jusqu'au jour où «nous roulions en auto, en direction de l'Astrodome. J'étais assis sur la banquette arrière [et je lui ai demandé des nouvelles de Jeannine]. Je me suis mis à pleurer. Il a essayé de me gifler et il m'a dit: "Ferme ta maudite gueule et viens pas m'achaler avec ça." Il a dit qu'elle ne m'aimait pas et que je devais appeler Pat "maman"».

À présent, Denis accaparait toute l'attention intense des jurés. Non seulement son témoignage était détaillé et désarmant, mais comme son oncle Réginald, Denis avait le front haut que plusieurs jurés avaient remarqué dans la photo de la morgue. À la table de la défense, Ray ne pouvait regarder Denis. Il semblait extrêmement mal à l'aise. De temps en temps, Denis lui lançait un autre regard méprisant.

Denis se rappela le déménagement à Big Thicket et dit à quel point il se sentait malheureux. Fixant son père, il raconta qu'il pleurait souvent en disant à Ray et à Pat qu'ils ne l'aimaient pas. Il dit que Ray et Pat le traitaient tous deux de «gros bébé, gros tata».

Il dit qu'à l'école, ils s'appelaient encore Durand. Mais ailleurs, c'étaient les Holben. Il décrivit le déménagement à San Diego, puis à Victoria et finalement à Ottawa. Il décrivit le jour où il se faufila hors de la maison, trouva le numéro de téléphone d'Hermas Boissonneault et appela ses grands-parents. Il raconta qu'un soir, il leur avait rendu visite, et lorsqu'il était arrivé chez lui, son père l'attendait, furieux parce qu'il était allé chez les Boissonneault. Il dit que son père avait promis de lui acheter une batterie s'il acceptait de ne plus y retourner.

Il raconta que son père le laissa ensuite chez sa grand-mère Durand et disparut avec Pat et les autres enfants, et qu'il lui fallut attendre plusieurs années avant de découvrir où ils étaient partis. Il décrivit sa visite à la police avec le journaliste, et dit que ses grands-parents avaient refusé de signer une plainte pour que le policier le prenne au sérieux. Il rapporta que le policier lui avait conseillé de revenir le jour de son 18e anniversaire et que trois semaines avant cet anniversaire, son père avait appelé, disant qu'il habitait à San Diego et qu'il l'invitait à aller le rejoindre. Il décrivit la querelle qu'il avait eue avec son père après son déménagement à San Diego, à la veille de son retour au Canada pour se marier. Il avait voulu qu'Anne l'accompagne, mais Ray refusait de la laisser partir. Ils s'étaient disputés, le nom de Jeannine avait fait surface et Ray lui avait dit: «Je sais où se trouve Jeannine. Quand elle sera prête à vous voir, je vous emmènerai.»

Finalement, Denis parla de son retour au Canada et des années qu'il avait passées sans voir son père. Il dit aux jurés qu'Anne avait décidé, en 1990, de l'aider à chercher Jeannine. Il décrivit les événements qui avaient mené au lunch d'Anne avec Nadeau, qui avait lancé l'enquête.

Puis, comme il l'avait déjà fait trois fois, Taylor déposa la photo de la morgue devant le témoin.

«Maman», dit Denis, s'efforçant de retenir ses larmes.

À présent, Denis rassemblait ses forces en vue de l'interrogatoire serré de la défense. Lavine se leva et, à l'étonnement de toutes les personnes présentes, annonça: «Aucune question.»

Après que Densen eut permis au jury de se retirer pour le reste de la journée, les reporters s'agglutinèrent autour de Zimmermann et de Lavine.

Lorsqu'on lui demanda pourquoi ils ne l'avaient pas contre-interrogé, Zimmermann tenta de paraître magnanime.

«Il faut le considérer comme une victime potentielle des circonstances, dit-il avec emphase. Il a perdu [sa mère]. Pourquoi prolonger sa douleur? Denis est un jeune homme très sympathique.»

Lavine justifia la décision en insistant sur le fait que Denis n'avait rien dit «qui pouvait nuire à la cause de Frenchy... Il est en colère. Il a fait un simple compte rendu.»

Les deux avocats affirmèrent que Denis avait fait certaines suppositions mais que par ailleurs, son témoignage ne nuisait en rien à leur cause. Ils semblaient optimistes et certains d'avoir pris la bonne décision.

Ray était demeuré calme au cours de la majeure partie du procès. Le fait de voir Anne et Denis l'avait énervé, mais il ne s'était pas effondré et n'avait montré rien de plus que de la nervosité.

Au départ, Denis devait être le dernier témoin de Wilson. Mais il était devenu préoccupé par le témoignage de Bucklin en contre-interrogatoire. Bucklin avait dit qu'il «se serait attendu à voir» des signes de ligature de trompes durant l'autopsie et qu'il «ne pensait pas» avoir pu ne pas les voir. Wilson était également préoccupé par la différence de couleur des yeux et des cheveux. Jeannine avait les yeux bleus et les cheveux blonds, tandis que les yeux du cadavre «paraissaient bruns» et ses cheveux, brun foncé. La différence de taille, pour lui, ne posait plus de problème. Selon le dossier de l'hôpital, Jeannine mesurait 5 pieds 3 pouces (1 m 57), mais tous les témoins avaient dit qu'elle était plus grande, et Réginald avait été précis, disant qu'elle mesurait 5 pieds 7 pouces (1 m 67), tout comme le cadavre. Wilson appela donc son gros canon, le Dr Joseph Jachimczyk, chef médecin légiste du comté de Harris.

Jachimczyk était en poste depuis 1960 et se trouvait être le patron de Bucklin en 1968. Petit, les cheveux blancs, spécialiste expérimenté en pathologie légale, Jachimczyk entra dans la cour portant des chaussures blanches, un complet bleu et un nœud papillon. Il fut assermenté et, d'une voix forte et puissante, déclara qu'il était non seulement diplômé du département de médecine légale de Harvard, mais aussi diplômé en droit du Boston College, et qu'il détenait un diplôme de théologie.

Jachimczyk dit qu'il avait récemment relu les notes d'autopsie de Bucklin. Wilson lui demanda si les trompes de Fallope pouvaient sembler normales après une ligature de trompes. Avec la permission du juge, Jachimczyk se dirigea vers un tableau noir, prit un morceau de craie, esquissa un diagramme et expliqua qu'on attache les trompes à deux endroits, et qu'on pratique une incision entre les ligatures et les deux extrémités reliées ensemble. Il dit que le chirurgien ne laisse pas de vide entre les deux extrémités parce que ce vide représenterait une source potentielle d'infection.

«Quand la guérison se produit, dit-il, cela peut sembler normal à l'œil nu, ou au mieux, cela peut avoir l'air d'une petite fossette.»

Wilson montra à Jachimczyk le dossier médical de Jeannine et lui demanda s'il y avait là quelque chose qui l'amènerait à changer d'avis sur l'identité de 68-500. Il dit que non. Lorsqu'on l'interrogea sur la couleur des yeux, Jachimczyk rappela que Bucklin n'avait pas dit que les yeux étaient bruns, mais qu'ils paraissaient bruns. Il dit qu'en soi, la couleur des yeux ne changeait pas mais que l'apparence des yeux change: «Le blanc de l'œil a des vaisseaux sanguins. En présence de la décomposition, l'hémoglobine de l'œil se décompose et forme un pigment foncé. La couleur pâle devient une couleur foncée.»

Lorsqu'on lui demanda si la couleur des cheveux change dans un corps en décomposition, Jachimczyk dit, une fois de plus, que la couleur même ne change pas. «Mais l'apparence, oui. Elle semble également beaucoup plus foncée. La couleur pâle paraît foncée. Si vous lavez les cheveux, ils retrouveront leur couleur originale.»

Comme Wilson prenait bien soin de ne pas inviter Jachimczyk à critiquer le travail de son ex-collègue, il accorda beaucoup de soin à la formulation de la question suivante.

«En toute justice envers Bucklin», demanda-t-il, l'autopsie d'un corps en décomposition présente-t-elle des difficultés?»

C'est plus difficile, répondit Jachimczyk. «Ce n'est pas Chanel Nº 5, c'est certain.»

Wilson lui demanda si l'identité de 68-500 lui paraîtrait différente si on lui disait que Jeannine avait une tache de naissance sur le front. Jachimczyk affirma que cela ne ferait aucune différence. Il avait expliqué plus tôt que la peau en décomposition paraît plus foncée et pourrait apparemment obscurcir une tache de naissance.

Zimmermann contre-interrogea Jachimczyk en soulignant le fait que si Bucklin avait soupçonné que les yeux n'étaient pas bruns, il aurait inscrit une note à cet effet. Mais Jachimczyk dit qu'il acceptait ce que Bucklin avait noté: non pas que les yeux étaient bruns, mais qu'ils paraissaient bruns. Les deux hommes s'échangeaient des répliques, Zimmermann soulignant les différences au point de vue de la couleur des cheveux, de la taille par rapport au dossier de l'hôpital, et du poids, et Jachimczyk écartant patiemment, rationnellement, les incohérences, et assurant l'avocat que son personnel n'avait pas fait d'erreur en identifiant le 68-500.

Zimmermann finit par abandonner, et Wilson annonça qu'il avait terminé la présentation de sa cause, qui lui avait pris sept jours et demi. Densen permit aux jurés de se retirer et, dès qu'ils furent partis, Zimmermann demanda un verdict d'acquittement. Il prétendait que la preuve était insuffisante «pour soutenir un verdict de culpabilité, étant donné qu'elle n'établit pas la culpabilité au-delà d'un doute raisonnable». Densen refusa et, à 14 h 20, cet après-midi-là, Zimmermann commença à présenter sa défense.

Le premier témoin de Zimmermann fut un gynécologue, le Dr Gerry Marcontell, qui décrivit en détail les procédures chirurgicales qu'implique une ligature de trompes. Il dit que Jeannine avait subi une «procédure de Pomeroy» normale.

«On fait une incision sous le nombril, dit-il, on fait sortir une section de la trompe de Fallope, on la ligature et on l'attache avec du catgut.»

Lorsqu'on lui demanda ce qui arrivait aux extrémités de la trompe après la chirurgie, Marcontell dit qu'«elles se rétractent [l'une par rapport à l'autre] selon la quantité de trompe retirée».

Combien de temps mettraient-elles à se rétracter? demanda Zimmermann.

«Je ne peux vous le dire avec certitude. Les points de suture se dissolvent en 21 jours. Le processus de rétractation commence par la suite.»

Lorsqu'on lui demanda si le chirurgien tire les deux extrémités ensemble pour empêcher quoi que ce soit de s'interposer, Marcontell, contredisant Jachimczyk, répondit que non. Finalement, lorsqu'on lui demanda si la ligature serait encore visible huit mois après la chirurgie, Marcontell dit: «Elle serait nettement détectable.»

Au contre-interrogatoire, Wilson ne fit qu'une bouchée de Marcontell. Il demanda au gynécologue combien il était payé pour apparaître pour la défense, et Marcontell dit: «250 $ l'heure».

— Combien d'autopsies avez-vous pratiquées?

— Aucune.

— Avez-vous déjà entendu parler du Dr Jachimczyk?

— Je crois qu'il donnait des cours dans notre classe à l'école de médecine.

— Avez-vous déjà senti l'odeur d'un corps en décomposition?

— Non.

— Vous n'êtes pas ici pour évaluer les articles du médecin légiste?

— Non, monsieur.

— Avez-vous du respect pour le Dr Jachimczyk?

— Oui.

— Lorsqu'un chirurgien a terminé [la ligature], ces deux extrémités sont replacées ensemble aussi près que possible?

— Elles sont si près l'une de l'autre que l'alimentation en sang est coupée.

— Et on les laisse se toucher?

— Oui.

— Avec le temps, elles s'écartent l'une de l'autre?

— Oui.»

À présent, le jury avait entendu dire bien des choses à propos de Ray, de sa vie et de sa famille. Les jurés savaient que Ray avait des frères et des sœurs et ils devaient se demander si l'un ou l'autre allait apparaître pour parler en sa faveur. Le deuxième témoin de Zimmermann répondit à ces attentes.

Ce témoin était Hubert Labelle, un pompier pompeux, avec un long nez, qui était habillé avec tout le flair d'un vendeur d'autos. Il est marié à la sœur de Ray, Mireille. La plus grande erreur de la défense fut d'amener Labelle à témoigner.

Labelle dit qu'il était chef adjoint des pompiers à Gloucester, une petite ville de la région d'Ottawa. Il dit qu'il avait rencontré Jeannine environ un an avant son départ pour le Texas, et qu'il avait vu beaucoup de corps horriblement défigurés par le feu. Lorsqu'on lui montra la photo de la morgue, il fut catégorique.

«Monsieur, dit-il sur le ton précieux et officiel qu'il utilisa tout au long de son témoignage, je ne peux identifier cette personne.»

À présent, on demanda à Labelle de présenter un court exposé sur la langue, en particulier sur les différences entre le français québécois et le français parlé en France.

«Nous l'appelons [le français québécois] un patois. C'est un français qui, au cours des années, a été utilisé par le peuple canadien, et qui est très, très différent du français parisien. Nous avons tendance à regrouper les syllabes plutôt que de les prononcer correctement, de la façon appropriée.»

Donc, lui demanda-t-on, il serait immédiatement possible de dire si un francophone est du Québec ou de la France?

«Oh oui! très certainement.»

Au cours de l'interrogatoire de Labelle, Lavine donna l'impression de manœuvrer aux limites des règles de la preuve. Il créa l'impression que Labelle était en possession d'une information essentielle, mais qu'il ne pouvait la révéler à cause d'obscures règles de la loi.

Il demanda à Labelle de raconter une visite qu'il avait faite avec sa femme à San Diego en 1973. Labelle dit qu'ils avaient résidé chez Ray et qu'un matin, dans la chambre de Ray, après avoir pris une douche, il était en train de se sécher lorsqu'il remarqua une enveloppe sur une commode. Il la prit, dit-il, et était en train de l'examiner lorsque Ray entra.

Étant donné que la défense ne pouvait déposer l'enveloppe comme preuve, on interdit à Labelle de révéler au jury ce qu'il avait appris en la voyant. Lavine savait que la poursuite s'y objecterait, et empêcherait Labelle de décrire le contenu de l'enveloppe qu'il disait avoir vue — et c'est ce que fit Taylor. Toutefois, Lavine persista. Il voulait que Labelle rapporte ce que Ray lui avait dit. Taylor s'objecta et le jury fut renvoyé pendant qu'ils débattaient de ce point.

Devant le juge seul, Lavine fit révéler par Labelle ce qu'il voulait que son témoin dise au jury.

«J'ai pris l'enveloppe sur ce petit bureau qui se trouvait dans sa chambre. Je me suis mis à la regarder. Ray est entré dans la chambre et il a dit: "C'est personnel." J'ai dit: "Je suis désolé, Ray. Je ne voulais pas me mêler de tes affaires." Il m'a retiré l'enveloppe, il l'a mise dans sa poche et il est sorti.»

Lorsque Labelle eut terminé, Lavine dit: «C'est ce que nous avons à offrir, Votre Honneur.»

Densen trancha que Labelle ne pouvait témoigner de ce que Ray lui avait dit, parce que cela constituait un ouï-dire. Le jury fut ramené et Lavine poursuivit.

Tout cet échange était intrigant. Quel but avait-il? Si toutes leurs intentions se résumaient à amener Labelle à déclarer que Ray s'était emparé de l'enveloppe en disant: «C'est personnel», cela semblait être un but incroyablement modeste. Par ailleurs, si Lavine et Zimmermann étaient sincères, leur seul objectif semblait être de suggérer au jury que Labelle avait vu quelque chose sur cette enveloppe, quelque chose à propos de Jeannine, qui révélait l'endroit où elle se trouvait ou le fait qu'elle était encore vivante. Croyaient-ils vraiment qu'un tel piège ajouterait un doute infime en faveur de l'acquittement? Cela ne servit qu'à créer de la confusion.

La question suivante que posa Lavine fit soupçonner qu'il utilisait Labelle pour semer l'idée que Jeannine était encore vivante. Il demanda à Labelle s'il avait déjà tenté de trouver Jeannine. Une fois de plus, Labelle répondit, de son ton empesé: «Assurément, je l'ai fait.»

En juin 1976, dit Labelle, il avait composé le numéro de l'assistance-annuaire de la région de Houston. Lorsque la téléphoniste répondit, il demanda Bellaire, dans la région de Houston. Une autre téléphoniste arriva en ligne, et il lui demanda le numéro de Jeannine Durand. La téléphoniste lui composa un numéro. Il dit qu'il passa le téléphone à sa femme, Mireille, mais qu'il garda l'oreille près du récepteur afin de pouvoir entendre la conversation. Encore une fois, les règles de la preuve l'empêchaient de rappeler la conversation qui avait suivi entre Mireille et la personne qui avait répondu. Mais on lui permit de dire que cette dernière était une femme et qu'elle parlait en français, «le français que nous parlons couramment dans la région de Hull-Ottawa».

Lorsqu'on lui demanda ce qu'ils firent, sa femme et lui, après qu'elle eut raccroché, Labelle dit: «Nous nous sommes regardés tous les deux pendant peut-être une minute, et nous étions plutôt bouleversés. Nous nous sommes regardés, c'est tout.»

Lavine posa une série de questions sur la conversation et lui demanda s'il croyait qu'ils avaient parlé à Jeannine Durand. Taylor s'objecta à chacune d'entre elles, et elles furent écartées. On permit à Labelle de dire que Mireille et lui avaient parlé de l'appel à la mère de Ray, mais on ne lui permit pas de rapporter la réaction de celle-ci. La seule précision qu'il put faire, ce fut de dire qu'après l'appel, ils arrêtèrent de chercher Jeannine.

À présent, les jurés dressaient l'oreille. Ils voyaient la poursuite essayer désespérément de limiter ce que Labelle pouvait raconter à propos de l'appel téléphonique, un appel qui avait été fait à l'adresse de Bellaire, d'une femme parlant le français québécois, apparemment nommée Jeannine Durand. Et l'appel avait été fait en 1976, huit ans après qu'elle eut apparemment été tuée et abandonnée dans un dépotoir. Labelle avait-il vraiment localisé Jeannine? Si oui, pourquoi la poursuite faisait-elle tout pour empêcher Labelle de parler de ce qui était arrivé? Et où se trouvait Mireille? Pourquoi n'avait-elle pas été appelée à témoigner au lieu de son mari?

Mais il y avait davantage. Lavine montra des photocopies de pages des annuaires téléphoniques de Houston pour les années 1971 à 1976. Il les montra à Labelle et l'amena à dire au jury qu'en effet, il y avait une inscription au nom de Jeannine Durand, boulevard Bellaire, en 1971, 1972, 1973 et 1974. En 1975, l'inscription avait changé pour une adresse de Gessner Street. Finalement, il fit remarquer par Labelle, à l'endroit du jury, que dans l'annuaire publié en décembre 1976, Jeannine Durand n'était plus inscrite.

— Et la date de votre appel téléphonique à Bellaire, au Texas? demanda Lavine à Labelle.

—Juin 1976.

Lavine ne fit aucun commentaire sur les dates, mais sous-entendait nettement que Jeannine s'était enfuie après l'appel.

Soudainement, tout l'échafaudage que la poursuite avait rassemblé semblait vaciller. Les chances de trouver une autre femme du même nom, parlant la même sorte de français, vivant dans la même partie de la ville quelques années après la disparition de Jeannine semblaient dérisoires. Le témoignage de Labelle avait, pour la première fois, créé non seulement un doute raisonnable sur l'identité de 68-500, mais un doute convaincant. Le jury n'allait aucunement pouvoir condamner Ray Durand pour le meurtre de Jeannine Durand, étant donné le témoignage de Labelle et ces inscriptions à l'annuaire téléphonique.

Taylor contre-interrogea sans toutefois gagner beaucoup de points. Il amena Labelle à dire aux jurés que dans les inscriptions téléphoniques, le nom de la femme s'épelait Janine et non Jeannine. Et il fit admettre à Labelle qu'il n'avait pas rencontré Jeannine plus de six fois. Toutefois, Labelle disait se rappeler la couleur de ses cheveux et de ses yeux, et son poids — environ 135 livres (61 kg). Il dit l'avoir vue pour la dernière fois au printemps de 1967. Taylor lui demanda s'il pouvait se rappeler si elle était enceinte à l'époque. Labelle dit que non. Alors, dit Taylor, vous ne pouvez dire si elle était enceinte, «mais vous pouvez estimer son poids?»

— Oui, je suppose.

Comme coup d'envoi, Taylor souligna que Jeannine était enceinte de six mois au moment où Labelle disait l'avoir vue pour la dernière fois.

Lorsque Taylor en eut fini avec Labelle, Zimmermann appela le frère de Frenchy, Gerry. Court, chauve et portant des lunettes roses, Gerry témoigna qu'il avait travaillé pour son frère aîné pendant trois ans au début des années soixante. Il dit qu'à l'époque, il mangeait trois fois par semaine avec la famille de Ray, et qu'il connaissait bien Jeannine. Il dit qu'elle portait des verres de contact, avait les yeux bleus et des cheveux blonds, et ne portait pas de dentiers complets. Il dit qu'il ne lui manquait que deux ou trois dents du haut. Lorsqu'on lui montra la photo de la morgue, il dit: «Non. Je suis pas mal certain que c'est pas elle.»

En contre-interrogatoire, Wilson amena Gerry à dire qu'il n'avait pas souvent rencontré Jeannine au cours des trois dernières années qu'elle avait passées au Canada, et qu'il ne savait aucunement si elle avait des dentiers complets en 1967.

Ensuite, Zimmermann fit entrer un autre témoin expert, le Dr Paul Radelat, ancien chef de pathologie à l'Académie navale américaine, et à présent pathologiste privé à Houston. Zimmermann avait l'intention de l'utiliser pour réfuter le témoignage de Jachimczyk.

Radelat déclara que la couleur des cheveux et des yeux ne change pas après la mort. Il dit qu'il avait effectué des autopsies sur des femmes ayant subi une ligature des trompes, et que selon lui, la procédure «laisse un résultat assez caractéristique». Il dit qu'il n'avait jamais vu de cas où les extrémités coupées demeuraient jointes: «Toute l'affaire consiste à séparer les extrémités autant que possible», dit-il.

Zimmermann avait fait relire par Radelat les notes d'autopsie de Bucklin, et il demanda à son témoin de donner une opinion professionnelle sur le travail de Bucklin. Radelat dit que Bucklin semblait avoir fait un travail exhaustif. Lorsqu'on lui demanda à nouveau si les trompes sembleraient normales après une ligature, Radelat assura le jury que non.

Lorsque Wilson contre-interrogea Radelat, il commença par faire remarquer que, même si Radelat était pathologiste, il n'était pas expert médico-légal, et qu'on l'appelait rarement pour identifier des corps. Radelat reconnut également qu'il n'était pas gynécologue.

Wilson l'interrogea à propos de la couleur des yeux et des cheveux, et Radelat dit que l'apparence des deux changeait. Radelat affirma à Wilson que, selon lui, les extrémités des trompes se rétractaient en quelques mois. Wilson porta son attention sur d'autres remarques que Bucklin avait faites dans son rapport d'autopsie. Il interrogea Radelat à propos des cicatrices que Bucklin avait remarquées sur le col de l'utérus. Radelat répondit qu'elles auraient pu être causées durant l'accouchement, qu'on pouvait raisonnablement supposer que cette femme avait eu des enfants. Puis, Wilson revint aux trompes, suggérant qu'immédiatement après la ligature, les extrémités sont collées et qu'elles se rétractent quelque temps après. Radelat confirma.

Wilson souligna que Bucklin, Jachimczyk et un troisième pathologiste avaient examiné 500 corps durant les six premières semaines de 1968.

— C'est beaucoup d'autopsies? Ils travaillaient beaucoup, suggéra-t-il à Radelat.

— Cela veut dire qu'ils avaient beaucoup de clients, dit-il.

Lorsque les jurés furent renvoyés pour le reste de la journée, ils ruminaient certaines questions troublantes. Zimmermann avait créé un doute véritable quant à la validité de l'identification, un doute qui n'avait rien à voir avec le débat sans fin sur la rétractation des trompes. Le tort avait été causé par le témoignage de Labelle. Des jurés et des observateurs se demandaient encore pourquoi c'était Labelle qui avait témoigné, et non sa femme. Malgré cette interrogation non résolue, l'histoire de l'appel téléphonique, en plus des inscriptions à l'annuaire, paraissait convaincante.

Wilson, par contre, ne semblait avoir aucun doute sur la validité du témoignage de Labelle. Avant que Labelle eut fini de raconter son histoire, Wilson avait demandé à un membre de son personnel de tenter de retracer la Janine Durand qui était inscrite à l'annuaire au début des années soixante-dix. À l'étonnement général au bureau du procureur, l'employé la localisa en quelques heures, et l'appela sur son téléphone cellulaire en retournant à la maison après le travail. Il s'avérait que c'était une immigrante française de soixante et un ans, ayant déménagé aux États-Unis peu avant la disparition de Jeannine. Zimmermann ne semblait pas s'être donné la peine de vérifier si elle était encore dans les parages.

Lorsque le collègue de Wilson expliqua à Janine qu'il s'agissait d'un procès, elle accepta sur-le-champ de témoigner le lendemain. Plus tard, Wilson lui parla et elle lui dit qu'elle serait à son bureau à la première heure, le lendemain matin. Ce soir-là, quelqu'un du bureau de Zimmermann l'appela chez elle et apprit que le bureau du procureur du district l'avait déjà rejointe. Aiguillonnés par cette information, Zimmermann et Lavine commencèrent apparemment à tenter de contrôler les dommages. L'apparition de ce témoin allait mettre Labelle hors-jeu et nuire à leur crédibilité.

Le lendemain matin, Wilson et sa femme se rendirent à la gare pour saluer Réginald, Denis et Michel Béland. Ils étaient à Houston depuis presque trois semaines et avaient finalement décidé de ne pas prolonger leur séjour. Wilson leur parla du témoignage de Labelle et de la localisation de Janine Durand, et promit aux trois hommes qu'il allait passer une journée du tonnerre avec les avocats de la défense.

Lorsque Zimmermann et Lavine entrèrent au tribunal, ce matin-là, ils avaient apparemment conçu une position d'ouverture et deux plans de retrait. Ce n'étaient pas des plans très robustes, mais ils n'avaient pas grand-chose de leur côté. Ils marchaient sur des œufs et tentaient de s'en tirer le mieux possible. Le premier plan consistait à ramener Labelle à la barre. Ils demandèrent, et reçurent, la permission de ramener Labelle en voir-dire. Ils voulaient clarifier, dit Lavine, ce qu'ils avaient espéré qu'il déclarerait la veille, et amener Densen à lui permettre de témoigner. Devant seulement le juge et les spectateurs, Labelle fut assermenté à nouveau et invité à rappeler la conversation qui s'était déroulée entre son épouse et la femme qu'il avait appelée à Bellaire.

— Elle [Mireille] a dit: «Allô, Jeannine. C'est ta belle-sœur Mireille, la sœur de Ray.»

— Est-ce que la femme a répondu?

— Il y a eu une pause de quelques secondes et la dame a répondu: «Je n'ai pas de belle-sœur nommée Mireille et je n'ai pas de mari nommé Ray.»

Labelle dit qu'ensuite Mireille s'excusa et raccrocha.

— J'ai dit à Mireille: «Qu'en penses-tu?» Elle a dit: «Ça doit être elle.» J'ai dit: «Pourquoi?» Elle a dit: «Bien, maudit, qu'est-ce que c'est, les chances qu'une femme parle français, un français que je comprends, aussi loin qu'à Houston?» J'ai dit: «Tu as raison.»

Labelle affirma que lui et sa femme racontèrent à la mère de Ray qu'ils avaient parlé à Jeannine. La vieille dame, dit-il, était enchantée par la nouvelle.

À son tour, Taylor interrogea Labelle. Il demanda à nouveau à Labelle si la femme à laquelle son épouse avait parlé avait un accent canadien-français et Labelle dit que oui. Taylor lui demanda ensuite si Labelle croyait que la femme à laquelle il avait parlé était bien celle inscrite à l'annuaire téléphonique. Mais Labelle répondit qu'il n'avait rien dit de tel, qu'il avait seulement appelé l'information interurbaine.

À ce moment-là éclata un conflit quant à la procédure. Labelle fut prié de sortir de la salle et Lavine révéla pourquoi la défense voulait être autorisée à présenter au jury le compte rendu que Labelle avait fait de la conversation. Il expliqua, dans ce qui semblait être une logique serpentine, que la défense voulait tout simplement montrer que, bien que des témoins aient prétendu qu'au fil des années, Ray avait donné plusieurs versions différentes de ce qui était arrivé à Jeannine, en fait, le prévenu n'était pas la source de toutes ces histoires. Par exemple, dans ce cas-ci, son beau-frère avait cru, à tort ou à raison, avoir parlé à Jeannine et il avait répandu l'histoire dans toute la famille.

Mais le juge n'avala rien de tout cela, et il avança que ce qui pourrait éclairer la question, ce ne serait pas un autre témoignage de Labelle, mais un témoignage de la femme inscrite à l'annuaire téléphonique.

«Quelqu'un a-t-il essayé de la trouver? demanda Densen aux avocats. Est-ce que l'État a essayé de la trouver, cette Janine Durand? Est-ce que la défense a essayé de la trouver?»

Voyant qu'il était coincé, Lavine admit qu'il avait parlé à Janine Durand après que le bureau de Wilson l'eut rejointe. Mais il demanda à nouveau au juge de pouvoir «faire revenir M. Labelle à la barre pour qu'il témoigne et éclaircisse cette conversation qu'il avait eue avec une femme dont le jury croyait, à tort, qu'elle était Jeannine Boissonneault Durand et que ce n'était pas pour cela qu'ils l'avaient présentée, et que si on laissait l'État insérer ou réfuter, amener à la barre une femme nommée Janine Durand, qui était inscrite à l'annuaire téléphonique en 1974 ou peu importe l'année, ils attaqueraient le prévenu par-dessus les épaules de l'avocat de la défense».

Les propos de Lavine ne semblaient pas particulièrement clairs, et Densen annonça qu'il allait «refuser cette offre de témoignage devant jury».

Défait, Lavine s'accrocha à sa première position de retrait. Il demanda à Densen une motion de suppression, exigeant que la cour «ne permette pas à l'État d'appeler Janine Durand à la barre des témoins en réfutation».

Densen répliqua: «Je vais vous refuser cela, maître, parce que c'est vous qui avez soulevé cette question d'une conversation avec une personne... C'est vous qui avez amené le témoin et, pour le jury, il est très clair que vous sous-entendiez qu'il s'agissait de la personne décédée dans cette affaire, Jeannine Durand. Et à présent, vous dites: "Eh bien! l'État n'a aucun droit de réfuter cela."»

Martelé une seconde fois, Lavine fit une dernière tentative désespérée pour sauver la face. Il déclara à Densen qu'il allait émettre une «assignation immédiate pour Janine Durand». Son ultime position de retrait consistait à tenter de convaincre le jury que c'était la défense et non la poursuite qui avait trouvé Janine Durand et que c'était son témoin. Les procureurs affirmèrent qu'ils n'avaient pas d'objection, Densen accorda l'assignation et le jury fut rappelé. Densen avait décidé que Labelle ne pouvait révéler au jury le contenu de la conversation téléphonique, mais Lavine croyait apparemment qu'il pouvait encore réparer une partie des dommages en faisant revenir Labelle. Il l'appela donc, et l'amena à déclarer qu'après l'appel téléphonique, il était allé voir la mère de Ray, Marie-Anna Durand, et lui avait dit ce qui s'était passé. Il montra à nouveau à Labelle les inscriptions téléphoniques et lui demanda s'il avait voulu dire au jury, la veille, que la personne inscrite était bien la personne à qui sa femme avait parlé au téléphone.

— Bien sûr que non, répondit Labelle, devant les jurés mystifiés.

— Vous ne savez pas si c'est bien la personne à qui vous avez parlé?

— Non.

— Vous rappelez-vous si vous avez épelé le prénom à la téléphoniste?

— Seulement le nom de famille.

À ce moment-là, les jurés étaient probablement complètement éberlués. La veille, on les avait amenés à croire que Labelle avait appelé la femme inscrite à l'annuaire téléphonique. À présent, il se distanciait de ce témoignage électrisant. Ajoutant à la confusion, le juge Densen annonça ensuite: «Faites entrer le témoin Janine Durand.» Les 12 jurés regardèrent, figés dans l'attente. Certains avaient l'air étonnés et tous avaient le regard fixe lorsque la porte de la salle du tribunal s'ouvrit et qu'une petite vieille dame aux cheveux gris, portant lunettes et pantalon blanc, s'avança et monta à la barre. Était-ce la Jeannine tant recherchée?

Lavine l'examina. D'une voix grave et cordiale, elle dit au tribunal qu'elle était originaire de la France. Les jurés reprirent leur souffle; la morte n'était pas soudainement revenue à la vie. Ce qui était encore plus intéressant, c'était qu'au moment où Janine Durand ouvrit la bouche et prononça son premier mot, il devint très clair qu'elle n'était pas du Québec. Même lorsqu'elle parlait en anglais, il était évident qu'elle était originaire de la France.

Lavine n'avait pas beaucoup de questions. Il amena tout simplement Janine Durand à confirmer que c'était bien elle, la femme inscrite à l'annuaire téléphonique.

Taylor se leva pour se livrer à un contre-interrogatoire qui allait avoir des effets désastreux sur la réputation de l'équipe de la défense. Il demanda au témoin s'il était possible de distinguer entre le français parlé en France et le français parlé au Québec.

— Absolument, répondit-elle.

— Si quelqu'un vous avait appelé, il ne vous aurait pas pris pour quelqu'un du Québec?

— Absolument pas.

— Quand avez-vous su pour la première fois que vous alliez venir en cour?

— Hier soir.

— Qui vous a appelé?

— Ted Wilson.

— Comment vous a-t-il trouvée?

— Il a regardé dans l'annuaire.

Lorsque Taylor eut terminé, Lavine tenta à nouveau de réparer une partie des torts subis par la défense. Il posa plusieurs questions incroyables à propos de la différence d'accents entre le nord et le sud de la France puis, d'un ton qui l'invitait, et même la suppliait, à être d'accord avec lui, dit à Janine Durand: «Vous avez parlé à mon bureau hier soir. Nous vous avons demandé de venir ici.»

— Vous m'avez demandé si je venais ici, répondit-elle. J'ai répondu oui. Vous m'avez dit: "Je vous verrai ici demain matin."

— Mais nous vous avons assignée, répliqua Lavine avant de s'asseoir.

Taylor bondit sur ses pieds.

— Où étiez-vous lorsque vous avez reçu l'assignation?

— Dans le bureau du procureur du district.

À l'extérieur de la salle, les reporters se rassemblèrent autour de Janine, lui demandant si elle avait déjà témoigné à un procès pour meurtre. «Non», répondit-elle, admettant qu'elle avait été surprise de recevoir ces appels. Laissant s'exprimer son sens de l'humour noir, John Makeig, du *Chronicle,* lui demanda sa taille. Elle répondit qu'elle mesurait 1 m 52, et il parut déçu. Pourtant, comme Jeannine, Janine avait les yeux bleus et les cheveux brun pâle. Makeig sourit, alluma une cigarette et alla flâner pour trouver un angle sous lequel rédiger son article.

Le témoignage de Janine avait complété la cause de la défense. Le procès était maintenant en cours depuis presque deux semaines.

Le lendemain matin, Densen lut à haute voix les instructions au jury. Il leur dit que Pat était considérée, selon la loi du Texas, comme un «témoin complice», et qu'ils ne pouvaient condamner Ray à moins que, premièrement, ils ne croient Pat au-delà d'un doute raisonnable, et que, deuxièmement, ils croient que son témoignage était corroboré par d'autres preuves qui reliaient le prévenu à l'offense. Finalement, il ajouta que l'État n'était pas obligé de démontrer sa cause au-delà de tout doute possible, mais seulement au-delà de tout doute raisonnable.

Si Lavine avait été secoué par les événements de la veille, il ne le montrait pas ce matin-là. Il livra son plaidoyer avec éloquence et conviction.

«Voici une affaire vieille de vingt-quatre ans, fondée sur des souvenirs à demi effacés, peut-être même inventés.» Lavine élabora pour les jurés l'image de Frenchy et de Dame Justice se tenant d'un côté d'un «grand ravin». Il déclara que l'État du Texas avait jeté un pont au-dessus de ce ravin.

«Vous devez vous avancer sur ce pont. Vous devez, sans hésiter, poser le pied sur chaque planche de ce pont, pour vous assurer que l'une d'elles ne se brisera pas et ne vous plongera pas dans l'abîme qui se trouve au-dessous.»

Bucklin, dit Lavine, avait affirmé dans son témoignage que le 68-500 n'était pas Jeannine Durand parce que le 68-500 avait des trompes de Fallope normales et des yeux bruns. Bucklin avait dit qu'il n'était pas vraisemblable qu'il n'ait pas aperçu la ligature. «Ne marchez pas sur cette planche parce qu'elle se brisera et alors vous tomberez dans l'abîme qui se trouve au-dessous.»

L'identification du corps 68-500 était fondée sur une preuve médicale et la photo, continua Lavine. L'identification photographique était suspecte. Nadeau avait obtenu de l'information de Wingo à propos d'un corps inconnu avec une cicatrice, des yeux bruns, des cheveux brun foncé, mesurant 1 m 67, pesant 65 kg. Nadeau avait dit à Wingo que Jeannine pesait 65 kg, mesurait 1 m 67 et avait des yeux bruns et des cheveux brun rougeâtre. Où avait-il obtenu cette information? De Denis, d'Anne et de Reggy, dit Lavine. «Pensez à la nature circulaire de tout cela et à la raison pour laquelle vous êtes ici.»

Après que ces «fausses descriptions» eurent été fournies au bureau du médecin légiste, Wingo avait écrit à Béland, en lui disant qu'ils avaient fait «une identification présomptueuse» de la photo.

«Le témoin Michel Béland n'est pas un menteur. Je ne parle pas de lui comme je parlerais de Pat ou de Robert. Mais Béland n'a vu Jeannine qu'une ou deux fois depuis l'âge de vingt ou vingt et un ans. Il ne se rappelle pas.»

Béland savait que la famille voulait «une conclusion émotive, une fin à cette recherche». Lavine affirma que Béland ne pouvait décrire les traits du visage de Jeannine et il déclara que c'était la seule identification qu'il eût jamais faite d'un corps en décomposition. Puis, Béland provoqua un problème très grave, dit Lavine. Béland avait dit à Denis et à Reggy qu'il avait identifié la photo, puis il la leur avait montrée pour qu'ils ne soient pas ébranlés. «S'il a tort, tous les autres ont tort.» Lavine décrivit ce qui était arrivé lorsque Taylor avait montré la photo à Anne. Elle s'était mise à pleurer. «À moins que vous ne soyez tous morts, dit-il, vous avez senti la douleur émotionnelle à ce moment-là, autant que moi. Pourquoi était-ce nécessaire? Elle ne pouvait l'identifier. Elle a dit qu'elle n'avait pas d'image claire de sa mère. Pour ce jeu émotionnel, vous pouvez vous fier à eux.» [Lavine désigna Taylor et Wilson.]

Quant à Robert, Lavine demanda: «Quelle haine s'élève dans cet homme? Il est ici parce que son rêve s'est écroulé.»

Puis, Lavine s'en prit à Denis, rappelant aux jurés que ce dernier avait affirmé qu'en 1974 son père lui avait dit: «Je sais où se trouve Jeannine. Quand elle sera prête à parler, je te le dirai.» «Denis est allé voir la police avec un journaliste en 1972. Le journaliste lui a-t-il fortement suggéré que sa mère avait été assassinée?» Et, ajouta-t-il, Denis «sait quelque chose de Reggy que nous ne savons pas. Lorsque nous lui avons demandé [à Réginald] ce qu'il fait dans la vie, il a dit: "Ça ne vous regarde pas." Qu'est-ce qu'il a à cacher?»

Réginald avait dit que Jeannine avait appelé à la maison six fois en quelques jours. «Qu'est-ce qui se passait? Avait-elle l'intention de quitter Ray?» demanda Lavine.

Finalement, dit Lavine, les récits ne tiennent pas debout. «Vous n'avez entendu aucune preuve solide qui vous permette de marcher sur chaque planche. Chacune est pourrie. Elle va se briser. Ne tombez pas dans l'abîme», conclut-il.

Zimmermann voulut emprunter la voix de la raison lorsqu'il entreprit son plaidoyer. Il commença à parler d'une voix douce et grave, et monta le ton graduellement. «Cette affaire est probablement l'exemple le plus clair de doute raisonnable que vous trouverez jamais. Si vous ne savez pas ce qui s'est passé, vous avez un doute raisonnable.»

Il incita les jurés à regarder à nouveau la photo de la morgue. «Est-ce Jeannine? Si vous n'en êtes pas convaincus, vous n'avez plus rien d'autre à faire. Il n'est pas coupable. Vous pourrez sortir d'ici dans dix minutes.»

Croyez-vous Pat Holben? demanda-t-il. «Si vous ne la croyez pas au-delà d'un doute raisonnable, vous n'avez pas à y songer davantage. Pat est le seul témoin qui soit venu devant vous et qui vous ait rapporté un fait compromettant... Si vous ne croyez pas l'histoire du bulletin de nouvelles, vous pouvez décider d'un acquittement.»

À présent, Zimmermann parlait vite, sa voix prenait un ton d'urgence. Mais juste à ce moment, Densen l'interrompit et déclara une pause imprévue. L'un des jurés, qui prenait des médicaments, devait courir vers les toilettes. Zimmermann était visiblement frustré. Dix minutes plus tard, il tenta de rallumer l'élan de son discours.

Nous ne savons pas ce qui est arrivé à Jeannine, affirma Zimmermann aux jurés en allant et venant devant eux. C'était un mariage pourri; Jeannine avait déjà laissé son mari une fois au Canada; Pat tenait le bébé au baptême; Jeannine a quitté Ray une fois de plus en Floride. Jeannine et Pat partageaient un mari à Houston. Ce que nous suggérons, dit Zimmermann, c'est qu'«à un certain moment, ce qui se passe devient si évident qu'un enfant de onze ans peut le voir. Jeannine dit à Pat: "J'en ai assez. Je m'en vais." Le même jour ou le suivant, Pat prend les enfants et Frenchy à son appartement. Elle ne va pas habiter dans la maison. Jeannine lui avait dit qu'elle partait. Elle prend la famille et emménage avec elle dans une maison louée. Aurait-elle fait cela si elle avait su que Jeannine reviendrait?»

Qui dit la vérité? demanda Zimmermann d'un ton plaintif. Les officiers de police étaient sincères et les quatre témoins experts étaient sincères, dit-il. Le Dr Jachimczyk était sincère en tant que pathologiste, mais il a fait des affirmations qui n'étaient pas de son domaine. «Nous vous avons amené un véritable chirurgien. Il était sincère.» Il y a eu des témoins honnêtes, mais ils se trompaient, dit-il. Denis et Anne étaient tout aussi honnêtes, mais se trompaient également. «En 48 minutes, Anne a dit 37 fois: "Je ne me rappelle pas" ou "Je ne sais pas". Et Denis. Vous avez vu le regard qu'il a lancé à son père, la haine dans ses yeux? Nous ne le blâmons pas. Il s'est seulement trompé.»

Robert Durand, dit-il, n'était pas digne de foi et Pat «était une femme abandonnée qui avait vécu avec [Ray] pendant dix-huit ans et l'aimait encore lorsqu'il était parti. Elle vous a dit qu'elle avait peur quand la police est arrivée. Elle a inventé l'histoire qu'elle croyait qu'ils voulaient entendre. Vous l'avez vue. Elle a dit qu'ils avaient bu.»

À présent, il se tourna vers son tableau en couleurs du système reproducteur féminin. Désignant les trompes de Fallope, il dit: «C'est un corps différent. L'État attaque les découvertes de son propre témoin. L'État dit qu'il ne faut pas croire ce que son propre témoin a dit avoir relevé en 1968.»

Il montra un tableau qu'il avait préparé:

68-500	JD
5 pi 7po	5 pi 3 po
144 livres	?
yeux bruns	yeux bleus
cheveux brun foncé	cheveux blonds

trompes normales	Pomeroy
pas de verres de contact	portait des verres de contact
pas de tache de naissance	tache sur le front
dentiers entiers	ne sait pas: témoin a vu pont supérieur
vêtements canadiens?	

Zimmermann invita les jurés à remarquer les différences. Il leur fit noter que dans l'une de ses affirmations, Denis avait dit que sa mère avait une faible tache de naissance sur le front. Aucune mention n'a été faite d'une telle tache dans l'autopsie, dit-il. De plus, le reste ne correspondait pas.

Zimmermann affirma que Frenchy n'avait pas fui l'enquête et qu'aucune des histoires fausses ne venait de Frenchy. De plus, si Frenchy n'avait pas dit aux enfants où Jeannine était partie, c'était peut-être parce que sa femme l'avait laissé et qu'il était embarrassé ou frustré, ou qu'il ne savait comment l'expliquer aux enfants.

À présent, il retrouvait son rythme, sa voix montait, pleine d'indignation. Il raconta que lorsque Labelle avait parlé de l'appel téléphonique à la grand-mère Durand, cette histoire avait fait le tour de la famille.

«Est-ce le même genre de choses qui amènerait Denis à conclure qu'elle se trouvait dans un asile d'aliénés?»

Et les vêtements? demanda-t-il. Aucun des témoins ne pouvait dire que les vêtements sur les photos de la morgue étaient bien ceux de Jeannine. «Est-ce que Pat a dit: "C'est le couvre-lit"? Denis a déclaré que sa mère ne portait que des robes. Ce n'est pas une robe qui apparaît sur la photo.»

Pourquoi Frenchy l'aurait-elle tuée de toute façon? «Si Jeannine avait voulu partir, tout ce qu'elle avait à faire, c'était d'acheter un billet. L'État n'a pas à prouver le motif du meurtre. Mais vous pouvez vous interroger. Elle était partie auparavant et elle pouvait partir à nouveau. C'est ce qu'elle a fait.»

À présent, Zimmermann était furieux. «Pensez aux ressources rangées contre Frenchy — le département du shérif, les Texas Rangers, le département de la sûreté publique du Texas, la police de Gatineau, la police de Hull, la GRC. Et qu'est-ce que Frenchy avait? Une firme de trois avocats. Où sont les empreintes, le type sanguin, les vêtements, l'instrument meurtrier, le couvre-lit, les vêtements canadiens?»

Zimmermann se rapprocha de son client et posa la main sur l'épaule de Frenchy. «Frenchy ne doit pas payer le prix d'une erreur humaine. Nous ne savons pas où Jeannine se trouve... M. Lavine et moi avons peut-être fait beaucoup de choses que vous n'avez pas aimées. N'en tenez pas rancœur à Frenchy.»

«Je vous laisse là-dessus. Vous allez poursuivre votre vie. Nous tous dans cette salle allons passer à autre chose. Mais Frenchy? Quel serait l'effet sur lui si vous preniez une décision fondée sur des preuves circonstancielles?»

Taylor commença à présenter le point de vue de la poursuite. Il était dédaigneux et méthodique. Il commença par s'attaquer au témoignage de Labelle, le point le plus vulnérable de la défense.

La défense voudrait vous faire croire, dit-il, sur la foi d'une inscription téléphonique, que Jeannine Durand se trouvait à Houston en 1975 et qu'elle s'est enfuie après l'appel. «La seule supposition que vous pouvez faire, c'est que leur preuve n'est pas valable.»

Le frère de Ray, Gerry, affirme que Jeannine avait un dentier partiel. «Rappelez-vous ce qu'a dit le fils aîné. Sa mère avait des dentiers en haut et en bas... Il n'y a rien là pour votre considération.»

Le cadavre numéro 68-500, dit-il, présentait «nettement une trace de chirurgie. Le Dr Bucklin n'arrivait pas à expliquer la cicatrice. Elle est censée avoir été identifiée mais elle ne l'a pas été. Le Dr Jachimczyk conclut qu'elle était là à cause d'une ligature.» Les experts s'entendaient sur le fait que les extrémités des trompes sont attachées ensemble après la chirurgie, puis se rétractent, dit Taylor. À mesure qu'une personne se décompose, il devient plus difficile de repérer les résultats d'une ligature. «Pas un médecin au monde n'admettra avoir commis une erreur. Nous avons la preuve que ce médecin [Bucklin] a commis une erreur.»

Quant à la couleur des yeux, lorsque Bucklin disait que les yeux semblent bruns, il disait qu'il n'était pas certain. «S'il avait été satisfait, il aurait dit bleus ou bruns.»

Et que dire de l'identification de la photo par Béland? demanda-t-il. «Croyez-vous vraiment que quelqu'un, sous peine de parjure, arriverait et vous dirait que la pièce numéro un de la poursuite était un proche, juste pour mettre Frenchy en prison? Croyez-vous vraiment que Michel Béland mettrait en jeu sa position dans la vie purement par vengeance contre le prévenu?... Il a une image mentale de la personne décédée. Il n'a absolument aucun motif de vous induire en erreur. Et pensez-vous qu'une jeune femme qui a aimé son père pendant des années, des années et des années identifierait cette photo comme étant celle de sa mère? Elle a déclaré qu'elle s'entendait bien avec son père, qu'elle aimait son père, mais qu'elle voulait des réponses à ses questions.

«D'ailleurs, dit Taylor en faisant une pause, je ne m'excuse pas d'avoir montré la photo à cette femme. C'était cruel. Personne ne veut revivre cette journée. Mais j'aurais également été critiqué pour ne pas la lui avoir montrée, parce que cela aurait voulu dire qu'elle était incapable d'identifier la photo. Il n'y avait aucun moyen d'en sortir. Je souffre pour elle, mais je ne m'excuse pas.»

Taylor toucha quelques cordes sensibles, mais pour la plus grande part, son plaidoyer s'attacha aux contradictions et aux faiblesses de la théorie de la défense. Lorsque Wilson se leva enfin, il se mit de la partie sur une note de pure indignation.

«Que Dieu empêche, tonna-t-il, qu'un homme puisse tuer sa femme et élever ses enfants comme bon lui semble, et s'en tirer à cause de l'erreur d'un médecin légiste adjoint.» Pensez à la difficulté que dut avoir le Dr Jachimczyk à venir devant vous, exigea Wilson, «pour avouer que l'un de ses employés avait bâclé l'autopsie. Il est médecin légiste en chef depuis trente-deux ans. Il sait ce qui arrive quand on dit à la famille, lorsqu'une femme a eu six fractures aux côtes, et que sa tête a été frappée tellement fort que ç'aurait pu être dans un accident d'automobile, et que le corps reposait dans un dépotoir, "Eh bien, vous pouvez venir la chercher, c'est votre mère."»

Wilson se rendit jusqu'au tableau de comparaison de Zimmermann, qui se trouvait encore étalé devant les jurés. Il désigna la taille de Jeannine selon Zimmermann, «5 pi 3 po». Se penchant, Wilson prit une photo de groupe que Zimmermann avait présentée durant le procès. C'était la photo de mariage de Jeannine et de Ray.

Debout à présent devant les jurés avec la photo, Wilson désigna Jeannine et Ray. «Ils ont mis dans la preuve cette photo de leur client debout à côté de sa femme. Elle est plus grande que lui.»

La tache de naissance? demanda-t-il, désignant encore la photo. «Ces photos montrent-elles une tache de naissance?»

Et les vêtements canadiens: «Combien de femmes se seraient trouvées dans un champ à côté du chemin Barker-Clodine portant des vêtements canadiens?»

Quant aux témoins, dit Wilson, occupons-nous d'Hubert Labelle. Le beau-frère de Ray est venu ici pour «vous suggérer que Jeannine habitait à Houston en 1976. Nous l'avons pris en flagrant délit. Le témoignage [de Labelle] était absolument insignifiant. Il est venu ici pour une seule raison: pour permettre à son beau-frère de s'en tirer.»

Et pourquoi ce prévenu a-t-il voulu tuer? demanda Wilson. «Je ne comprends pas ce qu'il voyait en Pat. Mais il l'a gardée avec lui pendant dix-huit ans.» «Pourquoi Pat a-t-elle tellement battu Denis et Anne? Pat croyait que Ray allait divorcer de sa femme et qu'elle [Jeannine] partirait avec les enfants. Soudainement, elle [Pat] se retrouve avec les enfants à cause de ce qu'il a fait. Repensez à la façon dont elle traitait Denis et Anne. Dès le départ, elle ne les voulait pas. Martine — je peux comprendre qu'elle ait voulu le bébé. Soudainement, elle se trouve dans une situation tout à fait différente.

«Qui aurait pu tuer Jeannine? Qui la connaissait? Le prévenu et Pat. Il est juste de dire qu'aucun des enfants ne l'a tuée. Elle ne parlait pas l'anglais. Elle n'avait pas de contacts sociaux. Pat aurait pu la tuer, mais Jeannine était plus grosse qu'elle. Et si Pat avait voulu tuer Jeannine, elle se serait dit qu'elle allait devoir élever ses enfants.»

Wilson affirma aux jurés qu'il y avait une preuve suffisante pour corroborer le témoignage de Pat: Ray s'en revenant avec la valise, les mensonges qu'il avait racontés aux enfants, les questions qu'il avait posées à Robert à propos de corps en décomposition et sa visite chez les Boissonneault en 1970. «Il se présente chez les beaux-parents. C'est le summum du toupet. Il se présente là où habitent le frère et le père de sa femme et leur dit que Jeannine est à Vancouver. Pouvez-vous imaginer autant de toupet?»

Wilson rappela l'un des commentaires de conclusion de Lavine, la remarque que ce dernier avait faite à propos du besoin ressenti par la famille d'une «conclusion émotionnelle». «La conclusion est nécessaire dans cette affaire. Depuis vingt-quatre ans, cette famille s'est posé des questions. Il a volé cette famille. Il a volé la mère de ses enfants. Vingt-quatre Fêtes des mères sont passées... Tôt ou tard, tout le monde paie. Le jour de paie a mis vingt-quatre ans à venir. L'État du Texas a attendu ce paiement. Il est de votre devoir de faire en sorte qu'il [paie].»

Chapitre vingt-sept

Houston, Texas, 1992
Cinquième partie: au jury

Le jury commença à délibérer à 14 h 20, le vendredi 28 août. Zimmermann et Lavine faisaient les cent pas, Gerry, le frère de Ray, s'étirait sur un banc à l'arrière de la salle du tribunal, alors que Frenchy et Gloria étaient assis dans le corridor, se parlant doucement.

Les plaidoiries de Lavine et de Zimmermann avaient été magistrales. Ils avaient accumulé contradictions, idées préconçues discutables et témoins douteux, et avaient soulevé une foule de questions sur les événements et leur raison d'être. Au cours du procès, Gerry avait dit à Gratton que les frais de Zimmermann pour la défense de Frenchy s'élevaient aux environs de 250 000 $. Comptant. Zimmermann se contenta de rire lorsqu'on lui demanda de confirmer ce chiffre, et dit qu'il aimerait seulement pouvoir exiger autant.

Toutefois, peu importe ce que Ray avait fini par payer, il en avait eu pour son argent. Zimmermann et Lavine étaient habiles, rapides et incroyablement bien préparés. Ils avaient fourni à Frenchy la meilleure défense possible. Le seul élément absent de leurs arguments de conclusion, c'était l'autorité morale. Ce qu'ils n'avaient pu faire, ça avait été de présenter Ray comme un personnage sympathique. À la fin, c'est Wilson qui souligna que, dans la plupart des procès pour meurtre, on ne montre au jury qu'une mince tranche de la vie du prévenu, une heure ou une soirée. Mais ici, on avait exposé une bonne étendue de la vie de Frenchy, et rien de cela n'était très réjouissant. Le jury avait entendu parler de la dureté avec laquelle il avait traité les enfants, de ses trahisons, de ses mensonges effrontés et impitoyables envers ses beaux-parents. Et, par-dessus le marché, Lavine avait fait l'erreur de mentionner, dans sa plaidoirie, que Denis avait déclaré que Ray lui avait dit un jour: «Je sais où se trouve Jeannine. Quand elle se conduira bien et qu'elle sera prête à te voir, je vais t'emmener.» Si c'était le cas, pourquoi Ray n'avait-il pas dit où elle se trouvait, s'épargnant ainsi une accusation de meurtre? Quel genre d'homme pouvait être assez sans-cœur pour dire cela à son enfant sans jamais agir en conséquence? Qu'est-ce qu'il cachait? La loi interdisait au jury de retenir contre Ray le fait qu'il n'avait pas témoigné. Mais si les jurés croyaient Denis, il semblait inévitable qu'ils allaient se demander comment on pouvait expliquer cette remarque.

Les plaidoiries de Taylor et de Wilson n'avaient pas semblé aussi bien organisées. Mais ils détenaient une certaine autorité morale et avaient rejoint les émotions des jurés. Les deux procureurs avaient les enfants de Jeannine de leur côté, un *Mountie,* un Texas Ranger, un expert légendaire en médecine légale et, peut-être par-dessus tout, le souvenir d'une mère douce et aimante. S'ils devaient acquitter Ray, les jurés allaient devoir prendre une décision qui ne reposait pas sur leurs sentiments. La défense avait insisté sur l'importance d'agir en bonne et due forme au point de vue juridique. Taylor et Wilson avaient souligné la nécessité d'une décision morale appropriée.

À 15 h 05, moins d'une heure après le début des délibérations, le jury sonna une fois. (Deux coups voulaient dire qu'on avait pris une décision.) Le coup de sonnette était vif, fort et inattendu, et toutes les personnes présentes sursautèrent. Le jury demandait une transcription de tout le procès. On répondit que ce n'était pas possible, que la préparation d'une transcription intégrale exigerait des mois. Ils pouvaient cependant faire lire par la sténographe, à partir de ses notes, des parties de la transcription. Ils retournèrent à leurs discussions pendant une autre heure et trois quarts, et sonnèrent à nouveau. Cette fois, ils demandaient qu'on leur permette de prendre congé pour le week-end. Densen les libéra jusqu'au lundi, 10 h, et Frenchy s'en alla passer ce qui serait probablement le week-end le plus angoissant de sa vie.

Le lundi matin, à 10 h, Frenchy et Gloria étaient de retour dans la salle, ainsi que les membres du jury.

À 14 h 30, Zimmermann enregistra la première de nombreuses motions pour que le juge déclare le procès ajourné pour défaut d'unanimité dans le jury. Il dit à Densen que le jury délibérait depuis cinq heures et trente-cinq minutes, que le témoignage n'avait pris que 19 heures, et qu'«il devrait être évident à présent que le jury a des doutes raisonnables». Densen refusa la motion et chacun revint à une attente anxieuse.

Moins d'une heure plus tard, les jurés sonnèrent une fois et envoyèrent une note disant qu'ils voulaient se faire lire la portion du témoignage de Pat au cours de laquelle elle était ré-interrogée pour la dernière fois par Wilson. Zimmermann exigea immédiatement qu'on lise également au jury son contre-interrogatoire. Mais Densen repoussa la requête. Les jurés arrivèrent à la queue leu leu et, au moment où la sténographe Glenda Blackmon commençait à lire le témoignage à partir de ses notes, un violent orage éclata à l'extérieur, rendant sa lecture difficile. Dix minutes plus tard, le jury repartit en file, et l'attente reprit.

Gratton et moi avions découvert que Ted Wilson et John Makeig, du *Chronicle,* passaient le temps dans le bureau du huissier Manuel Moreno, fumant et jouant aux échecs. Pour nous rendre jusqu'au bureau du huissier, nous dûmes franchir une porte sur laquelle étaient inscrits les mots NO UNAUTHORIZED ENTRY (entrée interdite). Nous nous assîmes pour parler de l'affaire pendant que Moreno écoutait attentivement pour repérer des sons venant de l'autre côté du mur de son bureau. Il dit que de l'autre côté se trouvaient les toilettes des jurés, et qu'il pouvait toujours savoir à quel moment le jury était prêt à sortir d'après le nombre de fois qu'il entendait tirer la chasse. Lorsqu'on lui demanda de s'expliquer, il dit que chaque fois qu'il entendait une succession rapide de chasses d'eau — disons huit ou dix de suite — cela voulait dire que les jurés se précipitaient pour se soulager avant de sortir en file. Nous passâmes l'après-midi les oreilles collées au mur et à un certain moment, nous entendîmes tirer la chasse jusqu'à cinq fois de suite, mais aucune sonnette.

Je demandai à Wilson pourquoi il n'avait pas appelé à la barre l'ex-mari de Pat, Bert Matheis, pour témoigner de la version qu'il avait entendue. Wilson répondit qu'il avait envisagé la chose, mais que selon lui cela ne serait pas nécessaire. À mesure que la journée s'écoulait, je me demandais s'il n'était pas en train d'y repenser.

À 17 h, le jury n'avait pas encore pris de décision et fut renvoyé pour la nuit. Le lendemain, à son retour, Zimmermann s'apprêtait à enregistrer une autre motion d'ajournement de procès.

Dans le bureau de Moreno, Wilson nous divertissait en racontant des histoires de cas sur lesquels il avait travaillé et en nous livrant ses observations sur le procès de Frenchy. Il avoua que pour Réginald, le voyage à Houston avait été extraordinairement difficile, «un peu comme si je me rendais à pied à Ottawa». Wilson parla de l'affaire d'un nain qui avait tué son grand-père, également nain, dont le nom était Shorty. Il raconta l'histoire du meurtrier d'une fille de dix ans qui envoyait des devinettes aux policiers et menaçait de tuer à nouveau chaque fois qu'ils n'arrivaient pas à résoudre une de ses devinettes.

Le mardi, les délibérations prirent fin encore une fois sans verdict. Le jury discutait depuis le vendredi après-midi, et la tension était aussi forte qu'une brume matinale. Chacun s'entendait sur le fait que si le jury arrivait à conclure que le 68-500 était Jeannine Durand, Ray était fait. Mais qu'est-ce qui leur prenait autant de temps?

Le mercredi, le 2 septembre, le jury arriva à 9 h et, à 10 h 30, sonna une fois. Les jurés voulaient qu'on leur lise deux parties du témoignage de Denis. Une heure plus tard, ils écoutèrent Glenda Blackmon leur lire le compte rendu de Denis relatif aux déménagements de la famille après la disparition de Jeannine, et à la crise de colère de Ray dans l'auto pendant qu'ils se rendaient à l'Astrodome.

Cet après-midi-là, ils sonnèrent encore et, cette fois, demandèrent d'entendre le récit de la remarque que Ray avait faite à Denis: «Je sais où se trouve ta mère.»

Immédiatement après, Zimmermann demanda un ajournement de procès et, une fois de plus, Densen repoussa sa requête. Sans savoir pourquoi, les avocats avaient maintenant l'impression que le vent avait tourné et que cela ne semblait pas de bon augure pour Ray.

À 16 h 38, on sonna à nouveau et, cette fois, la note du jury disait: «S'il vous plaît, n'interrompez pas le jury. Nous sommes très près d'un verdict.» Et exactement 21 minutes plus tard, le quatrième jour de leurs délibérations, ils sonnèrent deux fois. Ray embrassa Gloria et prit place entre ses avocats. Gloria sortit une poignée de mouchoirs de son sac pour se préparer à pleurer.

Les jurés revinrent en file à 17 h 04 et aucun d'entre eux ne regardait Ray. Zimmermann et Lavine commencèrent à chuchoter rapidement à l'oreille de Ray. Quelques instants plus tard, Densen demanda à Ray de se lever. Puis, il lut à haute voix les paroles fatidiques: «Nous, le jury, déclarons le prévenu, Ray Durand, coupable de meurtre, tel qu'énoncé dans la mise en accusation.»

Zimmermann se leva, furieux, et demanda que chaque juré soit interrogé pour indiquer s'il trouvait le prévenu coupable au-delà d'un doute raisonnable. Les 12 jurés, interrogés individuellement, répondirent sans hésitation par l'affirmative.

Ray semblait impassible; ses yeux n'exprimaient rien. Mais quelque chose semblait être sorti de lui. Il parut soudainement petit et pitoyable. On entendait Gloria pleurer. Zimmermann demanda que Ray puisse garder sa liberté jusqu'à ce qu'il reçoive sa sentence, mais Densen refusa. Manuel Moreno passa derrière Ray pour le conduire aux cellules. Ray se tourna vers Gloria juste avant de partir et forma silencieusement avec sa bouche les mots: «I love you.»

Selon la loi du Texas, non seulement les jurés déterminent la culpabilité ou l'innocence de l'accusé, mais ils sont également responsables de sa sentence. La phase punitive du procès commence immédiatement après l'atteinte d'un verdict et durant la phase de punition, la poursuite et la défense peuvent toutes deux appeler des témoins et présenter des preuves.

Le procès était à présent dans sa troisième semaine. Les délibérations du jury avaient été tellement épuisantes et avaient pris tellement de temps que les avocats et les observateurs de longue date des tribunaux étaient convaincus que le jury déterminerait une sentence en quelques heures. Wilson avait évidemment hâte de passer à autre chose.

Le jeudi matin, lorsque Ray fut amené des cellules, l'air lugubre, et que débuta la phase de la punition, Wilson offrit, tout simplement, toutes les preuves de poursuite qui avaient déjà été présentées.

Comme premier témoin, Zimmermann appela Gerry, le frère de Ray, qui demanda que Ray reçoive une probation et n'aille pas en prison.

En contre-interrogatoire, Wilson demanda à Gerry s'il croyait qu'«un homme qui bat sa femme, lui brise toutes les côtes, lui ouvre la tête et l'abandonne dans un champ ne devrait pas aller en prison?»

«Il devrait, mais ce n'est pas Ray qui l'a fait.»

La femme de Gerry, Louise, apparut ensuite. Elle aussi demanda que Ray reçoive une probation.

Wilson lui demanda si elle connaissait Jeannine. Elle dit que oui et que Jeannine était une bonne mère.

— Et vous l'aimiez?

— Oui, dit-elle. Elle ajouta rapidement, avant que Wilson ne puisse s'objecter: On ne sait pas si elle est morte.

— Supposons que ce soit elle. Vous ne pensez pas que Jeannine méritait de mourir ainsi?

— Je sais que le jury pense que c'est elle. Mais nous, on ne pense pas. Ce n'était pas Jeannine sur la photo.

Et finalement, après être restée assise pendant trois semaines sur un banc de tribunal, guindée, jolie et stoïque, Gloria fut appelée à la barre. Lavine avait l'intention de lui poser des questions qui auraient mis en doute le témoignage d'Anne sur la conversation qu'elle avait eue dans le bureau de Tex Ritter, et la seconde conversation au téléphone dans laquelle Frenchy avait affirmé que Jeannine était morte du cancer. Mais Wilson s'objecta et Densen ordonna à Lavine de ne plus faire référence à ces conversations. Il déclara que Gloria s'était trouvée dans la salle du tribunal d'un bout à l'autre du procès, avait tout entendu et ne pouvait maintenant être appelée pour mettre en doute le témoignage d'un témoin. On permit à Gloria de dire peu de choses, sinon qu'elle aimait Ray.

Dans son argument final, Zimmermann rudoya les jurés, disant qu'il n'était pas d'accord avec le verdict. «Vous avez été sortis pendant 21 heures. Il y a eu 21 heures de témoignages. Je n'ai jamais vu cela arriver en dix-huit ans de pratique. Quelqu'un avait un doute raisonnable... Peu importe ce qu'il y a dans votre cœur, c'est bon. Tenez-vous debout. Ne laissez personne piétiner votre jugement.»

Dans sa plaidoirie, Wilson déclara aux jurés qu'ils avaient un choix qui allait de cinq ans d'emprisonnement à la vie. Et il invoqua les dieux de la justice, insistant pour que les jurés considèrent ce qu'ils savaient de Ray. «Est-il finalement arrivé à se faire une idée et a-t-il dit à sa famille ce qui s'est vraiment passé? Il est ici parce qu'un enquêteur de Riverside a écouté Anne et a agi. Il a menti à tout le monde là-dessus. Quel genre de famille a-t-il donné à ses enfants? Anne s'est fait casser le nez. Il a laissé son fils au Canada. Il a menti à sa fille [Martine] jusqu'à ce qu'elle ait seize ans. Il a eu l'audace de frapper à la porte de ses beaux-parents deux ans après avoir battue leur fille à mort... Qu'est-ce qu'il a fait depuis? Il a débosselé quelques ailes d'autos. Est-ce qu'il en parlerait si nous l'avions attrapé le lendemain de son geste? Est-ce qu'il obtient des points-bonis pour ce qu'il a fait depuis?

«Qu'est-ce que Jeannine a bien pu faire pour mériter cela? Elle n'a jamais vu grandir les enfants, ils n'ont jamais vu leur mère. Elle n'a jamais vu ses petits-enfants. Elle ne sait pas à quel point ses enfants ont bien tourné malgré lui.»

Wilson suggéra une sentence «d'un peu plus de quarante-cinq ans».

Le jury se retira et poursuivit ses délibérations jusqu'à 20 h. Puis les jurés sonnèrent et envoyèrent une note qui jetait le doute sur la condamnation: «Les 12 jurés s'entendent pour dire que nous sommes dans une impasse désespérée sur la phase punition. Tous les jurés restent sur leurs positions extrêmement diverses. Nous sentons unanimement que les délibérations futures sont futiles.»

Zimmermann était transporté d'allégresse; Wilson, glacé jusqu'aux os. Si le jury ne pouvait s'entendre sur la punition, Zimmermann pouvait gagner un procès ajourné pour défaut d'unanimité dans le jury ou, dans le meilleur scénario pour Wilson, un nouveau jury serait assermenté juste pour considérer la punition. Densen réfléchit un instant et décida de séquestrer le jury pour la nuit. Il dit qu'il les instruirait au matin sur les conséquences de leur incapacité d'établir une punition. Et en vérité, le lendemain matin, lorsqu'il leur fit comprendre que le dur travail qu'ils avaient consacré pour arriver à un verdict serait vain s'ils ne pouvaient s'entendre sur une punition, plusieurs jurés levèrent les sourcils. Plus tard, un juré dit qu'ils n'avaient pas compris, qu'ils avaient cru que s'ils ne pouvaient prendre une décision sur la sentence, le juge s'en occuperait.

Une heure plus tard, les jurés sonnèrent deux fois. Gloria comprit mal, pensa que les coups de sonnette signifiaient qu'ils avaient abandonné, et sourit. Elle devint sérieuse et triste après que Zimmermann lui eut chuchoté quelque chose à l'oreille. Le jury entra et, quelques moments plus tard, Ray entendit le juge lui lire sa sentence: trente ans dans un pénitencier du Texas. Ray demeura impassible. Lorsqu'on lui demanda s'il avait quelque chose à déclarer, il émit les premières, dernières et uniques paroles qu'il devait prononcer à son propre procès: «Je ne suis pas coupable.»

Épilogue

Après que Frenchy eut reçu sa sentence, j'ai réussi à obtenir une entrevue avec le shérif Johnny Klevenhagen, dont le bureau est situé au rez-de-chaussée d'une prison de comté de 12 étages. Dans le lobby, une cinquantaine de personnes circulaient, attendant le début des heures de visite de l'après-midi. Une seule était en blanc et habillée de soie. En me voyant, Gloria Durand m'a interpellé. Elle paraissait solitaire et tendue, et se mit à pleurer alors que nous parlions. Elle me dit que Ray avait dormi sur le plancher à cause d'une pénurie de lits et qu'on lui avait donné une combinaison déchirée. Avec son aide, il avait emprunté d'un compagnon de prison un matelas et une combinaison décente. Elle me dit qu'elle allait déménager à Houston, trouver un emploi et l'attendre.

«Dieu est dans nos cœurs, me dit-elle. Je ne connaissais pas Ray auparavant. Je l'aime. Je suis donc obligée de le croire.»

Je fus frappé par l'idée que Ray avait dû se sentir béni en approchant la soixantaine. Il avait acheté une somptueuse maison neuve à Myrtle Beach, avait une nouvelle entreprise, une jolie jeune femme et suffisamment d'argent pour prendre sa retraite. Pat et le reste de son passé étaient loin derrière lui. Il n'y avait pas eu un seul nuage dans le ciel jusqu'à ce que Talton et Madeira se présentent chez lui avec un mandat d'arrestation.

Toutefois, Frenchy a toujours été étonnamment résistant. Immédiatement après sa condamnation, ses avocats demandèrent la tenue d'un nouveau procès, qui leur fut refusé. Il déclara qu'il était sans le sou et l'État nomma un avocat pour s'occuper de son appel, qui commença à faire son chemin d'un tribunal à l'autre. Il n'a pas laissé tomber et, avec un peu de chance, il pourrait sortir de prison dans sept ans, peut-être moins. Les prisons du Texas sont surpeuplées et Ray est un candidat idéal à la libération conditionnelle. Le meurtrier typique de Houston est un dément emprisonné pour avoir frappé sa belle-sœur à l'œil avec un pic à glace. Par comparaison, Ray a l'air d'un citoyen modèle. C'est un homme d'affaires qui n'a jamais été accusé auparavant. Il a une épouse loyale et d'un grand soutien.

À cause du problème de surpopulation des prisons, Frenchy passera probablement presque un an dans une prison du comté avant d'être transféré ailleurs. Wilson dit que lorsque Frenchy entrera en prison, son habileté sera très recherchée. Les prisonniers incarcérés au Texas réparent et repeignent des autobus pour des commissions scolaires de tout l'État. Le Texas va donner à Frenchy une chance de reprendre le métier.

En quittant Gloria, j'ai rencontré Klevenhagen dans son bureau et il m'a dit qu'il n'était pas dupe du numéro de Frenchy en cour. Il considérait celui-ci comme un homme «froid, très calculateur. Il a une vision très arrogante de l'autorité.»

Klevenhagen estimait que Frenchy finirait par passer cinq ans en prison si l'accusation n'était pas renversée en appel. La possibilité que Frenchy ne soit incarcéré que pendant cinq ans l'agaçait nettement. Lorsque je lui demandai pourquoi Frenchy dormait sur le plancher, il exprima sa frustration. «La façon la plus facile, dit-il, de ne pas se sentir mal à l'aise [en prison], c'est d'obéir à la loi.» Et il ajouta une remarque terrifiante et finale. La «victoire la plus douce», dit-il, aurait été que Ray reçoive une sentence de «mort par injection».

De son côté, Denis avait supporté le trajet de quatre jours en train et était de retour à son atelier de carrosserie au moment où le verdict fut déposé. Le premier jour de son retour à l'atelier, il trouva son répondeur téléphonique bourré d'appels de reporters — près d'une quarantaine. Il effaça la bande et refusa de retourner les appels. Mais à son étonnement, l'intérêt des journaux pour l'affaire avait attiré de nombreux producteurs de cinéma. Il céda finalement les droits sur l'histoire de sa vie à une société de Los Angeles. Lorsque Denis s'aperçut qu'il allait faire de l'argent avec cette histoire, il décida d'établir une fondation au nom de Jeannine. Il fit en sorte que tous ces revenus y soient canalisés, et s'arrangea pour que l'argent de la fondation serve à venir en aide aux foyers pour femmes battues de la région de Hull. Denis a toujours cru que si sa mère avait eu un endroit pour l'accueillir, quelqu'un pour l'aider, elle n'aurait pas rejoint Raymond à Houston. La mémoire de sa mère le gardait sain d'esprit, dit-il, et il espérait que cet argent aiderait d'autres femmes dans le besoin.

Après le procès, Denis entendit parler du témoignage de Pat, de son souvenir que Ray les avait rencontrés à son appartement à elle le lendemain de la disparition de Jeannine, et du fait qu'elle ne se rappelait pas qu'il était arrivé avec des valises. Il était agacé par le fait de ne pas pouvoir expliquer la différence entre les souvenirs de Pat et les siens. Il se rappelait le corridor dans lequel il se trouvait lorsque son père était entré, et pouvait même se souvenir que la porte était ouverte. Mais Pat avait dit qu'ils étaient à son appartement à elle quand Ray était revenu, et qu'il ne portait pas de valises.

Environ six mois après le procès, Denis et Line se trouvaient un soir au restaurant et Denis regardait vaguement une jeune mère plonger la main dans un grand sac pour changer la couche de son bébé. Une pensée le frappa comme un éclair. Des couches. Pat l'avait envoyé à la maison chercher des couches pour Martine. C'est pourquoi il se trouvait à la maison.

Il ne cessa d'y penser pendant toute la semaine suivante, essayant de se rappeler davantage de détails mais, à la fin, ses souvenirs s'embrouillaient. Peut-être, dit-il, était-il seulement en train d'imaginer qu'on l'avait envoyé à la maison chercher des couches. Il n'avait jamais douté de ses souvenirs, de ce dont il avait témoigné au procès, mais à présent que son père était en prison, il commença, comme son frère et ses sœurs, à imaginer le reste. Les couches faisaient-elles partie de ces choses imaginées? Il avait toujours dit qu'il n'accordait pas d'importance à la façon dont c'était arrivé, que rien de ce que Ray pourrait dire à propos des circonstances de la mort de Jeannine ne pourrait excuser ce qu'il avait fait. Mais à présent, Denis se demandait comment cela était arrivé. Il ne le saura jamais. Il vivra toujours avec cette question.

À San Jacinto, Anne se sentait partagée à propos du verdict et de la sentence. Elle se sentait très angoissée pour son père mais à présent, aussi, elle sentait une grande colère. Selon elle, le procès avait réglé la question de savoir si son père avait tué sa mère. Mais elle ressentait un besoin profond de savoir pourquoi. Un mois après le procès, elle écrivit une lettre à Frenchy:

Papa,

Pourquoi? Pourquoi la recherche de notre mère devait-elle nous faire découvrir que tu l'avais tuée? As-tu une idée de la douleur que tu as fait subir à tes enfants? La chose la plus difficile que j'aie eu à faire a été de monter à cette barre au Texas et de témoigner contre mon propre père, que j'aimais tant.

Lorsque j'ai grandi, la vie était difficile mais j'ai essayé d'oublier toute la souffrance que tu nous as causée...

J'espère qu'un jour tu nous diras la vérité et, une fois pour toutes, pourquoi tu as fait ça à notre mère. Si nous avons une quelconque importance pour toi, tu dois régler cette affaire avec nous. Je ne veux pas avoir de tes nouvelles si c'est pour nous raconter d'autres mensonges. En passant, est-ce que Pat valait toute cette peine?

Anne

L'arrestation et le procès de Frenchy furent une expérience cathartique pour Denis et Anne, de même que pour plusieurs autres personnes. Ray Durand avait ruiné la vie ou le gagne-pain de tant de gens qu'après son arrestation et sa condamnation, nombre d'entre eux comprirent, pour la première fois, que ce n'était pas leur faiblesse mais la ruse de Ray qui les avait piégés. L'effet le plus paralysant que Ray avait eu sur ses victimes était le doute persistant sur eux-mêmes et sur l'humanité avec lequel il les avait laissés. Des années plus tard, nombre d'entre eux étaient encore très méfiants à l'égard des gens. La plupart ne surent jamais à quel point Ray était un prédateur accompli.

J'ai trouvé Lori Wells, à présent Lori Gooldrup, dans une petite ville de la Colombie-Britannique. Elle n'avait pas entendu parler de Ray Durand depuis 1970, alors qu'il s'était enfui avec les économies de son père. Elle ne l'avait pas oublié, toutefois, et elle devint immédiatement méfiante lorsque je mentionnai son nom. Je lui dis ce qui s'était passé et elle devint silencieuse.

«Ray Durand a tué mon père, finit-elle par dire, et je me suis toujours sentie coupable.» Lori m'a dit que son père ne s'était jamais rétabli de la perte de ses économies. «Ça lui a brisé le cœur et ruiné la santé», dit-elle: son père, Robert, était mort dans l'amertume quelques années plus tard.

«Je me sentais tellement responsable», dit-elle, parce qu'elle avait eu hâte de rencontrer Denis et les enfants, et avait organisé la rencontre entre les familles. Elle m'avoua que depuis 1970, elle portait un lourd fardeau: elle devait vivre avec l'idée qu'elle avait fait rencontrer Ray à son père. Un jour, se rappelait-elle, sa sœur était entrée dans la chambre de ses parents et elle avait vu son père, assis sur le lit, en train de pleurer. Le fait d'entendre parler de Ray, de la vie qu'il avait menée et de ce qu'il avait fait aux autres, lui «sciait les jambes», dit-elle. Mais cela l'aidait aussi à soulager la culpabilité qu'elle avait gardée en elle pendant si longtemps.

À Pointe-Gatineau, j'ai trouvé Gilles Paquin dans la maison même où il habitait lorsque Ray avait provoqué son arrestation pour contrefaçon en janvier 1966. J'ai retracé Paquin en janvier 1992 et lorsque je suis entré dans son bureau, que je me suis présenté et que j'ai dit que j'écrivais un livre sur Ray Durand, il m'a regardé fixement, l'air ahuri.

«Hier, c'était le 26e anniversaire de mon arrestation», dit-il lorsqu'il fut remis de sa surprise. Il me dit qu'il avait lu que Ray avait été accusé de meurtre et qu'il espérait que Ray reçoive ce qu'il méritait.

En Californie, j'ai trouvé Arlene Knight, qui avait vécu près de chez Ray au ranch et lui avait jadis plaqué un revolver à la tête lorsqu'il avait fait irruption chez elle. Elle et son mari Daniel habitent maintenant une rue tranquille des environs de Los Angeles.

«J'attendais votre appel», me dit-elle au téléphone. Elle m'expliqua qu'elle avait eu des visions et qu'elle avait senti que quelqu'un la rejoindrait à propos de Ray, l'un des hommes les plus malveillants qu'elle ait jamais rencontrés. Elle avait hâte de partager ce qu'elle savait et m'encouragea à poursuivre ma recherche. À la différence de bien d'autres gens que j'ai rencontrés en Californie et qui avaient connu Ray et fait des affaires avec lui, elle voulait être citée, pour tirer les choses au clair et montrer Ray sous son vrai jour.

J'ai également frappé à la porte de chez Pat lorsque j'étais en Californie. Elle n'utilise plus son nom de jeune fille, Holben, et vit dans l'anonymat, dans un parc de maisons mobiles, dans une petite ville. Elle ne s'est jamais donné la peine d'expliquer ce qui s'était passé aux enfants.

Les policiers avaient dû lui arracher l'histoire du bulletin de nouvelles. À présent, elle ne veut parler à personne, sous aucun prétexte, de sa vie avec Ray. Je suis parti en pensant au silence de plomb de Pat et je me suis dit à quel point il était caractéristique. À son propre procès pour incendie criminel, elle ne s'est jamais défendue, ne s'est jamais expliquée. Elle a fait la même chose cette fois-ci. Elle ne veut pas défendre ses gestes, même aux yeux des enfants, ne veut pas expliquer pourquoi elle les traitait comme elle l'a fait. Et à cause de cela, ils ne peuvent lui pardonner, ne peuvent l'oublier. (Dix mois plus tard, Pat mourut de complications reliées à la leucémie. Son frère Harold affirma qu'elle savait depuis plus d'un an qu'elle souffrait de cette maladie. Lorsqu'elle témoigna, elle savait apparemment qu'elle allait mourir.)

J'ai également pensé à Jeannine. Anne avait neuf ans et Denis douze ans lorsqu'elle est disparue. Au cours des quelques années où ils l'ont connue, elle a réussi à leur transmettre des souvenirs indélébiles, des souvenirs qui pourraient être manipulés mais pas effacés. Quand on leur parle de leur mère, ce dont ils se souviennent, ce n'est pas tellement des détails que des sentiments, et plusieurs d'entre eux sont reliés sans aucun doute aux récitals de piano qu'elle donnait le soir aux enfants et aux voisins. Tout comme ils se rappellent la haine de Pat, Denis et Anne se rappellent l'amour de Jeannine. Ils se rappellent les qualités de son caractère — la patience, la compréhension, la gentillesse. Parce que Denis et Anne ne pouvaient l'oublier — même si, pendant de longues années, ils ne cherchèrent pas activement à dénouer le mystère sur ce qui s'était passé — ils finirent par confirmer la vérité de leurs souvenirs et la vérité sur eux-mêmes. Ray et Pat firent beaucoup pour miner le sentiment d'identité d'Anne et de Denis. Gifler Denis, le traiter de «gros tata», et dire à Anne que sa mère l'avait jetée devant une auto et ne l'aimait pas, c'étaient des gestes corrosifs et débilitants. La mémoire de Jeannine leur disait qu'ils méritaient le respect et l'amour des autres. La mort de Jeannine fut le malheur central de leur vie. Cette infortune leur donna la capacité de puiser de la force à même sa mémoire et d'utiliser la tragédie de sa disparition pour affirmer leur identité et, comme le disait Cormac McCarthy, «revenir à l'entreprise commune de l'homme».

Remerciements

C'est la vue du visage lugubre de Ray Durand à la télévision alors qu'il était amené, menotté, à la prison, qui me poussa, au départ, à m'intéresser à cette histoire de meurtre. Au départ, je voulais tout simplement savoir comment et pourquoi ce compatriote en était venu à être accusé de meurtre au Texas. Je ne suis pas encore certain d'avoir compris le pourquoi ni même, d'ailleurs, le comment. Seul Ray Durand peut répondre à ces questions mais, même s'il acceptait maintenant de m'offrir ou d'offrir à ses enfants sa version des faits, je ne le croirais pas, je ne pourrais le croire. La seule vérité que l'on puisse tirer d'une affirmation de Ray serait le fait que cette affirmation serait fausse. C'est ce que j'ai appris de mon étude de son caractère et de sa vie.

Bien que ce fût Ray qui ait déclenché mon intérêt, ce furent ses enfants qui le soutinrent. Denis Durand et Anne Hallberg sont des gens remarquables qui m'ont raconté une histoire de douleur et de perte et, en définitive, de rédemption. J'ai trouvé leur histoire inspirante et j'espère avoir réussi à véhiculer dans ce livre un peu de l'admiration que je ressens pour eux. J'aimerais les remercier, eux et leurs familles, d'avoir supporté mes questions incessantes, mon examen souvent indiscret de leurs sentiments et mes intrusions dans l'intimité de leur vie familiale.

Martine Durand m'a fait suffisamment confiance pour me parler de son enfance et de son adolescence. Elle a toute ma sympathie. J'espère que ce compte rendu l'aidera à comprendre quelque chose aux circonstances qui ont provoqué le désespoir avec lequel elle s'est débattue presque toute sa vie.

Marc Durand, évasif mais néanmoins utile, m'a donné un bref aperçu de sa vie. C'est tout ce que j'espérais de sa part. J'espère que lui aussi trouvera le moyen de vivre en paix avec son passé.

Molly Kane, Jasper Boychuk et Claire Boychuk méritent des remerciements et mille bénédictions pour le soutien loyal qu'ils ont donné à un auteur angoissé par son premier livre.

Je suis reconnaissant envers Barbara Moon, ma rédactrice en chef à *Saturday Night,* de m'avoir commandé un article sur le meurtre de Jeannine Durand.

Parmi la centaine de personnes que j'ai interviewées pour ce livre, j'aimerais remercier, en particulier, Jean Nadeau, qui m'a emmené au ranch et m'a forcé à rester vigilant en pointant tous les trous de serpents; Michel Béland, qui m'a raconté de manière franche et cordiale l'histoire de la famille de sa mère; Ted Wilson, qui fut un modèle de professionnalisme calme tout au long du procès et qui avait toujours le temps de répondre à mes demandes; le lieutenant Roch Ménard, qui a essayé de me faire sortir de son bureau en fumant ses cigarettes, ses cigares et sa pipe, et qui m'a aidé à comprendre le demi-monde dans lequel Ray habitait à Hull dans les années cinquante et soixante; le lieutenant François Cloutier, qui m'a aidé à orienter certaines de mes recherches; Arlene et Daniel Knight, pour leur hospitalité et leurs encouragements; «Jane», qui, en dépit de son embarras, m'a parlé de son mariage avec Frenchy; Gayle Wigmore, qui n'a jamais rien jeté; ainsi que John Makeig du *Houston Chronicle* et Barbara Linkin du *Houston Post,* qui ont eu la gentillesse de partager avec moi leur connaissance experte du fonctionnement du système judiciaire du comté de Harris.

Finalement, je veux remercier C. T. Dornan et David Wimhurst de leur compagnie et de leurs séances d'encouragements.

Table des matières

Troisième partie — L'enquête, 1991-1993

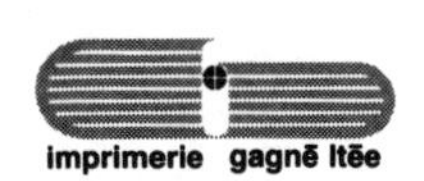
imprimerie gagné ltée

IMPRIMÉ AU CANADA